Cosmopolite 2

Méthode de français A2

Nathalie Hirschsprung
Tony Tricot

Avec la collaboration
de Anne Veillon (Sons du français)
Émilie Pardo (S'exercer)
Nelly Mous (DELF)

FRANÇAIS LANGUE ÉTRANGÈRE

Couverture : Nicolas Piroux
Conception graphique : Eidos, Anne-Danielle Naname
Mise en pages : Anne-Danielle Naname, Juliette Lancien
Secrétariat d'édition : Sarah Billecocq
Illustrations : p. 16 : Gabriel Rebufello – p. 116 : Caroline et Élodie Darty
Cartographie : AFDEC
Enregistrements audio, montage et mixage : Studio Quali'sons – David Hassici
Maîtrise d'œuvre : Françoise Malvezin, *Le Souffleur de mots*

Tous nos remerciements à Emmanuelle Garcia

ISBN : 978-2-01-401599-7

58, rue Jean-Bleuzen, 92178 VANVES
http://www.hachettefle.fr

« Nous avons choisi de proposer "un tour du monde" des pays où la langue française est présente. »

Avant-propos

Cosmopolite 2 s'adresse à un public de grands adolescents et adultes.
Il correspond au niveau A2 et au tout début du niveau B1 du CECRL et représente 120 heures d'enseignement/apprentissage.
À la fin de ***Cosmopolite 2***, les étudiants peuvent se présenter à l'épreuve du DELF A2.

Cosmopolite 2 est le fruit de notre expérience d'enseignants et de formateurs en France et à l'étranger, ce qui nous a conduits à envisager le français comme « langue internationale ».
Nous avons donc choisi de proposer « un tour du monde » des pays où la langue française est présente, tout en considérant la France et les pays francophones.
Ainsi, nous avons sélectionné des supports permettant :
- de faire découvrir progressivement la langue et la culture françaises en contexte ;
- de procurer aux étudiants un « mode d'emploi » pour entrer en contact avec des Français et des francophones.

Cosmopolite 2 est composé de 8 dossiers.
Ces huit dossiers comportent :

- **Une double page d'ouverture**
  L'objectif est d'annoncer la thématique du dossier, de faire le point sur les représentations des étudiants de français, de valoriser et de mutualiser leurs connaissances et expériences antérieures. Cette double page présente également un contrat d'apprentissage, qui illustre la **perspective actionnelle** dans laquelle s'inscrit la méthode. En effet, **deux projets** sont proposés au début du dossier (un projet de classe et un projet ouvert sur le monde). Pour les réaliser, les étudiants vont acquérir et/ou mobiliser des **savoirs**, **savoir-faire**, **savoir agir** et des **compétences générales**, **langagières** et **culturelles**.
- **6 leçons (une double page = une leçon)**
  Chaque leçon a pour objectif de faire acquérir les compétences nécessaires à la réalisation des projets. Elle plonge les utilisateurs dans un **univers authentique** où la langue française est utilisée en contexte, un peu partout dans le monde. Une typologie variée de supports et de discours (écrits et audio) leur est proposée, accompagnée d'une **démarche inductive** de compréhension des situations, d'acquisition de compétences langagières (conceptualisation grammaticale et lexicale) et de savoir-faire. L'**expression écrite et orale des étudiants** est sollicitée au moyen d'activités intermédiaires et de tâches finales, à réaliser de manière collaborative.
- **Une double page *Cultures***
  En amont des projets, la double page *Cultures* met en regard les différences culturelles entre la France, les pays francophones et les pays des étudiants. Elle fait aussi émerger les différentes formes de présence française et francophone dans leurs pays.
- **Une double page *Projets et Évaluation***
  La page *Projets* est consacrée au projet de classe. Elle propose un guidage facilitant. Le projet ouvert sur le monde, mentionné en fin de page, est développé dans le guide pédagogique.
  La page *Évaluation* propose une évaluation formative qui prépare au DELF A2. Elle est complétée par un portfolio dans le cahier d'activités et des tests dans le guide pédagogique.

Cosmopolite 2 met également à disposition des activités de **médiation** et de **remédiation**. Celles-ci se présentent sous deux formes :
- les *Expressions utiles pour...*, signalées dans chaque leçon après la tâche finale, et placées en annexe du manuel. Elles visent à étoffer les productions ;
- la rubrique *Apprenons ensemble !*, dans chaque dossier, place la classe en situation d'aider un(e) étudiant(e) à corriger ses erreurs et suscite une réflexion commune sur les stratégies d'apprentissage.

Les démarches que nous suggérons sont structurées et encadrées, y compris dans les modalités de travail. Nous avons eu à cœur d'offrir des parcours clairs et rassurants, tant pour l'enseignant que pour l'étudiant.

Nous souhaitons à tous un beau « tour du monde » et une expérience gratifiante d'enseignement et d'apprentissage de la langue française avec ***Cosmopolite***.

Nathalie Hirschsprung et Tony Tricot

MODE D'EMPLOI

1 Structure du livre de l'élève

- **8 dossiers** de 6 leçons
- **Des annexes :**
  – des activités d'entraînement (grammaire, lexique et phonétique)
  – des expressions utiles pour aider à réaliser les tâches finales
  – une épreuve complète DELF A2
  – un précis de phonétique avec des activités
  – un précis grammatical
  – des tableaux de conjugaison
  – une carte de la France, une carte de l'Europe et un plan de Paris
- Un **lexique alphabétique multilingue** et les **transcriptions** dans un livret encarté

2 Descriptif d'un dossier (18 pages)

Une ouverture de dossier active

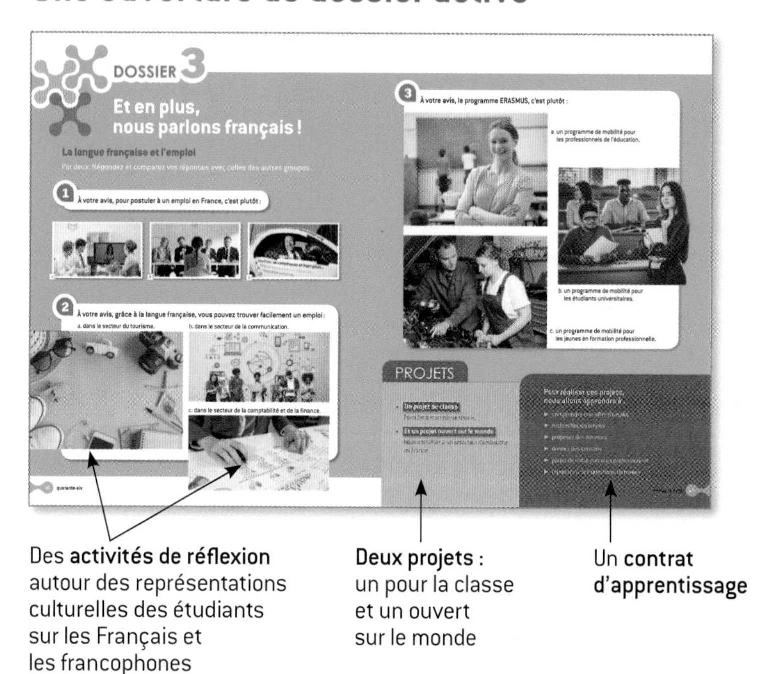

Des **activités de réflexion** autour des représentations culturelles des étudiants sur les Français et les francophones

Deux projets : un pour la classe et un ouvert sur le monde

Un **contrat d'apprentissage**

6 leçons d'apprentissage : 1 leçon = 1 double page

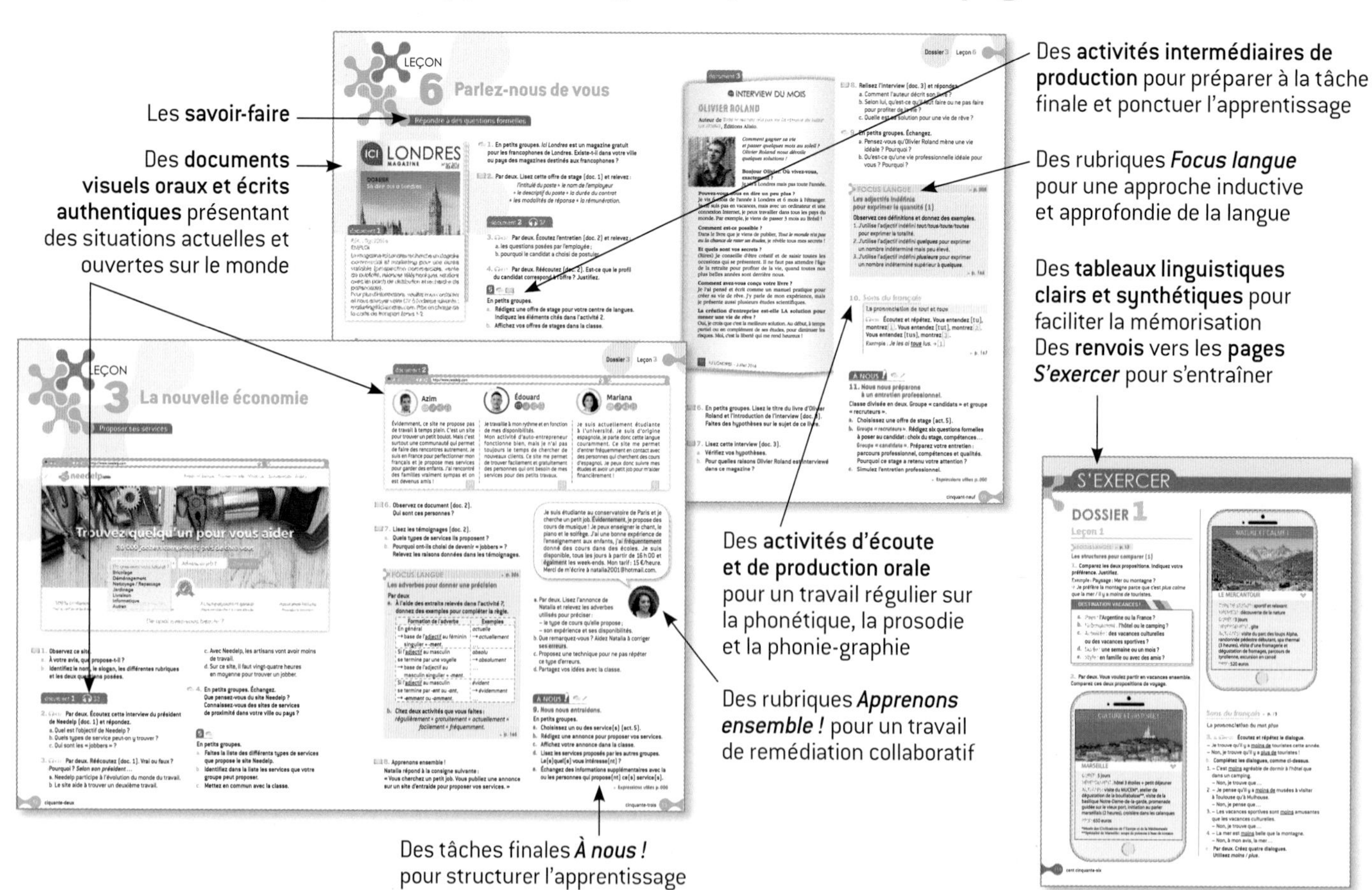

Les **savoir-faire**

Des **documents visuels oraux et écrits authentiques** présentant des situations actuelles et ouvertes sur le monde

Des **activités intermédiaires de production** pour préparer à la tâche finale et ponctuer l'apprentissage

Des rubriques *Focus langue* pour une approche inductive et approfondie de la langue

Des **tableaux linguistiques clairs et synthétiques** pour faciliter la mémorisation
Des **renvois** vers les **pages** *S'exercer* pour s'entraîner

Des **activités d'écoute et de production orale** pour un travail régulier sur la phonétique, la prosodie et la phonie-graphie

Des rubriques *Apprenons ensemble !* pour un travail de remédiation collaboratif

Des tâches finales ***À nous !*** pour structurer l'apprentissage

Une leçon *Cultures*

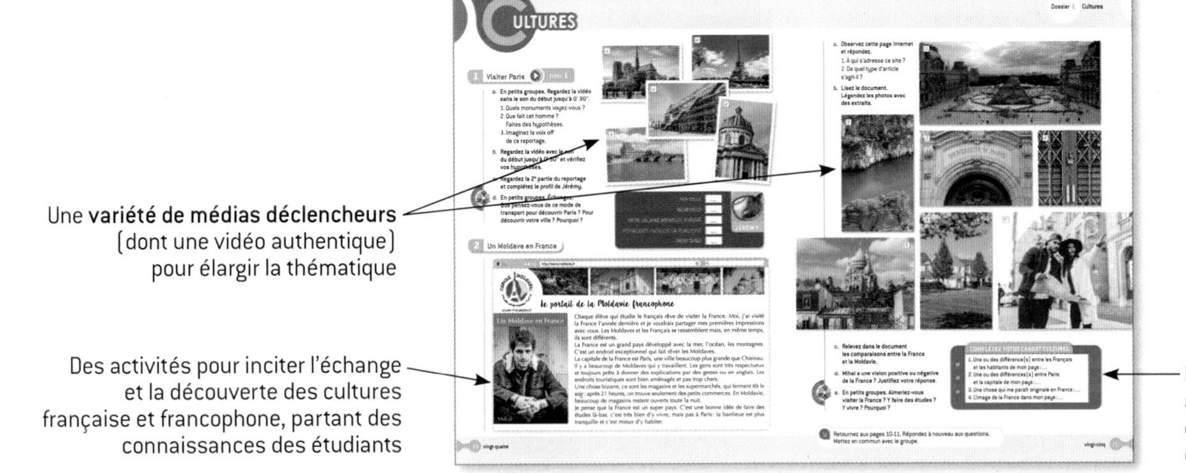

Une **variété de médias déclencheurs** (dont une vidéo authentique) pour élargir la thématique

Des activités pour inciter l'échange et la découverte des cultures française et francophone, partant des connaissances des étudiants

Des questions pour alimenter les projets et enrichir le carnet culturel de l'étudiant

Une page *Projets*

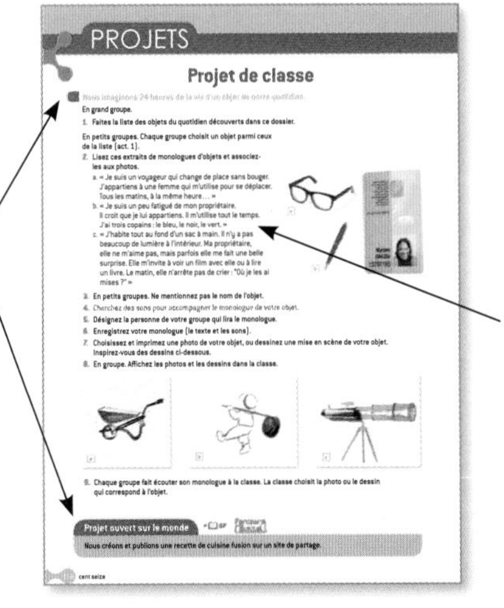

Deux projets à réaliser de manière collaborative

Des consignes claires et un guidage pas à pas

Une page DELF

Un bilan du dossier organisé par compétence.

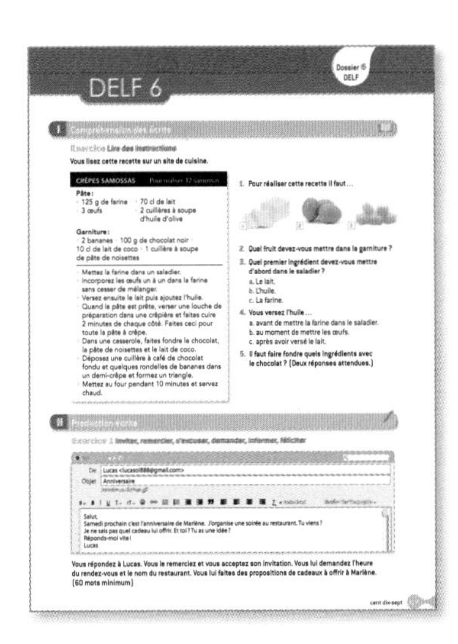

3 Contenus numériques

Avec ce manuel :

- un DVD-ROM encarté avec l'audio et les vidéos
- un accès au Parcours digital® avec 300 activités autocorrectives complémentaires à télécharger

***Cosmopolite* est aussi disponible en manuel numérique enrichi.**

Pour l'étudiant :

- le livre de l'élève
- le cahier d'activités
- tous les audios et toutes les vidéos

Pour le professeur :

- le livre de l'élève
- le cahier d'activités
- les médias associés
- tous les audios et toutes les vidéos
- le guide pédagogique

TABLEAU DES CONTENUS

LEÇONS	Types et genres de discours	Savoir-faire et savoir agir	Grammaire	Lexique	Sons du français
DOSSIER 1 – Nous allons pratiquer notre français en France					
1 On y va ?	Conversation Application mobile	Comparer des séjours linguistiques	– Les structures pour comparer (1)	– Des mots liés à la description d'un séjour linguistique	La prononciation du mot *plus*
2 Avant le départ	Site Internet Conversation	Faire une démarche administrative	– Les pronoms indirects *y* et *en* pour remplacer une chose, un lieu ou une idée	– Des mots liés aux formalités administratives	Les voyelles nasales [ɑ̃] et [ɛ̃]
3 Brest-Quimper	Émission de radio Forum de voyage	Organiser un circuit	– Les pronoms COD/COI pour ne pas répéter (synthèse)	– Des mots liés à un mode de déplacement : le covoiturage	
4 Séjour linguistique	Brochure Conversation téléphonique	S'informer sur un hébergement	– Structures pour exprimer des règles et des recommandations : impératif, *devoir* + infinitif, *il faut* + infinitif, *il est impératif de*. La négation (*ne plus*, *rien*, *personne*, *jamais*…)	– Décrire un hébergement	L'intonation pour exprimer l'obligation
5 Lieux insolites	Chronique radio Site Internet	Décrire un lieu	– Les adverbes et locutions adverbiales pour décrire un lieu	– Des mots pour caractériser un lieu insolite	
6 Paris autrement	Site Internet Conversation	Donner des précisions	– Les pronoms relatifs *qui*, *que* (ou *qu'*), *à qui*, *avec qui* pour donner des précisions	– Quelques lieux de la ville, des mots liés aux activités touristiques	
Cultures	Visiter Paris Un Moldave en France **Pays visités :** Argentine, Afrique du Sud, France				
Projets	**Un projet de classe :** Planifier un voyage en France. **Un projet ouvert sur le monde :** Échanger notre logement sur www.guesttoguest.fr.				

LEÇONS	Types et genres de discours	Savoir-faire et savoir agir	Grammaire	Lexique	Sons du français
DOSSIER 2 – Nous partageons nos expériences insolites					
1 Balades insolites	Site Internet Balade audio	Raconter une expérience	– L'accord du participe passé avec *être* au passé composé (rappel)	– Des mots pour décrire une activité touristique (1)	Les voyelles nasales [ɑ̃] et [ɔ̃]
2 Safari gorilles	Conversation Programme touristique	Comprendre des conseils et des consignes de sécurité	– Exprimer l'obligation, l'interdiction et donner des conseils. Le subjonctif présent (1) pour exprimer l'obligation	– Verbes et constructions pour exprimer des règles et recommandations	
3 Rencontres	Émission de radio Témoignage	Parler de ses émotions et de ses sentiments	– Le passé composé et l'imparfait pour raconter des événements passés, des souvenirs	– Exprimer des sentiments et des émotions (1)	La prononciation au passé composé et à l'imparfait
4 Un peu de sport !	Conversation Brochure	Organiser un week-end à thème	– *C'est… qui/c'est… que* pour mettre en relief	– Des mots pour décrire une activité sportive insolite Les caractéristiques du français familier	
5 Voyages aventure	Forum de voyage Chronique radio	Décrire un voyage insolite	– Le genre des noms	– Des mots pour décrire une activité touristique (2)	
6 C'est ma vie !	Blog Conversation	Raconter son parcours	– Les marqueurs temporels (1) : *il y a*, *pendant*, *depuis*, *dans*	– Des mots liés au parcours personnel et professionnel	La liaison avec les sons [z], [t] et [n]
Cultures	Voyager autrement Rencontre interculturelle **Pays visités :** Suisse, Ouganda, France, Estonie				
Projets	**Un projet de classe :** Réaliser la carte de nos expériences insolites ou originales. **Un projet ouvert sur le monde :** Réaliser un mini-guide collaboratif à destination des voyageurs francophones.				

LEÇONS	Types et genres de discours	Savoir-faire et savoir agir	Grammaire	Lexique	Sons du français
	DOSSIER 3 – Et en plus, nous parlons français !				
1 Poste à pourvoir	Offres d'emploi 🎧 Entretiens d'embauche	Comprendre une offre d'emploi		– Décrire des compétences et qualités professionnelles – Des mots liés à l'entretien professionnel	Les sons [s] et [z]
2 Je me présente…	Site Internet 🎧 Conversation	Rechercher un emploi	– Les articulateurs pour structurer le discours	– Des mots liés à la candidature professionnelle (spontanée)/à l'entretien téléphonique	
3 La nouvelle économie	Site Internet 🎧 Chronique radio	Proposer ses services	– Les adverbes : adverbes réguliers et irréguliers (*-amment/-emment*) pour donner une précision	– Des mots liés à l'échange de services	
4 Nous osons !	CV Article de presse 🎧 Chronique radio	Donner des conseils	– L'hypothèse avec *si* pour donner des conseils et indiquer une conséquence	– Des mots liés aux études et à l'expérience professionnelle (CV)	
5 Francophonies	Témoignage 🎧 Interview radio	Parler de son parcours professionnel	– Le plus-que-parfait pour raconter des événements passés	– Des mots liés aux études et au parcours professionnel	La dénasalisation
6 Parlez-nous de vous	Offre de stage 🎧 Entretien d'embauche Article de presse	Répondre à des questions formelles	– Poser des questions en situation formelle. Les adjectifs indéfinis pour exprimer la quantité (1) : *tout*, *quelques*, *plusieurs*	– Des mots liés à l'entretien professionnel (descriptif d'un stage, qualités professionnelles)	La prononciation de *tout* et *tous*
Cultures	Destination francophonie ▶ Tous bilingues ? **Pays visités :** Cambodge, Allemagne, Thaïlande, Canada, Viêt Nam, Angleterre, Espagne, France				
Projets	**Un projet de classe :** Postuler à « un job de rêve ». **Un projet ouvert sur le monde :** S'entraîner à un entretien d'embauche en France.				

LEÇONS	Types et genres de discours	Savoir-faire et savoir agir	Grammaire	Lexique	Sons du français
	DOSSIER 4 – Nous échangeons sur nos pratiques culturelles				
1 Silence, on tourne !	🎧 Interview Article de presse	Exposer, nuancer et préciser des faits	– La place de l'adverbe (temps simple et composé)	– Des mots liés aux séries – Quelques mots et expressions pour exprimer un succès	
2 Faites de la musique !	Forum culturel 🎧 Émission de radio	Rendre compte d'un événement	– *Ce qui/ce que… c'est/ce sont…* pour mettre en relief	– Des mots liés aux événements festifs (fête de la musique) et culturels	Le son [r]
3 La culture et nous	Enquête Infographie 🎧 Chronique radio	Répondre à une enquête	– Les pronoms interrogatifs (*lequel*, *laquelle*, *lesquels*, *lesquelles*) pour demander une information ou une précision	– Présenter les résultats d'une enquête, exprimer un pourcentage – Décrire une classe d'âge, une tranche d'âge – Des mots liés à la vie culturelle (1)	
4 La France s'exporte	🎧 Émission de radio Article de presse	Faire une appréciation	– Le superlatif pour exprimer la supériorité ou l'infériorité	– Des mots liés à la vie cuturelle, au monde du spectacle (2)	Les sons [y], [ø] et [u]
5 Vous aimez la BD ?	Interview 🎧 Conversation	Demander des explications	– Les formes de l'interrogation pour poser des questions à l'écrit et à l'oral (question inversée avec reprise du sujet par un pronom)	– Des mots liés à la bande dessinée	
6 Quel cirque !	Forum 🎧 Émission de radio	Exprimer des souhaits et donner des conseils	– Le conditionnel présent pour exprimer un souhait et donner un conseil (1)	– Des mots liés aux spectacles vivants – Quelques mots et expressions pour donner des conseils et exprimer des souhaits	La prononciation à l'imparfait et au conditionnel
Cultures	Un nouveau roi à Versailles ▶ Le cinéma français à l'étranger **Pays visités :** Suède, Belgique, France, Chine, Canada, Mexique				
Projets	**Un projet de classe :** Créer une enquête sur notre consommation médiatique. **Un projet ouvert sur le monde :** Partager nos découvertes culturelles avec une autre classe.				

TABLEAU DES CONTENUS

LEÇONS	DOSSIER 5 – Vivons ensemble !				
	Types et genres de discours	Savoir-faire et savoir agir	Grammaire	Lexique	Sons du français
1 Opinions	Article de presse Interview (Skype)	Caractériser des personnes	– *c'est/ce sont* + nom ou pronom indéfini + proposition relative pour caractériser des personnes	– Des mots pour caractériser des personnes	Les sons [f], [v] et [b]
2 Très français !	Conversation Message de réseau social	Rapporter des propos	– Le discours indirect au présent pour rapporter des propos	– Des mots liés aux études et au diplôme de français (DELF)	
3 D'accord, pas d'accord !	Débat Site Internet	Exprimer son désaccord	– Les pronoms relatifs *où* et *dont* pour donner des précisions	– Quelques formules pour exprimer l'accord et le désaccord – Des mots liés à la vie en société	
4 Vivre ensemble	Article de presse Interview radio	Parler des relations entre des personnes		– Quelques structures pour demander et donner un avis sur des relations entre des personnes	L'enchaînement consonantique
5 France-Autriche	Site Internet Conversation	Convaincre	– Les pronoms démonstratifs (*celui*, *celle*, *ceux*, *celles*) pour désigner et donner des précisions	– Quelques formules pour convaincre	L'intonation expressive pour convaincre
6 On y va !	Interview radio Journal de voyage	Parler de son état d'esprit	– Le présent continu pour parler d'une action en cours – Le futur proche et le passé récent (rappel)	– Quelques mots pour rassurer – Des mots liés à l'expression du ressenti et au récit de voyage	
Cultures	Vous avez compris ? Les cafés citoyens **Pays visités :** Roumanie, Irlande, Autriche, Burkina Faso, France				
Projets	**Un projet de classe :** Nous mettre en scène « à la française » ! **Un projet ouvert sur le monde :** Créer et partager une infographie qui illustre nos différences ou découvertes culturelles.				

LEÇONS	DOSSIER 6 – Nous mettons en scène notre quotidien				
	Types et genres de discours	Savoir-faire et savoir agir	Grammaire	Lexique	Sons du français
1 En cuisine !	Site Internet Conversation	Comprendre des tâches et des instructions	La conjugaison des verbes en *-cer*, *-ger*, *- yer*, *-ayer*	– Les verbes pour cuisiner – Des mots liés aux objets usuels et tâches quotidiennes	Les sons [y], [ɥ] et [u]
2 Au travail !	Conversation Recette de cuisine	Rédiger une recette de cuisine	Les verbes prépositionnels (*essayer de*, *éviter de*, *réussir à*, *penser à*, etc.) pour donner des instructions	– Quelques verbes d'action pour cuisiner – Des mots liés à la recette de cuisine (ustensiles, ingrédients, etc.)	
3 Vie pratique	Article de presse Conversation	Comprendre un mode de fonctionnement	– *Si* + imparfait pour faire une proposition ou inciter à agir – Les pronoms indéfinis (*quelqu'un*, *personne*, *nulle part*, etc.) pour désigner une personne, une chose, un lieu	Quelques objets du quotidien (1), des mots liés au mode de fonctionnement d'une association	Le rythme et l'intonation de la question hypothétique (*Si* + imparfait... ?) pour inciter à agir
4 Un beau succès !	Chronique radio Article de presse	Évoquer une réussite (un succès)	– L'accord du participe passé avec le verbe *avoir*	– Des mots liés à l'évocation de la réussite commerciale	
5 Je prends soin de moi	Forum beauté Conversation	Parler des produits d'hygiène et des cosmétiques	– Les pronoms possessifs (*le mien*, *le tien*, *le sien*, etc.) pour exprimer la possession	– Des mots liés aux produits d'hygiène et cosmétiques	Les sons [ʃ] et [ʒ]
6 La culture du vintage	Article de presse Conversation	Raconter une suite d'actions	– Indiquer la chronologie dans une suite de faits et d'actions (*avant de* + infinitif/*après* + infinitif passé) – Les marqueurs temporels (2) (*la même année*, *à l'âge de*, etc.)	– Quelques objets du quotidien (2); des mots liés à l'historique d'un magasin	
Cultures	Made in France Vous avez dit vintage ? **Pays visités :** Sénégal, Chili, Espagne, Québec, France				
Projets	**Un projet de classe :** Imaginer 24 heures de la vie d'un objet de notre quotidien. **Un projet ouvert sur le monde :** Créer et publier une recette de cuisine fusion sur un site de partage.				

LEÇONS	DOSSIER 7 – Nous nous souvenons… et nous agissons !				
	Types et genres de discours	Savoir-faire et savoir agir	Grammaire	Lexique	Sons du français
1 Ils écrivent en français	Article de presse 🎧 Interview radio	Comprendre un récit	– Le passé composé, l'imparfait, le plus-que-parfait pour construire un récit au passé	– Parler de son rapport à la langue – Présenter un écrivain francophone	
2 Bilingues !	Site Internet 🎧 Interview radio	Raconter un souvenir	– Quelques structures pour indiquer un moment précis (*à partir du moment où*, le jour où, etc.) et une durée dans le temps (*pendant*, *jusqu'à présent*)	– Des mots liés au monde du travail	Les sons [u] et /O/
3 Mémoires	🎧 Interview radio Témoignage biographique	Exposer une suite de faits	– Les prépositions et les marqueurs temporels pour situer dans le temps (synthèse)	– Des mots liés aux souvenirs, à la mémoire	Les sons [k], [g] et [ʒ]
4 Moi, j'y crois !	🎧 Conversation Site Internet	Défendre une cause	– La cause et la conséquence pour justifier un engagement (*grâce à, c'est pour ça que, comme, alors, donc, c'est pourquoi…*)	– Des mots liés à la vie associative et à l'engagement associatif	
5 Agir pour la nature	Webzine 🎧 Conversation	Formuler une critique et proposer des solutions	– Les prépositions (*à*, *de*) pour relier un adjectif à son complément	– Des mots liés à la protection de la nature	
6 Vous en pensez quoi ?	Forum 🎧 Conversation	Demander et donner un avis	– *de plus en plus / de moins en moins* pour parler d'une évolution	– L'exclamation pour donner son avis – Des mots liés aux associations et au vivre ensemble	L'intonation expressive dans la phrase exclamative
Cultures	*Demain* ▶ S'engager pour quoi faire? Ce que les Français en pensent **Pays visités :** Canada, Afghanistan, Viêt Nam, États-Unis (New York, Utah), Islande, Brésil, France				
Projets	**Un projet de classe :** Décrire un lieu et parler de son évolution dans le temps. **Un projet ouvert sur le monde :** Créer et diffuser un dépliant pour défendre une cause.				

LEÇONS	DOSSIER 8 – Nous nous intéressons à l'actualité				
	Types et genres de discours	Savoir-faire et savoir agir	Grammaire	Lexique	Sons du français
1 Original !	Article de presse 🎧 Chronique radio	Parler de faits d'actualité	– La forme passive pour mettre en valeur un élément	– Termes liés à l'actualité, à l'information	
2 Actu du jour	🎧 Journal radio Faits divers	Comprendre des informations dans la presse	– La nominalisation pour mettre en avant une information	– Des mots liés aux faits divers	Les sons [ø] et [œ]
3 Nous réagissons !	Courrier des lecteurs 🎧 Débat radiophonique	Réagir et donner des précisions	– Le gérondif pour donner des précisions	– Quelques structures pour réagir, inciter à agir	
4 Vous en pensez quoi ?	🎧 Micro-trottoir Article de presse	Faire des suggestions	– Le conditionnel (2) et quelques structures pour faire des suggestions (*suggérer de*, *proposer de*)	– Des mots liés aux comportements et aux attitudes (dépendance au portable)	Liaison ou enchaînement ?
5 Pour un monde meilleur	Article de presse 🎧 Micro-trottoir	Exprimer des souhaits et des espoirs	– Le subjonctif (2) pour exprimer des souhaits et quelques structures pour exprimer l'espoir	– Des mots liés à la protection de la nature	La prononciation des verbes au subjonctif
6 Prix littéraires	Article de presse 🎧 Émission de radio	Parler de l'actualité littéraire	– Les valeurs du pronom *on*	– Des mots liés à l'actualité littéraire, parler d'un livre qu'on apprécie	
Cultures	L'actualité autrement ▶ Gaël Faye, *Petit Pays* **Pays visités :** Australie, Luxembourg, Maurice, Maroc, France				
Projets	**Un projet de classe :** Écrire au *Courrier des lecteurs* d'un journal ou d'un magazine. **Un projet ouvert sur le monde :** Écrire un article sur un sujet d'actualité pour le publier dans un journal citoyen.				

DOSSIER 1

Nous allons pratiquer notre français en France

Les voyages en France

Par deux.
Vous souhaitez voyager en France. Répondez.

1 Pour préparer un voyage en France, vous consultez :

a. des professionnels.

b. des amis ou des connaissances en France.

c. des sites Internet des forums ou des applications.

2 Quel type de logement allez-vous choisir ?

a. classique

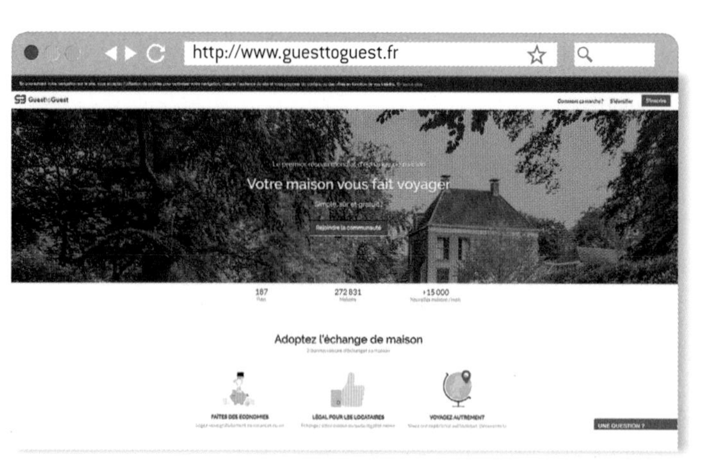

b. collaboratif

c. insolite

3 Sur place, comment allez-vous choisir vos activités ?

a. Avec l'aide de personnes que vous connaissez.

b. Avec l'aide de l'office de tourisme.

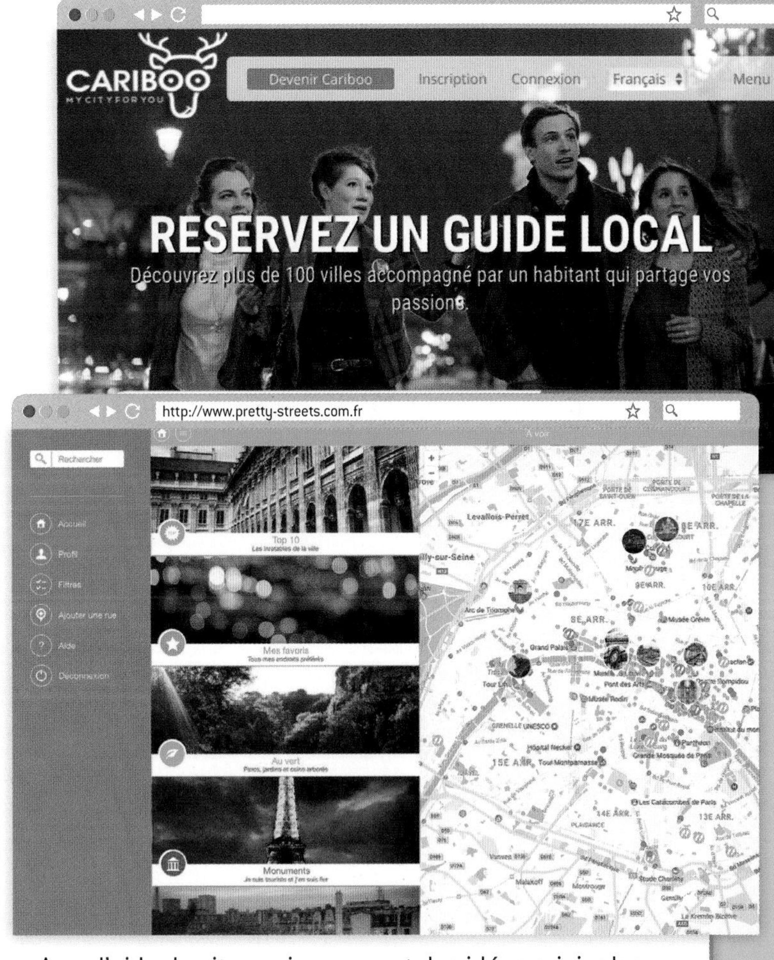

c. Avec l'aide de sites qui proposent des idées originales et bon marché.

Comparez vos réponses avec celles des autres groupes.

PROJETS

- **Un projet de classe**
  Planifier un voyage en France.
- **Et un projet ouvert sur le monde**
  Échanger notre logement sur www.guesttoguest.fr.

Pour réaliser ces projets, nous allons apprendre à :

- comparer des séjours linguistiques
- faire une démarche administrative
- organiser un circuit
- nous informer sur un hébergement
- décrire un lieu
- donner des précisions

LEÇON

1 On y va ?

Comparer des séjours linguistiques

1. **Par deux. Observez cette publicité.**
À votre avis, de quoi s'agit-il ?

document 1 2 et 3

2. 2 **Écoutez la 1re partie de la conversation (doc. 1).**
Qui parle ? À qui ? Où sont-ils ?

3. 2 **Réécoutez (doc. 1) et répondez.**
a. Quel est l'objectif de l'étudiant ?
b. Pourquoi veut-il étudier dans un pays francophone ?
c. Qu'est-ce qu'il demande à l'employée ?
d. Qu'est-ce que l'employée lui propose ?

4. 3 **Par deux. Écoutez la 2e partie de la conversation (doc. 1). Complétez le descriptif de l'application. Aidez-vous de la transcription si nécessaire.**
Immersion France, c'est :
– une application gratuite ;
– une sélection ... dans toutes les régions de France et d'Outre-mer ;
– au total ... ;
– ... adaptés à vos besoins.

5

En petits groupes.
En classe, utilisez-vous des applications ou des sites pour progresser en français ?

a. **Groupes « oui ». Faites la liste des applications ou des sites que vous utilisez. Que permettent-ils de faire ?**
b. **Groupes « non ». Réfléchissez à ce qui vous intéresse (trois propositions).**
Exemple : *réviser la conjugaison.*
Cherchez si des applications ou des sites existent pour vos propositions.
c. **Mettez en commun. Faites la liste des applications et des sites utiles à la classe.**

document 2

CENTRE UNIVERSITAIRE D'ÉTUDES FRANÇAISES

PERPIGNAN

TYPE DE SÉJOUR : Perfectionnement en français

THÈME(S) : Étudier en France

DURÉE : 440 heures, 20 heures par semaine

NIVEAUX : Tous

LES PLUS : À Perpignan, il y a plus de soleil qu'ailleurs en France ! Le CUEF va plus loin qu'une simple école de langues : il propose des activités culturelles et sportives. Vous avez également accès à « l'espace France » de l'université pour mieux vous intégrer. Vous y rencontrerez des étudiants français et étrangers.

CONTACTER L'ÉTABLISSEMENT

6. Par deux. Lisez le descriptif du séjour (doc. 2).

a. Identifiez : le type d'école (école de langues, université, lycée, etc.), la ville choisie, l'objectif et la durée de l'enseignement.

b. Quels sont les plus du séjour ?

7. Lisez le message de Daniel Gomez et répondez (doc. 3).

a. Daniel Gomez est-il intéressé par les activités culturelles et sportives ?

b. Pourquoi souhaite-t-il un hébergement en famille ?

c. Quelle formule recherche-t-il exactement ?

8. Sons du français

▶ p. 196

La prononciation du mot *plus*

4 Écoutez. Vous entendez [ply], montrez 1. Vous entendez [plys], montrez 2. Vous entendez [plyz], montrez 3.

Exemple : *Habiter à Paris, c'est plus agréable que d'habiter à Perpignan ?* → 3

▶ p. 156

FOCUS LANGUE

▶ p. 205

Les structures pour comparer

a. En petits groupes. Observez et complétez le tableau avec les éléments relevés dans les activités 6 et 7.

	Avec un nom	Avec un verbe	Avec un adjectif	Avec un adverbe
Supériorité (+)	…	J'étudie plus que toi.	…	…
Égalité (=)	…	Il travaille autant que moi.	Il est aussi motivé que moi.	Je veux parler et écrire aussi bien qu'un Français.
Infériorité (–)	Il y a moins de soleil à Paris qu'à Perpignan.	…	…	Je vais moins souvent en cours que toi.

Attention ! Bon(ne) → meilleur(e). Exemple : *J'ai une **meilleure** idée !*
Bien → mieux. Exemple : *L'espace France pour **mieux** vous intégrer.*

b. En petits groupes. Comparez votre langue maternelle avec le français. Rédigez cinq phrases.

Exemple : *Il y a plus de consonnes en polonais qu'en français.*

▶ p. 156

document 3

NOM: GOMEZ

PRÉNOM: Daniel

OBJET DE LA DEMANDE: Renseignements complémentaires

VOTRE MESSAGE

Bonjour,
J'ai quelques questions au sujet de cette formation.
J'apprécie moins les activités culturelles ou sportives que les cours de perfectionnement en français. C'est possible de suivre plus de 20 heures de cours par semaine ?
Je peux choisir un hébergement en famille ? C'est plus sympa qu'un logement individuel et un peu moins cher.
Je cherche la formule idéale pour faire autant de progrès à l'écrit qu'à l'oral.
Merci d'avance pour votre réponse et vos conseils !
Cordialement.

ENVOYER

À NOUS !

9. Nous préparons un séjour linguistique en France.
En petits groupes.

Groupes équipés de smartphones connectés

a. Téléchargez l'application Immersion France.
b. Répondez aux questions et découvrez les séjours proposés.
c. Choisissez 2 séjours dans 2 régions différentes.
d. Comparez-les et choisissez votre séjour préféré.
e. Présentez-le à la classe et expliquez votre choix.

Autres groupes

a. Découvrez la liste des centres FLE : www.qualitefle.fr (Menu > Liste des centres et établissements labellisés).
b. Parcourez les différentes rubriques du site : carte des centres, types de cours, groupes d'âge, service, hébergement.
c. Choisissez 2 séjours dans 2 régions différentes.
d. Comparez-les et choisissez votre séjour préféré.
e. Présentez-le à la classe et expliquez votre choix.

▶ Expressions utiles p. 159

LEÇON 2 Avant le départ

Faire une démarche administrative

document 1

http://www.fle.fr

FLE.fr Agence de promotion du FLE

Apprendre le français en France | **FR** | EN | ES | DE

Accueil  | Le Grand Répertoire  | **Destination France**  | Pages PRO 

VENIR EN FRANCE, VOUS EN RÊVEZ ? CE GUIDE VA VOUS Y AIDER !

Venir en France Pour entrer sur le territoire français, il est nécessaire d'avoir un visa (à noter : les Européens et les Suisses n'en ont pas besoin). Il existe deux types de visa (court ou long séjour). Renseignez-vous au consulat français proche de votre domicile.

Notre sélection de sites
- Ministère français des Affaires étrangères : les formalités d'entrée
- Agence Campus France : les visas court ou long séjour
- Office français de l'immigration et de l'intégration
- Liste des ambassades et des consulats français dans le monde

Étudier ou travailler En France, il y a de nombreuses universités publiques, des écoles de management, des écoles d'ingénieur, des écoles d'art et d'architecture… Pour vous y inscrire : contacter directement l'université ou l'école qui vous intéresse. Un petit job ? Pensez-y ! Un emploi au pair, un stage en entreprise…

Notre sélection de sites
- Présentation générale de l'enseignement supérieur français
- Les procédures d'inscription dans l'enseignement supérieur
- Trouver un emploi au pair
- Effectuer un stage en entreprise

Vivre en France Vivre en France, c'est découvrir au quotidien le mode de vie des Français, en comprendre les règles et s'y adapter. C'est faire l'expérience des réalités pratiques de tous les jours : les transports, les commerces, les services publics, les administrations.

Notre sélection de sites
- Le guide pratique du premier séjour en France
- S'installer en France
- Le guide de la vie quotidienne en France
- Administration française

1. Observez cette page Internet (doc. 1) et répondez.
a. De quoi s'agit-il ?
b. À qui s'adresse-t-elle ?
c. Que propose-t-elle ?

2. Par deux. Lisez les rubriques « Venir en France » et « Étudier ou travailler » (doc. 1). Pour chaque rubrique, identifiez :
a. la ou les information(s) principale(s) ;
b. ce que l'étudiant doit faire (la démarche à effectuer).

3. Par deux. Quelle phrase résume la rubrique « Vivre en France » ? *Pour bien vivre en France, …*
a. *il faut s'adapter au mode de vie des Français.*
b. *il faut comprendre le français.*

4 

En petits groupes.
a. Cherchez trois informations utiles pour les francophones qui viennent étudier dans votre pays.
b. Partagez vos informations avec les autres groupes.

5. Sons du français

▸ p. 196

Les voyelles nasales [ã] et [ɛ̃]

🎧 5 **Écoutez et répétez. Vous entendez seulement le son [ã], montrez 1.**
Vous entendez seulement le son [ɛ̃], montrez 2.
Vous entendez les deux sons, montrez 3.

Exemple : *Venir en France, j'en rêve depuis longtemps !* → 1

▸ p. 157

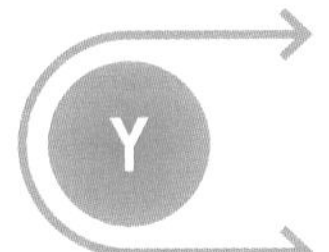

document 2 🎧 6

6. 🎧 6 **Écoutez cet entretien (doc. 2) au consulat de France à Johannesburg, en Afrique du Sud.**

a. **À qui parle M. Nkomo ? Pourquoi ?**

b. **À votre avis, quelles rubriques de la page fle.fr (doc. 1) M. Nkomo a consultées pour préparer son entretien ? Pourquoi ?**

7. 🎧 6 **Par deux. Réécoutez (doc. 2). Vrai ou faux ? Pourquoi ? Vérifiez avec la transcription.**

a. M. Nkomo veut étudier en France.
b. Il va s'inscrire à l'université.
c. Il étudie les sciences politiques pour trouver du travail en France.
d. Il pense qu'il va trouver facilement du travail en France.

8. Le dossier de M. Nkomo est-il complet ? Répondez et justifiez.

FOCUS LANGUE

▸ p. 204

Les pronoms indirects *y* et *en* pour remplacer une chose, un lieu ou une idée

a. **Par deux. Observez et complétez avec les éléments relevés dans l'activité 7.**

Y

- fonction n° 1 remplace un complément de lieu introduit par *chez*, *dans*, *en*
  Exemple : … → …
- fonction n° 2 remplace un COI introduit par *à*
  Exemple : *Vous vous **y** êtes déjà inscrit ?*
  → *Vous vous êtes déjà inscrit **à l'université** ?*

EN

- fonction n° 1 remplace un COD introduit par *un*, *une*, *des* ou *du*, *de la*, *des*
  Exemple : *Oui, mais du travail, ce n'est pas toujours évident d'**en** trouver.*
  → *Ce n'est pas évident de trouver **du travail**.*
- fonction n° 2 remplace un COI introduit par *de*
  Exemple : … → …

Attention !
En général, les pronoms ***y*** et ***en*** se placent devant le verbe (avec un temps simple) ou devant l'auxiliaire (avec un temps composé).
Exemple : *Vous vous **y** êtes déjà inscrit ?*

b. **Relisez le document 1 et trouvez d'autres exemples. À quelle fonction ils correspondent ?**
Exemple : *Les Européens et les Suisses n'**en** ont pas besoin.*
→ *Les Européens et les Suisses n'ont pas besoin **de visa**. (EN : fonction n°2)*

▸ p. 157

À NOUS !

9. Nous rédigeons un guide pour les francophones qui viennent étudier dans notre pays.

En petits groupes.

a. Rédigez un texte avec une ou deux information(s) principale(s) (act. 4) et les démarches à effectuer.

Groupes 1	Groupes 2	Groupes 3
Venir (dans notre pays)	Étudier ou travailler (dans notre pays)	Vivre (dans notre pays)

b. Mettez-vous d'accord sur une sélection de sites utiles pour chaque rubrique.
c. Présentez votre texte à la classe.
d. Mettez en commun vos textes pour réaliser le guide de la classe.
e. Proposez-le au bureau Campus France de votre pays.

▸ Expressions utiles p. 159

LEÇON 3 Brest-Quimper

Organiser un circuit

1. Observez ces deux images. Faites des hypothèses sur le thème du reportage.

document 1 7 et 8

2. 7 Écoutez l'introduction de cette chronique radio (doc. 1).
   a. Vérifiez vos hypothèses (act. 1).
   b. Qui sont Pierre, Nicolas et Jérôme ? Où vont-ils ?

3. 8 Par deux. Écoutez le reportage.
   a. Sélectionnez les aspects positifs évoqués dans la liste suivante. Justifiez vos réponses.
   voyager moins cher • limiter la fatigue • rencontrer des gens • passer un trajet plus agréable • diminuer la pollution • voyager à la dernière minute • diminuer les embouteillages
   b. Combien paient Nicolas et Jérôme pour le trajet Paris-Vannes ? Comparez avec le train.

4. En petits groupes. Échangez.
   Que pensez-vous du covoiturage ? Avez-vous déjà voyagé en covoiturage ? Étiez-vous conducteur ou passager ? Quels peuvent être les aspects négatifs de ce mode de transport ?

5

En petits groupes.
a. Quels sont les moyens pour voyager moins cher ?
b. Mettez en commun.
c. Échangez. Quels moyens préférez-vous ? Pourquoi ?

document 2

http://www.voyageforum.com

Destinations Forum VF+ Communauté

Luis 029
Espagne

Bonjour à tous ! Je m'appelle Luis, je suis étudiant de français à la Escuela Oficial de Idiomas de Séville, en Espagne et, avec ma classe, on va organiser un voyage en France. Avec mon groupe, on doit proposer un circuit en Bretagne. Mais cette région, on ne la connaît pas du tout. Vous pouvez nous aider ? Merci d'avance !

Larix 30
France

Salut Luis ! Alors, je te conseille un site formidable : **www.france-voyage.com**. Il te présente des idées d'itinéraires et tu peux aussi créer ton circuit sur mesure ! Tu lui donnes la ville de départ (par exemple Brest), la ville d'arrivée (par exemple Quimper) et la durée du voyage (par exemple deux jours). Il te propose un formulaire, avec trois rubriques. Complète-les, et hop ! Tu l'as, ton circuit Brest-Quimper ! Regarde-le !

Luis 029

Merci beaucoup ! Mais… c'est tout ? On remplit le formulaire et on nous donne une carte ?

Larix 30

Bien sûr que non ! Le site t'explique tout, te donne un itinéraire complet, les visites, la durée des trajets… Tu peux aussi imprimer ton guide de voyage.

Luis 029

C'est vraiment génial ! Je te remercie !

6. Observez le forum de voyages (doc. 2).

a. Identifiez les différents éléments qui le composent (menu…).

b. Par deux. Lisez le 1er message de Luis 029 et répondez. Vrai ou faux ? Pourquoi ?

Luis 029 : – va visiter la France.
– organise seul son voyage.
– connaît très bien la Bretagne.
– demande des conseils.

7. Par deux. Lisez la discussion (doc. 2).

a. Quel site conseille Larix 30 ? Pourquoi ?

b. Que doit faire Luis 029 ? Retrouvez la chronologie des actions. Justifiez avec des extraits de la discussion.

lire l'itinéraire complet • indiquer la durée du voyage • imprimer l'itinéraire de voyage • indiquer sa ville de départ • compléter un formulaire • indiquer sa ville d'arrivée

8. Observez le formulaire du site www.france-voyage.com (doc. 3).

a. Par deux. Quels centres d'intérêt vous choisissez si vous êtes seul, en couple, avec des enfants, avec des animaux, avec un petit budget, par mauvaise météo ?

b. Comparez avec les autres groupes.

FOCUS LANGUE

p. 202

Les pronoms COD/COI pour ne pas répéter (synthèse)

En petits groupes.

a. Observez.

LES COMPLÉMENTS D'OBJET

Construction directe (COD) ▶ Qui ? Quoi ?	Construction indirecte (COI) ▶ À qui ? À quoi ?
Tu l'as, ton circuit Brest-Quimper ! Regarde-le ! → Regarde ton circuit Brest-Quimper !	Tu lui donnes ta ville de départ. → Tu donnes ta ville de départ au site.
Il te propose un formulaire avec trois rubriques. Complète-les ! → Complète les trois rubriques !	Le trajet Paris-Vannes leur coûte à chacun 30 euros. → Le trajet Paris-Vannes coûte 30 euros à Pierre, Nicolas et Jérôme.

b. Complétez.

	1re personne	2e personne	3e personne	
	COD/COI	COD/COI	COD	COI
Singulier	me	te (t')	…, la	…
Pluriel	nous	vous	…	…
Les pronoms COD et COI se placent en général avant le verbe.				

Attention !
À l'impératif affirmatif, le pronom se place après le verbe.
Exemple : *Regarde-**le** !*

p. 157

document 3

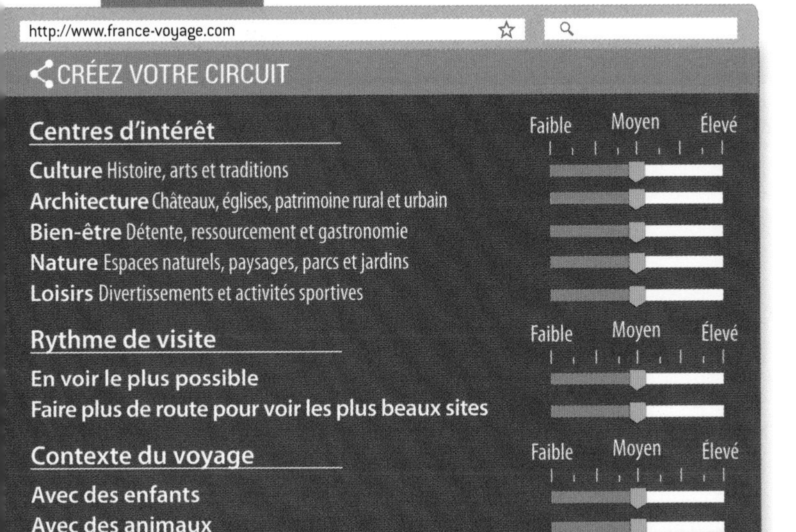

À NOUS !

9. Nous créons notre circuit avec www.france-voyage.com.

En petits groupes.

a. Chaque groupe choisit une région française et deux villes de cette région.
Exemple : *La Bretagne → Rennes et Saint-Malo.*

c. Chaque groupe compose son circuit et complète le formulaire proposé par le site.

d. Chaque groupe présente son circuit à la classe.

e. En groupe. Demandez des précisions sur chaque circuit et donnez votre avis sur les circuits proposés.

Expressions utiles p. 159

LEÇON

4 Séjour linguistique

S'informer sur un hébergement

document **1**

CENTRE AUDIOVISUEL DE ROYAN

POUR L'ETUDE DES LANGUES

NOUS VOUS PROPOSONS UN LARGE CHOIX D'HÉBERGEMENTS PENDANT VOTRE SÉJOUR DANS NOTRE CENTRE.

Voyage et démarches administratives

Avant de partir, veuillez vérifier les éléments de votre dossier : passeport, visa, assurance maladie. Un conseil : faites des photocopies de vos papiers et ne les rangez jamais avec les originaux. À votre arrivée, vous n'avez plus rien à faire. Notre service assistance s'occupe de tout.

Pour toute question, n'hésitez pas à nous contacter : 33 (0) 5 46 39 50 00 ou info@carel.org.

1

2

FAMILLES D'ACCUEIL Des familles royannaises vous accueillent en demi-pension (petit déjeuner et dîner) en chambre simple ou double. Vous devez adresser votre demande au CAREL au plus tard 10 jours avant le début du cours.

INTERNAT Uniquement en juillet et août. Chambre double avec un autre étudiant, sanitaires communs à une ou deux chambres, petit déjeuner, draps fournis. Il n'est pas possible de faire la cuisine. Chambre individuelle : nous consulter pour les disponibilités.

APPARTEMENT À PARTAGER
Chambre individuelle dans maison ou appartement. La cuisine et la salle d'eau sont à partager avec les autres étudiants.

STUDIO INDÉPENDANT (FACE AU CAREL) Chaque studio comprend une chambre, un coin cuisine (kit vaisselle fourni, sanitaires privés, draps et linge fournis). Attention : il est impératif de réserver un mois à l'avance.

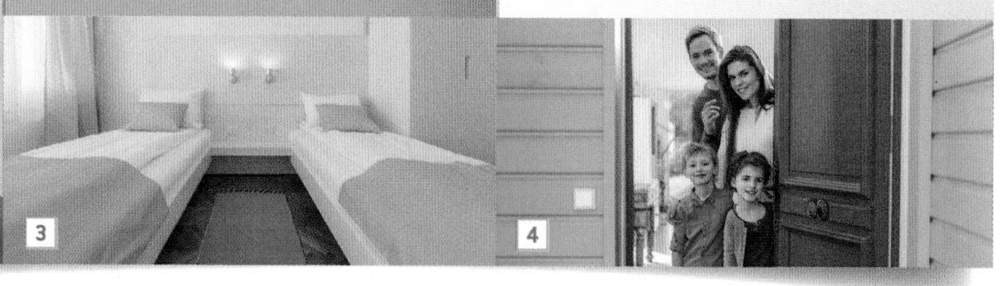
3 4

1. En petits groupes. Observez la brochure (doc. 1) et répondez.

a. À qui s'adresse cette brochure ?
b. Qu'est-ce qu'elle présente ?

2. Observez les quatre photos (doc. 1). Associez chaque photo à un type d'hébergement de la brochure.

3. Par deux. Lisez la brochure (doc. 1).

a. **Quel type d'hébergement correspond à ces personnes ? Pourquoi ?**

1. Liping est chinoise. Elle préfère habiter seule.
2. Javier est espagnol. Il préfère partager son hébergement avec d'autres étudiants. Il va étudier de septembre à juin.
3. Krisztina est hongroise. Elle va étudier au CAREL en juillet. Elle veut communiquer un maximum en français.
4. Horacio est vénézuélien. Il voudrait cuisiner et préparer ses repas.

b. **Aidez chaque étudiant à préparer son séjour. Relevez dans la brochure (doc. 1) ce qu'il doit faire :**

– avant son séjour ;
– à son arrivée ;
– s'il a des questions.

En petits groupes.
a. Quel hébergement vous préférez ? Pourquoi ?
b. Cherchez s'il existe ce type d'hébergement pour les étudiants étrangers dans votre ville.

5. Sons du français

L'intonation pour exprimer l'obligation

9 Écoutez et répétez. Tapez sur la table avec le doigt quand vous entendez l'accentuation d'insistance. Exemple : *Il faut étudier.*

▸ p. 158

document 2 10 et 11

6. 10 Par deux. Écoutez la 1re partie de la conversation téléphonique (doc. 2). Qui téléphone ? Pourquoi ? Qui répond ?

7. 11 Par deux. Écoutez la 2e partie de la conversation (doc. 2). Choisissez dans la liste suivante les éléments entendus.

les formalités administratives • la cuisine • la disponibilité • les draps • les sanitaires • les cours • le prix • le nombre d'étudiants par famille

8. 11 Par deux. Réécoutez (doc. 2) et répondez. Vérifiez avec la transcription.
a. Quelles sont les questions posées pour obtenir des précisions ?
Exemple : *Il faut apporter des draps et des serviettes ?*
b. Quelle réponse est apportée par l'employé pour chaque question ?
Exemple : *Non, il n'apporte rien. Tout est fourni par la famille.*

FOCUS LANGUE

Structures pour exprimer des règles et des recommandations

En petits groupes.
a. Relisez les éléments relevés dans les activités 3b et 8b. Classez ces éléments dans le tableau.

Interdiction	*Il n'est pas possible de*	*Il n'est pas possible de faire la cuisine.*
	Ne … jamais	…
Recommandation	*Ne … rien*	…
Possibilité	*Pouvoir* + infinitif	*Votre fils peut partager une chambre.*
Obligation	*Devoir* + infinitif	…
	Il est impératif de	…
	Il faut + infinitif	*Il faut préciser votre choix.* …
	Impératif	*N'hésitez pas à nous contacter.* …

b. Vous accueillez un nouvel étudiant dans la classe. Rédigez deux recommandations, deux obligations, une interdiction et une possibilité.
Exemple : *Une obligation → Il faut étudier après la classe…*
Une possibilité → Tu peux poser des questions au professeur si tu ne comprends pas.

▸ p. 157

À NOUS !

9. Nous rédigeons une brochure sur l'hébergement des étudiants.

En petits groupes.
a. Choisissez un type d'hébergement disponible dans votre ville (act. 4b).
b. Rédigez un court descriptif de votre hébergement. Donnez des précisions (repas, formalités, prix, etc.), des règles et des recommandations.
c. Présentez vos descriptifs à la classe.
d. Réalisez votre brochure pour des étudiants francophones.

▸ Expressions utiles p. 159

LEÇON 5 Lieux insolites

Décrire un lieu

1. En petits groupes. Observez ces photos. Faites des hypothèses sur ces lieux (où ? quoi ? pour quoi faire ?).

document 1 12

2. 12 Écoutez l'émission de radio (doc. 1) et répondez.

a. Quel est le nom de la radio ? Quel est le thème de l'émission ?

b. Vérifiez vos hypothèses (act. 1).

3. 12 En petits groupes. Réécoutez (doc. 1) et relevez :

a. où ces lieux se trouvent (leur localisation).

b. ce qu'on peut faire dans ces lieux (quelles activités).

4. 12 Écoutez encore (doc. 1) et relevez :

– pourquoi chaque lieu est insolite ;

– les trois adjectifs utilisés pour décrire le pigeonnier.

5. Par deux. Quel lieu vous préférez ? Pourquoi ?

6

En petits groupes.

a. Connaissez-vous des lieux touristiques insolites ? Lesquels avez-vous visités ?

b. Faites la liste des lieux de votre groupe.

c. Mettez en commun et faites la liste de la classe.

document 2

http://www.hotels-insolites.com

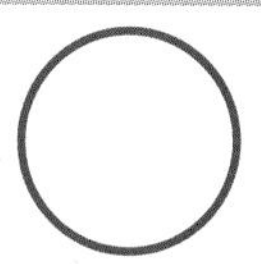

HOTELS INSOLITES

SUISSE | FRANCE | EUROPE | AILLEURS | TYPOLOGIE

7. Observez l'article (doc. 2). Identifiez les différents éléments qui le composent (carte…).

8. Lisez l'article et observez les photos (doc. 2). Associez-les avec les lieux cités dans l'article.
Exemple : *Photo 1 > Un pigeonnier réaménagé en gîte romantique vous accueille dans le charmant village du Mas d'Aspech.*

9. Relisez l'article (doc. 2) et répondez.
a. Où est situé exactement le pigeonnier ?
b. Quels sont les plus du pigeonnier ?

Le pigeonnier du Mas d'Aspech

Dormir dans un pigeonnier dans le Lot

Vous voulez passer une nuit insolite non loin de Toulouse ? Un pigeonnier réaménagé en gîte romantique vous accueille dans le charmant village du Mas d'Aspech. Au cœur du Lot, du Tarn-et-Garonne et de l'Aveyron, voici un très bon pied-à-terre pour découvrir une partie de l'Occitanie.

Au programme, détente au milieu de la nature et nuit romantique sous un ciel magnifique. Vous verrez des étoiles partout ! Vous entrez par un escalier extérieur pour vous retrouver à l'intérieur du gîte. En haut du pigeonnier, vous serez à deux mètres au-dessus de la prairie.

Ce gîte est équipé d'un lit double, d'une douche balnéo et de sanitaires, d'un coin repas et d'une mini-cuisine.
À l'extérieur, chaises longues, tables et chaises vous permettront de partager détente et repas. L'auberge toute proche vous offre de déguster – ou de vous faire livrer – une cuisine authentique à base de produits frais de la région.

Pourquoi aller ailleurs quand on peut venir ici ?

Nouveauté : une piscine réservée aux hôtes !

★ Ouvert toute l'année ★

* pied-à-terre : logement où on ne réside que pour un court séjour.

FOCUS LANGUE

▸ p. 206

Les adverbes et locutions adverbiales pour décrire un lieu

Par deux.

a. Complétez (activités 3 et 8).

ici ≠ ailleurs	nulle part ≠ partout
à l'intérieur de ≠…	sur ≠ sous
(tout) en bas ≠…	proche de = non loin de
au-dessous de ≠…	au milieu de = au cœur de
(juste) derrière ≠…	

b. Nous faisons deviner le nom d'un monument.
1. Choisissez un monument célèbre.
2. Expliquez où il se trouve.
3. Présentez oralement votre monument à la classe.
4. La classe devine de quel monument il s'agit.

▸ p. 158

10. Apprenons ensemble !
Linn nous présente un lieu insolite en Île-de-France.

Envie de manger suédois à Paris ? C'est possible ! Au cœur du Marais, le Café suédois est un lieu atypique et calme, situé au 11 rue Payenne. Sur l'intérieur, côté cuisine, venez déguster les *kanelbullar* (brioche traditionnelle suédoise à la cannelle) ou les boulettes de viande. Attention, il n'y a que vingt places environ ! Sur l'extérieur, côté cour, partagez un verre ou un repas en terrasse.
Le café est proche de le musée Picasso.

En petits groupes.
a. Lisez la production de Linn. Pourquoi ce lieu est insolite ?
b. Observez les erreurs surlignées par l'enseignant.
c. Aidez Linn à corriger et à ne pas répéter ses erreurs.

À NOUS !

11. Nous décrivons un lieu insolite.

En petits groupes.
a. Choisissez un lieu insolite (act. 6).
b. Rédigez une courte présentation de ce lieu sur le modèle du document 2.
c. Présentez ce lieu à la classe.
d. La classe vote pour le lieu le plus insolite.
e. Organisez la visite de ce lieu.

▸ Expressions utiles p. 159

LEÇON

6 Paris autrement

Donner des précisions

1. Observez cette page Internet (doc. 1) et répondez.
   a. Que propose le site Cariboo ? Dans quelle(s) ville(s) ? À quels prix ?
   b. Qui sont Myrna, David et Valentine ?

2. Par deux. Lisez les trois profils. Pour chaque profil, relevez :
   a. les langues parlées ;
   b. pourquoi ils sont guides.

3. Par deux. Relisez les profils et relevez pour chacun les types de visites proposées.

4. Choisissez votre guide préféré et expliquez pourquoi.

5

En petits groupes.

a. Faites la liste des activités touristiques à réaliser dans votre ville (visites culturelles, sports, shopping, gastronomie, etc.).

b. Partagez vos activités avec les autres groupes.

document 2 13

document 1

6. 13 **Écoutez la conversation (doc. 2). Qui parle ? Où sont-ils ?**

7. 13 **Par deux. Réécoutez (doc. 2). Vrai ou faux ? Pourquoi ?**

a. Les touristes veulent visiter la tour Eiffel avec David.
b. Les touristes veulent discuter avec des Parisiens.
c. David recommande un quartier.
d. David leur donne un conseil pour rencontrer des Parisiens.

Quelques mots sur moi : Je suis Parisienne depuis 1984. Chilienne d'origine, je vis à Paris depuis 32 ans et je connais très bien cette ville, que j'adore.
Vous cherchez un « guide » qui propose des balades originales en petits groupes, en famille ou entre amis ? À qui vous pouvez poser toutes les questions que vous voulez ? Je suis peut-être la guide qu'il vous faut ! N'hésitez pas à me contacter !

Langues parlées : espagnol, français, italien

Préparez une visite avec Myrna

Quelques mots sur moi : J'habite depuis 1999 à Paris, je suis comédien.
Je fais les visites des lieux habituels que les touristes aiment voir. Les personnes qui font des visites avec moi sont en général très satisfaites.
J'aime aussi faire découvrir le Paris des Parisiens : les bistrots et cafés que fréquentent les gens qui vivent ici, des lieux où vous rencontrerez des gens à qui parler.

Langues parlées : anglais, français

Préparez une visite avec David

Quelques mots sur moi : Je suis étudiante et je vis dans le 5e arrondissement que je connais comme ma poche !
J'aime faire visiter ma ville aux personnes qui souhaitent la découvrir.
Je suis passionnée d'histoire et j'aime accompagner les visiteurs qui s'intéressent aux musées.

Langues parlées : anglais, français

Préparez une visite avec Valentine

8. 13 **Réécoutez. (doc. 2) Pourquoi David leur donne ce conseil ?**

FOCUS LANGUE

▸ p. 203

Les pronoms relatifs *qui*, *que* (ou *qu'*), *à qui*, *avec qui* pour donner des précisions

a. Par deux. À l'aide des activités 7 et 8, complétez avec un pronom relatif.

1. Quels Parisiens veulent rencontrer Charlene et Michael ?
   Des gens … parler.
   Des gens … discuter.
2. Quelle est la particularité des clients installés au comptoir ?
   Ce sont souvent des gens … aiment bien discuter.
3. Que pense David du Canal Saint-Martin ?
   C'est le quartier … il préfère.

b. Complétez la règle avec les pronoms relatifs *que* (ou *qu'*), *qui*, *à qui*, *avec qui*.

– … remplace le sujet.
– … ou … (devant une voyelle ou un *h* muet) remplace le complément d'objet direct.
– … ou … remplace le complément d'objet indirect, uniquement pour donner des précisions sur une ou des personnes.

c. Utilisez un pronom relatif pour former une seule phrase.

1. Vous voyez un bar. Ce bar vous plaît.
2. Je fais les visites des lieux habituels. Les touristes aiment voir ces lieux.
3. Je suis un guide. Vous pouvez me poser des questions sur l'histoire de Paris.

▸ p. 158

9. Nous proposons une visite de notre ville aux touristes francophones.

En petits groupes.

a. Relisez la liste des activités à réaliser dans votre ville (act. 5). Choisissez la thématique de votre visite : grands classiques, culturelle, etc.
b. Rédigez la présentation du profil de votre groupe. Précisez ce que vous aimez et pourquoi vous connaissez bien la ville.
c. Donnez des précisions sur les visites que vous proposez. Indiquez votre tarif horaire.
d. Présentez vos profils à la classe.
e. Créez votre profil sur le site Cariboo.

▸ Expressions utiles p. 159

CULTURES

1 Visiter Paris ▶ Vidéo 1

a. **En petits groupes. Regardez la vidéo sans le son du début jusqu'à 0' 30".**
1. Quels monuments voyez-vous ?
2. Que fait cet homme ? Faites des hypothèses.
3. Imaginez la voix off de ce reportage.

b. **Regardez la vidéo avec le son du début jusqu'à 0' 30" et vérifiez vos hypothèses.**

c. **Regardez la 2e partie du reportage et complétez le profil de Jérémy.**

INTERCULTUREL

d. **En petits groupes. Échangez. Que pensez-vous de ce mode de transport pour découvrir Paris ? Pour découvrir votre ville ? Pourquoi ?**

2 Un Moldave en France

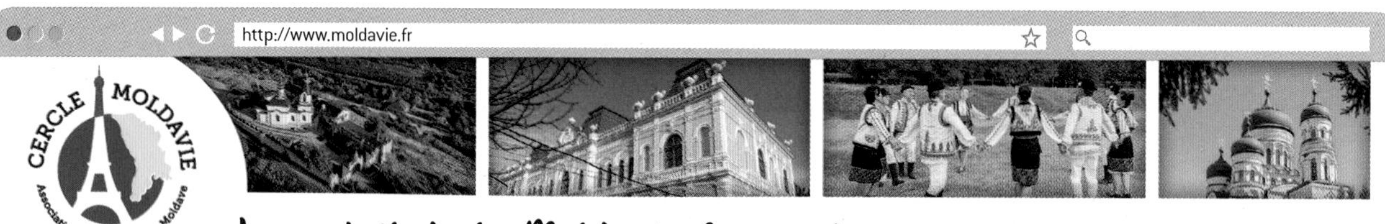

Le portail de la Moldavie francophone

Chaque élève qui étudie le français rêve de visiter la France. Moi, j'ai visité la France l'année dernière et je voudrais partager mes premières impressions avec vous. Les Moldaves et les Français se ressemblent mais, en même temps, ils sont différents.

La France est un grand pays développé avec la mer, l'océan, les montagnes. C'est un endroit exceptionnel qui fait rêver les Moldaves.

La capitale de la France est Paris, une ville beaucoup plus grande que Chisinau. Il y a beaucoup de Moldaves qui y travaillent. Les gens sont très respectueux et toujours prêts à donner des explications par des gestes ou en anglais. Les endroits touristiques sont bien aménagés et pas trop chers.

Une chose bizarre, ce sont les magasins et les supermarchés, qui ferment tôt le soir : après 21 heures, on trouve seulement des petits commerces. En Moldavie, beaucoup de magasins restent ouverts toute la nuit.

Je pense que la France est un super pays. C'est une bonne idée de faire des études là-bas, c'est très bien d'y vivre, mais pas à Paris : la banlieue est plus tranquille et c'est mieux d'y habiter.

a. **Observez cette page Internet et répondez.**
1. À qui s'adresse ce site ?
2. De quel type d'article s'agit-il ?

b. **Lisez le document. Légendez les photos avec des extraits.**

1

2

3

4

5

6

7

c. **Relevez dans le document les comparaisons entre la France et la Moldavie.**

d. **Mihai a une vision positive ou négative de la France ? Justifiez votre réponse.**

e. **En petits groupes. Aimeriez-vous visiter la France ? Y faire des études ? Y vivre ? Pourquoi ?**

COMPLÉTEZ VOTRE CARNET CULTUREL

1. Une ou des différence(s) entre les Français et les habitants de mon pays : ...
2. Une ou des différences(s) entre Paris et la capitale de mon pays : ...
3. Une chose qui me paraît originale en France : ...
4. L'image de la France dans mon pays : ...

Retournez aux pages 10-11. Répondez à nouveau aux questions. Mettez en commun avec le groupe.

Projet de classe

En petits groupes. À quoi faut-il penser quand on planifie un voyage ?
Pour bien préparer votre voyage, répondez à ces questions.

a. Quels sont les objectifs de votre voyage en France ? Par exemple : *Faire du tourisme, prendre des cours de français,* etc.

b. Quelle(s) région(s) de France souhaitez-vous visiter ? Voulez-vous visiter une ou plusieurs villes ? Faire un voyage plutôt « nature » ? Faire un voyage insolite ?

c. À quelles dates se passera le voyage et quelle sera sa durée ?

d. Mettez en commun en grand groupe sur le type de voyage à organiser, la date et la durée.

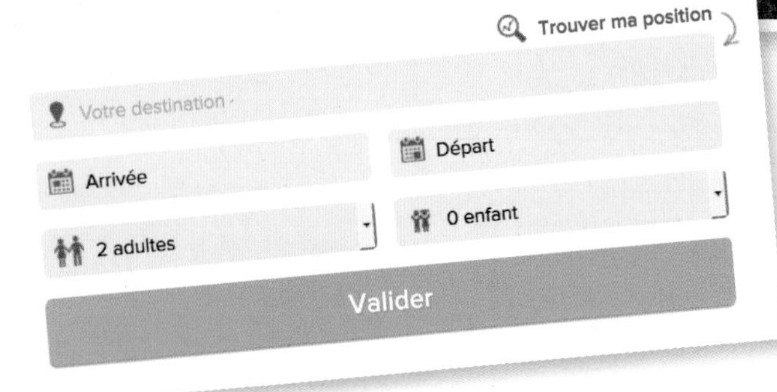

e. En petits groupes. Chaque groupe se charge d'une tâche.

Groupes 1	Groupes 2	Groupes 3
Faire des suggestions de logements. Décrire les hébergements et expliquer pourquoi on les a choisis.	Proposer des itinéraires ou des activités pour le séjour. Proposer une journée type dans un des lieux visités.	Faire une check-list des démarches à accomplir avant le départ. Expliquer comment réaliser ces démarches. Exemples : les visas, le change si nécessaire, l'assurance santé...

f. Mettez en commun en grand groupe pour prendre les dernières décisions.

g. Réalisez votre voyage.

Projet ouvert sur le monde

Nous échangeons notre logement sur www.guesttoguest.fr.

DELF 1

I Compréhension de l'oral

Exercice 1 Comprendre une conversation

Vous êtes à Paris. Vous entendez ces conversations.

Écoutez et reliez le dialogue à la situation correspondante.

Dialogue 1 •	• a. Décrire un lieu.
Dialogue 2 •	• b. Faire une comparaison.
Dialogue 3 •	• c. S'informer sur un hébergement.
Dialogue 4 •	• d. Exprimer une règle, une recommandation.

II Production écrite

Exercice 1 Décrire un événement ou raconter une expérience personnelle

Vous avez fait un séjour en France. Vous écrivez un mail à un ami francophone pour lui raconter cette expérience. Vous lui racontez où vous avez passé votre séjour, vous décrivez votre logement (sa situation, le nombre de chambres, le confort, les règles de vie...). Vous lui parlez aussi les activités que vous avez pu faire et vous expliquez ce que vous avez pensé de votre séjour. (60 mots minimum)

Exercice 2 Inviter, remercier, s'excuser, demander, informer, féliciter

Vous voulez partir deux semaines en France, à Montpellier, pour étudier le français. Vous écrivez un courriel à l'école INSITU pour demander des informations sur les cours (nombre d'heures, type de cours...), le logement et les formalités administratives. (60 mots minimum)

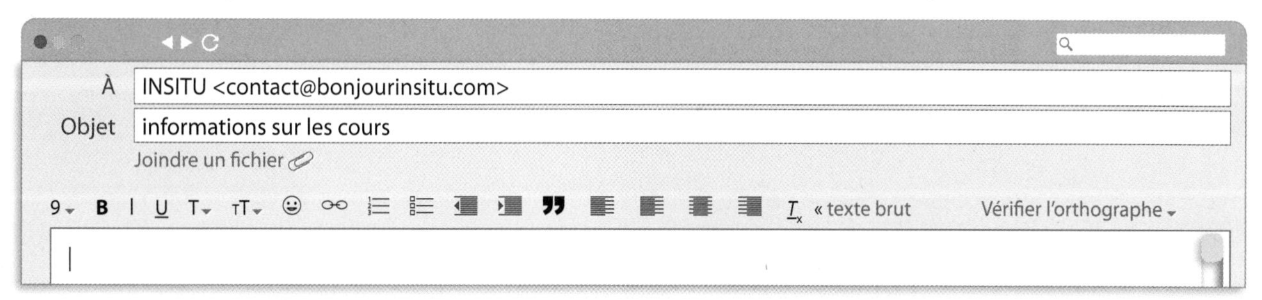

III Production orale

Exercice 1 Pour s'entraîner à la partie 1 de l'épreuve orale : l'entretien dirigé

Vous vous présentez et parlez de vous, de vos études, de vos activités, de ce que vous aimez et n'aimez pas.

DOSSIER 2

Nous partageons nos expériences insolites

Les Français et l'aventure...

Par deux. Répondez et comparez vos réponses avec celles des autres groupes.

1 Pour vous, les Français et le sport, c'est plutôt :

a. le char à voile.

b. le basket-ball.

c. le foot devant la télé.

2 À votre avis, les Français en voyage, c'est plutôt :

a. un voyage culturel au Kirghizistan.

b. un safari gorilles en Ouganda.

c. des vacances à la plage.

3 À votre avis, les Français de l'étranger vivent plutôt :

a. AUX ÉTATS-UNIS.

b. EN ESTONIE.

c. EN SUISSE.

PROJETS

- **Un projet de classe**
  Réaliser la carte de nos expériences insolites ou originales.
- **Et un projet ouvert sur le monde**
  Réaliser un mini-guide collaboratif des activités insolites ou originales à faire dans notre ville, région ou pays à destination des voyageurs francophones.

Pour réaliser ces projets, nous allons apprendre à :

- raconter une expérience
- comprendre des conseils et des consignes de sécurité
- parler de nos émotions et de nos sentiments
- organiser un week-end à thème
- décrire un voyage insolite
- raconter notre parcours

LEÇON 1 Balades insolites

Raconter une expérience

document 1

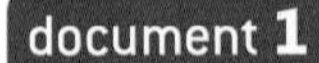

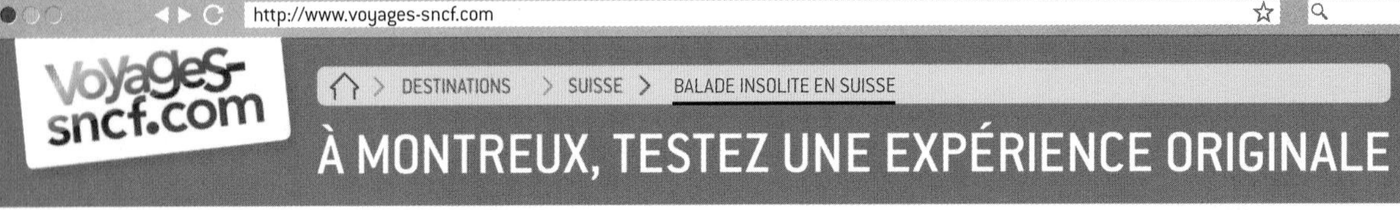

Marie Gustin
Rédaction Voyages-sncf.com

À Montreux, je suis montée dans le Train du fromage et je suis partie à la découverte des traditions culinaires de la Suisse… J'ai découvert le fromage suisse et j'ai appris plein de choses sur sa fabrication !

Le train a quitté la gare à 10 h 44. Je me suis assise confortablement en première classe puis on a dégusté un verre de bienvenue et une assiette de produits du terroir. Nous sommes arrivés à Château-d'Œx une heure plus tard.

Direction *Le Chalet*, un restaurant typique qui fabrique son propre fromage. Le patron a transformé 200 litres de lait en fromage devant nous. Et après la démonstration : dégustation ! Nous nous sommes régalés.

Ensuite, nous avons déjeuné. La fondue a plu à tout le monde ! Je suis repartie avec quelques produits locaux vendus dans la boutique du restaurant.

Pour terminer la balade, nous avons visité le musée du Vieux Pays-d'Enhaut. C'est un musée traditionnel qui expose le mode de vie des agriculteurs et des artisans de la fin du 19e siècle.

En résumé, j'ai vécu un moment très sympathique ! Je recommande cette sortie aux amateurs de fromages, à faire entre amis ou en famille, pour profiter des joies de l'hiver suisse et se régaler !

1. Par deux. Observez ce document (doc. 1).

a. Identifiez le nom du site et la rubrique choisie.

b. À partir des photos, faites des hypothèses sur le sujet de l'article.

2. Lisez l'article (doc. 1). Vérifiez vos hypothèses : identifiez l'auteur, le sujet de l'article, le pays évoqué.

3. Par deux. Relisez l'article (doc. 1).

a. Relevez les différentes activités de Marie Gustin.

b. Citez les passages qui montrent que Marie Gustin a trouvé l'expérience intéressante.

Exemple : *J'ai découvert le fromage suisse et j'ai appris plein de choses sur sa fabrication !*

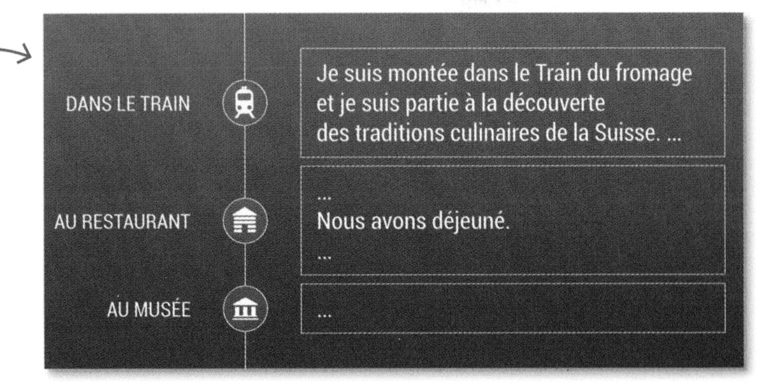

DANS LE TRAIN	Je suis montée dans le Train du fromage et je suis partie à la découverte des traditions culinaires de la Suisse. …
AU RESTAURANT	… Nous avons déjeuné. …
AU MUSÉE	…

4 

En petits groupes.

a. Connaissez-vous des balades insolites à faire dans votre région ?

b. Mettez en commun.

c. Quelles sont les balades que vous recommandez à des touristes francophones ? Pourquoi ?

5. Sons du français ▸ p. 196

Les voyelles nasales [ɑ̃] et [ɔ̃]

15 **Écoutez. Vous entendez le son [ɑ̃], montrez 1. Vous entendez le son [ɔ̃], montrez 2. Vous entendez les deux sons, montrez 3.**

Exemple : *À Montreux, nous avons pris un train original.* → 2

▸ p. 161

document 2

6. Par deux. Observez ce document (doc. 2) et faites des hypothèses.
a. Qui est Michaël Perruchoud ?
b. À quoi correspond ce trajet ?

document 3 16 et 17

7. 16 **Écoutez l'introduction de l'émission de radio (doc. 3) et répondez.**
a. Quelle expérience propose l'association ?
b. Pourquoi parle-t-on d'une expérience insolite ?

8. 17 **Écoutez cet extrait (doc. 3) et répondez.**
a. Dans quels pays a vécu le personnage ?
b. Pourquoi est-il revenu à Genève ?

9. 17 **En petits groupes. Réécoutez (doc. 3). Retrouvez le moment et les actions correspondant à chaque rue. Vérifiez avec la transcription.**

Rue	Moment	Actions
...	Aujourd'hui	...
des Grottes	...	... ; ... ; Ils ont ri ; ... ;
...		Ils se sont promenés ; ... ; ... ; ...

FOCUS LANGUE ▸ p. 208

L'accord du participe passé avec être au passé composé (rappel)

En petits groupes.

a. Groupes A : relisez les éléments donnés par Marie Gustin pour décrire son expérience (act. 3). Groupes B : relisez les événements liés à la rencontre entre le jeune homme et Aurélie (act. 9).

b. Choisissez la réponse correcte.

1. Avec *avoir*, au passé composé, le participe passé :
   ☐ *s'accorde avec le sujet.*
   ☐ *ne s'accorde pas avec le sujet.*
   Exemples : *Groupes A → ... ; Groupes B → ils ont ri*

2. Avec *être*, au passé composé, le participe passé :
   ☐ *s'accorde avec le sujet.*
   ☐ *ne s'accorde pas avec le sujet.*
   Exemples : *Groupes A → je me suis assise confortablement, ... ;*
   Groupes B → ...

Attention ! Au passé composé, tous les verbes pronominaux se conjuguent avec *être*.
Les 15 verbes suivants se conjuguent aussi avec *être* : *naître, mourir, devenir, arriver, partir, entrer, sortir, rester, passer, retourner, monter, descendre, tomber, aller, venir.*

Quelques participes passés irréguliers (1)

Retrouvez le participe passé de ces verbes irréguliers.

Groupes A : rire → *ri* plaire → ... vivre → ...
découvrir → ... s'asseoir → ...

Groupes B : revenir → ... devenir → ...
apprendre → ... écrire → ...

▸ p. 160

À NOUS !

10. Nous proposons une balade insolite.

En petits groupes.

a. **Choisissez une balade insolite (act. 4).**
b. **Imprimez ou dessinez un plan du quartier.**
c. **Imaginez une histoire qui s'est passée dans votre quartier.**
d. **Rédigez votre histoire puis lisez-la à la classe.**
e. Enregistrez votre histoire avec votre téléphone et créez votre balade sonore fictive.
f. Partagez votre balade sonore avec les autres groupes.
g. **Choisissez vos histoires préférées pour réaliser le recueil de la classe.**

▸ Expressions utiles p. 163

LEÇON 2 Safari gorilles

Comprendre des conseils et des consignes de sécurité

1. Observez la page Internet. Dans quelle ville se trouve ce restaurant ? Dans quel pays ?

document 1 18 et 19

2. 18 Écoutez la 1re partie de la conversation (doc. 1). Pourquoi les deux touristes sont contentes ?

3. 19 Par deux. Écoutez la 2e partie de la conversation (doc. 1) et répondez.

a. Pourquoi ces touristes viennent en Ouganda ?
b. Qui est Paul ? Pourquoi il les rejoint à la table ?

4. 19 En petits groupes. Réécoutez (doc. 1). Vrai ou faux ? Pourquoi ?

a. Les touristes sont déjà venues en Ouganda.
b. Elles doivent confirmer leur réservation pour le safari à l'agence Destination Jungle.
c. Selon Paul, le safari gorilles est dangereux.
d. Selon Paul, il est important de respecter les règles et les précautions à prendre.

5. 19 En petits groupes. Écoutez encore (doc. 1). Quels sont les 5 conseils donnés en cas d'attaque des gorilles ? Vérifiez vos réponses à l'aide de la transcription.

N° 1. : Suivez l'exemple des guides.

6

En petits groupes.
Existe-t-il une ou des activités touristiques originales pour découvrir les animaux ou la nature dans votre pays ? Faites la liste des activités de la classe.

document 2

Votre voyage en Afrique

JOUR 3 – La randonnée des gorilles dans la forêt tropicale

Programme

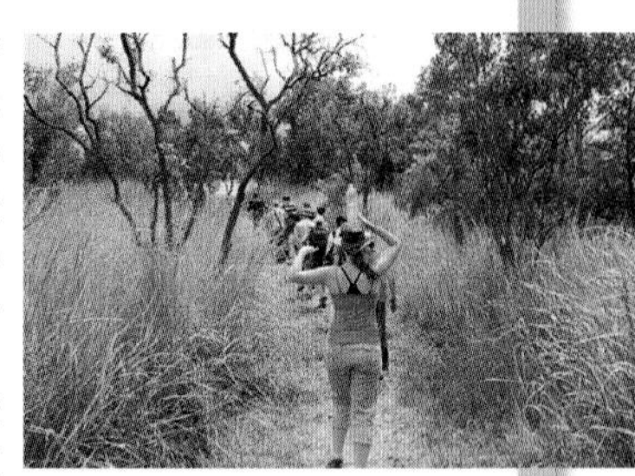

Après le petit déjeuner et le briefing des guides de l'Autorité ougandaise de la faune, vous partirez pour la randonnée des gorilles. L'activité commencera à 8 h 00. Il faut que vous emportiez un repas froid, de l'eau et une veste de pluie. Les gardes vous donneront un bâton de marche. Attention : il faut que vous soyez en bonne condition physique pour faire cette randonnée.

Règles à respecter et précautions à prendre

- Les personnes malades (grippe, toux) ne sont pas autorisées à entrer dans le parc.
- Il faut toujours rester en groupe et il ne faut pas que vous approchiez les gorilles à moins de 7 mètres.
- Vous ne devez pas utiliser le flash pour photographier les gorilles.
- Il est interdit de manger ou de fumer près des gorilles.
- Ne jetez rien dans le parc. Vous devez rapporter vos détritus avec vous.
- Les enfants de moins de 15 ans ne sont pas autorisés à faire cette randonnée.
- Il faut absolument que vous restiez silencieux et il faut que vous vous déplaciez doucement.
- Vous ne pouvez pas passer plus d'une heure avec les gorilles.
- Votre groupe ne doit pas dépasser 8 personnes.

7. Lisez le programme (doc. 2) de l'agence Destination Jungle et répondez.
a. Que doivent emporter les touristes pour faire le safari ?
b. Quelle est la condition nécessaire pour faire le safari ?

8. Par deux. Lisez les règles et précautions de la brochure (doc. 2).
a. Légendez chaque dessin avec une règle du document.
b. Est-il possible de s'approcher des gorilles ?

FOCUS LANGUE

▸ p. 210

Exprimer l'obligation, l'interdiction et donner des conseils

En petits groupes.
a. Relisez vos réponses aux activités 5, 7 et 8 et complétez.

Pour exprimer l'obligation	Pour exprimer l'interdiction	Pour donner un conseil
Impératif Exemple : ...	Impératif Exemple : ...	Impératif Exemples : ... ; ...
Il faut que + verbe au subjonctif présent Exemple : *Il faut absolument que vous restiez silencieux.*	*Il ne faut pas que* + verbe au subjonctif présent Exemple : *Il ne faut pas que vous approchiez les gorilles à moins de 7 mètres.*	*Il (ne) faut (pas) que* + verbe au subjonctif présent Exemple : *Il ne faut surtout pas que tu te mettes à courir.*
devoir + verbe à infinitif Exemple : ...	*Il est interdit de* + verbe à l'infinitif Exemple : ...	
Il faut + nom ou verbe à l'infinitif Exemple : ...	*Ne pas pouvoir* + verbe à l'infinitif Exemple : ... *Ne pas devoir* + verbe à infinitif Exemple : ...	

Le subjonctif présent des verbes réguliers

la base + les terminaisons

Présent de l'indicatif
*Ils **attend**ent*
il faut { *que j'attende* / *que tu attendes* / *qu'il/elle attende* / *qu'/elles attendent*

Pour ***nous*** et ***vous***
Conjugaison identique avec l'imparfait
il faut { *que nous attendions* / *que vous attendiez*

Attention !
Être → il faut que je sois
que tu sois
qu'il soit / qu'elle soit
que nous soyons
que vous soyez
qu'ils soient /
qu'elles soient

b. Par deux. Imaginez cinq règles à respecter ou conseils pour progresser en français. Utilisez les verbes ci-dessous. Conjuguez-les au subjonctif présent. Choisissez parmi les personnes suivantes : *je*, *tu*, *nous* et *vous*.
visiter – découvrir – étudier – pratiquer – venir – lire – comprendre – voyager – écouter – regarder – parler
Exemple : *Pour progresser, **il faut que je parle** un peu français tous les jours.*

▸ p. 161

À NOUS !

9. Nous présentons une activité touristique.
En petits groupes.
a. Choisissez une activité touristique dans la liste de la classe (act. 6).
b. Rédigez une courte description de votre activité.
c. Précisez les règles et précautions à prendre (obligations et interdictions) par les touristes francophones qui ont choisi de faire cette activité. Donnez quelques conseils.
d. Réalisez le guide de la classe.

▸ Expressions utiles p. 163

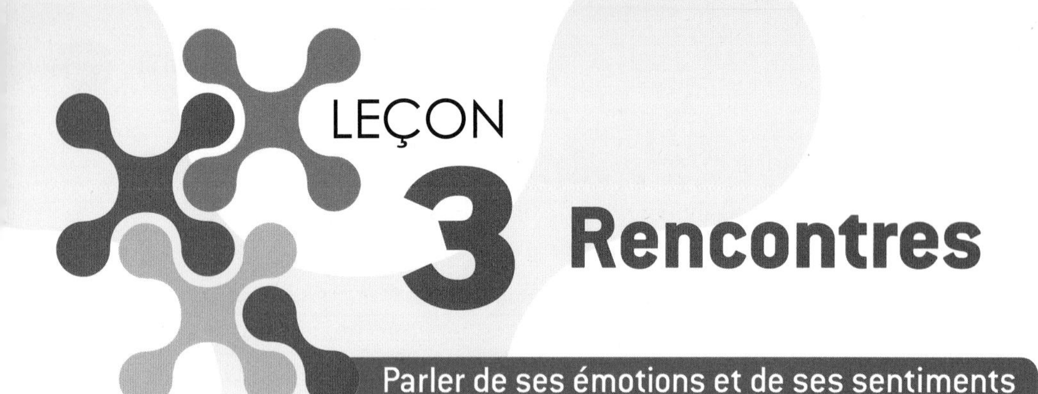

Rencontres

Parler de ses émotions et de ses sentiments

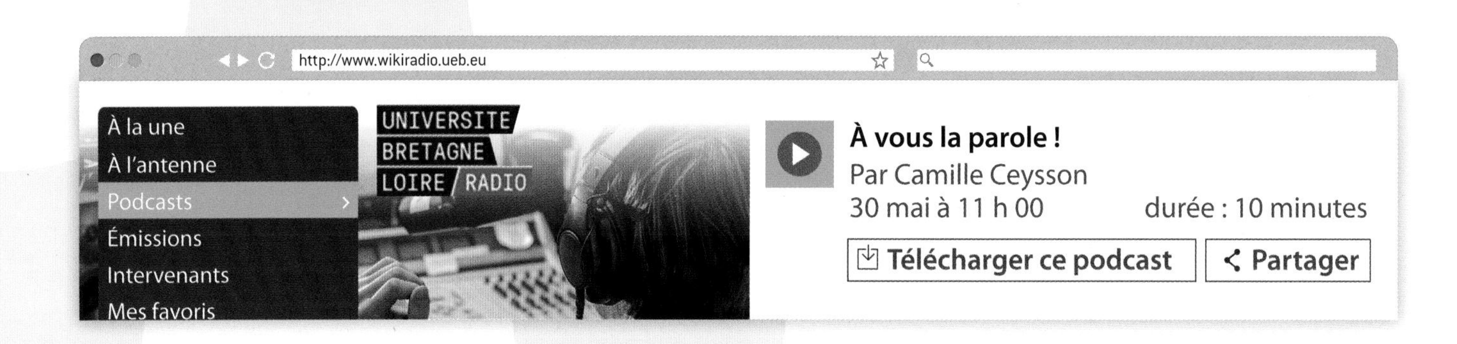

1. Observez la page Internet. Faites des hypothèses sur l'émission « À vous la parole ! »

document 1 20 et 21

2. 20 Écoutez la 1re partie de l'émission « À vous la parole ! » (doc. 1) et répondez.

a. Qui sont Ayaka et Silea ?

b. Quel est le thème de l'émission du jour ?

3. 21 Par deux. Écoutez la 2e partie de l'émission (doc. 1).

a. Quelle étudiante ressent ces émotions : Ayaka, Silea ou les deux ?

l'inquiétude • la peur • la surprise • le bonheur • la nervosité

b. Associez chaque émotion à une émoticône.

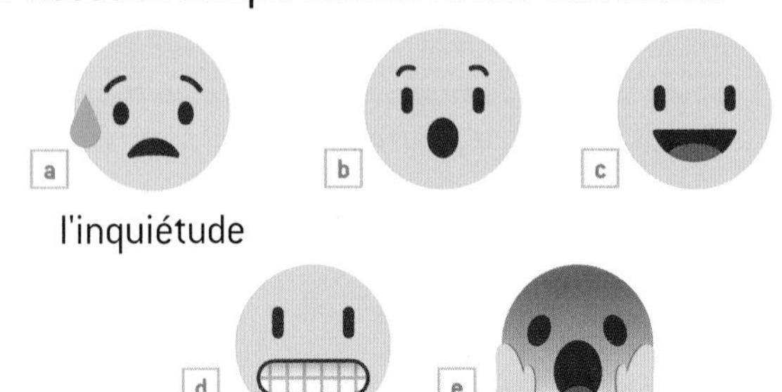

4. 21 Réécoutez (doc. 1). Relevez à quelles occasions Ayaka et Silea ont ressenti ces émotions et sentiments.

Exemple : *la peur → Le 1er jour à l'université, j'avais très peur. Je ne parlais pas bien français. (Ayaka)*

FOCUS LANGUE

Exprimer des sentiments et des émotions

En petits groupes

a. Observez et complétez.

Les sentiments et les émotions	Exprimer des sentiments et des émotions
La peur	…
L'étonnement	…
Le bonheur	*être heureux, heureuse*
L'inquiétude	…
La nervosité	…

b. Listez les autres sentiments et émotions que vous connaissez.

c. Échangez. Quels sentiments et émotions vous avez ressentis : votre 1er jour d'école ; avant votre 1er cours de français ; la 1re fois que vous avez parlé en français ; la 1re fois que vous avez voyagé seul(e) ?

► p. 161

5 

En petits groupes.

a. Choisissez quatre sentiments ou émotions dans la liste (Focus langue).

b. Faites une liste des moments où vous avez ressenti ces émotions et sentiments.

document 2

MA FRANCE
TÉMOIGNAGES D'ALUMNI*

1. SOUVENIRS DE CAMPUS
2. RENCONTRES

a **Ma première intervention dans un colloque français.** C'était en 2012, je rencontrais le public universitaire français pour la 1re fois... J'entends encore les applaudissements du public quand j'ai fait mon intervention dans ce colloque. Un universitaire allemand a même fait signe à ses élèves de se lever et de m'applaudir debout ! J'étais très émue. Quelques semaines plus tard, j'ai reçu les actes du colloque. J'étais fière d'avoir participé à un événement culturel français.

Maria, Grèce.

b **Changement d'avis.** Quand j'ai rencontré Arnaud, nous parlions souvent espagnol. Il adorait parler ma langue ! Il voulait venir faire un stage en Colombie mais ses parents pensaient que c'était un pays trop violent pour aller pratiquer la langue là-bas. Heureusement, je leur ai raconté la vie à Bogota et ils ont changé d'avis ! Arnaud est arrivé en juillet pour passer un an dans ma ville natale !

Adriana Marcela, Colombie.

c **La langue en commun.** Au pied de la tour Eiffel, j'ai rencontré un Angolais. Il venait passer quelques jours de tourisme à Paris. J'étais très content de faire la visite avec quelqu'un ! Nous avons monté les escaliers du monument et nous avons commencé à discuter en français... Puis nous avons découvert avec émotion que nous parlions tous les deux le portugais, la langue officielle de nos deux pays !

Beltamiro, Mozambique.

* France Alumni est un réseau social pour les étudiants étrangers qui ont suivi des études en France.

6. Lisez les témoignages (doc. 2) de ces étudiants.

a. À quelle partie du livre *Ma France* correspond chaque témoignage : *Souvenirs de campus* ou *Rencontres* ?

b. Relevez dans les témoignages de Beltamiro et Adriana l'extrait qui justifie leur titre.

7. En petits groupes. Relisez les témoignages (doc. 2).

a. Pour chaque témoignage, identifiez :

– les événements (ce qui s'est passé).
Exemple : *J'ai fait mon intervention dans ce colloque.*

– la description de la situation, les circonstances (où, quand, comment, etc.). Exemple : *C'était en 2012.*

– les sentiments et les émotions ressentis.
Exemple : *J'étais très émue.*

b. Relisez le Focus langue « Exprimer des sentiments et des émotions ». Complétez-le avec les émotions et les sentiments évoqués dans les témoignages.

FOCUS LANGUE ▸ p. 209

Le passé composé et l'imparfait pour raconter des événements passés, des souvenirs

Par deux.

a. Observez les temps des verbes utilisés pour décrire les événements, la situation et les circonstances, les émotions et les sentiments ressentis (act. 7a).

b. Choisissez la réponse correcte et illustrez avec un extrait des documents 1 et 2.

1. J'utilise ☐ *le passé composé* ☐ *l'imparfait* pour raconter les faits, les événements passés.
2. J'utilise ☐ *le passé composé* ☐ *l'imparfait* pour décrire les circonstances de la situation (le lieu, la date, l'heure, etc.), les émotions ou les sentiments et les souvenirs.

▸ p. 161

8. Sons du français

La prononciation au passé composé et à l'imparfait

22 **En groupe. Écoutez et répétez. Vous entendez le passé composé, restez assis. Vous entendez l'imparfait, levez-vous.**

Exemple : ***J'étais*** *très content ! → Imparfait, je me lève.*

▸ p. 162

À NOUS

9. Nous témoignons.

a. Choisissez dans la liste suivante le thème de votre témoignage : une rencontre, un souvenir de voyage, une prise de parole en public, une expérience à l'étranger.

b. Constituez des petits groupes en fonction du thème choisi.

c. Rédigez individuellement votre témoignage à la manière du livre *Ma France*. Décrivez les événements et les circonstances. Souvenez-vous de vos impressions, de vos sentiments et émotions. Échangez avec les membres de votre groupe.

d. Lisez votre témoignage au groupe.

e. Le groupe donne un titre à votre témoignage.

f. Envoyez les témoignages à votre professeur.

LEÇON 4 Un peu de sport !

Organiser un week-end à thème

1. Regardez cette photo. À votre avis, comment s'appelle cette activité en français ?
   la planche à voile • la voile • le char à voile

document 1 23

2. 23 Par deux. Écoutez cette conversation (doc. 1) et répondez.
   a. Quel est le projet des deux amis ? Qui leur a parlé de cette activité ?
   b. Quel est le flyer du club les Drakkars ?

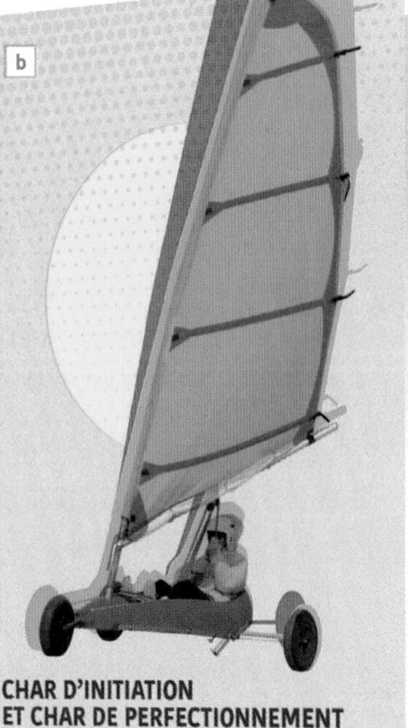

3. 23 Par deux. Réécoutez (doc. 1).
   a. Relevez comment les deux amis décrivent cette activité sportive.
   b. Pourquoi ils préfèrent le covoiturage ?
   c. Vérifiez avec la transcription.

4. Et vous ? Que pensez-vous de cette activité ? Vous aimeriez faire du char à voile ? Pourquoi ? Échangez !

FOCUS LANGUE

Les caractéristiques du français familier

a. 23 **Écoutez encore et concentrez-vous sur les extraits ci-dessous.**

Français écrit
Tu n'as pas envie ?
Tu imagines les sensations.
Je ne connais pas.
Ce sont vraiment des professionnels.
Il y en a plein.

b. Complétez.

Différences entre l'oral et l'écrit	Exemples
Le ***e*** muet disparaît. Il est remplacé par l'apostrophe.	*J'connais pas.*
Tu devient ***t'***.	
Il devient ***y***.	
Le ***ne*** de la négation disparaît.	
Ce sont devient ***c'est***.	

c. Retrouvez la formulation de « oui » et « ami » en français familier.

► p. 162

En petits groupes.
a. Quels sports extrêmes connaissez-vous ou pratiquez-vous ?
b. Partagez avec les autres groupes.
c. Quelles activités sportives vous avez ou n'avez pas envie de tester ?

6. Observez ce flyer (doc. 2).
a. Identifiez sa nature et ses différentes parties.
b. Identifiez les deux activités sportives proposées.

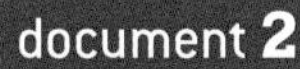

7. Par deux. Lisez le document (doc. 2). Quel est le public visé ? Quelles sont les destinations proposées pour chaque activité sportive ?

8. Relisez le flyer (doc. 2). Relevez les formules qui donnent envie de pratiquer ces activités.

FOCUS LANGUE

▸ p. 203

***C'est... qui/c'est... que* pour mettre en relief**

Relisez vos réponses aux activités 7 et 8 et choisissez la réponse correcte.

J'utilise *c'est – ce sont... qui/c'est – ce sont... que* pour souligner et mettre en relief un élément de la phrase.

1. J'utilise la structure ***c'est*** ou ***ce sont*** + un nom ou un pronom + ***qui*** pour mettre en relief ☐ *le sujet* ☐ *le COD*.
2. J'utilise la structure ***c'est*** ou ***ce sont*** + un nom ou un pronom + ***que*** pour mettre en relief ☐ *le sujet* ☐ *le COD*.

▸ p. 162

À NOUS

9. Nous réalisons un flyer pour notre activité sportive.

En petits groupes.
a. Choisissez une activité (act. 5b).
b. Préparez les informations principales de votre flyer :
– caractéristiques de l'activité
– public visé
– destination(s) proposée(s)
c. Organisez vos informations pour rédiger votre flyer à la manière du document 2. Donnez envie à vos lecteurs !
d. Ajoutez une photo et présentez votre flyer à la classe.
e. La classe vote pour son flyer préféré.
f. Envoyez votre flyer à l'office de tourisme de la ville où votre activité se pratique.
g. Organisez la visite de ce lieu.

LEÇON 5 Voyages aventure

Décrire un voyage insolite

document 1

http://www.vacanceo.com

S'informer | Prix et Agences | Participez ! | Forum | Connexion

FORUM VOYAGES INSOLITES

Marinette68

Salut tout le monde !
Voilà, je voulais partager avec vous mon inspiration du moment : 9 jours de voyage en 4 x 4 au Kirghizistan ! Le guide, Azamat, parle français. Les paysages sont sublimes, l'hébergement est traditionnel : en yourte ou chez l'habitant.
J'ai découvert le mode de vie nomade et les traditions des Kirghizes, en totale immersion culturelle ! C'est comme ça que j'aime voyager ! Si ça vous dit, je vous donne les coordonnées de l'agence !

Darius1500

Merci Marinette, belle inspiration, en effet ! Je veux bien les coordonnées de l'agence !
Alors moi, je propose à tous les « riders » une expérience unique : le raid en motoneige en Laponie (entre la Finlande et la Suède) ! C'est une expédition intense, avec pilotage en forêt. Philippe, le guide, est français. Ce qui m'a fasciné dans cette activité, c'est l'incroyable sensation de liberté !

AnneMB

Salut à tous !
C'est vraiment chouette de pouvoir partager ici nos activités « pas comme les autres » !
Vous allez sûrement penser que je fais du tourisme plus classique que vous !... Moi, mon truc, c'est la mobylette... J'ai visité l'île de Chypre à mobylette.
En vacances, j'aime la culture, l'histoire et, à Chypre, on n'en manque pas ! La mobylette, c'est un moyen de transport génial pour prendre son temps et s'arrêter quand on veut !

1. Observez cette page Internet (doc. 1) et répondez.
a. Quel est le thème du forum ?
b. Quelle est la nationalité des internautes ?

2. Par deux. Lisez les trois publications des internautes (doc. 1).
a. Pour chaque proposition, retrouvez :
– le(s) pays visité(s) ;
– le mode de transport choisi ;
– le type d'hébergement ;
– les activités au programme.
b. Pourquoi chaque internaute a aimé son voyage ?

3. En petits groupes. Échangez.
– Quelle proposition est la plus insolite ? Pourquoi ?
– Quelle proposition vous préférez ? Pourquoi ?

4 

En petits groupes.
a. Choisissez deux mots qui définissent les voyages cités sur le forum.
Exemples : *tradition, liberté, culture, etc.*
b. Faites une liste d'autres idées de voyages insolites qui correspondent aux mots choisis.
c. Partagez-les avec la classe.

5. Observez cette page Internet. Quel est le nom de la radio ? Quel est son slogan ?

document 2 24

6. 24 Écoutez cet extrait radiophonique (doc. 2). Qui est Baptiste ? Pourquoi il passe à la radio ?

7. 24 Par deux. Réécoutez (doc. 2) et répondez.
a. Que propose le site www.planet-ride.com ?
b. Comment fonctionne ce site ?
c. Quel est le public visé et quelles sont les destinations proposées ? Pour quels budgets ?

8. 24 En petits groupes. Écoutez encore (doc. 2). Repérez dans la liste les mots qu'utilise Baptiste pour décrire ces voyages.

une expérience • une évasion • une expédition • un dépaysement • la liberté • une découverte • la traversée • une sensation de liberté

FOCUS LANGUE

► p. 202

Le genre des noms

En petits groupes.

a. À l'aide des documents 1 et 2, indiquez le genre des noms. Utilisez la transcription si nécessaire.

Les mots en...	Masculin	Féminin	Exemples
-té	☐	☐	*liberté, activité*
-ment	☐	☐	*dépaysement, hébergement*
-age	☐	☐	*voyage, pilotage*
-ion, -tion, -sion	☐	☐	*évasion, destination, inspiration, tradition, immersion, expédition, sensation*
-ée	☐	☐	*traversée, idée, coordonnée*
-ure	☐	☐	*aventure, culture*
-isme	☐	☐	*tourisme*
-ette	☐	☐	*mobylette*

b. Complétez le tableau avec d'autres mots que vous connaissez.

► p. 162

À NOUS !

9. Nous présentons un voyage insolite.

En petits groupes.

a. Choisissez un voyage insolite dans la liste de la classe (act. 4).
b. Précisez le(s) mode(s) de transport, le type d'hébergement, les activités insolites à réaliser.
c. Présentez votre voyage insolite à la classe.
d. Réalisez le carnet des voyages insolites de la classe.
e. Proposez votre carnet de voyages insolites à l'office de tourisme de votre ville.

► Expressions utiles p. 163

LEÇON 6 C'est ma vie !

Raconter son parcours

document 1

http://www.votretourdumonde.com

ITINÉRAIRE | VIVRE À... | TOPS 5 | PRÉPARATIFS | RÉCITS | MES VIDÉOS

VIVRE EN ESTONIE : L'EXEMPLE DE MAËL

Souvenirs de mon séjour en Estonie

Il y a deux ans, je suis parti en Estonie. Je devais faire un stage pour mes études. Ma spécialité, ce sont les nouvelles technologies et les nouveaux moyens de communication.
L'Estonie est un pays qui me fascine depuis l'enfance. Quand j'étais petit, j'étais passionné par les drapeaux. Je les apprenais tous par cœur ! Le drapeau estonien était mon préféré, alors je me suis juré d'y aller !
Je devais rester quelques semaines seulement mais j'y ai vécu pendant 5 mois.
J'ai fait mon stage à Tallinn, une ville très vivante. L'Estonie n'est indépendante que depuis 25 ans. C'est un pays très jeune. La vie y est très agréable, calme et il y a beaucoup d'espaces verts… Ça, j'ai adoré !
J'ai eu un peu de mal à me faire des amis car, pendant mon stage, j'étais surtout avec des francophones.
Dans quelques mois, j'ai l'intention de repartir en Estonie pour y trouver un travail et m'y installer.
Je suis rentré en France il y a un an et demi et je prends des cours d'estonien depuis 6 mois. Je suis vraiment tombé amoureux de l'Estonie et de son mode de vie !

1. Observez cette page Internet (doc. 1).
- **a.** Identifiez le type de site.
- **b.** De quel pays on parle ?

2. En petits groupes. Suivez-vous des blogs ? Des blogs de voyages ? D'autres thèmes de blogs ?
Avez-vous déjà publié sur un blog ? À quelle(s) occasion(s) ?

3. Par deux. Lisez le témoignage (doc. 1) et répondez.
- a. Quand Maël est-il parti à l'étranger ?
- b. Pourquoi est-il parti ?
- c. Quelle est sa spécialité ?
- d. Pourquoi a-t-il choisi ce pays ?

4. Par deux. Relisez le témoignage (doc. 1).
- **a.** Retrouvez l'ordre des éléments suivants :
  projets • durée du séjour en Estonie • retour en France • difficultés d'adaptation
- **b.** Relevez les informations correspondant à ces éléments.
- **c.** Pourquoi Maël a aimé l'Estonie ?

5 En petits groupes.
- **a.** Y a-t-il beaucoup de Français ou de francophones expatriés dans votre pays ?
- **b.** Cherchez s'il existe des blogs de voyages d'expatriés français ou francophones dans votre ville ou pays.
- **c.** Partagez-les avec la classe.

6. Sons du français

► p. 197

La liaison avec les sons [z], [t] et [n]

25 En groupe. Écoutez. Dites si vous entendez une liaison avec le son [z], le son [t] ou le son [n]. Répétez ces phrases.

Exemple : *Son‿histoire → liaison avec le son [n]*

► p. 163

7. Observez cette affiche (doc. 2). Connaissez-vous le concept de « café de langue » ? Échangez.

document 2 26

8. 26 Écoutez cette conversation (doc. 2) dans un café de langue à Tallinn, en Estonie. De quoi parlent les deux personnes ?

9. 26 En petits groupes. Réécoutez (doc. 2). Vrai ou faux ? Pourquoi ?

a. Emma a aimé son séjour en France.
b. Laurence adore la vie à Tallinn.
c. Laurence travaille dans une galerie d'art dans le centre-ville.
d. Laurence est originaire de Paris.
e. Emma est interprète.

10. 26 En petits groupes. Lisez ces extraits. Qui parle : Laurence ou Emma ?

a. « J'y suis allée il y a deux ans. »
b. « J'y suis restée pendant un an. »
c. « J'habite ici depuis deux ans et demi. »
d. « Je veux ouvrir ma propre agence dans quelques mois. »

FOCUS LANGUE

► p. 207

Les marqueurs temporels

Par deux.

a. Observez le schéma.

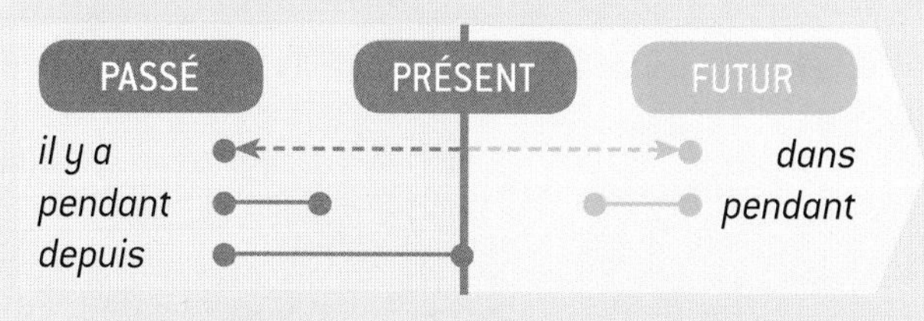

b. Complétez avec les marqueurs temporels : *il y a*, *pendant*, *dans* et *depuis*. Illustrez avec un extrait (act. 4b et 10).

1. J'utilise… pour indiquer une période de temps. Exemple :…
2. J'utilise … pour exprimer un événement futur. Exemple :…
3. J'utilise … pour exprimer une action ponctuelle et situer un événement passé par rapport au moment présent. Exemple :…
4. J'utilise … pour indiquer le point de départ dans le passé d'une action qui continue au moment où je parle. Exemple :…

► p. 162

11. Apprenons ensemble !

Miyu répond à la consigne suivante : décrivez un rêve que vous aviez quand vous étiez petit(e). Si vous l'avez réalisé, racontez comment.

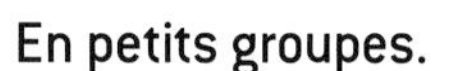

En petits groupes.

a. 27 Écoutez la production de Miyu. Quel était son rêve ? Pourquoi ?

b. 27 Réécoutez et relevez comment Miyu situe les différents événements dans le temps. Aidez-la à corriger ses erreurs.

c. Trouvez un moyen de ne pas répéter ces erreurs et proposez-le à la classe.

À NOUS

12. Nous racontons notre parcours.

Seul.

a. Relisez la consigne donnée à Miyu (act. 11).
b. Rédigez votre témoignage.
c. Présentez votre témoignage à la classe sans mentionner votre rêve.
d. La classe doit deviner votre rêve.

► Expressions utiles p. 163

CULTURES

1 Voyager autrement

a. Observez cette image et faites des hypothèses sur le contenu de la vidéo.

1. De quelle nouvelle technique ce jeune homme va-t-il parler ? À qui s'adresse-t-il ?
2. Quelles techniques connaissez-vous pour dormir gratuitement chez l'habitant ?

b. Regardez le début de la vidéo (jusqu'à 0'30"). Vérifiez vos hypothèses.

c. Relevez le nom et la définition de cette nouvelle technique.

d. En petits groupes. Associez chaque geste à sa signification :

1. Tu peux déjà aller dans pas mal de villes en Europe ou en France, comme Londres, Barcelone…
2. T'(u) accueilles des gens chez toi…

INTERCULTUREL **Et dans votre langue ? Quel(s) geste(s) pouvez-vous associer à chaque phrase ?**

e. Regardez la vidéo sans le son (de 0'30" à la fin). Remettez dans l'ordre la journée d'Alex.

1. Il visite Bordeaux.
2. Il se couche.
3. Il prend le tramway.
4. Il fait la cuisine.
5. Il visite l'appartement de la personne chez qui il va loger.
6. Il rentre avec les courses.
7. Il rencontre son hôte.
8. Il dîne avec son hôte.

f. En petits groupes. Regardez la vidéo avec le son (de 0'30" à la fin). La classe est divisée en trois. Chaque groupe se charge d'une question.

1. Décrivez l'appartement de Jérôme. Citez les pièces que l'on voit. Selon vous, est-ce que c'est un appartement typiquement français ? Pourquoi ?
2. Que pense Jérôme de ce mode d'hébergement ? Pourquoi ? Et vous ?
3. Quels lieux visite Alex ?

Mettez vos réponses en commun.

2 Rencontre interculturelle

TÉMOIGNAGE

Un véritable échange culturel
De Thi Kim Cuc

VIETNAM
Université de Toulouse I – Capitole

MA FRANCE
Témoignages d'ALUMNI
CAMPUS FRANCE

Ma mission, dans cette association, était de tenir compagnie à une dame âgée qui habitait toute seule, pas très loin de chez moi. Chaque samedi après-midi, je prenais mon vélo pour me rendre chez elle et rompre sa solitude. Je lui faisais la lecture, nous discutions de sujets divers. Il m'est arrivé de lui cuisiner un plat traditionnel vietnamien, le nem, qu'elle goûtait avec grand plaisir.

Les histoires qu'elle m'a racontées m'ont permis de mieux comprendre la France, les Toulousains, la vie à la française. Cette rencontre a été un véritable échange culturel.

a. Lisez le document.
1. Identifiez le document et son auteur.
2. Quel est le sujet du témoignage ?

b. Légendez les photos avec les extraits du témoignage.

a

b

c
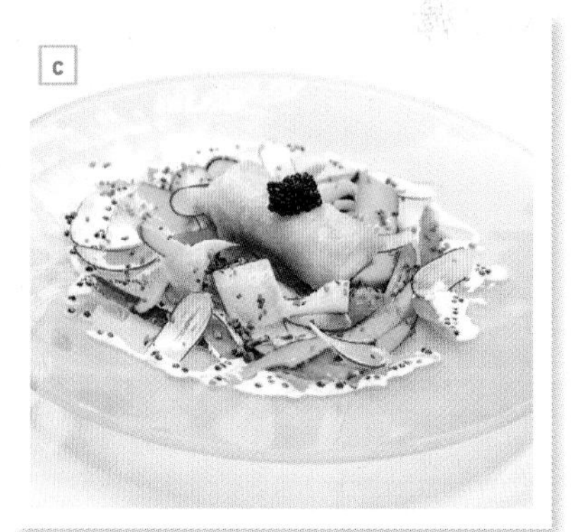

c. Par deux. Relisez et répondez.
1. Quelle était la mission de l'auteur du témoignage ?
2. Quel est l'intérêt pour chaque personne ?

d. En petits groupes. Que pensez-vous de la relation entre la personne âgée et l'étudiante ? Aimeriez-vous vivre cette expérience ? Dans votre pays, cette situation est-elle possible ? Si non, pourquoi ?

COMPLÉTEZ VOTRE CARNET CULTUREL
1. Des étudiants francophones dans mon pays : combien ? Dans quelles villes ?
2. Des associations dans mon pays qui proposent la rencontre interculturelle : lesquelles ? Quelles missions ? Où ?
3. Des associations pour rencontrer des francophones : lesquelles ? Où ?

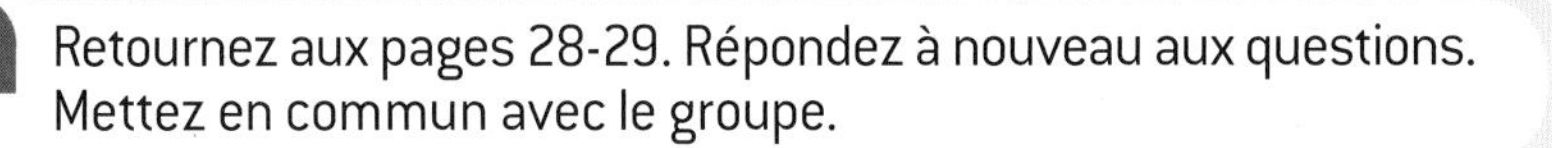
Retournez aux pages 28-29. Répondez à nouveau aux questions.
Mettez en commun avec le groupe.

Projet de classe

Nous réalisons la carte de nos expériences insolites ou originales.

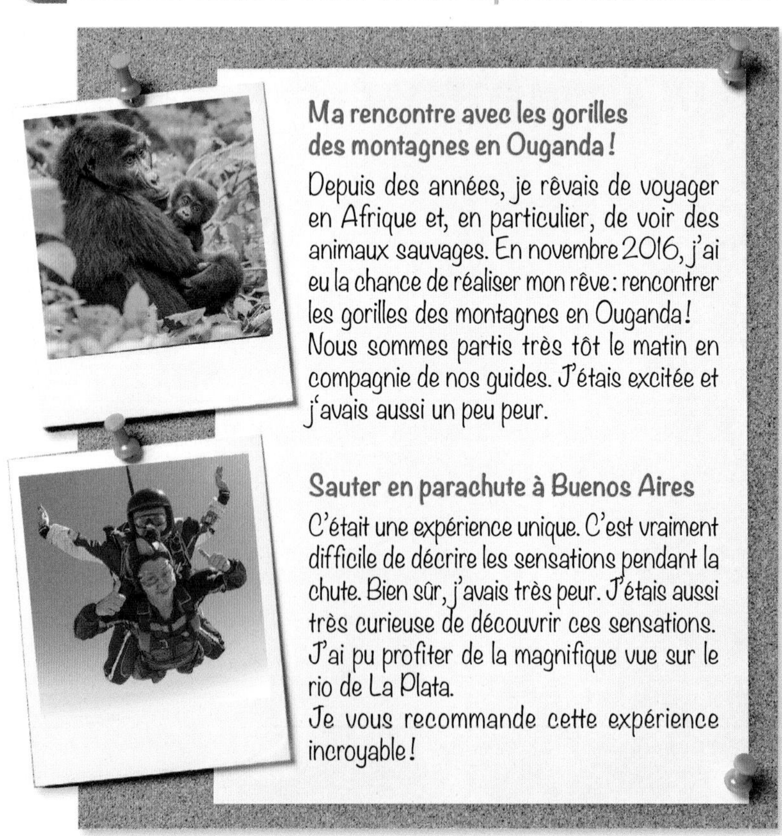

a. Lisez ces deux extraits. À quel type d'expérience ils correspondent ?
une balade insolite • un safari • une rencontre originale • une activité sportive extrême • un voyage aventureux • un changement important • une expérience à l'étranger

b. Chaque étudiant choisit une expérience ou une activité originale personnelle. Il la décrit et parle des émotions et des sentiments ressentis.

c. En petits groupes, décidez de la présentation de l'ensemble des expériences et activités : textes, images, plans, sons, vidéos, etc.

d. Réalisez la carte de votre groupe. Affichez-la dans la classe.

e. Chaque groupe présente sa carte à la classe.

f. Réalisez une carte interactive sur www.thinglink.com et partagez-la avec la classe.

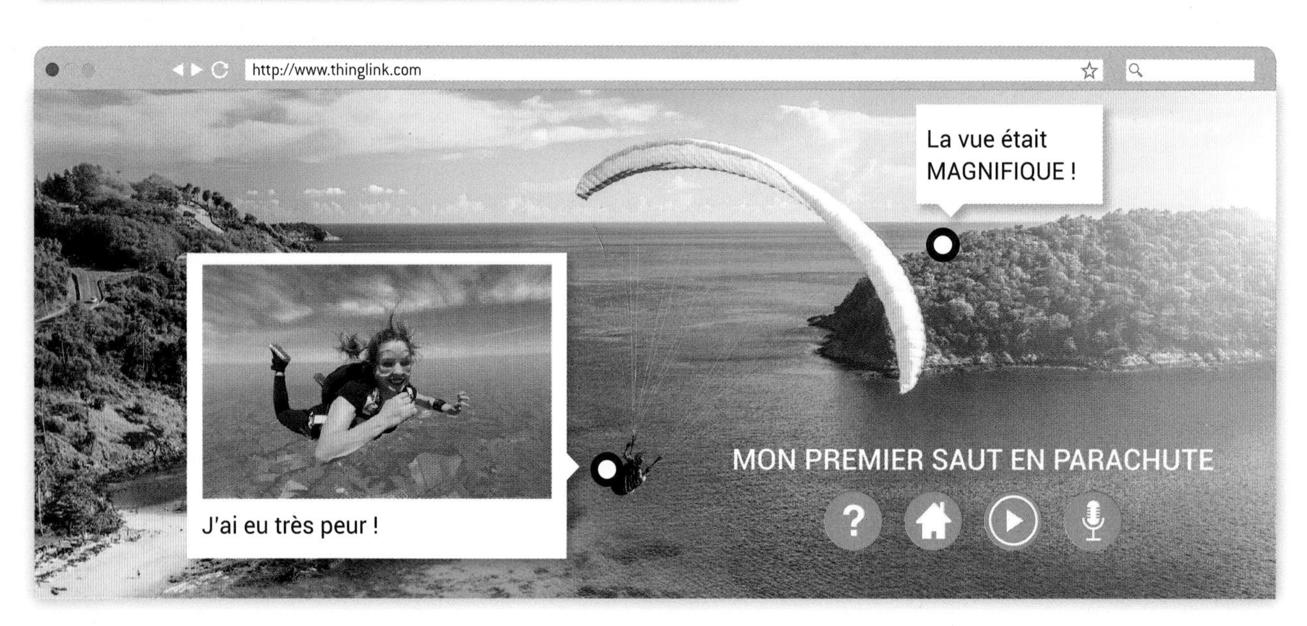

Projet ouvert sur le monde

GP Parcours digital

Nous réalisons un mini-guide à destination des voyageurs francophones.

DELF 2

I Compréhension des écrits

Exercice 1 Lire des instructions

**Vous êtes en France, à la réserve africaine de Sigean.
Vous lisez les consignes de sécurité.
Répondez aux questions.**

1. **Il est possible de faire la visite avec quel moyen de transport ?**

2. **Pour faire la visite d'une partie du parc à pied, il faut que vous...**
3. **Dans la réserve, il est autorisé de...**
   a. nourrir les animaux.
   b. manger pendant la visite.
   c. se promener avec une bouteille d'eau.
4. **Dans la réserve, vous ne pouvez pas...**
   a. fumer.
   b. rester silencieux.
   c. prendre des photos.
5. **Quand vous prenez en photo les animaux, il ne faut pas que vous...**

RÈGLEMENT INTÉRIEUR

Pour votre sécurité, le respect et le bien-être des animaux ainsi que pour la protection de l'environnement, **IL EST IMPÉRATIF DE RESPECTER LES CONSIGNES DE SÉCURITÉ CI-DESSOUS** :

1. Les voitures ouvertes, les motos et les vélos ne sont pas autorisés à entrer dans la réserve. Vous pouvez prendre un minibus.
2. Il est interdit de descendre du minibus dans la réserve des lions.
3. Vous pouvez faire une partie du parc à pied. Vous devez rester sur les chemins.
4. Il ne faut pas que vous donniez à manger aux animaux et il est interdit de manger dans la réserve. Vous pouvez avoir une bouteille d'eau avec vous.
5. Ne jetez rien sur les animaux et dans la réserve.
6. Il est absolument interdit de fumer.
7. Il ne faut pas faire de bruit ou utiliser le flash de votre appareil photo quand vous photographiez les animaux.

II Production écrite

Exercice 1 Décrire un événement ou raconter une expérience personnelle

**Vous avez fait un voyage insolite et vous avez fait la rencontre de personnes extraordinaires.
Vous écrivez à un ami francophone pour lui raconter cette expérience et pour lui parler de vos émotions et de vos sentiments. (60 mots minimum)**

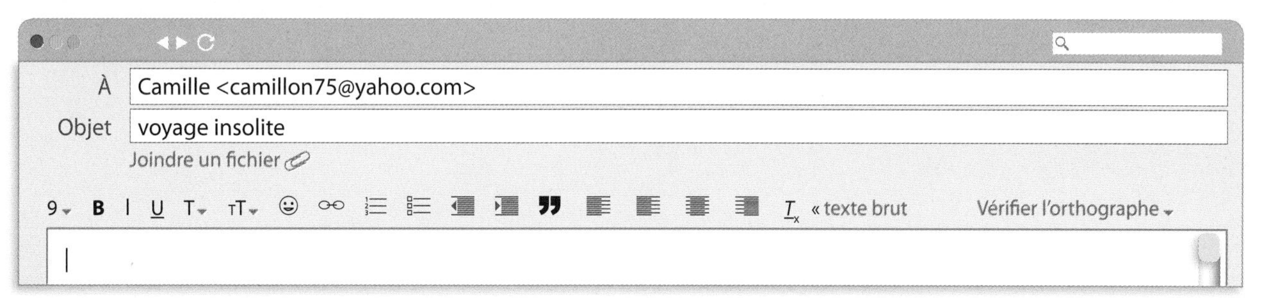

DOSSIER 3

Et en plus, nous parlons français !

La langue française et l'emploi

Par deux. Répondez et comparez vos réponses avec celles des autres groupes.

1 **À votre avis, pour postuler à un emploi en France, c'est plutôt :**

a

b

c

2 **À votre avis, grâce à la langue française, vous pouvez trouver facilement un emploi :**

a. dans le secteur du tourisme.

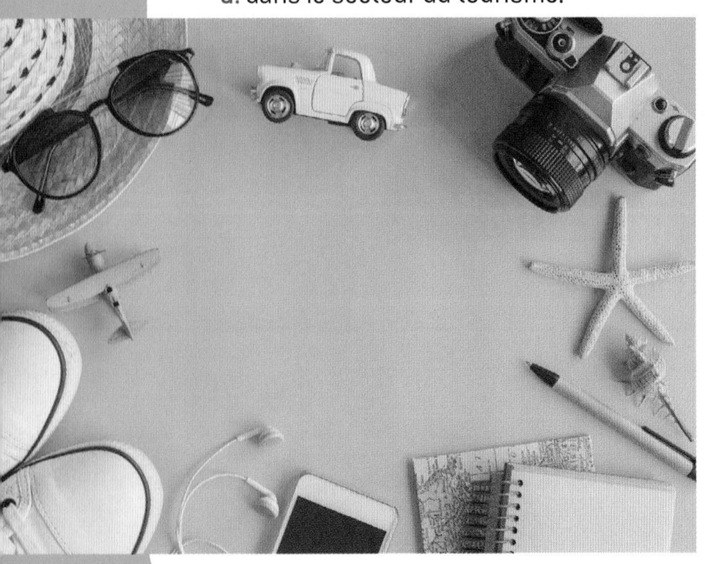

b. dans le secteur de la communication.

c. dans le secteur de la comptabilité et de la finance.

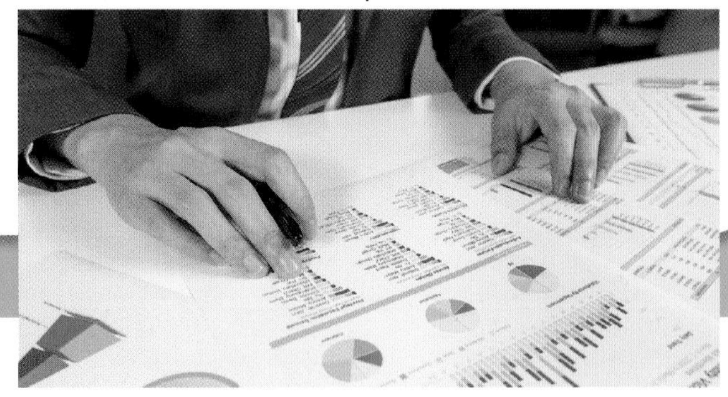

3 À votre avis, le programme ERASMUS, c'est plutôt :

a. un programme de mobilité pour les professionnels de l'éducation.

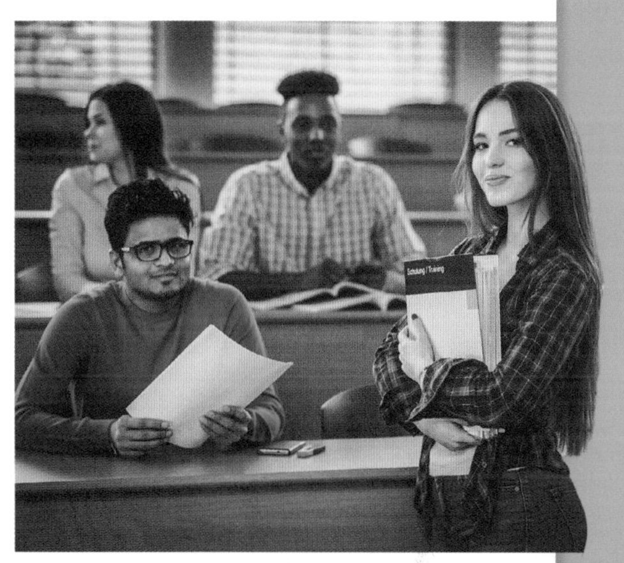

b. un programme de mobilité pour les étudiants universitaires.

c. un programme de mobilité pour les jeunes en formation professionnelle.

PROJETS

- **Un projet de classe**
  Postuler à « un job de rêve ».
- **Et un projet ouvert sur le monde**
  Nous entraîner à un entretien d'embauche en France.

Pour réaliser ces projets, nous allons apprendre à :

- comprendre une offre d'emploi
- rechercher un emploi
- proposer des services
- donner des conseils
- parler de notre parcours professionnel
- répondre à des questions formelles

LEÇON

1 Poste à pourvoir

Comprendre une offre d'emploi

document 1

http://www.institutfrancais.de

INSTITUT FRANÇAIS Allemagne

EMPLOI

Réseau Contact Recherche

L'INSTITUT FRANÇAIS D'ALLEMAGNE (IFA) RECRUTE UN ASSISTANT BUDGÉTAIRE ET COMPTABLE (H/F)

Lieu : IFA, ambassade de France à Berlin, PariserPlatz 5.

Missions principales : Gestion des dépenses et des recettes, paiement des factures

Profil recherché :
- Avoir des connaissances en gestion budgétaire
- Avoir une bonne capacité d'organisation
- Faire preuve de rigueur et de logique
- Avoir l'esprit d'équipe

Langues :
- Maîtrise du français à l'oral et à l'écrit
- Maîtrise de l'allemand

Envoyer CV et lettre de motivation à recrutement@institutfrancais.de
Renseignements sur le poste :
Paul Hamon
0049 (0) 30 – 590 03 9032

Conditions :
- CDD d'un an renouvelable. Possibilité de CDI
- Temps plein
- Salaire brut mensuel : 2 054,97 € (sur 13 mois)

document 2

http://www.institutfrancais-cambodge.com

L'INSTITUT FRANÇAIS DU CAMBODGE (IFC) RECRUTE UN CHARGÉ DE CLIENTÈLE (H/F) POUR SON CENTRE DE LANGUES (5 000 ÉTUDIANTS PAR AN EN MOYENNE)

vivre les cultures

Missions :
- Accueillir les clients
- Leur vendre les cours et les examens du centre de langues
- Répondre aux demandes de renseignements pour les cours ou les examens par mail, téléphone et sur les réseaux sociaux

Compétences et qualités requises :
- Aimer le contact avec le public
- Avoir une bonne présentation
- Avoir la capacité à travailler en équipe

Langues :
- Français et anglais (niveau B1 minimum)
- Maîtrise du khmer indispensable

Envoyer CV et lettre de motivation à :
emploi@institutfrancais-cambodge.com
Renseignements sur le poste :
Claire Martin
+855 (0) 23 213 124/312

Conditions :
- CDI, période d'essai de trois mois
- Temps plein
- Salaire à négocier

1. Observez ces deux documents (docs. 1 et 2) et répondez.

a. De quel type de document il s'agit ?

b. Qui a publié ces documents ? Dans quels pays ?

2. Lisez les documents (docs. 1 et 2) et relevez les informations données pour ces éléments :

intitulé du poste • lieu de travail • durée du contrat • temps de travail • langue(s) • salaire • modalités de réponse • personne à contacter.

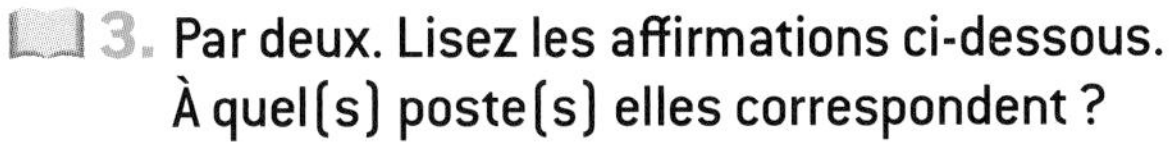

3. Par deux. Lisez les affirmations ci-dessous. À quel(s) poste(s) elles correspondent ?
a. Il faut des compétences en comptabilité.
b. La maîtrise du français est obligatoire.
c. Il y a une période d'essai.
d. Il faut être très organisé et rigoureux.
e. Il faut aimer le contact et la vente.
f. Le candidat doit aimer travailler en équipe.

FOCUS LANGUE

Comprendre une offre d'emploi

H/F → Homme/Femme
CV → Curriculum vitae
CDD → Contrat à durée déterminée
CDI → Contrat à durée indéterminée

Temps de travail : temps plein ou temps partiel
Salaire ou rémunération : brut(e) ou net(te)
Salaire net = salaire sans les charges sociales

▸ p. 164

4

En petits groupes.
a. Quelles sont les professions du centre de langues où vous étudiez le français ? (professeur, directeur, gardien, etc.)
b. Selon vous, quelles autres professions peuvent être utiles au centre de langues ?
c. Partagez avec la classe.

5. Sons du français

▸ p. 197

Les sons [s] et [z]

28 En groupes. Écoutez et répétez les mots. Dites combien de fois vous entendez le son [s] et combien de fois le son [z].

Exemple : *responsabilités → 2 fois le son [s] et 0 fois le son [z].*

▸ p. 164

document 3 29

6. Regardez la photo et faites des hypothèses.
a. Qui sont-ils ?
b. Qu'est-ce qu'ils font ?

7. 29 Par deux. Écoutez ces quatre extraits (doc. 3). Vérifiez vos hypothèses puis associez chaque extrait à l'offre d'emploi qui correspond. Justifiez vos choix.

8. 29 En petits groupes. Réécoutez (doc. 3). Quel est, selon vous, le ou la meilleur(e) candidat(e) pour chaque poste ? Justifiez vos choix.

FOCUS LANGUE

Décrire des compétences et qualités professionnelles

En petits groupes.
a. Dans la liste suivante, choisissez deux compétences ou qualités professionnelles qui vous semblent essentielles pour : accueillir du public, gérer un budget, vendre des cours et des examens.

Avoir le sens des responsabilités. Avoir une bonne présentation. Avoir la capacité à travailler en équipe, avoir l'esprit d'équipe.
Être créatif, réactif, autonome, organisé, dynamique, énergique.
Faire preuve de qualités relationnelles. Faire preuve de rigueur, de logique. Respecter les délais.

b. Quelle est la profession de vos rêves ? Faites la liste des qualités ou compétences professionnelles essentielles pour exercer cette profession.

▸ p. 164

À NOUS !

9. **Nous rédigeons une offre d'emploi pour notre centre de langues.**

En petits groupes.
a. Choisissez une profession (act. 4).
b. Rédigez l'offre d'emploi pour ce poste. Indiquez le lieu de travail, le type de contrat, les missions à effectuer, le profil recherché (compétences et qualités requises), les langues (si nécessaire), le salaire indicatif et la personne à contacter.
c. Partagez votre offre d'emploi avec la classe.
d. La classe choisit une offre et la propose au responsable du centre.

▸ Expressions utiles p. 167

LEÇON 2 Je me présente...

Rechercher un emploi

document 1

http://www.gavroche-thailande.com

GAVROCHE THAÏLANDE

ACTU AGENDA BONNES ADRESSES GUIDE EXPAT GUIDE VOYAGEUR EMPLOIS ABONNEMENT CONTACTEZ-NOUS

Thaïlandaise parlant couramment français à la rech... **#10010**

- **Nationalités :** française et thaïlandaise
- **Téléphone :** 0934983648
- **Langues :** thaï, français, anglais
- **Ville :** Koh Samui et toute la Thaïlande

Envoyer à un ami

Répondre

Bonjour,
Je m'appelle Cory Labarbere, j'ai 26 ans et je suis franco-thaïlandaise.
Tout d'abord, j'ai fait mes études secondaires en Thaïlande. Après mon baccalauréat, je suis partie en France pour suivre des études d'hôtellerie et restauration. À la fin de mon cursus, il y a 6 ans, j'ai obtenu un BTS dans ce domaine. J'ai ensuite travaillé pendant quatre ans en qualité de responsable de service dans un hôtel et deux restaurants.
De plus, j'ai suivi une formation d'aide médicale psychologique et j'ai travaillé en maison de retraite toute l'année dernière. Mon travail consistait à aider les personnes âgées et à organiser des activités culturelles (par exemple des sorties culturelles, des conférences, des animations). Enfin, je sais faire preuve de qualités humaines importantes : je suis attentive, rigoureuse et patiente.
Je suis rentrée en Thaïlande depuis maintenant six mois et je suis à la recherche active d'un emploi, dans l'un de ces deux domaines.
Pour conclure, je précise que j'habite actuellement à Koh Samui, dans le sud de la Thaïlande, mais que je suis prête à accepter un poste dans une autre ville.
Cordialement.
Cory Labarbere

1. Observez cette page Internet (doc. 1).
De quoi s'agit-il ?

2. Lisez le message (doc. 1).

a. Qui est Cory Labarbere ?
Où souhaite-t-elle travailler ?

b. Dans quel ordre elle cite les éléments suivants ?

formulation de la demande d'emploi • qualités et compétences professionnelles • parcours scolaire • expérience professionnelle et formation continue • prise de congé • formule d'appel

3. Par deux. Relisez le message (doc. 1) et complétez le profil professionnel de Cory Labarbere.

Cory Labarbere

FORMATION
2015 : Formation ...
2010 : BTS Hôtellerie-Restauration
2008 : Baccalauréat

EXPÉRIENCES
2016 : animatrice ... → organisation ...
2011-2015 : ... dans un hôtel et deux restaurants

LANGUES
Maîtrise du ... et du ... . (niveau B2)

COMPÉTENCES
Qualités humaines importantes : attentive, ... et ...

FOCUS LANGUE

▸ p. 211

Les articulateurs pour structurer le discours

En petits groupes.
Relisez vos réponses à l'activité 2b. Repérez comment Cory Labarbere organise les éléments suivants entre eux : parcours scolaire ; expérience professionnelle ; qualités et compétences professionnelles.

Introduire un message	…
Organiser chronologiquement des informations	après,…
Ajouter une information	…
Conclure	enfin,…

▸ p. 164

4 En petits groupes. Échangez.

a. Selon vous, quels sont les meilleurs moyens pour rechercher des offres d'emploi et trouver du travail ? Quels sites Internet connaissez-vous ? Existe-t-il d'autres moyens ?

b. Existe-t-il dans votre pays des sites pour les francophones qui cherchent un emploi ? Partagez avec la classe.

document 2 30 et 31

5. 30 **Écoutez la 1re partie de la conversation téléphonique (doc. 2). Qui est Pierre Guichon ? Pourquoi il téléphone à Cory Labarbere ?**

6. 31 **Écoutez la 2e partie (doc. 2) et répondez.**

a. Quels éléments du profil de Cory Labarbere (doc. 1) ont retenu l'attention de Pierre Guichon ?

b. Quel autre point positif elle ajoute ?

7. 30 et 31 **En petits groupes.**

a. **Réécoutez l'entretien téléphonique (doc. 2) puis complétez les tableaux. Vérifiez avec la transcription.**

b. **Faites la liste des articulateurs utilisés dans la 2e partie de l'entretien téléphonique (act. 6). Vérifiez avec la transcription et classez-les dans le tableau du Focus langue.**

Le recruteur	
cite l'annonce et introduit l'entretien.	… *Vous avez quelques instants à m'accorder ?*
vérifie que l'annonce est toujours d'actualité.	…
propose un emploi à Cory Labarbere.	…

La candidate	
accepte l'entretien téléphonique.	*Bien sûr, je vous écoute.*
exprime son intérêt pour le poste proposé.	…
mentionne une compétence.	*En plus, je connais très bien la région.* …

À NOUS !

8. Nous postulons !

En petits groupes.

a. **Choisissez un site de la liste (act. 4b).**

Par deux.

b. **Rédigez votre candidature spontanée. À la manière de Cory Labarbere, donnez des informations sur :**
– votre parcours scolaire ;
– votre expérience professionnelle ;
– vos compétences et qualités professionnelles ;
– les langues que vous parlez.

Pensez à utiliser les articulateurs.

c. **Lisez la candidature de votre camarade. Vérifiez que l'ensemble des éléments apparaît.**

En groupe.

d. **Affichez les candidatures dans la classe.**

e. **Regroupez les candidatures spontanées par thèmes.**

LEÇON 3

La nouvelle économie

Proposer ses services

1. Observez ce site.

a. À votre avis, que propose-t-il ?

b. Identifiez le nom, le slogan, les différentes rubriques et les deux questions posées.

document 1 32

2. 32 **Par deux. Écoutez cette interview du président de Needelp (doc. 1) et répondez.**

a. Quel est l'objectif de Needelp ?

b. Quels types de service peut-on y trouver ?

c. Qui sont les « jobbers » ?

3. 32 **Par deux. Réécoutez (doc. 1). Vrai ou faux ? Pourquoi ? *Selon son président…***

a. Needelp participe à l'évolution du monde du travail.

b. Le site aide à trouver un deuxième travail.

c. Avec Needelp, les artisans vont avoir moins de travail.

d. Sur ce site, il faut vingt-quatre heures en moyenne pour trouver un jobber.

4. En petits groupes. Échangez.
Que pensez-vous du site Needelp ? Connaissez-vous des sites de services de proximité dans votre ville ou pays ?

5 

En petits groupes.

a. Faites la liste des différents types de services que propose le site Needelp.

b. Identifiez dans la liste les services que votre groupe peut proposer.

c. Mettez en commun avec la classe.

document 2

http://www.needelp.com

Azim

Évidemment, ce site ne propose pas de travail à temps plein. C'est un site pour trouver un petit boulot. Mais c'est surtout une communauté qui permet de faire des rencontres autrement. Je suis en France pour perfectionner mon français et je propose mes services pour garder des enfants. J'ai rencontré des familles vraiment sympas et on est devenus amis !

Édouard

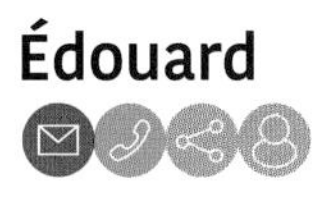

Je travaille à mon rythme et en fonction de mes disponibilités.
Mon activité d'auto-entrepreneur fonctionne bien, mais je n'ai pas toujours le temps de chercher de nouveaux clients. Ce site me permet de trouver facilement et gratuitement des personnes qui ont besoin de mes services pour des petits travaux.

Mariana

Je suis actuellement étudiante à l'université. Je suis d'origine espagnole, je parle donc cette langue couramment. Ce site me permet d'entrer fréquemment en contact avec des personnes qui cherchent des cours d'espagnol. Je peux donc suivre mes études et avoir un petit job pour m'aider financièrement !

6. Observez ce document (doc. 2).
Qui sont ces personnes ?

7. Lisez les témoignages (doc. 2).
a. Quels types de services ils proposent ?
b. Pourquoi ont-ils choisi de devenir « jobbers » ?
Relevez les raisons données dans les témoignages.

FOCUS LANGUE

▸ p. 206

Les adverbes pour donner une précision

Par deux

a. À l'aide des extraits relevés dans l'activité 7, donnez des exemples pour compléter la règle.

Formation de l'adverbe	Exemples
En général → base de l'adjectif au féminin singulier + ***-ment***.	*actuelle* → *actuellement* …
Si l'adjectif au masculin se termine par une voyelle → base de l'adjectif au masculin singulier + ***-ment***.	*absolu* → *absolument* …
Si l'adjectif au masculin se termine par ***-ent*** ou ***-ant***, → ***-emment*** ou ***-amment***.	*évident* → *évidemment* …

b. Citez deux activités que vous faites :
régulièrement • gratuitement • actuellement • facilement • fréquemment.

▸ p. 165

8. Apprenons ensemble !
Natalia répond à la consigne suivante :
« Vous cherchez un petit job. Vous publiez une annonce sur un site d'entraide pour proposer vos services. »

Je suis étudiante au conservatoire de Paris et je cherche un petit job. Évidentement, je propose des cours de musique ! Je peux enseigner le chant, le piano et le solfège. J'ai une bonne expérience de l'enseignement aux enfants, j'ai fréquentement donné des cours dans des écoles. Je suis disponible, tous les jours à partir de 16 h 00 et égalment les week-ends. Mon tarif : 15 €/heure. Merci de m'écrire à natalia2001@hotmail.com.

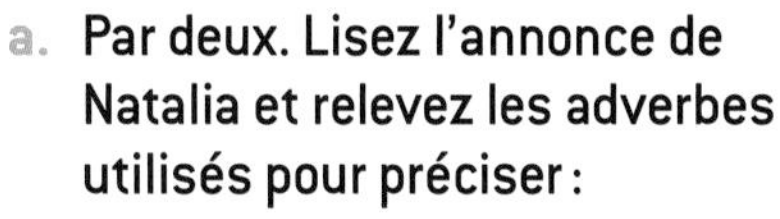

a. **Par deux. Lisez l'annonce de Natalia et relevez les adverbes utilisés pour préciser :**
– le type de cours qu'elle propose ;
– son expérience et ses disponibilités.
b. **Que remarquez-vous ? Aidez Natalia à corriger ses erreurs.**
c. **Proposez une technique pour ne pas répéter ce type d'erreurs.**
d. **Partagez vos idées avec la classe.**

À NOUS !

9. Nous nous entraidons.

En petits groupes.
a. Choisissez un ou des service(s) (act. 5).
b. Rédigez une annonce pour proposer vos services.
c. Affichez votre annonce dans la classe.
d. Lisez les services proposés par les autres groupes. Le(s)quel(s) vous intéresse(nt) ?
e. Échangez des informations supplémentaires avec la ou les personnes qui propose(nt) ce(s) service(s).

▸ Expressions utiles p. 167

LEÇON 4 Nous osons !

Donner des conseils

document 1

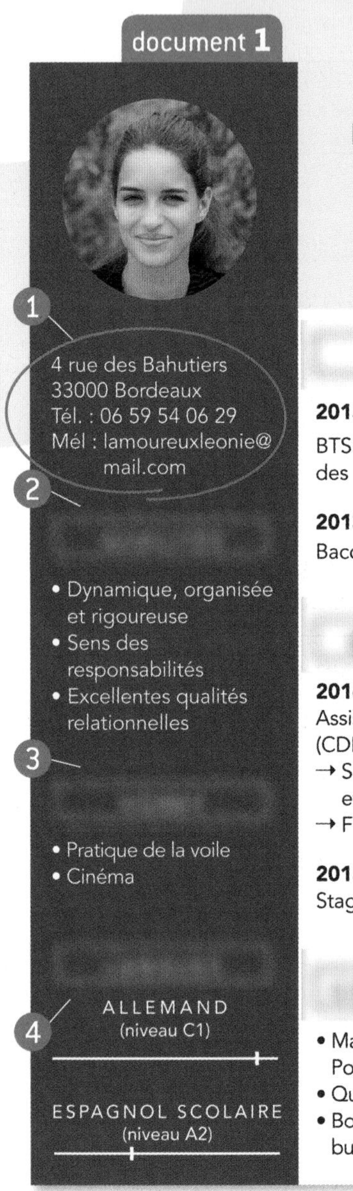

LÉONIE LAMOUREUX

23 ans, célibataire

ASSISTANTE COMMERCIALE

4 rue des Bahutiers
33000 Bordeaux
Tél. : 06 59 54 06 29
Mél : lamoureuxleonie@mail.com

- Dynamique, organisée et rigoureuse
- Sens des responsabilités
- Excellentes qualités relationnelles

- Pratique de la voile
- Cinéma

ALLEMAND (niveau C1)

ESPAGNOL SCOLAIRE (niveau A2)

2015
BTS Management des unités commerciales

2013
Baccalauréat, série ES

2016
Assistante commerciale (CDD 6 mois), ALLTECH Consulting
→ Suivi des commandes et des dossiers clients
→ Facturation et relances clients

2015
Stage de 3 mois (ALLTECH Consulting)

- Maîtrise parfaite des outils Word, Powerpoint et Excel
- Qualités rédactionnelles
- Bonnes connaissances en gestion budgétaire

document 2

ELLE | S'IDENTIFIER | ABONNEZ-VOUS

ELLE > Société > ELLE active > Réussir au boulot

Des CV originaux pour impressionner vos futurs employeurs

Si vous voulez qu'on vous remarque quand vous recherchez un emploi, n'hésitez pas à être créatif ! Pour faire un CV original, les idées ne manquent pas ! À vous de trouver celui qui correspond le mieux à votre profil et à votre secteur d'activité. Voici deux exemples pour vous inspirer.

Soyez « corporate » !
Si vous rêvez de travailler dans une entreprise parce qu'elle vous correspond parfaitement, rédigez votre CV objet qui rappelle l'univers de cette entreprise !

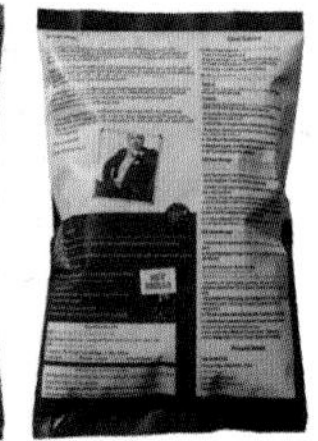

Soyez interactif !
Réalisez un site consacré à votre parcours. Le résultat est très personnalisé ! Si vous vous faites aider pour la réalisation technique, précisez-le ! Faites attention à la publicité mensongère !

Et pour terminer, CV classique ou CV créatif, respectez bien les rubriques principales qu'un CV doit contenir !

1. Observez (doc. 1). De quel type de document il s'agit ?

2. Par deux.

a. Associez les éléments suivants aux différentes rubriques (doc. 1) :

compétences • langues • centres d'intérêt • expériences professionnelles • formation • coordonnées • état civil • qualités.

b. Comparez ce document avec un CV type de votre pays. Identifiez les différences et les points communs.

3. Observez le titre de l'article, les photos (doc. 2) et identifiez son sujet.

4. Par deux. Lisez l'article (doc. 2).
a. Identifiez les deux exemples donnés et leurs caractéristiques.
b. Pourquoi ces CV sont originaux ?

5. Par deux. Relisez l'article (doc. 2) et relevez les conseils donnés pour :
a. être remarqué dans sa recherche d'emploi ;
b. travailler pour l'entreprise de ses rêves ;
c. la réalisation technique du CV interactif ;
d. réaliser un CV classique ou créatif.

6
En petits groupes.
a. Connaissez-vous d'autres types de CV originaux ? Donnez des exemples.
b. Imaginez d'autres types de CV originaux.
c. Faites la liste du groupe. Associez une profession ou un secteur d'activité à chaque type de CV.

7. Observez cette page Twitter et faites des hypothèses sur le sujet de la conversation.

document 3 33

8. 33 Par deux. Écoutez cette chronique radio (doc. 3).
a. Qui est Youcef Boualem ? Pourquoi on parle de lui dans la presse ?
b. Lisez l'extrait de sa lettre sur la page Twitter. Donnez votre opinion sur son initiative.

9. 33 Par deux. Réécoutez (doc. 3).
a. Quelles informations donne-t-on sur la lettre de motivation en France ? Est-elle importante ?
b. Relevez les conseils donnés pour :
trouver un stage ou un emploi • *séduire un futur employeur* • *faire le buzz**...
c. Vérifiez avec la transcription.

* Faire parler de soi dans les médias.

FOCUS LANGUE

► p. 210

L'hypothèse avec *si* pour donner des conseils et indiquer une conséquence

En petits groupes.
À l'aide des extraits relevés dans les activités 5 et 9b, donnez des exemples pour compléter la règle.

1. Pour donner un conseil dans une situation éventuelle, j'utilise ***si*** + **verbe au présent de l'indicatif** + **verbe au présent de l'indicatif ou de l'impératif.**
   Exemples : ...

Le conseil se trouve dans **la 2e partie de la phrase.**

2. Pour indiquer une conséquence dans une situation éventuelle, j'utilise ***si*** + **verbe au présent de l'indicatif** + **verbe au futur simple.**
   Exemple : ...

La conséquence se trouve dans **la 2e partie de la phrase.**

► p. 165

À NOUS !

10. Nous donnons des conseils à un francophone.
En petits groupes.
a. Rédigez des conseils pour un francophone qui recherche un emploi dans votre ville ou pays : présentation du CV (classique ou original), lettre de motivation, etc.
b. Partagez vos conseils avec la classe.
c. Proposez vos conseils sur un site de recherche d'emplois francophone.

► Expressions utiles p. 167

Francophonies

Parler de son parcours professionnel

document 1

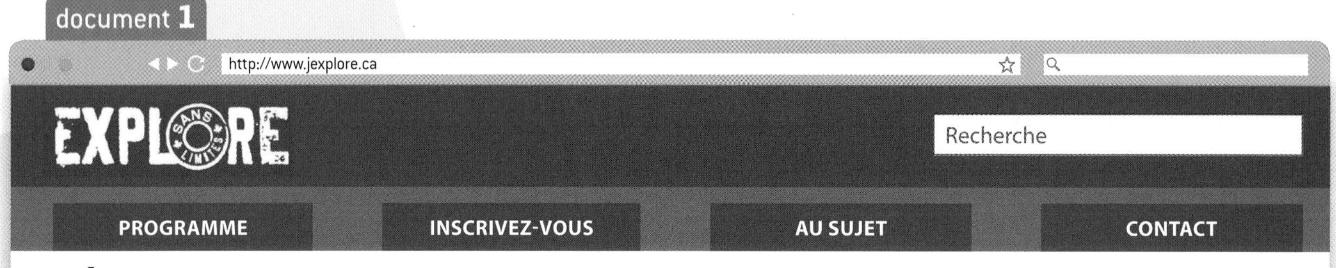

TÉMOIGNAGES

SUCCÈS D'ANCIENS MONITEURS DE LANGUES

Harold Rennie, coordonnateur des services en français, ministère de l'Éducation de la Nouvelle-Écosse

***Explore** est un programme canadien qui propose des séjours linguistiques en anglais ou en français, en immersion.*

En juin 1973, j'ai obtenu mon diplôme d'études secondaires à Winnipeg, au Canada anglophone, puis j'ai suivi le programme d'été *Explore* à l'université du Manitoba. Quelques mois auparavant, j'avais fait une demande d'inscription dans cette université.

À la fin de l'été, mon français s'était beaucoup amélioré et j'avais même obtenu un crédit universitaire ! Cette expérience m'a aussi permis de me faire une idée plus précise de la réalité francophone du Canada car j'avais pu échanger avec beaucoup de Québécois. Ils étaient venus apprendre l'anglais pendant que nous apprenions le français.

Ensuite, en 1974, j'ai obtenu un poste de moniteur de langue* anglaise du programme. Cette expérience m'a beaucoup appris. La même année, j'ai posé ma candidature à un programme d'échanges entre le Manitoba et le Québec.

En 1980, je suis devenu éditeur des publications anglophones à l'Office national du film. Je devais communiquer avec les graphistes francophones ou des collègues qui préféraient travailler en français. Ces personnes ne travaillaient pas du tout comme moi ! Heureusement, le programme *Explore* m'avait déjà familiarisé avec les différences culturelles entre francophones et anglophones : une connaissance très utile dans ma vie professionnelle !

* Le moniteur de langue (terme canadien) assiste le professeur de langue. Il anime des activités pour motiver les élèves. En France, on l'appelle « assistant de langue ».

1. Lisez l'introduction du témoignage (doc. 1) et répondez.

a. Qu'est-ce que le programme *Explore* ?
b. Qui est Harold Rennie ?

2. Par deux. Lisez le témoignage (doc. 1). Complétez les étapes du parcours de Harold Rennie.

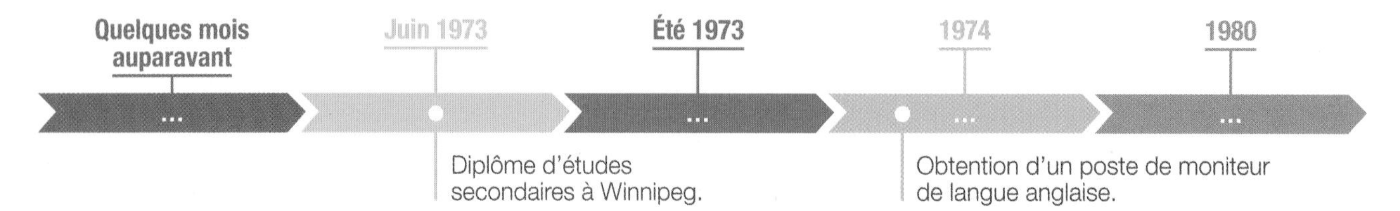

3. Par deux. Relisez le témoignage (doc. 1). Relevez pourquoi le programme *Explore* a eu un impact positif sur :

son apprentissage du français • sa découverte de la culture francophone au Canada • sa compréhension des différences culturelles.

FOCUS LANGUE

Parler de ses études et de son parcours professionnel

- Obtenir un diplôme, un crédit universitaire, un emploi
- Suivre un programme, un cursus
- Faire une demande d'inscription
- Proposer une candidature

► p. 166

En petits groupes. Répondez.

Connaissez-vous d'autres programmes d'échanges linguistiques ? Existe-t-il ce type de programmes dans votre pays ? Avec quel(s) pays francophone(s) aimeriez-vous faire un échange linguistique ?

5. Sons du français

► p. 198

La dénasalisation

34 Écoutez et répétez. Vous entendez une voyelle nasale dans le 1er mot, montrez 1.
Vous entendez une voyelle nasale dans le 2e mot, montrez 2.

Exemple : *canadien - canadienne* → 1

► p. 166

document 2 35 et 36

6. 35 Écoutez la 1re partie de cette interview (doc. 2) de Nguyen Thi Cuc Phuong. Qui est-elle ? Quel est son lien avec le Canada ?

7. 35 Par deux. Réécoutez la 1re partie de l'interview (doc. 2). Vrai ou faux ? Pourquoi ?

a. Nguyen Thi Cuc Phuong a obtenu une bourse d'études.
b. Elle a découvert le Canada pour la 1re fois pendant ses études.
c. Quand elle est arrivée au Canada, elle ne parlait pas français.
d. Pendant son séjour, elle a beaucoup appris sur la francophonie.

8. 36 Par deux. Écoutez la 2e partie de l'interview (doc. 2). Qu'est-ce qui a changé à l'université de Hanoï avec l'arrivée de Nguyen Thi Cuc Phuong ?

Avant	Après
...	...

FOCUS LANGUE

► p. 209

Le plus-que-parfait pour raconter des événements passés

a. Relisez ces extraits des documents 1 et 2. Pour chaque personne, classez les événements dans l'ordre chronologique.

1. **Harold Rennie :** J'ai obtenu mon diplôme universitaire à Winnipeg puis j'ai suivi le programme d'été de langue. • J'avais également fait une demande d'inscription dans cette université.
2. **Nguyen Thi Cuc Phuong :** J'ai fait un master à l'université de Sherbrooke et un doctorat à l'université de Montréal. • Auparavant, j'avais fait des études à l'université de Hanoï.

b. Complétez la règle.

J'utilise le plus-que-parfait pour parler d'une action antérieure à une autre action au passé.

Exemple : *J'ai fait un master à l'université de Sherbrooke. Je n'**étais** jamais **allée** au Canada.*

Pour former le plus-que-parfait :
j'utilise ... ou ... conjugué à ... + ... du verbe.

► p. 166

À NOUS !

9. Nous parlons de notre parcours scolaire, universitaire ou professionnel.

En petits groupes.

a. Listez les principaux éléments ou événements liés à votre parcours : diplômes, stages ou séjours à l'étranger, postes occupés, etc.
b. Identifiez un événement marquant dans votre parcours scolaire ou professionnel. Pourquoi cet événement a eu un impact sur votre parcours (ce que vous faisiez avant et ce que vous avez fait après) ?

Seul.

c. Rédigez un court témoignage sur votre parcours.
d. Présentez-le à la classe.

► Expressions utiles p. 167

LEÇON 6

Parlez-nous de vous

Répondre à des questions formelles

document 1

Réf. : 0g122016
EMPLOI
Le magazine *Ici Londres* recherche un stagiaire commercial et marketing pour une durée variable (prospection commerciale, vente de publicité, relances téléphoniques, relations avec les points de distribution et recherche de partenariats).
Pour plus d'informations, veuillez nous contacter et nous envoyer votre CV à l'adresse suivante : marketing@ici-londres.com. Prise en charge de la carte de transport zones 1-2.

1. En petits groupes. *Ici Londres* est un magazine gratuit pour les francophones de Londres. Existe-t-il dans votre ville ou pays des magazines destinés aux francophones ?

2. Par deux. Lisez cette offre de stage (doc. 1) et relevez :
l'intitulé du poste • le nom de l'employeur • le descriptif du poste • la durée du contrat • les modalités de réponse • la rémunération.

document 2 37

3. 37 Par deux. Écoutez l'entretien (doc. 2) et relevez :
a. les questions posées par l'employée ;
b. pourquoi le candidat a choisi de postuler.

4. 37 Par deux. Réécoutez (doc. 2). Est-ce que le profil du candidat correspond à l'offre ? Justifiez.

En petits groupes.
a. Rédigez une offre de stage pour votre centre de langues. Indiquez les éléments cités dans l'activité 2.
b. Affichez vos offres de stages dans la classe.

FOCUS LANGUE

► p. 211

Poser des questions en situation formelle

Par deux. Observez. Complétez avec les questions posées par l'employée (act. 3a) et transformez.

Français familier	Français standard	Français soutenu (situation formelle)
1. Vous pouvez me parler de vous ?	► Est-ce que vous pouvez me parler de vous ?	► …
2. …	► Qu'est-ce que vous préférez dans votre formation ?	► Que préférez-vous dans votre formation ?
3. Vous savez quoi de *Ici Londres* ?	► …	► Que savez-vous de *Ici Londres* ?
4. Pourquoi vous avez choisi notre offre de stage ?	► Pourquoi est-ce que vous avez choisi notre offre de stage ?	► …

Pour poser des questions dans un registre soutenu :
– j'inverse le sujet et le verbe ;
– le tiret est obligatoire entre le verbe et le sujet ;
– pour les questions ouvertes, le mot interrogatif se place au début de la phrase ;
– le mot interrogatif ***quoi*** devient ***que***.

Attention ! Pour faciliter la prononciation, on ajoute parfois un **t** entre le verbe et le sujet.
Exemple : *Parle-**t**-il français ?*
Le **t** se place entre deux voyelles.

► p. 166

document 3

INTERVIEW DU MOIS

OLIVIER ROLAND

Auteur de *Tout le monde n'a pas eu la chance de rater ses études*, Éditions Alisio.

Comment gagner sa vie et passer quelques mois au soleil ? Olivier Roland nous dévoile quelques solutions !

Bonjour Olivier. Où vivez-vous, exactement ?
Je vis à Londres mais pas toute l'année.

Pouvez-vous nous en dire un peu plus ?
Je vis 6 mois de l'année à Londres et 6 mois à l'étranger. Je ne suis pas en vacances, mais avec un ordinateur et une connexion Internet, je peux travailler dans tous les pays du monde. Par exemple, je viens de passer 3 mois au Brésil !

Comment est-ce possible ?
Dans le livre que je viens de publier, *Tout le monde n'a pas eu la chance de rater ses études*, je révèle tous mes secrets !

Et quels sont vos secrets ?
(Rires) Je conseille d'être créatif et de saisir toutes les occasions qui se présentent. Il ne faut pas attendre l'âge de la retraite pour profiter de la vie, quand toutes nos plus belles années sont derrière nous.

Comment avez-vous conçu votre livre ?
Je l'ai pensé et écrit comme un manuel pratique pour créer sa vie de rêve. J'y parle de mon expérience, mais je présente aussi plusieurs études scientifiques.

La création d'entreprise est-elle LA solution pour mener une vie de rêve ?
Oui, je crois que c'est la meilleure solution. Au début, à temps partiel ou en complément de ses études, pour diminuer les risques. Moi, c'est la liberté qui me rend heureux !

34 Ici LONDRES – Juillet 2016

6. En petits groupes. Lisez le titre du livre d'Olivier Roland et l'introduction de l'interview (doc. 3). Faites des hypothèses sur le sujet de ce livre.

7. Lisez cette interview (doc. 3).
a. Vérifiez vos hypothèses.
b. Pour quelles raisons Olivier Roland est interviewé dans ce magazine ?

8. Relisez l'interview (doc. 3) et répondez.
a. Comment l'auteur décrit son livre ?
b. Selon lui, qu'est-ce qu'il faut faire ou ne pas faire pour profiter de la vie ?
c. Quelle est sa solution pour une vie de rêve ?

9. En petits groupes. Échangez.
a. Pensez-vous qu'Olivier Roland mène une vie idéale ? Pourquoi ?
b. Qu'est-ce qu'une vie professionnelle idéale pour vous ? Pourquoi ?

FOCUS LANGUE

▸ p. 205

Les adjectifs indéfinis pour exprimer la quantité (1)

Observez ces définitions et donnez des exemples.
1. J'utilise l'adjectif indéfini ***tout/tous/toute/toutes*** pour exprimer la totalité.
2. J'utilise l'adjectif indéfini ***quelques*** pour exprimer un nombre indéterminé mais peu élevé.
3. J'utilise l'adjectif indéfini ***plusieurs*** pour exprimer un nombre indéterminé supérieur à ***quelques***.

▸ p. 166

10. Sons du français

La prononciation de *tout* et *tous*

38 Écoutez et répétez. Vous entendez [tu], montrez 1. Vous entendez [tut], montrez 2. Vous entendez [tus], montrez 3.
Exemple : *Je les ai <u>tous</u> lus.* → 3

▸ p. 167

À NOUS !

11. Nous nous préparons à un entretien professionnel.
Classe divisée en deux. Groupe « candidats » et groupe « recruteurs ».
a. Choisissez une offre de stage (act. 5).
b. Groupe « recruteurs ». Rédigez six questions formelles à poser au candidat : choix du stage, compétences…
Groupe « candidats ». Préparez votre entretien : parcours professionnel, compétences et qualités. Pourquoi ce stage a retenu votre attention ?
c. Simulez l'entretien professionnel.

▸ Expressions utiles p. 167

1 Destination francophonie

Vidéo 3

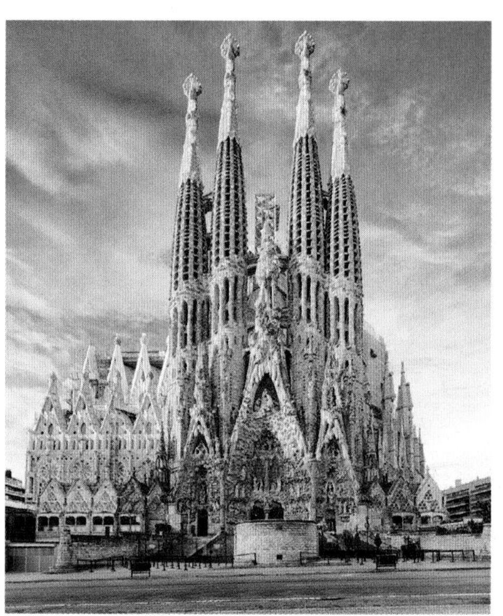

a. Connaissez-vous l'émission « Destination francophonie », diffusée sur TV5 Monde ? À votre avis, de quoi parle-t-on dans cette émission ? Faites des hypothèses.

b. Observez les images. À votre avis, quel est le thème de l'émission du jour ?

c. Regardez la vidéo. Retrouvez dans quel ordre les éléments ci-dessous sont présentés.

témoignage de Delphine •
présentation du programme ERASMUS •
informations sur le pâtissier Jordi Bordas •
témoignage d'Eliott •
conclusion de l'émission •
présentation de l'histoire de deux jeunes Français •
introduction du reportage par le journaliste

d. Par deux. Regardez à nouveau la vidéo et relevez un maximum d'informations sur Jordi Bordas et sur les deux apprentis français.

e. Qu'est-ce que le programme ERASMUS ? Qu'a-t-il apporté à Eliott ? à Delphine ?

INTERCULTUREL

f. En petits groupes. Existe-t-il des programmes de mobilité pour les jeunes de votre pays ? Lesquels ? Pour étudier et/ou travailler dans quels pays ? Connaissez-vous des jeunes qui ont bénéficié de ces programmes ?

2 Tous bilingues ?

a. Observez cette infographie. Identifiez la question posée et les trois réponses données.

b. Lisez l'infographie. Vrai ou faux ? Pourquoi ?
- 50 % des élèves sont scolarisés en deux langues.
- Il y a plus de gens monolingues que de gens bilingues.

c. Faites la liste des secteurs qui recrutent en priorité des bilingues.

d. Par deux. Relisez l'infographie. Quelle raison vous motive le plus à devenir bilingue ou multilingue. Pourquoi ?

e. En petits groupes. Répondez.
Combien de langues parlez-vous ? Lesquelles ? Dans quel secteur travaillez-vous ou pensez-vous travailler ? Est-ce que le bilinguisme vous sera utile ?

Pourquoi préférer L'ENSEIGNEMENT BILINGUE ?

Apprendre différemment

A l'école, apprendre des disciplines en plusieurs langues

Apprendre en langue étrangère et mieux maîtriser sa langue maternelle

L'élève au centre

Autonomie
Motivation
Socialisation
Pédagogie active
Projets de classe
Interdisciplinarité

abc

1 élève sur 2 est scolarisé en deux langues

Un cerveau en pleine forme

Les bilingues contrôlent mieux leur attention, gèrent mieux l'information et ont de plus grandes capacités à choisir, gérer le changement, s'organiser, planifier.

Réussir ses choix

Accéder à de meilleures opportunités d'études, de carrière et d'évolution professionnelle

Une plus grande mobilité, de meilleures capacités à s'adapter

LES SECTEURS QUI RECRUTENT EN PRIORITÉ DES BILINGUES

Tourisme, Commerce, Relations internationales, Communication, Management, Éducation, Banque/Finance, Administration

Les salariés multilingues ont un salaire 5 à 20 % plus élevé que leurs homologues monolingues

4 millions d'étudiants suivent un cursus à l'international

64% des dirigeants d'entreprises parlent au moins une langue étrangère

Rencontrer l'autre

Croiser les points de vue et établir un dialogue culturel

Voyager et découvrir la diversité du monde

L'apprentissage d'une langue étrangère active la zone du cerveau associée au plaisir

Maîtriser plusieurs langues augmente le pouvoir de séduction

66% de la population mondiale est bilingue

COMPLÉTEZ VOTRE CARNET CULTUREL

1. Dans mon pays, à l'école, on apprend généralement… langues.
2. Quelles langues sont les plus apprises à l'école dans mon pays ?
3. L'enseignement bilingue existe-t-il dans mon pays ? Dans quelle(s) langue(s) ?
4. Dans mon pays, être bilingue ou multilingue est utile pour…

Retournez aux pages 46-47. Répondez à nouveau aux questions.
Mettez en commun avec le groupe.

Projet de classe

Nous postulons à « un job de rêve ».

a. En petits groupes. Qu'est-ce qu'un job de rêve, pour vous ?
Donnez des exemples de professions idéales. Partagez avec la classe.

Par deux.

b. Observez ces photos. Faites des hypothèses sur ces « jobs de rêve ».

c. Choisissez un « job de rêve » parmi les exemples de l'activité a.

d. À la manière de l'exemple, rédigez une courte présentation du poste recherché pour votre « job de rêve ». Choisissez une photo pour l'illustrer.

e. Affichez les présentations dans la classe.

f. Lisez les présentations et choisissez votre job préféré.

Exemple :

*Empoche ta paie = gagne ton salaire.

g. Préparez votre candidature.
- Présentez-vous.
- Décrivez vos expériences professionnelles, vos qualités et compétences.
- Présentez votre parcours professionnel.
- Expliquez vos motivations pour ce job.
- Précisez pourquoi la maîtrise du français est un plus pour ce poste.

h. Choisissez une présentation originale pour votre candidature, une vidéo, par exemple.

i. Présentez votre candidature à la classe.

Projet ouvert sur le monde

► GP Parcours digital

Nous nous entraînons à un entretien d'embauche en France.

DELF 3

I Compréhension de l'oral

Exercice 1 Comprendre une émission de radio

Vous entendez cette émission à la radio. Lisez les questions, écoutez deux fois le document puis répondez.

1. **D'après Agnès, un bon CV doit être...**
   a. bref.
   b. détaillé.
   c. original.
2. **En combien de temps un recruteur doit pouvoir lire un CV ?**

a

b

c

3. **D'après Agnès, dans un CV, il n'est pas nécessaire d'écrire quelle information ?**
   ...
4. **D'après Agnès, dans un CV, on doit écrire...**
   a. sa situation personnelle.
   b. tout ce qu'on a fait jusqu'à aujourd'hui.
   c. seulement les compétences correspondant au métier recherché.
5. **Dans une lettre de motivation, Agnès conseille de commencer par parler...**
   a. de soi.
   b. du recruteur.
   c. de ce qu'on peut apporter à l'entreprise.

II Production orale

Exercice 1 Pour s'entraîner à la partie 1 de l'épreuve orale : l'entretien dirigé

Vous vous présentez et parlez de vous, de vos études, de vos activités, de ce que vous aimez et n'aimez pas.

Exercice 2 Pour s'entraîner à la partie 2 de l'épreuve orale : le monologue suivi

Vous vous vous exprimez seul(e) pendant environ 2 minutes sur le sujet suivant :

SUJET : Le métier de mes rêves

Avez-vous un métier et si oui, lequel ? Quel est le métier de vos rêves ? Pourquoi ? Pensez-vous avoir les compétences professionnelles pour faire le métier de vos rêves ? Expliquez.

Exercice 3 Pour s'entraîner à la partie 3 de l'épreuve orale : l'exercice en interaction

Par deux. Vous étudiez le français dans un centre de langues. Avec un étudiant de votre groupe, vous devez écrire une offre d'emploi pour votre centre de langues qui recherche un animateur culturel. Vous vous mettez d'accord sur les informations qui doivent être mises sur l'offre d'emploi (type de contrat, nombre d'heures, etc.) et sur les qualités et les compétences recherchées.

DOSSIER 4

Nous échangeons sur nos pratiques culturelles

Par deux. Répondez et comparez vos réponses avec celles des autres groupes.

1 La bande dessinée française, pour vous, c'est plutôt :

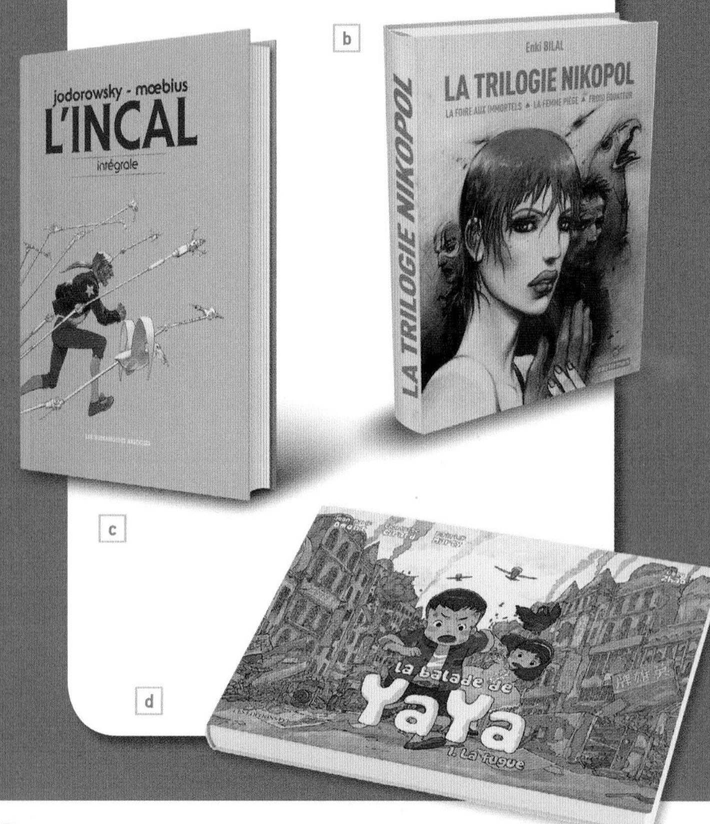

2 Le spectacle vivant francophone, pour vous, c'est plutôt :

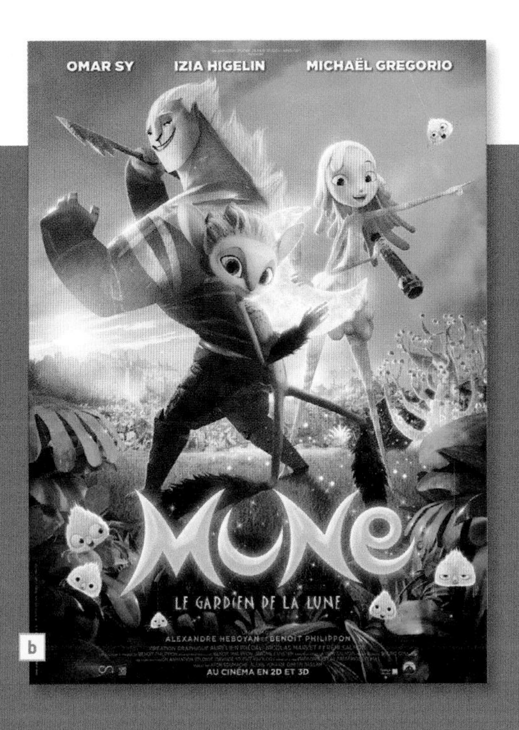

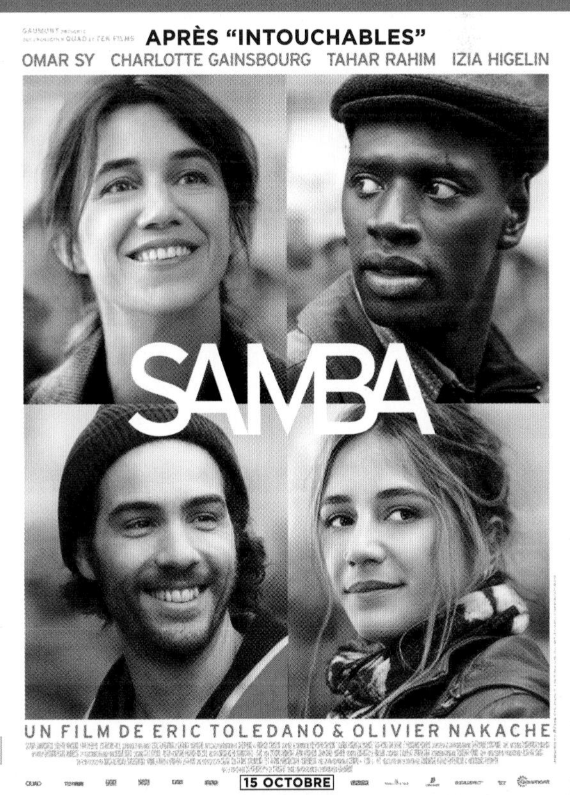

3 À votre avis, le(s)quel(s) de ces films est/sont français ? Ils sont projetés dans votre pays ?

PROJETS

- **Un projet de classe**
  Créer une enquête sur notre consommation médiatique.
- **Et un projet ouvert sur le monde**
  Partager nos découvertes culturelles avec une autre classe.

Pour réaliser ces projets, nous allons apprendre à :

- ► exposer, nuancer et préciser des faits
- ► rendre compte d'un événement
- ► répondre à une enquête
- ► faire une appréciation
- ► demander des explications
- ► exprimer des souhaits et donner des conseils

LEÇON

1 Silence, on tourne !

Exposer, nuancer et préciser des faits

1. Observez cette photo. À votre avis, qu'est-ce que *Jour polaire* ? Faites des hypothèses.

document 1 40

2. 40 Écoutez la 1re partie de cette interview (doc. 1).
a. Vérifiez vos hypothèses.
b. Qui parle ?

3. 41 Écoutez la 2e partie de l'interview (doc. 1). Relevez les informations données sur :
– *Jour polaire*
– les personnages de *Jour polaire*.

4. 41 Par deux. Réécoutez la 2e partie de l'interview de Leïla Bekhti (doc. 1) et relevez :
a. ce qu'elle a pensé de son séjour en Suède ;
b. pourquoi elle a accepté de jouer dans cette série ;
c. ce qu'elle a pensé du tournage.

5 
En petits groupes.
a. Faites la liste de vos séries préférées.
b. Quelles séries françaises ou francophones connaissez-vous ?
c. À votre avis, regarder des séries peut-il aider à apprendre une langue étrangère ?

FOCUS LANGUE

Parler d'une série

En petits groupes. Observez. Choisissez un mot puis proposez une définition ou un exemple.

GLOSSAIRE DES SÉRIES TÉLÉ

A un auteur • une avant-première • un acteur
C un comédien • une caméra
E un épisode
F une fiction
P un personnage
R un réalisateur : il réalise ou tourne une série ou un film • un rôle
S un scénario • une série : *Braquo* → série policière • une série de fiction • les sous-titres : traduction des dialogues d'un film, placée en bas de l'image
T tourner dans une série • le tournage

► p. 168

document 2

http://www.franceinfo.fr

franceinfo: / Culture / Télévision vid

Les séries « made in France » qui cartonnent à l'étranger

Braquo, Engrenages, Les Revenants, Fais pas ci, fais pas ça !, Les Témoins, Un village français font partie des séries françaises qui s'exportent bien. Depuis quelques années, l'exportation des séries françaises a considérablement augmenté. Les raisons de ce succès sont multiples. Les genres sont beaucoup plus variés et la réalisation s'est profondément modernisée. Désormais, la fiction française est au même niveau que ses concurrentes internationales. Quelles sont donc ces séries françaises qui cartonnent à l'étranger ?

Engrenages a marqué un renouveau dans les séries policières françaises. Elle raconte de manière très réaliste les enquêtes de la police parisienne. *Engrenages* est diffusée dans plus de 70 pays à travers le monde. Une adaptation américaine va même être réalisée.

6. Lisez le titre de l'article (doc. 2). À votre avis, que signifie le verbe « cartonner » ?

7. Par deux. Lisez l'article (doc. 2).

a. Pourquoi les séries françaises ont du succès à l'étranger ?

b. Associez chaque série à son genre.

a série policière | b comédie | c série historique | d série fantastique

FOCUS LANGUE

▸ p. 206

La place de l'adverbe

En petits groupes.

a. Observez et associez.

L'adverbe nuance ou précise

1. un verbe	a. *Je suis **vraiment** très heureuse d'être ici ce soir !*
2. un adjectif	b. *Le scénario m'a **beaucoup** plu.*
3. un autre adverbe	c. *C'était **vraiment** fantastique !*

b. Ajoutez d'autres exemples avec les éléments relevés dans les activités 4, 7 et 9.

1. Avec une forme verbale simple, l'adverbe se place **après** le verbe.
   Exemple : *C'était **vraiment** fantastique !* ; … ; … ; …
2. Avec une forme verbale composée, l'adverbe se place **entre** l'auxiliaire **et le** participe passé.
   Exemple : *L'exportation des séries françaises a **considérablement** augmenté.* ; … ; … ; …

▸ p. 168

dio | jt | magazines | DIRECT TV | DIRECT RADIO

Les Revenants. Cette série fantastique raconte la réaction des habitants d'une petite ville des Alpes quand les morts reviennent à la vie… De nombreux pays ont progressivement diffusé la série : Canada, Australie, Allemagne, Suède, Turquie, Égypte…

Un village français est une fiction historique qui se déroule pendant la Seconde Guerre mondiale. Ce tableau de la France sous l'occupation allemande a voyagé à travers le monde. Elle avait déjà eu du succès en Allemagne, en Scandinavie. Elle est actuellement diffusée en Corée du Sud.

Fais pas ci, fais pas ça ! Cette comédie met en scène les aventures de deux familles : les Bouley et les Lepic. L'une est bobo* et l'autre est plus traditionnelle. Cette opposition donne lieu à des scènes comiques. Le rythme et l'humour de la série ont séduit de nombreux pays : la Pologne et l'Italie… et on dit même qu'elle a largement inspiré le succès mondial *Modern Family* !

* **Bobo :** contraction de « bourgeois-bohème ». Personne plutôt jeune, aisée et cultivée, affichant son anticonformisme.

8. Quelle série avez-vous envie de voir ? Pourquoi ?

9. Par deux. Relisez l'article (doc. 2). Pour chaque série, relevez les éléments qui montrent qu'elle s'exporte.

10. Apprenons ensemble !

Riita répond à la consigne suivante : « Quelle est votre série française préférée ? Présentez-la à la classe et précisez pourquoi vous l'appréciez. »

> Cette série fantastique raconte le retour de personnes mortes depuis plusieurs années. Les séries souvent ne sont pas très réalistes mais cette série est extrêmement réaliste ! Également, le fantastique est bien maîtrisé. J'ai apprécié beaucoup le réalisme des personnages et leurs réactions. Le scénario m'a plu vraiment. C'est ma série française préférée !

En petits groupes.

a. Lisez la production de Riita. Quelle est sa série préférée ?

Engrenages • *Un village français* • *Les Revenants* • *Fais pas çi, fais pas ça*.

b. Observez la place des adverbes surlignés par son professeur. Aidez-la à corriger ses erreurs.

c. Proposez une technique pour ne pas reproduire ces erreurs.

À NOUS !

11. Nous présentons nos séries préférées.

En petits groupes.

a. Choisissez une série dans la liste (act. 5).

b. Notez son genre, son année de création. Faites des recherches pour résumer les points principaux de l'histoire de la série. Prenez des notes.

c. Expliquez les raisons du succès de cette série.

d. À l'aide de vos notes, présentez-la à la classe.

e. La classe vote pour sa série préférée et regarde le 1er épisode de la saison 1 !

▸ Expressions utiles p. 171

LEÇON 2

Faites de la musique !

Rendre compte d'un événement

document 1

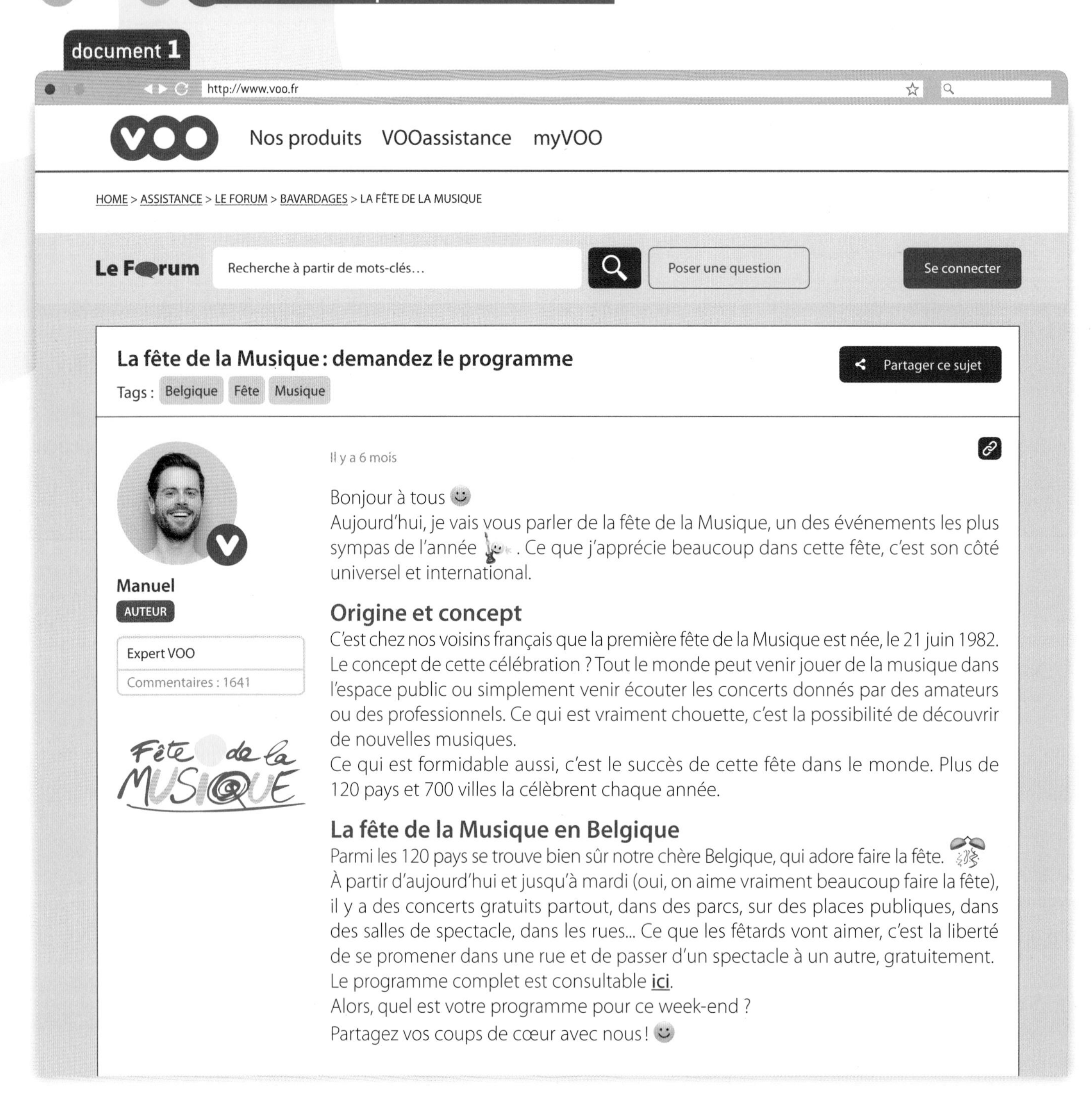
http://www.voo.fr

VOO Nos produits VOOassistance myVOO

HOME > ASSISTANCE > LE FORUM > BAVARDAGES > LA FÊTE DE LA MUSIQUE

Le Forum | Recherche à partir de mots-clés... | Poser une question | Se connecter

La fête de la Musique : demandez le programme

Tags : Belgique Fête Musique

Partager ce sujet

Manuel
AUTEUR
Expert VOO
Commentaires : 1641

Il y a 6 mois

Bonjour à tous

Aujourd'hui, je vais vous parler de la fête de la Musique, un des événements les plus sympas de l'année . Ce que j'apprécie beaucoup dans cette fête, c'est son côté universel et international.

Origine et concept

C'est chez nos voisins français que la première fête de la Musique est née, le 21 juin 1982. Le concept de cette célébration ? Tout le monde peut venir jouer de la musique dans l'espace public ou simplement venir écouter les concerts donnés par des amateurs ou des professionnels. Ce qui est vraiment chouette, c'est la possibilité de découvrir de nouvelles musiques.
Ce qui est formidable aussi, c'est le succès de cette fête dans le monde. Plus de 120 pays et 700 villes la célèbrent chaque année.

La fête de la Musique en Belgique

Parmi les 120 pays se trouve bien sûr notre chère Belgique, qui adore faire la fête.
À partir d'aujourd'hui et jusqu'à mardi (oui, on aime vraiment beaucoup faire la fête), il y a des concerts gratuits partout, dans des parcs, sur des places publiques, dans des salles de spectacle, dans les rues... Ce que les fêtards vont aimer, c'est la liberté de se promener dans une rue et de passer d'un spectacle à un autre, gratuitement.
Le programme complet est consultable ici.
Alors, quel est votre programme pour ce week-end ?
Partagez vos coups de cœur avec nous !

1. Observez cette page de forum (doc. 1) et répondez.

a. Quel est le thème du message publié ?
b. Qui est l'auteur ? Quelle est sa nationalité ?

2. En petits groupes. Échangez.

Connaissez-vous la fête de la Musique ? Existe-t-elle dans votre ville ou votre pays ? Que fait-on pendant cette fête ?

3. Lisez « Origine et concept » (doc. 1) et complétez.

4. Par deux. Lisez le message de Manuel (doc. 1). Vrai ou faux ? Pourquoi ?

a. Il explique pourquoi il apprécie la fête de la Musique.
b. Il donne des informations sur le programme de la fête de la Musique en France.
c. Il explique pourquoi les personnes qui aiment faire la fête vont apprécier l'événement.
d. Il invite les internautes à participer au forum.

5

En petits groupes.
Quels sont les principaux festivals culturels organisés dans votre ville ou près de chez vous ?

6. Sons du français ▸ p. 198

Le son [r]

42 **En groupes. Écoutez et et répétez. Dites si vous entendez le son [r] 3 ou 4 fois.**

Exemple : *On cherche les meilleurs programmes !*
→ *J'entends 4 fois le son [r].*

▸ p. 169

document 2 43 à 45

7. 43 **Écoutez la 1re partie de ce reportage (doc. 2). Qui est l'homme en photo ? Pourquoi est-il à Malte ?**

8. 44 **Écoutez la 2e partie (doc. 2)et répondez.**

a. Pourquoi est-il heureux d'être à Malte ?
b. Quel événement l'a particulièrement marqué ? Pourquoi ?

9. 45 **Par deux. Écoutez la 3e partie (doc. 2).**

a. Qui est la personne interviewée ? Sur quoi porte l'interview ?
b. Quel est son avis ? Quels exemples elle donne ?

FOCUS LANGUE ▸ p. 203 et 212

***Ce qui/ce que... c'est/ce sont...* pour mettre en relief**

En petits groupes.

a. Observez ces extraits de l'interview de Matthieu Chedid. Quelle est la différence entre les deux formulations ?

Exemples :
1. *Ma rencontre avec Ira Losco a été fantastique !*
J'aime particulièrement la découverte de l'inconnu !
2. *Ce qui a été fantastique, c'est ma rencontre avec Ira Losco !*
Ce que j'aime particulièrement, c'est la découverte de l'inconnu !

b. Complétez la règle. Illustrez-la avec les extraits relevés dans les activités 4 et 8.

Pour mettre en relief ou souligner un élément de la phrase, j'utilise ***ce qui/ce que... c'est/ce sont...***
1. Dans ***ce qui/ce que***, ***ce*** remplace une chose.
Ce qui est ☐ *sujet* ☐ *COD* du verbe qui suit.
Exemples : ... ; ...
2. ***Ce que*** est ☐ *sujet* ☐ *COD* du verbe qui suit.
Exemples : ... ; ... ; ...

▸ p. 168

À NOUS !

10. Nous décrivons un événement culturel.

En petits groupes.

a. Choisissez un événement culturel (act. 5).
b. À la manière de Manuel (doc. 1), présentez votre événement culturel. Indiquez l'origine et le concept de l'événement.
c. Précisez ce que vous aimez particulièrement dans cet événement et ce qui vous a marqué si vous y avez assisté.
d. Proposez vos articles à l'office de tourisme de votre ville.

▸ Expressions utiles p. 171

LEÇON 3 La culture et nous

Répondre à une enquête

document 1

http://www.pratiquesculturelles.culture.gouv.fr

Depuis le début des années 1970, le ministère de la Culture et de la communication réalise régulièrement l'enquête « Pratiques culturelles ». Cette enquête mesure le comportement des Français dans le domaine de la culture et des médias. Elle étudie les différentes formes de participation à la vie culturelle (lecture de livres, écoute de musique, fréquentation des manifestations et des équipements culturels) et l'utilisation des médias (télévision, radio, presse, Internet). Voici quelques exemples de questions posées.

FRÉQUENTATION DES MANIFESTATIONS ET DES ÉQUIPEMENTS CULTURELS

Bibliothèques et médiathèques

1. Avez-vous fréquenté une bibliothèque ou une médiathèque au cours des 12 derniers mois ?
☐ Oui. ☐ Non. Si oui, laquelle ou lesquelles ? ____________

Spectacles vivants

2. Au cours des 12 derniers mois, êtes-vous allé voir des spectacles vivants (spectacles de danse, de rue, opéras, concerts, théâtre...) ?
☐ Oui. ☐ Non. Si oui, lequel ou lesquels ? ____________

Festivals

3. Au cours des 12 derniers mois, avez-vous fréquenté un ou des festival(s)? Festival de musique du monde, festival de cinéma... Dans votre région, dans une autre région française, à l'étranger...
☐ Oui. ☐ Non. Si oui, lequel ou lesquels et où ? ____________

Lieux d'expositions et de patrimoine

4. Au cours des 12 derniers mois, avez-vous visité des lieux d'expositions ou de patrimoine ? Expositions temporaires, musées, monuments historiques...
☐ Oui. ☐ Non. Si oui, lequel ou lesquels ? ____________

1. Observez le nuage de mots (doc. 1). Identifiez la thématique.

2. Lisez l'introduction de l'article (doc. 1) et répondez.

a. Que réalise le ministère de la Culture et de la communication en France ? Quand ?

b. Pour quoi faire ? Comment ?

3. Par deux. Lisez les questions posées (doc. 1).

a. À quel thème ces questions correspondent ? Justifiez votre réponse.
– Formes de participation à la vie culturelle.
– Utilisation des médias.

b. Quelles sont les précisions demandées pour chaque question ?

FOCUS LANGUE

▸ p. 204

Les pronoms interrogatifs (*lequel, laquelle, lesquels, lesquelles*) pour demander une information ou une précision

a. Par deux. Relisez les éléments relevés dans l'activité 3b. Dites quel(s) nom(s) remplace(nt) le pronom interrogatif.

Exemple : *Avez-vous fréquenté une bibliothèque ou une médiathèque au cours des 12 derniers mois ? Si oui, laquelle ou lesquelles ? → Si oui, quelle bibliothèque ou quelle médiathèque ou quelles bibliothèques ou médiathèques ?*

b. Complétez.

	Singulier	Pluriel
Masculin	Lequel	...
Féminin	...	...

▸ p. 169

4. Par deux. Répondez à l'enquête (doc. 1).

En petits groupes.

a. Est-ce qu'il existe des enquêtes sur les pratiques culturelles dans votre pays ?
Faites des recherches et partagez vos résultats.

b. Faites la liste des différents thèmes étudiés.
Proposez d'autres thèmes ou rubriques.

document 2

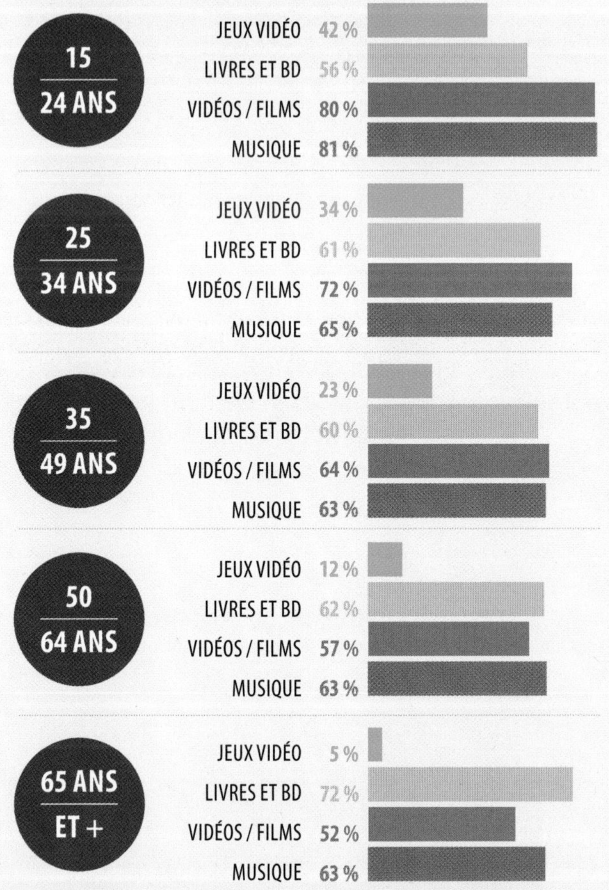

www.pratiquesculturelles.culture.gouv.fr

6. Par deux. Observez les résultats de l'enquête (doc. 2).

a. Quels sont les deux thèmes étudiés ici ?

b. Quelles sont les trois principales motivations des Français ?

c. Imaginez les questions posées aux Français pour obtenir ces résultats.

document 3 46

7. 46 Écoutez l'extrait de cette émission de radio (doc. 3).

a. Quel est le lien avec le document 2 ?

b. Relevez les trois questions posées par le journaliste.

8. 46 En petits groupes. Réécoutez l'extrait (doc. 3).

a. Retrouvez, sur les graphiques (doc. 2), les résultats présentés par le journaliste :
– sur la consommation de produits culturels ;
– sur les motivations des Français pour consommer ces produits.

b. Et vous, quelles sont vos motivations pour consommer ces produits ? Comparez avec celles des Français. Quelles sont les différences et les similitudes ?

FOCUS LANGUE

Présenter les résultats d'une enquête
Exprimer un pourcentage

- 50 % des personnes (interrogées) = la moitié des personnes = une personne sur deux
- La moitié des personnes interrogées disent que…

\+ de 50 % des Français = une majorité de Français
– de 50 % des Français = une minorité de Français

- Les Français répondent à 85 % que…

Décrire une classe d'âge, une tranche d'âge

- Les jeunes de 15 à 24 ans = les 15-24 ans
- Les 25-64 ans
- Les 65 ans et + = les seniors

▸ p. 169

À NOUS !

9. Nous enquêtons sur nos pratiques culturelles.

En petits groupes.

a. Choisissez un thème dans la liste (act. 5b).

b. Préparez votre enquête (6 questions).

c. Échangez votre enquête avec celle d'un autre groupe.

d. Répondez aux questions de l'enquête.

e. Réalisez un tableau ou un graphique pour présenter les résultats.

LEÇON 4 La France s'exporte

Faire une appréciation

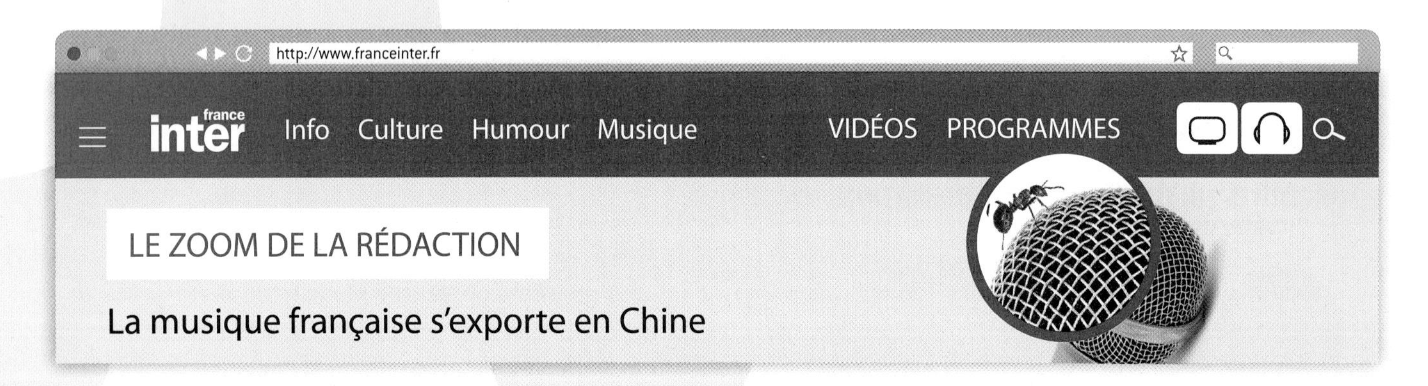

1. **Observez cette page Internet. Identifiez : le nom de la radio, le nom de l'émission, le titre de l'émission du jour.**

document 1 47 et 48

2. 47 **Écoutez la 1re partie de l'émission (doc. 1) et associez.**

Patrick •	• le correspondant de l'émission •	• à Pékin
Mathieu •	• le fondateur d'un festival •	• à Pékin
Zhang Ran •	• le présentateur de l'émission •	• à Paris

3. 47 **Par deux. Réécoutez (doc. 1) et répondez.**

a. Comment le journaliste présente la Chine ?
b. Qu'est-ce que le Festival Sound of the City ?
c. Est-ce que la musique internationale intéresse la Chine ?

4. 48 **Par deux. Écoutez la 2nde partie de l'émission (doc. 1) et répondez.**

a. Selon Zhang Ran, pourquoi la musique française s'exporte-t-elle en Chine ?
b. Quel exemple donne Mathieu pour illustrer l'export de la musique française en Chine ?
c. Qui témoigne à la fin du reportage ? Qu'a-t-il ressenti pendant ses concerts ? Pourquoi ?

5

En petits groupes.
Est-ce que la musique francophone s'exporte dans votre pays ? Quels sont les artistes populaires dans votre pays ? Quels sont les artistes français ou francophones préférés de la classe ?

6. Sons du français ► p. 198

Les sons [y], [ø] et [u]

49 **Écoutez et répétez. Vous entendez seulement [y], montrez 1. Vous entendez seulement [ø], montrez 2. Vous entendez seulement [u], montrez 3. Vous entendez plusieurs de ces trois sons, montrez 4.**

Exemple : *le domaine culturel* → 1

► p. 170

7. **Observez cette affiche et le titre de l'article (doc. 2). Quel est le lien entre les deux documents ?**

document 2

http://www.lepetitjournal.com

LEPETITJOURNAL.COM
Le média des Français et francophones à l'étranger

SHANGHAI

Arts plastiques, spectacles vivants, cinéma... les chouchous français des Chinois

Les domaines de la culture française qui attirent le plus de spectateurs en Chine sont **les arts plastiques, en particulier la peinture**. L'exposition Monet, par exemple, a rencontré un immense succès avec 350 000 visiteurs. Le public chinois, surtout dans les grandes villes, apprécie beaucoup **les spectacles vivants** venus de France. Les spectateurs sortent le plus souvent pour voir des spectacles de danse, classique ou contemporaine : les chorégraphes Mourad Merzouki (qui mélange danse contemporaine et hip-hop) ou Benjamin Millepied sont très connus ici. Mais on trouve aussi des spectacles pour enfants et même du cirque ! Le théâtre français, lui, n'a pas vraiment séduit le public. C'est le domaine artistique que les Chinois apprécient le moins.
Côté cinéma, les acteurs qui connaissent le plus grand succès en Chine sont Sophie Marceau, Gérard Depardieu, Jean Reno et Marion Cotillard par exemple.
En littérature : Jean-Marie Le Clézio et Patrick Modiano font partie des auteurs contemporains étrangers les plus connus des lecteurs chinois depuis qu'ils ont reçu le prix Nobel.
Pour finir, les « artistes » du football, Zidane ou Henry sont tout de même les plus célèbres !

8. En petits groupes. Lisez l'article (doc. 2). Vrai ou faux ? Pourquoi ?
a. En Chine, les arts plastiques sont très populaires.
b. La danse attire le public chinois.
c. Les spectacles vivants sont tous très appréciés.

9. Relisez l'article (doc. 2) et répondez.
a. Qui sont les acteurs et les auteurs français préférés des Chinois ?
b. Quel sport est cité par le journaliste ? Pourquoi ?
c. Quels sont les artistes français cités dans l'article que vous connaissez ?

FOCUS LANGUE

▸ p. 206

Le superlatif pour exprimer la supériorité ou l'infériorité

En petits groupes. Observez et complétez avec des extraits relevés dans les activités 4 et 8.
J'utilise le superlatif pour exprimer l'infériorité ou la supériorité d'un élément par rapport à d'autres.

Avec un nom	Avec un adjectif	Avec un adverbe	Avec un verbe
Exemples : ... ; ...	Exemples : *Les acteurs qui connaissent **le plus** grand succès en Chine...* *Les auteurs contemporains étrangers **les plus** connus des lecteurs chinois.* *Les artistes du football sont tout de même **les plus** célèbres !* ... ; ... ; ...	Exemple : ...	Exemples : *C'est le domaine artistique que les Chinois apprécient **le moins**.* ...

Attention ! Le superlatif de **bon(ne)(s)** est **meilleur(e)(s)**.
Exemple : *On avait l'impression d'être les **meilleurs** musiciens du monde.*
Le superlatif de **bien** est **mieux**.

▸ p. 169

À NOUS !

10. Nous présentons nos chouchous français.
En petits groupes.
a. Chaque groupe choisit une forme d'art : les arts plastiques (la peinture et le dessin), le spectacle vivant (le théâtre, le cirque), la danse, la musique ou la littérature.
b. Faites la liste des artistes français que vous connaissez pour la forme d'art choisie.
c. Rédigez un article à la manière du site lepetitjournal.com.
Précisez qui sont les artistes les plus célèbres.
d. Proposez votre article au site lepetitjournal.com.

LEÇON 5 Vous aimez la BD ?

Demander des explications

document 1

http://www.lesechos.fr

LesEchos.fr LES ECHOS: Tapez votre recherche 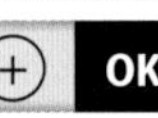 OK Newsletters

Comment la France est-elle devenue terre d'accueil de la bande dessinée ?

Les Échos *ont rencontré Benoît Mouchard, directeur éditorial*[1] *de Casterman, et Thomas Ragon, directeur de collection*[2] *chez Dargaud.*

Benoît Mouchard, à votre avis, la France a-t-elle le monopole de la bande dessinée ?
Sûrement pas ! La bande dessinée est depuis longtemps un art mondial. Dans les pays scandinaves, dans les pays du sud de l'Europe et en Asie, partout il y a de la BD.
Quel a été votre état d'esprit pendant les années où vous avez dirigé le festival d'Angoulême ?
J'ai toujours voulu faire découvrir « une BD venue d'ailleurs ».
Thomas Ragon, pourquoi parle-t-on de spécificités françaises dans le domaine de la BD ?
Je vois deux raisons principales. Tout d'abord, en France, on reconnaît la bande dessinée comme un art à part entière. De plus, ici, on lit plus de BD que dans les autres pays. Plus de reconnaissance et plus de lecteurs, forcément ça attire les auteurs !
Selon vous, pour quelles raisons la France est-elle devenue une terre d'accueil pour les auteurs de BD ?
La chance de la France, c'est aussi d'avoir eu à un moment une génération incroyable. On a eu en même temps Moebius, Goscinny, Enki Bilal et plein d'autres : on a eu le talent et la quantité ! Les auteurs du monde entier l'ont vu et nous avons attiré ici des Italiens comme Hugo Pratt, des Chiliens comme Alejandro Jodorowski, des Espagnols comme Juanjo Guarnido.

1 Le directeur éditorial suit l'élaboration d'un livre, de la recherche d'auteur à la promotion de l'ouvrage. Il sélectionne les œuvres à éditer et propose de nouvelles idées.
2 Le directeur de collection est un éditeur qui a la responsabilité d'une collection précise parmi celles publiées par sa maison d'édition.

UNE QUESTION À...

Les Éditions Fei font collaborer des scénaristes français et des dessinateurs chinois. Une démarche originale et une vraie réussite pour leur directrice Fei Xu.

– Comment cette idée vous est-elle venue ?
– Nos deux pays sont des pays de BD. Cela fait mille ans que l'on raconte chez nous des histoires avec des images. On crée une sorte de ratatouille franco-chinoise : raconter à la française des histoires chinoises et ça marche ! Les aventures du juge Bao et celles de la petite Yaya cartonnent !

1. Observez cet article du journal *Les Échos* (doc. 1). Faites des hypothèses sur le sujet de l'article.

2. Par deux. Lisez l'article (doc. 1).
- a. Vérifiez vos hypothèses.
- b. Associez chaque opinion à son auteur : Benoît Mouchard ou Thomas Ragon.
  1. Les dessinateurs du monde entier viennent en France parce que la BD y est reconnue.
  2. La BD est depuis longtemps présente sur plusieurs continents.
  3. Les auteurs de BD étrangers sont venus en France parce qu'ils connaissaient le travail de certains dessinateurs français.
  4. La France est devenue terre d'accueil de la BD grâce à une génération d'auteurs très doués.
  5. Le festival d'Angoulême a participé à la découverte de la BD internationale.
- c. Pour chaque opinion, retrouvez la question posée par le journaliste.

3. Lisez « Une question à... » (doc. 1) et répondez.
- a. Qui est Fei Xu et quelle est la particularité des Éditions Fei ?
- b. Pourquoi les BD *Le Juge Bao* et *La Balade de Yaya* ont du succès ?

4

En petits groupes.
- a. Y a-t-il beaucoup de lecteurs de BD dans votre pays ? Quels sont les dessinateurs de votre pays les plus connus ?
- b. Quels dessinateurs et BD francophones connaissez-vous ?

5. Observez la photo. Que fait cette personne ?

CHRISTIAN ROSSI, FESTIVAL D'ANGOULÊME* 2016

* Le festival international de la bande dessinée d'Angoulême est le plus important au monde.

document 2 50

6. 50 Par deux. Écoutez (doc. 2) et répondez.

a. Qui est Adrien ?
Pour quelles raisons s'intéresse-t-il au travail de Christian Rossi ?

b. Que propose Christian Rossi à Adrien ?
Pourquoi ?

7. 50 Réécoutez (doc. 2) et associez les questions aux réponses. Vérifiez avec la transcription.

1. Et tu lis souvent mes BD ? •
2. Et c'est quoi, ton truc ? •
3. Tu es aussi dessinateur ? •
4. Je mets quoi comme prénom ? •
5. Ça fait combien de temps que tu dessines ? •
6. Et tu voudrais en faire ton métier ? •

• a. Quelques années. C'est vraiment ma passion.
• b. Ben, un peu comme vous, le western !
• c. Oui ! J'adore ce que vous faites !
• d. Adrien, s'il vous plaît.
• e. C'est mon rêve.
• f. J'essaie !

FOCUS LANGUE

► p. 211

Les formes de l'interrogation pour poser des questions à l'écrit et à l'oral

a. Relisez les questions de l'interview (act. 2c) et les questions posées par Christian Rossi (act. 7). Comparez la structure de ces questions.

b. Observez puis illustrez chaque structure à l'aide des questions relevées dans les activités 2c et 7.

Registre familier – À l'oral	Registre soutenu – À l'écrit
sujet + verbe + mot interrogatif + complément + ? **Exemples :** *Je mets quoi comme nom ?* ... ; ...	mot interrogatif + sujet + verbe + trait d'union + pronom personnel correspondant au sujet + ? **Exemples :** *Comment cette idée vous est-elle venue ?* ...
sujet + verbe + complément ? **Exemples :** *Et tu lis souvent mes BD ?* ... ; ...	mot interrogatif + verbe + (-t-) + sujet + complément ? **Exemples :** *Pourquoi parle-t-on de spécificités françaises dans le domaine de la BD ?* ...
	sujet + verbe + (-t-) + pronom personnel correspondant au sujet + ? **Exemples :** ...

Rappel ! À l'écrit ou en situation formelle, on ajoute un **t** dans une question inversée pour faciliter la prononciation entre deux voyelles. **Exemple :** *La France a-**t**-elle le monopole de la bande dessinée ?*

► p. 170

À NOUS !

8. Nous nous informons sur un auteur de BD francophone.

En grand groupe.

a. Choisissez un auteur de bande dessinée francophone que vous connaissez (act. 4).

En petits groupes.

b. Préparez six questions à l'écrit pour cet auteur.

c. Partagez vos questions avec la classe. Choisissez vos six questions préférées.

d. Publiez vos questions sur la page Facebook, sur le blog ou sur le site de l'auteur.

► Expressions utiles p. 171

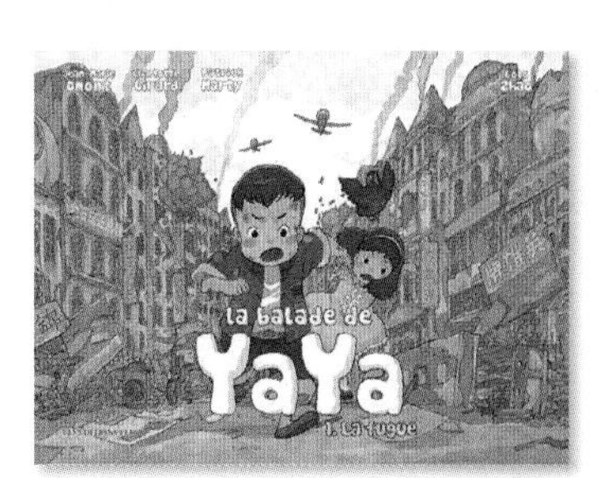

LEÇON

6 Quel cirque !

Exprimer des souhaits et donner des conseils

document 1

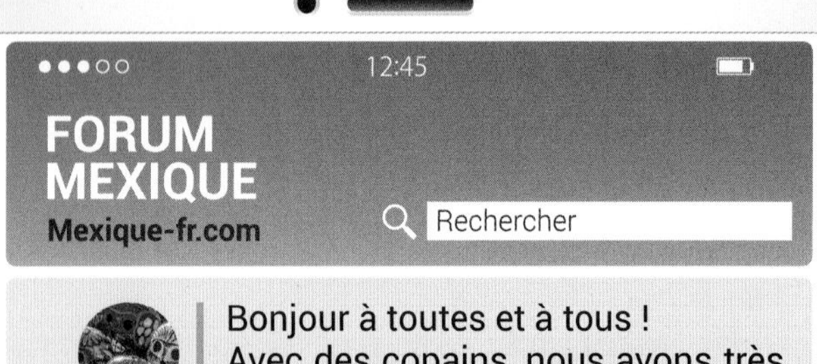

Iztapampa

Bonjour à toutes et à tous ! Avec des copains, nous avons très envie de découvrir le Cirque du Soleil. C'est une troupe québécoise qui fait des tournées dans le monde entier. Nous aimerions beaucoup aller les voir à Monterrey en février prochain. Nous voudrions savoir si quelqu'un les connaît et peut nous donner son avis.

Flore

Moi, je peux vous en parler ! J'ai vu plusieurs spectacles et j'ai ADORÉ ! Allez-y sans hésiter ! Vous devriez d'ailleurs réserver sans tarder, ils ont toujours un succès fou !

Romain

Salut ! J'ai vu plusieurs spectacles de cette troupe et j'aimerais signaler que tous leurs spectacles ne sont pas bons... J'ai adoré certains mais d'autres m'ont un peu déçu... Lequel vont-ils jouer à Monterrey ?

Iztapampa

Ça s'appelle « Toruk, le premier envol ». C'est inspiré du film *Avatar*. Quelqu'un pourrait nous dire ce qu'il en pense ?

Flore

Je n'ai pas vu ce spectacle, mais tu devrais lire sa critique : lien. Elle est top !

Ana

C'est vrai, c'est super, mais les places sont trop chères ! Il faudrait vraiment que la culture soit plus accessible !

Iztapampa

Merci à tout le monde ! On va réfléchir et, si on va voir ce spectacle, on reviendra pour vous en parler, promis ! ☺

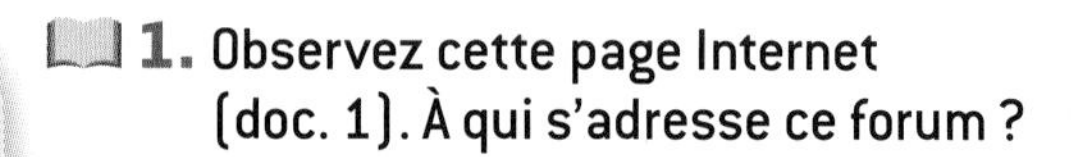

1. Observez cette page Internet (doc. 1). À qui s'adresse ce forum ?

2. Lisez le 1er message publié par Iztapampa (doc. 1). Pourquoi il écrit sur ce forum ?

3. Par deux. Lisez la discussion (doc. 1) et dites qui :
a. a déjà vu plusieurs spectacles du Cirque du Soleil.
b. donne des conseils à Iztapampa.
c. donne son avis sur les spectacles du Cirque du Soleil.
d. demande des informations sur le spectacle *Toruk, le premier envol*.
e. critique le prix des places et des sorties culturelles.
Justifiez vos réponses.

4 

En petits groupes.
a. Connaissez-vous des compagnies de cirque contemporain ? Avez-vous déjà vu des spectacles de ce type ? Si oui, lesquels ? Sont-ils populaires dans votre pays ?
b. Échangez avec la classe.

a

document 2 51

5. 51 Écoutez cet extrait de l'émission *À la une* diffusée sur Radio Canada (doc. 2). Qui est Karen Collado ? Pourquoi elle parle du Mexique ?

6. 51 Par deux.

a. Réécoutez (doc. 2) et retrouvez la chronologie de ces trois spectacles : *Luzia, Joyà, Toruk, le premier envol*. Justifiez vos réponses.

b. Relevez les informations que donne Karen Collado pour chaque spectacle.

7. 51 Par deux. Écoutez encore (doc. 2) et répondez.

a. Que souhaite proposer le Cirque du Soleil avec ses spectacles ?

b. Qui est Jean-François Bouchard ? Quel est son rêve ? Pourquoi ?

FOCUS LANGUE

▶ p. 209

Le conditionnel présent pour exprimer un souhait et donner un conseil

a. **En petits groupes. Observez et complétez à l'aide des extraits relevés dans les activités 3 et 7.**
J'utilise le conditionnel présent pour :
1. **exprimer un souhait**. Exemples : *Nous souhaiterions travailler sur le thème de l'eau ; On aimerait connaître le même succès avec Toruk ; La compagnie voudrait que les spectateurs ressentent des émotions fortes à travers nos spectacles* ; ... ; .... ; ... ; ... ; ...
2. **donner un conseil** (avec le verbe *devoir*). Exemples : ... ; ...

b. **Observez les verbes conjugués au conditionnel. Choisissez la réponse correcte.**
Pour former le conditionnel présent, j'utilise :
– la base : ☐ du présent ☐ du futur ☐ de l'imparfait
– et les terminaisons : ☐ du présent ☐ du futur ☐ de l'imparfait
Exemple : *Nous* ***aimer****ions beaucoup aller les voir à Monterrey.*
*J'****aimer****ais quand même signaler que tous leurs spectacles ne sont pas bons.*

Attention !
Une seule forme pour le verbe *falloir* (*il faut*) → *il faudrait*.

c. **Conjuguez ces verbes irréguliers au conditionnel présent.**
vouloir – pouvoir – devoir

▶ p. 170

8. Sons du français

La prononciation à l'imparfait et au conditionnel

52 **Écoutez. Dites si vous entendez l'imparfait ou le conditionnel en première position.**

Exemple : *je* *<u>voulais</u>* */ je voudrais → J'entends l'imparfait en première position.*

▶ p. 171

À NOUS !

9. Nous exprimons des souhaits et des conseils.
En petits groupes.
Le guide créatif du Cirque du Soleil décide de réaliser un spectacle sur votre pays.

a. Imaginez quels éléments il pourrait mettre en avant.

b. Rédigez une liste de souhaits et de conseils pour le Cirque du Soleil.

c. Partagez vos souhaits et conseils avec la classe.

d. Publiez vos souhaits sur la page Facebook du Cirque du Soleil.

▶ Expressions utiles p. 171

1 Un nouveau roi à Versailles  Vidéo 4

a. **Observez ces photos. Faites des hypothèses sur le sujet du reportage : où ? quand ? qui ? quoi ?**

b. **Imaginez le type de musique qui accompagne ce reportage.**

c. **Regardez la vidéo et comparez avec vos hypothèses.**

d. **En petits groupes. Lisez les opinions ci-dessous. Avec quel avis êtes-vous d'accord ? Pourquoi ?**

1. C'est vraiment une très bonne idée, ces installations. À chaque visite, il y a quelque chose de nouveau à découvrir.
2. Ce n'est pas choquant par rapport à l'environnement.
3. Il y a de la grandeur et de l'élégance dans ces structures-là.
4. Chaque partie de l'arbre est essentielle à sa survie et c'est pour ça que l'arbre a une structure si belle, si parfaite.
5. Je les trouve effectivement assez grandioses, (...) assez spectaculaires.

e. **En petits groupes. Connaissez-vous le château de Versailles et ses jardins ? Qu'en pensez-vous ? Que pensez-vous de l'exposition ? Est-ce que, dans votre pays, il y a des lieux historiques où on organise des expositions d'art contemporain ?**

f. **Choisissez une exposition que vous avez vue ou que vous avez envie de voir. Présentez-la à la classe. Expliquez les raisons de votre choix.**

2 Le cinéma français à l'étranger

LES SUCCÈS DU CINÉMA FRANÇAIS À L'INTERNATIONAL

Pour la 3e **fois** en **4 ans**, les films français franchissent le seuil des **100 millions** de spectateurs à l'international

42,6 millions d'entrées pour les films en langue française : **+ 22 %** par rapport à 2014

3e meilleure année depuis 20 ans

a

MY FRENCH FILM FESTIVAL

6,5 millions de visionnages

b

Amérique du Nord 14,6 %
Europe occidentale 24,1 %
Europe centrale et orientale 8,9 %
Asie 27,2 %
Amérique latine 21 %
Afrique et Moyen-Orient 2,3 %
Océanie 1,9 %

c

	Films	Entrées cumulées à l'international	Nombre de territoires
1	Lucy	56 071 700	70
2	Taken 2	47 677 904	81
3	Taken 3	43 991 188	83
4	Intouchables	31 857 397	66
5	Taken	30 157 011	59
6	Le Fabuleux Destin d'Amélie Poulain	23 139 709	53
7	La Marche de l'empereur	19 964 375	45
8	Le Pianiste	17 830 643	44
9	Le Transporteur 3	16 772 977	56
10	Le Petit Prince	15 124 537	56

d

a. Observez ces quatre infographies. Associez chaque titre au document qui correspond.
1. Répartition des entrées du cinéma français par zone géographique en 2015.
2. Record de fréquentation pour la 6e édition de MyFrenchFilmFestival.
3. Les 10 plus grands succès français au box-office international depuis 2000.
4. 2015, année historique pour le cinéma français à l'international.

b. Par deux. Lisez les informations suivantes. Retrouvez dans les infographies de quoi il s'agit.
1. C'est un concept inédit qui a pour objectif de faire connaître la jeune génération de cinéastes français et qui permet aux internautes du monde entier de partager leur amour du cinéma français.
2. Ce nombre a considérablement augmenté depuis 2014.
3. En 2015, c'est la 3e zone d'exportation en nombre d'entrées.

c. En petits groupes. Est-ce que vous regardez des films français ? Faites la liste des films de votre groupe. Partagez avec la classe. Faites un top 10 des films français de la classe.

COMPLÉTEZ VOTRE CARNET CULTUREL

1. Dans mon pays, les gens aiment le cinéma français, les actrices et les acteurs français ?
2. Quels films français ont eu le plus de succès dans mon pays ?
3. Il y a des festivals de cinéma français dans ma ville ?
4. Où est-ce que je peux voir un film français dans ma ville ?

Retournez aux pages 64-65. Répondez à nouveau aux questions. Mettez en commun avec le groupe.

Projet de classe

Nous créons une enquête sur la consommation médiatique.

Sur une journée moyenne 98 % des Français consomment au moins un média

88 % regardent la télévision (2 h 29'/j)

88 % utilisent un ordinateur fixe ou portable (2 h 26'/j)

69 % écoutent la radio (1 h 22'/j)

56 % utilisent un smartphone (1 h 09'/j)

51 % lisent un journal ou un magazine (0 h 26'/j)

34 % utilisent une tablette (0 h 52'/j)

En grand groupe.

a. **Observez cette infographie.**
   1. Quel est le thème de cette enquête ?
   2. Que pensez-vous de ces résultats ? Avez-vous une consommation différente des médias? Si oui, laquelle ?

b. **Observez ces types de réponses. Associez-les aux questions posées.**

Question	Type de réponse
Parmi les médias suivants, lesquels utilisez-vous le plus souvent ? ☐ la tablette ☐ le téléphone portable ☐ l'ordinateur portable ☐ la radio •	• Réponse fermée (oui, non)
Utilisez-vous une tablette ? ☐ Oui ☐ Non •	• Réponse unique parmi un choix
Classez les médias suivants par ordre de préférence pour vous informer : ☐ la tablette ☐ le téléphone portable ☐ l'ordinateur portable ☐ la radio •	• Réponses multiples
Que pensez-vous de la multiplication des outils numériques ? •	• Réponse ouverte
Pour rechercher une information sur Internet, vous commencez par : ☐ l'ordinateur ☐ la tablette ☐ le smartphone •	• Classement par ordre de préférence

En petits groupes.

c. **Choisissez le thème de votre enquête (*les sorties culturelles*, *la consommation cinématographique*, etc.).**

d. **Préparez votre questionnaire. Rédigez 10 questions. Variez les types de questions.**

e. Publiez votre sondage sur le site gratuit de sondage en ligne : https://fr.surveymonkey.com/

f. **Demandez aux autres groupes de répondre à votre sondage.**

g. **Observez les résultats obtenus. Choisissez comment présenter vos résultats (infographie, tableaux, etc.).**

Projet ouvert sur le monde

► GP Parcours digital

Nous partageons nos découvertes culturelles avec une autre classe.

DELF 4

I Compréhension des écrits

Exercice 1 Lire pour s'orienter

Vous êtes à Paris avec 5 amis. Vous regardez sur le site internet de la ville, les activités culturelles proposées.

1 **FÊTE DU CINÉMA FRANCOPHONE**
Profitez d'un tarif réduit (2 € la place) pendant 4 jours !

2 **SALON DE LA BD AU CŒUR DE PARIS**
Venez rencontrer près de 200 artistes et auteurs. Entrée gratuite.

3 Mélange de théâtre et des arts du cirque et de la rue, découvrez le nouveau spectacle du CIRQUE DU SOLEIL.

4 Événement majeur de la rentrée musicale, LE FESTIVAL ROCK EN SEINE se déroule pendant 3 jours dans le cadre magique du Domaine national de Saint-Cloud.

5 **TRANSCENDANSES – THÉÂTRE DES CHAMPS-ÉLYSÉES**
Benjamin Millepied, Ballet national de Norvège, Ballet du Capitole de Toulouse. Retrouvez tous nos spectacles de danse sur www.transcendanses.info/les-spectacles

Écrivez le numéro de l'activité qui correspond à chacun de vos amis.

	Activité n°
a. Fang est passionnée de danse. Elle pratique la danse classique depuis plusieurs années.	...
b. Esteban est guitariste. Il fait partie d'un groupe de rock.	...
c. Luca adore les séries et les films français.	...
d. Lena danse et fait du théâtre de rue. Elle aimerait découvrir les arts du cirque.	...
e. Hiroki est dessinateur de manga et veut rencontrer des auteurs de bande dessinée français.	...

II Production écrite

Exercice 1 Inviter, remercier, s'excuser, demander, informer, féliciter

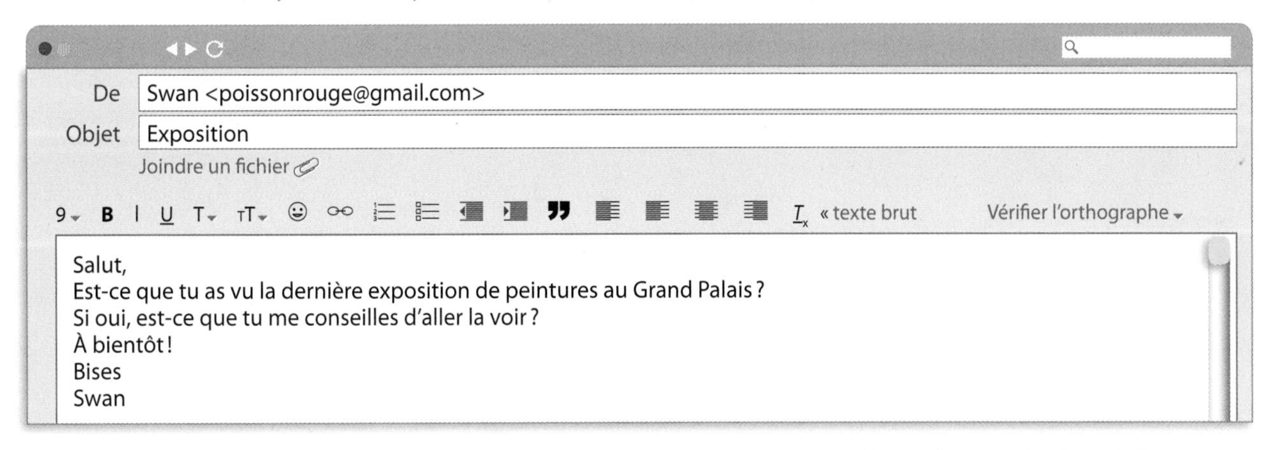
De Swan <poissonrouge@gmail.com>
Objet Exposition
Joindre un fichier

Salut,
Est-ce que tu as vu la dernière exposition de peintures au Grand Palais ?
Si oui, est-ce que tu me conseilles d'aller la voir ?
À bientôt !
Bises
Swan

Vous répondez à Swan. Vous avez vu cette exposition. Vous dites pourquoi vous l'avez aimée et lui conseillez d'aller la voir. Vous aimeriez voir une autre exposition et lui proposez de vous accompagner. (60 mots minimum)

DOSSIER 5

Vivons ensemble !

Vivre ensemble

Par deux. Répondez et comparez vos réponses avec celles des autres groupes.

1 Selon vous, les Français sont-ils plutôt individualistes ou plutôt solidaires ?

a 

b 

c 

Et les habitants de votre pays ?

2 Selon vous, les Français sont plutôt :

a râleurs.

b pessimistes.

c optimistes.

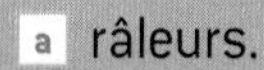

Et les habitants de votre pays ?

3 Selon vous, les Français à l'étranger :

a. aiment rester entre Français.

b. participent à des associations d'échanges culturels avec leur pays d'accueil.

c. partagent la vie des étrangers.

Et les habitants de votre pays ?

PROJETS

- **Un projet de classe**
  Nous mettre en scène « à la française » !
- **Et un projet ouvert sur le monde**
  Créer et partager une infographie qui illustre nos différences ou découvertes culturelles.

Pour réaliser ces projets, nous allons apprendre à :

- caractériser des personnes
- rapporter des propos
- exprimer notre désaccord
- parler des relations entre des personnes
- convaincre
- parler de notre état d'esprit

LEÇON

1 Opinions

Caractériser des personnes

document 1

http://www.la-croix.com

≡ SOMMAIRE — LA CROIX — Recherche — ABONNEZ-VOUS *à partir de 1€*

FRANCE | Politique | Justice | Sécurité | Éducation | Exclusion | Immigration

La France et les Français vus par trois étrangers

« La réalité quotidienne n'est pas si dramatique. »
Edward Gomaa, Américain, 36 ans, community manager, en France depuis 6 ans.
Les Français, pour moi, ce sont les Européens qui se plaignent le plus ! Se plaindre fait partie de la culture française, mais je crois qu'il existe une grande différence entre la vraie vie des Français et leur opinion. La vie en France est confortable comparée à d'autres pays européens. La réalité quotidienne des Français n'est pas si dramatique !

« On vit encore bien en France aujourd'hui. »
Xi Chen, Chinoise, 28 ans, étudiante, en France depuis 4 ans.
Je vis en France depuis 4 ans. Je réalise que les Français, ce sont des gens qui critiquent beaucoup leur pays. La vie en France n'est pas toujours facile mais, par rapport à la Chine, les Français vivent beaucoup mieux.

« En France, tout ne va pas mal. »
Lukas Macek, Tchèque, 45 ans, directeur du campus européen Europe centrale et orientale de Sciences Po à Dijon.
Les Français, ce sont des personnes que j'adore, mais qui sont trop pessimistes ! En France, tout ne va pas mal. On dit aux jeunes qu'ils vivront moins bien que leurs parents. On n'entend pas ce discours en Europe centrale. Les salaires ne sont pas très élevés, mais on vit mieux que nos parents, parce qu'on est libres.

1. Observez ce document (doc. 1).
a. Identifiez le nom du journal, le titre de l'article et son thème.
b. D'après le dessin, comment sont vus les Français : positivement ou négativement ?

a — Critiquer

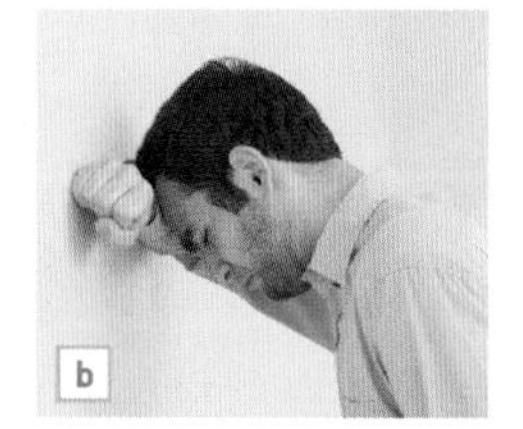
b — Être pessimiste

c — Se plaindre

2. Lisez l'article (doc. 1).
a. Associez chaque témoignage à une photo. Justifiez votre choix.
b. Relisez le titre de chaque témoignage. Quelle opinion partagent ces trois étrangers ?

3. Par deux. Relisez les témoignages d'Edward Gomaa et de Xi Chen (doc. 1). Relevez comment ils justifient leur opinion.

4. Relisez le témoignage de Lukas Macek (doc. 1) et répondez.
a. Selon lui, quelle différence existe entre la France et l'Europe centrale ?
b. Partagez-vous son opinion ? Quelle est la situation dans votre pays ?

5

En petits groupes. Échangez.
a. Êtes-vous d'accord avec les témoignages de l'article ?
b. Quelle image a-t-on des Français dans votre pays ?
c. Faites la liste des clichés de la classe.

6. Sons du français

▸ p. 199

Les sons [f], [v] et [b]

53 Écoutez. Dites si vous entendez deux fois le son [f], deux fois le son [v], deux fois le son [b] ou si vous entendez deux sons différents.

Exemple : *fin de conversation*
→ *On entend le son* [f] *et le son* [v].

▸ p. 172

7. Observez le document ci-dessus. Que font ces personnes ? Faites des hypothèses.

document 2 54

8. 54 Écoutez cet enregistrement (doc. 2).
a. Vérifiez vos hypothèses.
b. Quel est le sujet de la conversation ?
Quelles sont les nationalités des participants ?

9. 54 En petits groupes. Réécoutez (doc. 2) et relevez l'image que chaque participant a des Français.

10. 54 En petits groupes. Écoutez encore (doc. 2). Quelle image a-t-on de la France au Mexique ? en Chine ?

FOCUS LANGUE

Caractériser quelqu'un

Par deux. Observez et, à l'aide des activités 2 et 9, complétez avec un ou deux exemples.

c'est ou **ce sont** + nom + *proposition relative*
Les Français, pour moi, **ce sont** les Européens *qui se plaignent le plus !* Pour les Mexicains, le Français, **c'est** une personne *qui a une bonne éducation, qui est cultivée et qui a fait des études…*

c'est ou **ce sont** + pronom indéfini + *proposition relative*
Pour les Danois, le Français, **c'est** quelqu'un *qui comprend ce qu'on lui dit en anglais, mais qui répond en français !…*

▸ p. 172

11. Nous caractérisons les Français.

En petits groupes.
a. Choisissez un cliché dans la liste de la classe (act. 5).
b. Rédigez un témoignage sur le modèle de ceux de *La Croix*.
c. Ajoutez un dessin ou une photo.
d. Partagez vos témoignages pour composer l'article « La France et les Français vus par notre classe. »

▸ Expressions utiles p. 175

LEÇON 2 Très français !

Rapporter des propos

1. Observez le site de l'université Lucian Blaga à Sibiu (Roumanie). Quelles langues reconnaissez-vous ? Quels mots comprenez-vous ? À votre avis, pourquoi ?

document 1 55 et 56

2. 55 **Écoutez la 1re partie (doc. 1) et répondez.**

a. Qui parle ? À qui ? Où ? Dans quel but ?
b. Quel diplôme a obtenu l'étudiante ? Qu'a-t-elle pensé de l'examen ?

3. 55 **Réécoutez la 1re partie (doc. 1).**

a. Que demande l'examinateur du DELF ?

- ☐ Pouvez-vous vous présenter ?
- ☐ Parlez-moi de vous !
- ☐ Faites-vous du sport ?
- ☐ Qu'est-ce que vous faites dans la vie ?
- ☐ Que faites-vous pendant vos loisirs ?
- ☐ Quels sont vos qualités et vos défauts ?
- ☐ Pourquoi étudiez-vous le français ?

b. Expliquez pourquoi cela pose problème à Anca.

4. 56 **Par deux. Écoutez la 2e partie (doc. 1).**

a. Lisez ces deux extraits du DELF B1. De quel sujet parle Anca ? Justifiez votre réponse.

> 1 Vous apprenez le français dans une école de langues. Vous n'êtes pas satisfait du niveau de votre groupe. Vous allez voir le directeur pour lui dire que vous souhaitez intégrer le groupe de niveau supérieur.

> 2 Vous faites des études de commerce international. Vous faites votre stage en France dans une grande entreprise. Après une semaine, vous n'avez toujours pas fait de travail intéressant. Vous allez expliquer la situation au directeur.

b. Qu'en pensent les étudiants roumains ? Pourquoi ?

5 

En petits groupes.

a. Que pensez-vous des activités de l'examen du DELF ? Partagez-vous l'opinion d'Anca ?

b. Observez les pages DELF A2 de votre manuel. Repérez les quatre épreuves de l'examen. Faites la liste des exercices proposés pour chaque épreuve.

6. Lisez le message de Roxana (doc. 2) et répondez.

a. À qui elle écrit ? Pourquoi ?
b. Qu'a-t-elle fait en France ?
c. Qu'est-ce que son expérience française lui a apporté ? Que lui reproche-t-on à l'université ?

7. Par deux. Relisez le message de Roxana (doc. 2). Relevez ce que/qu'...

a. lui demandent ses amis français.
b. lui demandent ses amis roumains et les réponses qu'elle leur donne.
c. elle propose à ses amis français.
d. elle leur demande de faire.

document 2

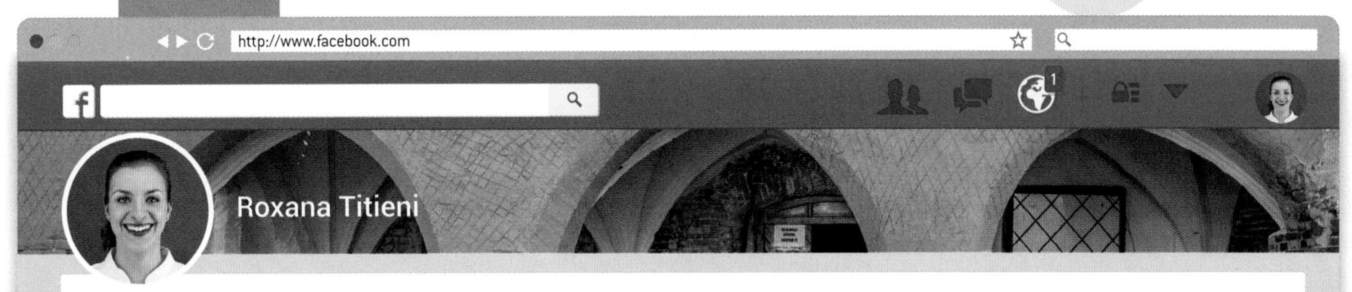

Salut à tous !
Déjà un mois que je suis rentrée en Roumanie, chez moi, à Sibiu. Le temps passe vite ! Vous me demandez tous comment ça va, si je suis bien rentrée, si tout va bien...
Alors, voici quelques nouvelles. J'ai repris mes études de journalisme dans mon université. Grâce à cette année d'échange Erasmus passée avec vous à Dijon, j'ai beaucoup changé. Cette expérience de vie en France m'a appris beaucoup de choses sur « le débat à la française » ! Maintenant, à la fac, on me reproche de donner trop souvent mon avis et de n'être jamais d'accord avec les autres !
Mes amis ici me posent plein de questions. Ils me demandent si le français est une langue difficile, je réponds que oui, un peu. Mais je leur dis que le français, c'est super utile dans le monde du travail ! Ils me demandent comment sont les Français... Je leur explique que mes amis sont tous très sympas !
J'ai vraiment envie de vous revoir tous bientôt, alors je vous propose de venir me rendre visite à Sibiu. Je vous demande aussi de donner de mes nouvelles aux professeurs, de leur dire que tout va bien pour moi ici et que je ne les oublie pas !
Merci ! Grosses bises !

FOCUS LANGUE

► p. 213

Le discours indirect au présent pour rapporter des propos

En petits groupes. Observez et complétez la règle avec : *de*, *si*, *que*, *ce que*.
Rapportez les propos de la colonne de gauche avec les extraits relevés dans l'activité 7.

Discours direct	Discours indirect
Question avec un mot interrogatif : **comment**, **quel(le)(s)**, **quand**, **où**, etc. → *Quels sont vos qualités et vos défauts ?* → *Comment sont les Français ?*	**demander** + mot interrogatif → *Il nous demande quels sont nos qualités et nos défauts.* → …
Question fermée (réponse « oui », « non ») → *Est-ce que le français est une langue difficile ?* → *(Est-ce que) tout va bien ?*	**demander** + … → … → …
Question avec **Qu'est-ce que… ?** → *Qu'est-ce que vous faites dans la vie ?*	**demander** + … → *Il nous demande aussi ce qu'on fait dans la vie.*
Affirmation → *Cette activité est difficile.* → *Le français, c'est super utile dans le monde du travail.*	**dire**, **expliquer** + … → *Presque tous les étudiants disent que cette activité est difficile.* → …
Demande, reproche, invitation, proposition → *Parlez-moi de vous !* → *Tu donnes trop souvent ton avis !*	**demander**, **proposer**, **reprocher** + … + verbe à l'infinitif → *L'examinateur nous demande de parler de nous.* → …

► p. 172

À NOUS !

8. Nous préparons le DELF A2 !

En petits groupes.

a. Rédigez un descriptif des trois exercices de l'épreuve de production orale du DELF A2 (act. 5).
Exemple : Pendant l'entretien dirigé, nous devons nous présenter...

b. Pour chaque exercice, complétez votre descriptif. Rapportez les questions posées par l'examinateur.
Exemple : L'examinateur nous demande si nous faisons du sport.

En grand groupe.

c. Partagez vos descriptifs avec la classe. Rédigez une fiche commune pour la classe.

LEÇON 3 D'accord, pas d'accord !

Exprimer son désaccord

1. Observez ce document.
a. Identifiez l'auteur. À votre avis, à qui s'adresse ce document ?
b. Qu'est-ce qu'un conseil de quartier ? Faites des hypothèses.

document 1  57

2. 57 Écoutez (doc. 1) et répondez.
a. Vérifiez vos hypothèses.
b. Dites quel est le sujet du jour.

3. 57 Par deux. Réécoutez (doc. 1) et répondez.
a. Qui sont Hugo, Bogdan et Anna ?
b. Ont-ils le même avis ?

4. 57 Par deux. Écoutez encore (doc. 1).
Associez chaque opinion à son auteur : Hugo, Bogdan ou Anna. Justifiez vos réponses.
1. Le café associatif, c'est un lieu bruyant dont nous n'avons pas besoin !
2. Il n'y aura pas de bruit le soir.
3. Le café associatif, c'est un lieu de rencontres dont nous avons tous besoin !
4. La place Raoul-Follereau est bien trop calme.
5. Le café associatif, c'est un lieu idéal pour nos associations.

5 En petits groupes.
Existe-t-il des conseils de quartier dans votre ville ? Que pensez-vous de ce concept ? Aimeriez-vous participer à un conseil de quartier ? De quels projets aimeriez-vous discuter ? Faites la liste de la classe.

6. Observez cette page Internet (doc. 2).
a. Qui sont les personnes interviewées ?
b. Comparez vos hypothèses (act. 1b) avec la définition du document.

document 2

La participation citoyenne à Rouen

Le conseil de quartier est un groupe de réflexion et de propositions pour l'amélioration de la vie des habitants.

Quel est le rôle d'un conseiller de quartier ?
Gilles Bénard : Le conseiller de quartier est d'abord un bénévole. C'est l'intermédiaire dont les habitants du quartier ont besoin pour mieux communiquer avec la mairie. Le conseiller de quartier essaie d'améliorer la vie des habitants. Le conseiller et les citoyens se réunissent pour discuter de la vie du quartier. Il écoute les différentes choses dont les habitants ont besoin ou envie et présente des projets concrets à la municipalité.

Pourquoi devenir conseiller ?
Bénédicte Guillot : Pour être utile aux autres, utile pour son quartier et participer à la réalisation de projets. Me mettre au service des autres, c'est une chose dont je suis fière. Dans le quartier, il y a des

7. **Lisez les réponses des trois conseillers (doc. 2) puis complétez le portrait-robot.**

CONSEILLER DE QUARTIER : PORTRAIT-ROBOT
SON STATUT bénévole
SON RÔLE ...
SES TÂCHES – discuter de la vie du quartier – ... – ...
OÙ A-T-ON BESOIN DE LUI ? ...
QUAND FAIRE APPEL À LUI ? ...
SON BUT – essayer d'améliorer la vie des habitants – ...

8. **Par deux. Relisez les réponses de Bénédicte Guillot et de Vincent Cherrier (doc. 2). Vrai ou faux ? Pourquoi ?**

1. Bénédicte Guillot est fière d'être conseillère.
2. Vincent Cherrier donne des exemples de projets mis en place avec son conseil de quartier.
3. Il a participé à la création d'une médiathèque.
4. Pour ces projets, les habitants étaient d'accord avec la mairie.

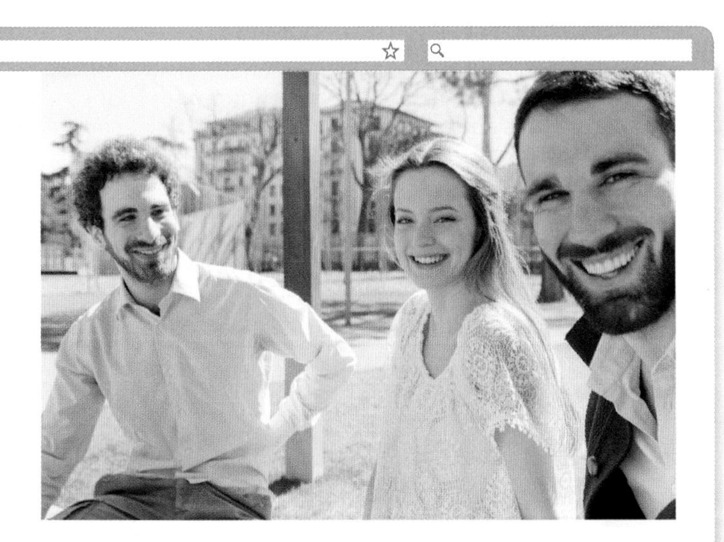

zones où les habitants ont de gros problèmes. Le conseiller donne de son temps, écoute les gens. Il peut être utile en cas de conflit, quand les gens ne sont pas du même avis sur un sujet de la vie quotidienne. Devenir conseiller, c'est améliorer le quotidien de ses voisins.

Sur quels projets votre conseil de quartier a déjà travaillé ?
Vincent Cherrier : Nous avons travaillé sur le jardin de l'hôtel de ville. C'est un lieu où il ne se passe jamais rien. Nous ne partagions pas du tout le projet de la mairie et nous avons proposé d'y installer un kiosque à musique. Nous avons aussi fait des propositions pour la transformation de la bibliothèque en médiathèque, car beaucoup d'habitants n'étaient pas d'accord avec la mairie.

FOCUS LANGUE

▸ p. 203

Les pronoms relatifs *où* et *dont* pour donner des précisions

Par deux.

a. Complétez (act. 7 et 8).

1. C'est l'intermédiaire ... les habitants du quartier ont besoin pour mieux communiquer avec la mairie.
2. Dans le quartier, il y a des zones ... les habitants ont de gros problèmes.
3. Il écoute les différentes choses ... les habitants ont besoin ou envie et présente des projets concrets à la municipalité.
4. Nous avons travaillé sur le jardin de l'hôtel de ville ... il ne se passe jamais rien.

b. Observez et complétez la règle.

1. *Le conseiller de quartier est un intermédiaire* → *Les habitants du quartier ont besoin* ***de*** *cet intermédiaire.*
   Le pronom relatif **dont** remplace...
2. *Dans le quartier, il y a des zones.* → *Les habitants ont de gros problèmes* ***dans*** *ces zones.*
   Le pronom relatif **où** remplace...

c. Retrouvez pour les exemples 3 et 4 les compléments remplacés par *où* et *dont*.

▸ p. 173

9. 58 Apprenons ensemble !

Sina répond à la question : *Selon vous, à quoi ressemble un quartier idéal ?*
Par deux

a. Écoutez. À quoi ressemble son quartier idéal ?
b. Relevez ses erreurs et corrigez-les.
c. Comment faire pour ne pas répéter ces erreurs ?
d. Partagez vos idées, vos techniques avec la classe.

À NOUS

10. Nous organisons un conseil de quartier.

En petits groupes.

a. Choisissez un projet (act. 5).
b. Formez trois groupes : ❶ « tout à fait d'accord », ❷ « en partie d'accord », ❸ « pas du tout d'accord ».
c. Préparez vos arguments en petits groupes.
d. Choisissez un médiateur et un conseiller de quartier par groupe.
e. Chaque conseiller donne le point de vue de son groupe.
f. La classe décide si le projet sera adopté ou non.

▸ Expressions utiles p. 175

LEÇON 4 Vivre ensemble

Parler des relations entre des personnes

document 1

http://www.lepetitjournal.com

LEPETITJOURNAL.COM
Le media des Français et francophones à l'étranger

DUBLIN

ACCUEIL DUBLIN COMMUNAUTÉ ÉCONOMIE SOCIÉTÉ À VOIR, À FAIRE PRATIQUE CONTACT PÉKIN ARCHIVES

La colocation à Dublin

Vivre à Dublin, c'est presque toujours vivre en colocation. Le partage d'une maison ou d'un appartement est naturel et évident pour les Dublinois. Nous avons demandé leur avis à des francophones qui vivent en colocation.

À votre avis, quelles sont les contraintes de la colocation ?
Alexandre : Pour moi, la contrainte, c'est le manque de vie privée. Nous sommes quatre dans l'appartement, deux par chambre : un Allemand, un Danois, un Mexicain et moi. Je partage ma chambre avec le Danois. Je partage aussi la salle de bains, et la cuisine bien sûr. Tout se passe très bien entre nous, mais j'aimerais pouvoir être seul de temps en temps.

Que pensez-vous de la cohabitation entre étrangers ?
Marvin : Six personnes vivent avec moi dans l'appartement : un Canadien, un Américain, un Brésilien, un Uruguayen, un Italien et un Portugais. Je pense que, si on s'organise bien, ce n'est pas difficile. Après un mois de colocation, nous avons eu une « réunion » entre colocs pour fixer des règles : respecter les besoins des autres, ranger ses affaires, dialoguer en cas de conflit, faire un planning pour le ménage, partager les dépenses. Et depuis, tout se passe très bien !

Je peux avoir votre avis sur vos colocataires ?
Alan : Je suis très satisfait de ma colocation parce qu'elle m'a permis de découvrir d'autres cultures et de me faire de nouveaux amis. Au début, nos rapports étaient basés sur le respect. Mais ils sont ensuite devenus amicaux. Nous sommes comme une petite famille en fait.

Quelle est votre opinion sur la colocation ?
Amanda : Moi, je trouve qu'au début, tout va toujours bien, mais les problèmes finissent par arriver. Quand tu vis avec des gens vraiment radins, c'est un cauchemar pour payer les dépenses communes ! J'ai vraiment découvert l'individualisme et l'égoïsme des gens. Une grosse déception !

1. Observez cet article (doc. 1) publié sur le site lepetitjournal.com. Identifiez le pays et le sujet de l'article.

2. Lisez l'introduction (doc. 1).
Que pensent les Dublinois de la colocation ? La colocation est-elle très pratiquée dans votre ville ?

3. Par deux. Lisez les témoignages (doc. 1). Associez chaque image à un témoignage. Justifiez.

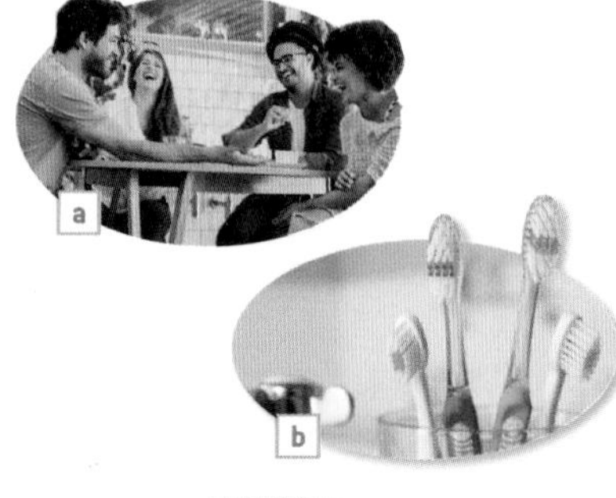

a

b

c

	M	T	W	T	F	S	S
Joel	✗						
Jorge				✗			
Marco	✗						
Gabriel			✗				
Marvin							✗
Patrick					✗		
João						✗	

d

 **4. Par deux. Relisez les témoignages (doc. 1). Répondez et justifiez.**
a. Quel est le problème principal de la colocation pour Alexandre ? Pourquoi ?
b. Quels conseils donne Marvin pour réussir sa colocation ?
c. Que pense Amanda de la colocation ? Qu'a-t-elle découvert avec la colocation ?

5

En petits groupes.
a. Avez-vous déjà partagé un logement avec une autre personne (famille, amis, étrangers, etc.) ? Si oui, quels problèmes avez-vous rencontrés ?
b. Faites la liste des avantages et des inconvénients de la colocation.
c. Proposez des idées, des conseils pour éviter les problèmes liés à la colocation.

6. Sons du français

L'enchaînement consonantique

59 **Écoutez et répétez ces phrases. Enchaînez la consonne finale avec le mot suivant s'il commence par une voyelle.**
Exemples : *Ils vivent en colocation. Vivre à Dublin.*
→ *La consonne [v] s'enchaîne avec le mot suivant.*

▸ p. 173

document 2 60 et 61

7. 60 **Écoutez l'introduction de cette émission de radio (doc. 2) et répondez.**
a. Quel est le nom de l'émission ? À qui s'adresse-t-elle ?
b. Qui est l'invité du jour ?
c. Quel est le sujet du jour ?

8. 61 **Écoutez l'émission (doc. 2).**
a. **Relevez dans la liste ci-dessous les thèmes dont parle l'invité.**
le travail • la vie de famille • les sorties • la ponctualité • la gastronomie • le sport • les manières de se saluer • les commerces
b. **Retrouvez pour chaque thème la question du journaliste.**

9. 61 **Par deux. Réécoutez (doc. 2). Pour chaque thème, relevez les différences culturelles entre la France et l'Irlande.**

FOCUS LANGUE

Demander et donner un avis sur des relations entre des personnes

Associez. (Plusieurs réponses possibles.)

Demander un avis
Que pensez-vous **de** la cohabitation entre étrangers ?
Qu'est-ce que vous pensez **de** la ponctualité ?
À votre avis, quelles sont les contraintes de la colocation ?
Et une chose qui vous a surpris ?
Je peux avoir votre avis **sur** vos colocataires ?
Quelle est votre opinion **sur** la colocation ?
Il y a des différences **entre** la vie de famille en France et en Irlande ?

Donner son avis
Je trouve qu'au début, tout va toujours bien.
Pour moi, la contrainte, c'est le manque de vie privée.
À mon avis, en France, on est plus souvent en famille.
Je crois que ce qui m'a le plus surpris, c'est qu'on ne fait jamais la bise.
Il me semble que nous n'avons pas du tout la même éducation.
J'ai remarqué que les Irlandais ne sont jamais à l'heure.
Je pense que si on s'organise bien ce n'est pas difficile.

▸ p. 173

À NOUS !

10. Nous parlons de nos différences culturelles.

En petits groupes.
a. À votre avis, quelles sont les principales différences culturelles entre les Français et les habitants de votre pays ? Choisissez deux grands thèmes.
b. Échangez avec les membres de votre groupe. Demandez et donnez votre avis sur les thèmes choisis.
c. Partagez vos avis avec la classe.

En groupe.
d. Faites la liste des principales différences culturelles entre les Français et les habitants de votre pays.
e. Réalisez une infographie pour illustrer ces différences.

▸ Expressions utiles p. 175

LEÇON

5 France-Autriche

Convaincre

document 1

http://www.amitielinz.at

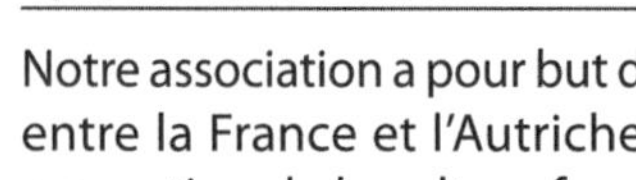

Qui sommes-nous ?

Notre association a pour but de promouvoir l'amitié entre la France et l'Autriche. Nous soutenons la promotion de la culture française et les échanges culturels. Nous proposons un programme de manifestations à celles et à ceux qui s'intéressent à la francophonie. Nos valeurs sont la curiosité, l'intérêt pour la culture de l'autre, la sociabilité, le respect des différences. Vous partagez ces valeurs ? N'hésitez pas à devenir membre !

Accueil / Startseite | Qui sommes-nous ? / Wer sind wir? | Activités / Aktivitäten | Rétrospective / Retrospektive | Liens utiles / Nützliche Links | Devenir membre / Mitglied werden

- ▶ **Programmes / Programme**
- Café-Ciné
- Fête nationale / Nationalfeiertag
- Lingua Franca
- Matinées francophones / Französisches Frühstück
- Soirées à thème / Themenabende
- Soirées cuisine / Kochabende
- Soirée de l'Avent / Adventabend

Soirées cuisine : « Passe-moi la casserole ! »

Régulièrement, un membre de l'Amitié nous propose de découvrir une spécialité culinaire de son pays d'origine. Celle de notre ami Amar ? Un couscous à ne pas manquer !
Ces moments passés ensemble en cuisine nous font voyager dans les pays francophones, comme celui d'Amar, le Maroc. Venez participer à nos soirées cuisine, vous ne le regretterez pas !

Café-ciné

« Café-ciné », c'est l'occasion de partager nos impressions et nos avis sur nos derniers films « coup de cœur », ceux qui viennent de sortir, ou les grands classiques. Et ce n'est pas tout ! Les soirées sont animées par une passionnée, Anja !

Matinées francophones

Ces matinées ont pour objectif de discuter de sujets variés. Elles s'adressent à ceux qui ont envie de pratiquer le français. Débutants ou francophones, tout le monde est bienvenu ! Et en plus, Sylvia, l'animatrice, vous aidera à trouver les mots que vous cherchez en français !

1. Observez ce site Internet (doc. 1) et choisissez la réponse correcte.
C'est le site :
- ☐ d'une école.
- ☐ d'une association.
- ☐ d'une ambassade.

2. Lisez la rubrique « Qui sommes-nous ? » (doc. 1).
Qu'est-ce que Amitié France-Autriche de Linz veut développer ? Comment ?

3. Par deux. Lisez la page Internet (doc. 1).

a. Identifiez les trois activités proposées par l'association. Quel est l'objectif de chacune ?

b. Quelle activité préférez-vous ? Pourquoi ?

4. En petits groupes.

a. Relisez (doc. 1). Vrai ou faux ? Pourquoi ?

1. Il y a un animateur/une animatrice pour toutes les activités de l'association.
2. Chaque semaine, Amar cuisine pour l'association.
3. Les participants du Café-ciné donnent leur avis sur des films récents.
4. Les matinées francophones s'adressent uniquement à des étudiants.

b. Pour chaque activité, relevez comment l'association motive ses membres à y participer.

5 

En petits groupes.

a. Dans votre pays, votre ville, existe-t-il des associations pour la promotion de l'amitié entre la France et votre pays ? Quelles activités proposent-elles ?

b. Vous voulez créer votre association. Faites la liste des activités que vous souhaitez proposer.

document 2 62

6. 62 Écoutez cet enregistrement (doc. 2).

a. De quelle activité de l'association Amitié France-Autriche de Linz il s'agit ? Justifiez.

b. Quel est le sujet de la conversation ?

7. 62 Par deux. Réécoutez (doc. 2).

a. Relevez les éléments qui montrent que le français est présent en Autriche.

b. Comment sont classées les associations en Autriche ?

c. Quel choix l'Autriche a-t-elle fait pour l'Eurovision ?

FOCUS LANGUE

Convaincre

Et ce n'est pas tout !
Et en plus…
Il y a même…
À ne pas manquer !
Vous ne le regretterez pas !
Vous vous rendez compte ?

▶ p. 174

FOCUS LANGUE

▶ p. 204

Les pronoms démonstratifs pour désigner et donner des précisions

En petits groupes.

a. Lisez ces extraits des documents 1 et 2. Qu'est-ce que ces pronoms remplacent ?

1. *Régulièrement, un membre de l'Amitié nous propose de découvrir une spécialité culinaire de son pays d'origine.* ***Celle*** *de notre ami Amar ?*
2. *Ces moments passés ensemble nous font voyager dans les pays francophones, comme* ***celui*** *d'Amar, le Maroc.*
3. *En Autriche, il y a beaucoup de francophiles, pas seulement* ***ceux*** *qui ont fait des études en France !*
4. *Les associations sont classées en plusieurs catégories. Il y a* ***celles*** *qui proposent des échanges interculturels, comme nous, mais aussi* ***celles*** *qui s'occupent de l'éducation.*

b. Complétez.

	Masculin	Féminin
Singulier	…	celle
Pluriel	…	…

Attention ! Les pronoms démonstratifs sont suivis par :
– la préposition **de**. Exemple : …
ou
– un pronom relatif. Exemple : …

▶ p. 174

8. Sons du français

L'intonation expressive pour convaincre

63 Écoutez et répétez. Dites si ces phrases sont prononcées avec enthousiasme (pour convaincre) ou sans enthousiasme.

Exemple : *Couscous à ne pas manquer !*
→ *Avec enthousiasme.*

▶ p. 174

À NOUS !

9. Nous allons vous convaincre !

En petits groupes.

a. Choisissez deux activités (act. 5).

b. Rédigez un court descriptif de vos activités à la manière de l'association Amitié France-Autriche. Motivez vos futurs membres !

c. Affichez vos activités. Présentez-les et essayez de convaincre la classe de choisir l'une de vos activités.

d. La classe vote pour ses trois activités préférées.

LEÇON 6 On y va !

Parler de son état d'esprit

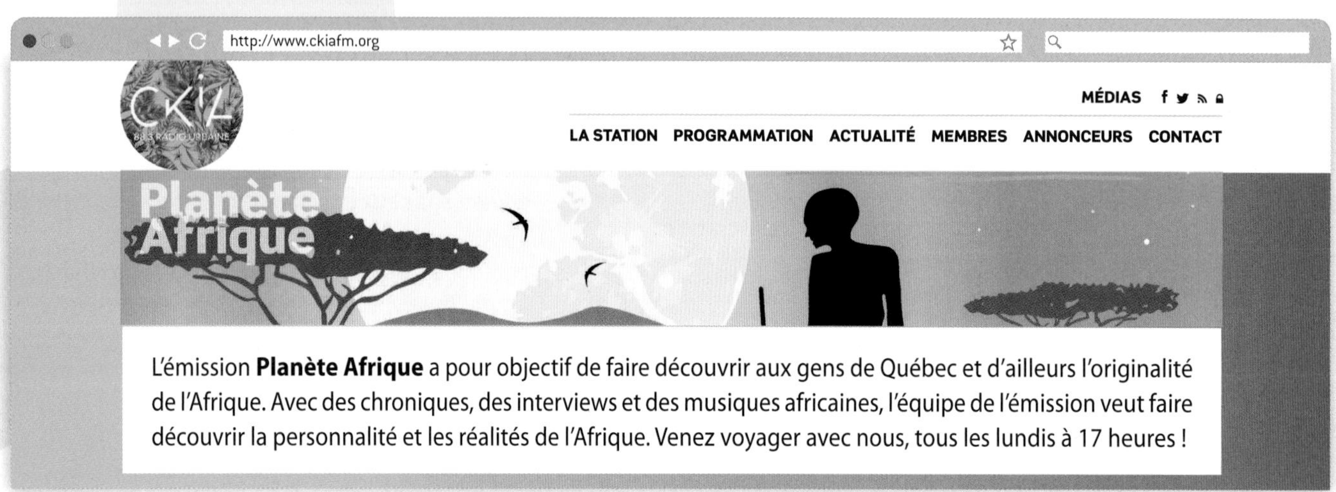

L'émission **Planète Afrique** a pour objectif de faire découvrir aux gens de Québec et d'ailleurs l'originalité de l'Afrique. Avec des chroniques, des interviews et des musiques africaines, l'équipe de l'émission veut faire découvrir la personnalité et les réalités de l'Afrique. Venez voyager avec nous, tous les lundis à 17 heures !

1. Lisez cette page Internet. Identifiez : le nom de la radio ; le titre et le concept de l'émission ; le public visé.

document 1 64

2. 64 Par deux. Écoutez cet extrait (doc. 1).

a. Qui est Adama Ouédraogo ? De quel pays africain parle-t-il ? Qu'est-ce qu'il demande aux auditeurs ?

b. Complétez la fiche.

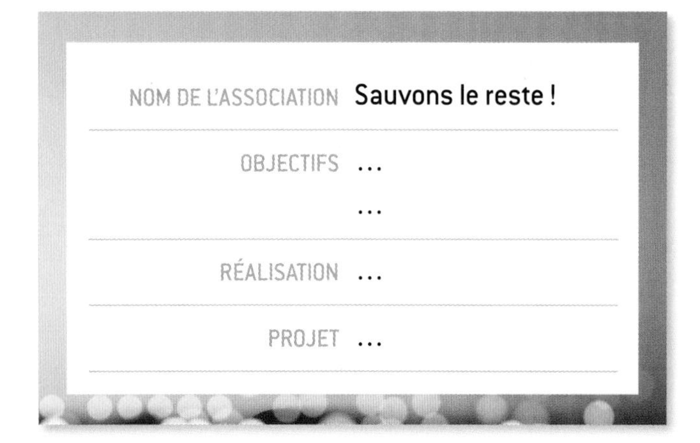

NOM DE L'ASSOCIATION	Sauvons le reste !
OBJECTIFS	… …
RÉALISATION	…
PROJET	…

3. 64 Par deux. Réécoutez (doc. 1) et répondez.

a. Pourquoi l'association a besoin de bénévoles ?

b. De quel sujet parle-t-on dans la dernière partie de l'interview ? Pourquoi ?

c. Comment Adama Ouédraogo rassure les auditeurs ?

FOCUS LANGUE ▸ p. 208

Le futur proche et le passé récent (rappel)

Lisez et complétez avec des extraits du document 1.

1. J'utilise **le futur proche** pour exprimer des actions dans le futur immédiat. Exemples : … ; …

Pour former **le futur proche**, j'utilise le verbe … au présent + action à l'infinitif.

2. J'utilise **le passé récent** pour exprimer des actions dans un passé immédiat, juste avant le moment où on parle. Exemple : …

Pour former **le passé récent**, j'utilise le verbe … au présent + … + action à l'infinitif. ▸ p. 174

4 

En petits groupes.

a. Que pensez-vous du bénévolat ? En avez-vous déjà fait ? Aimeriez-vous en faire ? Dans quel(s) domaine(s) ?

b. Recherchez des associations qui proposent du bénévolat dans des pays francophones.

5. Observez cette page Internet (doc. 2).

a. Identifiez le type de site.

b. Quel est le point commun avec l'association d'Adama Ouédraogo ?

document 2

Journal d'une stagiaire canadienne au Burkina Faso

Je viens de recevoir la confirmation : je suis inscrite au stage d'initiation à la coopération internationale. Je vais quitter le Québec et partir au Burkina. Je suis en train de préparer mes bagages et je ressens des émotions contradictoires, comme la peur, l'excitation, la tristesse et la joie.

SAM **09 mai**
09:11

Arrivée au pays
Je viens d'arriver au Burkina Faso, il fait très chaud. Ces premières journées à Ouagadougou me permettent de me familiariser avec ce pays qui m'est encore inconnu. En ce début de voyage, je suis en train de découvrir un nouveau monde. J'aime beaucoup ce que je vois, je n'ai plus du tout peur, je ne suis pas inquiète.

SAM **16 mai**
13:48

En route vers la communauté d'accueil
Après ces quelques jours dans la capitale, nous nous rendons dans un village, à plusieurs kilomètres de là. Les familles d'accueil nous y attendent. Elles vont nous recevoir pour la durée du séjour au Burkina. Je découvre une culture riche et un peuple accueillant. Je me sens chez moi grâce à l'accueil chaleureux de la communauté. Quand un problème se présente, les gens trouvent toujours une solution. Ils sont très positifs : « Ne t'inquiète pas, on va trouver une solution, ça va s'arranger ! »

JEU **16 juin**
20:03

Un apprentissage réciproque
Dans ce stage, il y a beaucoup d'échanges entre les gens du village et nous. Mes rencontres m'apprennent beaucoup sur le Burkina. Je vais avoir du mal à rentrer au Québec ! Je suis vraiment en train de réaliser mon rêve !

6. Par deux. Lisez le journal (doc. 2). Qui écrit ? Quand ? Dans quels pays ? Pourquoi ?

7. En petits groupes. Relisez (doc. 2) et complétez.

Ce qu'elle écrit…	Actions	Sentiments et émotions
avant le 9 mai	…	…
le 9 mai	…	J'aime beaucoup ce que je vois,…
le 16 mai	Nous nous rendons dans un village.	…
le 16 juin	…	Je vais avoir du mal à rentrer au Québec ! …

FOCUS LANGUE

p. 208

Le présent continu pour parler d'une action en cours

Observez ces extraits du journal et complétez la règle.
Je suis ***en train de*** *découvrir un nouveau monde.*
Je suis ***en train de*** *préparer mes bagages.*

Le présent continu exprime une action en cours de réalisation au moment où je parle.
Pour former le présent continu, j'utilise le verbe … au présent de l'indicatif + **en train de** + … .

p. 175

À NOUS !

8. Nous imaginons notre journal de voyage !

En petits groupes.

a. Choisissez une association (act. 4) et une mission.
b. À la manière de la stagiaire canadienne :
   – Imaginez votre état d'esprit avant le départ.
   – Imaginez votre arrivée sur place : parlez de vos « découvertes » et précisez vos « sentiments et impressions ».
   – Rassurez vos proches qui s'inquiètent pour vous.
   – Rédigez enfin la partie « apprentissage culturel » et évoquez votre retour.
c. Affichez vos journaux. La classe vote pour celui qui donne le plus envie de s'engager.

1 Vous avez compris ? Vidéo 5

a. Regardez la vidéo sans le son. Faites des hypothèses. Quel est le thème de cette vidéo ?

b. Par deux. Regardez la vidéo avec le son. Vérifiez vos hypothèses et légendez les pictos.

Compter (Chine)

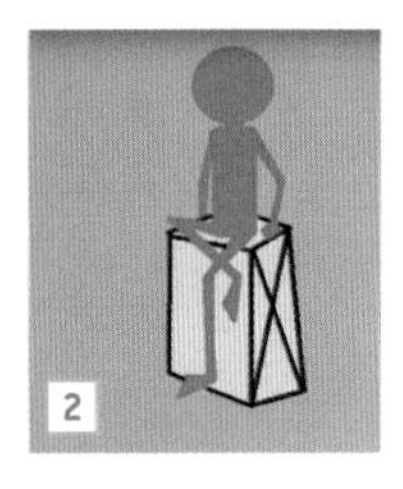

....

....

....

....

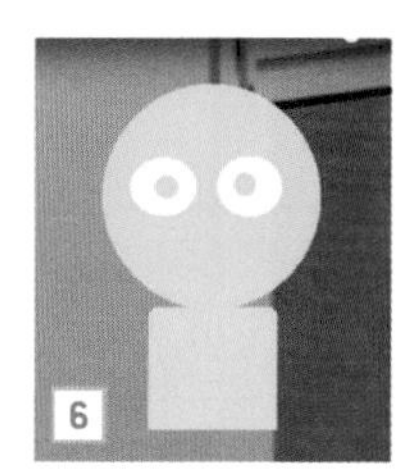

....

c. Par deux. Associez chaque geste ou attitude à sa signification.

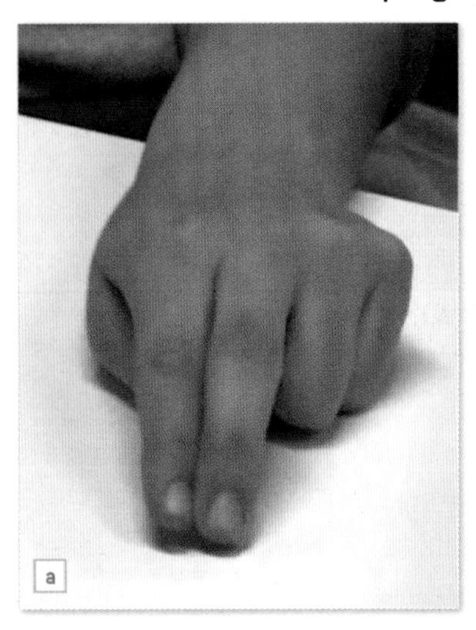

1 Désigner le chiffre 10 en Chine.

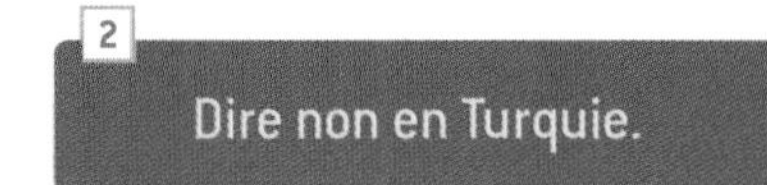

2 Dire non en Turquie.

3 **Dire merci dans un restaurant taïwanais.**

d. Par deux. Regardez encore la vidéo et répondez.
1. Comment se salue-t-on en France ? Qu'en pensent les Japonais ?
2. Qu'est-ce qu'il ne faut surtout pas faire en Corée ?

e. En petits groupes. Échangez. Quels gestes faites-vous dans votre pays pour compter, vous saluer, dire merci, dire non ? Connaissez-vous des gestes ou des attitudes qui ont un sens différent en France et dans votre pays ?

f. En petits groupes. Faites la liste des gestes ou des attitudes des Français que vous connaissez et qui vous surprennent. À la manière des personnages de la vidéo, présentez vos gestes et attitudes à la classe.

2 Les cafés citoyens

a. **Connaissez-vous le concept des cafés citoyens ? Si non, faites des hypothèses.**

b. **Lisez cette affiche et vérifiez vos hypothèses.**

c. **Relisez et répondez.**
1. Qui est l'auteur du document ?
2. À qui s'adresse le café citoyen ?
3. Qui choisit les thèmes de débat ?

d. **Vrai ou faux ? Pourquoi ? Lisez encore et répondez.**
1. Dans un café citoyen, tout le monde peut s'exprimer.
2. En général, les participants partagent les mêmes idées.
3. Les participants y font des propositions pour améliorer la société.

INTERCULTUREL

e. **En petits groupes. Que pensez-vous du concept des cafés citoyens ? Est-ce qu'il y en a dans votre pays ? Est-ce qu'ils fonctionnent comme les cafés citoyens français ? Échangez.**

COMME DANS PLUSIEURS VILLES EN EUROPE, CRÉEZ DANS VOTRE VILLE UN

CAFÉ CITOYEN

Pourquoi les politiques devraient-ils toujours penser à notre place ?

La démocratie ne se résume pas aux élections !

La démocratie nécessite la participation de tous les citoyens. Le café citoyen est une école de la démocratie où l'on...
- exprime son opinion personnelle,
- écoute les arguments des autres citoyens,
- reprend goût au débat et à la contradiction,
- propose des solutions pour résoudre les problèmes abordés.

Un café citoyen, c'est un espace :
- de débat ouvert à tous,
- de réflexion sur notre société,
- où l'on pense aussi la société de demain,
- indépendant où les participants choisissent les thèmes de débat.

Pour en savoir plus :
www.cafes-citoyens.fr

LA FÉDÉRATION DES CAFÉS CITOYENS

COMPLÉTEZ VOTRE CARNET CULTUREL
1. Deux exemples de différences culturelles entre la France et mon pays :...
2. Deux exemples de gestes ou attitudes qui ne signifient pas la même chose en France et dans mon pays :...
3. Deux exemples de vie de quartier en France et dans mon pays :...

Retournez aux pages 82-83. Répondez à nouveau aux questions.
Mettez en commun avec le groupe.

Projet de classe

Nous nous mettons en scène « à la française » !

En petits groupes.

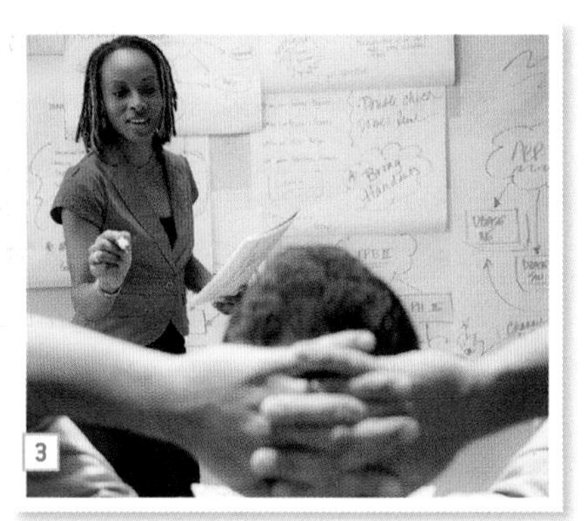

1. **Observez ces trois photos. Associez-les à la situation qui correspond. Justifiez vos réponses.**
1. une personne est en désaccord
2. une personne veut rassurer
3. une personne veut convaincre

2. **Choisissez un thème de discussion :**
- obtenir un diplôme de français
- créer un café associatif dans votre quartier
- se loger en colocation avec des personnes de différentes nationalités
- créer une association d'amitié entre la France et votre pays
- faire du bénévolat dans un pays francophone

3. **Distribuez les rôles dans le groupe en fonction des thèmes choisis : *d'accord, pas d'accord ; je veux convaincre, je ne suis pas convaincu ; je veux rassurer, j'ai besoin d'être rassuré*.**

4. **Préparez une discussion, une scène en relation avec le thème choisi. En fonction de votre rôle, exprimez l'accord ou le désaccord, rassurez, essayez de convaincre, etc.**

5. **Discutez ou jouez la scène « à la française ». Pensez à la gestuelle.**

6. **Discutez ou jouez à nouveau la scène avec les codes culturels de votre pays.**

7. Filmez la scène puis visionnez la discussion.

8. **Commentez les différences entre les deux scènes.**

Projet ouvert sur le monde

▸ GP Parcours digital

Nous créons et partageons une infographie qui illustre nos différences ou découvertes culturelles.

DELF 5

I Compréhension de l'oral

Exercice 1 Comprendre une émission de radio

Vous écoutez une émission sur le DELF. Lisez les questions, écoutez deux fois le document puis répondez.

1. **Pour Mme Stylianou, les candidats qui passent le DELF...**
   a. sont stressés par l'examen.
   b. ont l'habitude de passer des examens.
   c. sont contents de participer à l'examen.
2. **D'après Mme Le Goupil, les personnes qui passent le DELF sont passionnées par quoi ?**
3. **Waee Shen apprend le français...**
   a. à l'Institut français d'Athènes.
   b. à l'Alliance française de New York.
   c. à l'Alliance française de Hong Kong.
4. **Pour quelle raison Waee Shen associe-t-elle le DELF au mot « reconnaissance » ?**
5. **Pour Mme Gacoska-Zlatkovska, pourquoi est-ce important d'obtenir un DELF ?**

II Production orale

Exercice 1 Pour s'entraîner à la partie 1 de l'épreuve orale : l'entretien dirigé

Vous vous présentez et parlez de vous, de vos études, de vos activités, de ce que vous aimez et n'aimez pas.

Exercice 2 Pour s'entraîner à la partie 2 de l'épreuve orale : le monologue suivi

Vous vous exprimez seul(e) pendant environ 2 minutes sur un des deux sujets suivants :

SUJET 1 : La colocation

Selon vous, est-il possible de bien vivre en colocation avec des personnes de cultures différentes ? Pourquoi ?

SUJET 2 : Le bénévolat

Pensez-vous qu'il est important de faire du bénévolat ? Pourquoi ? Dans quel domaine le bénévolat est-il, selon vous, nécessaire ? Pourquoi ?

Exercice 3 Pour s'entraîner à la partie 3 de l'épreuve orale : l'exercice en interaction

Par deux. Vous êtes en colocation avec un étudiant francophone. Vous décidez de fixer ensemble des règles de vie commune. Vous vous mettez d'accord sur ce que vous devez et ne devez pas faire dans votre logement (bruit, ménage, dépenses, etc.).

DOSSIER 6

Nous mettons en scène notre quotidien

Vie pratique

En petits groupes. Répondez et comparez vos réponses avec celles des autres groupes.

1 Selon vous, quels objets ont une « deuxième vie » en France ?

a. le mobilier.

b. l'électroménager.

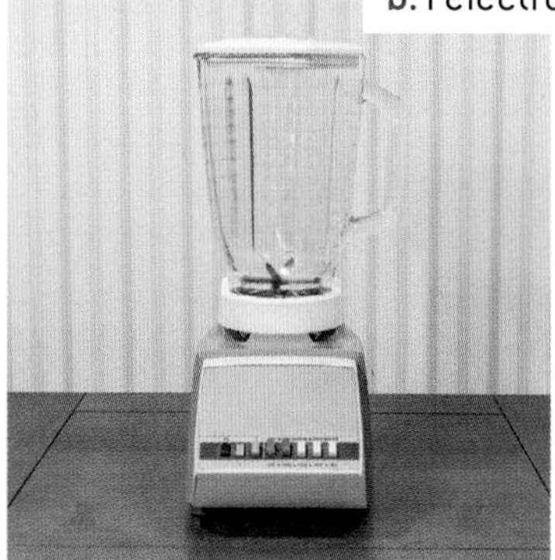

c. les disques vinyles.

Et dans votre pays ?

2 Selon vous, quels produits français s'exportent bien ?

a. les parfums.

b. les jouets et les jeux.

c. les voitures.

Quels produits de votre pays s'exportent bien ?

3 Selon vous, quels savoir-faire français s'exportent bien ?

a. la cuisine.

b. l'hôtellerie.

c. l'esthétique et la cosmétique.

Quels savoir-faire de votre pays s'exportent bien ?

PROJETS

- **Un projet de classe**
  Imaginer 24 heures de la vie d'un objet de notre quotidien.
- **Et un projet ouvert sur le monde**
  Créer et publier une recette de cuisine fusion sur un site de partage.

Pour réaliser ces projets, nous allons apprendre à :

- comprendre des tâches et des instructions
- rédiger une recette de cuisine
- comprendre un mode de fonctionnement
- évoquer une réussite
- parler des produits d'hygiène et des cosmétiques
- raconter une suite d'actions

LEÇON

1 En cuisine !

Comprendre des tâches et des instructions

document 1

http://www.terroubi.com

TERROU-BI
DAKAR
★★★★★

HÔTEL *****
RESTAURANTS & BAR
CASINO
TRAITEUR & ÉVÉNEMENTIEL
RÉSERVATION
RÉUNIONS & SÉMINAIRES
LOISIRS & BIEN-ÊTRE
LES RDV DU TERROU-BI
LE TERROU-BI & VOUS

FO 41

Recrutement

Vous souhaitez rejoindre l'équipe du *Terrou-Bi* ? Consultez les offres d'emploi ci-dessous ou adressez une candidature spontanée (CV + lettre de motivation) à espacerecrute@tbmail.com.

Poste : aide-cuisinier, apprenti (H/F)

L'aide-cuisinier exécute des tâches simples. Il apprend de l'observation et de la pratique des professionnels qui travaillent avec lui.

Missions

Placé sous les ordres du chef cuisinier, vous êtes chargé de tous types de travaux en cuisine :
- Vous recevez les livraisons de produits alimentaires et vous les rangez.
- Vous aidez aux préparatifs avant la cuisson des plats (nettoyage, épluchage et découpe des légumes, préparation des viandes et des poissons, etc.)
- Vous assistez les cuisiniers.
- À la fin du service, vous faites la vaisselle et vous nettoyez la cuisine.

Conditions

Contrat d'apprentissage.
Pendant cet apprentissage, et en fonction de vos aptitudes et de vos progrès, vous pourrez avoir plus de responsabilités et participer à des tâches plus complexes, comme la préparation d'une entrée ou la cuisson de certaines viandes.

1. Observez le menu de ce site Internet (doc. 1). Qu'est-ce que le *Terrou-Bi* ? Que propose-t-il ? Dans quelle ville ?

2. Lisez l'offre (doc. 1) et répondez.
a. Que recherche le *Terrou-Bi* ? Pour faire quoi ?
b. Quel type de contrat est proposé ?

3. Par deux. Relisez la rubrique « Missions ».
a. Associez les tâches aux photos ci-dessous.

a

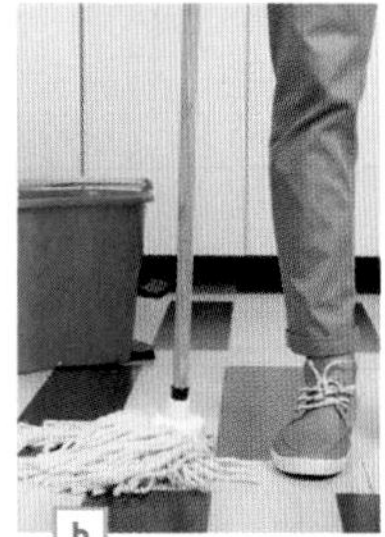
b

c

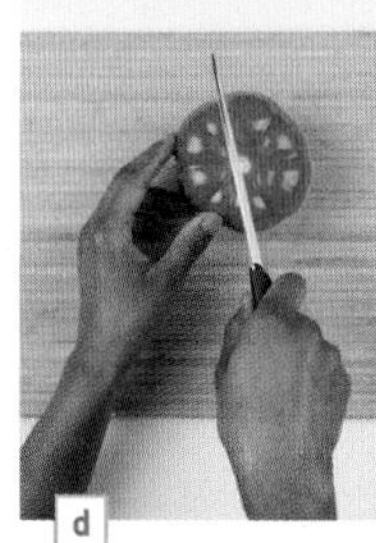
d

b. L'apprenti peut-il faire d'autres tâches ? Lesquelles ? Sous quelles conditions ?

4

En petits groupes.
a. Relisez les missions de l'aide-cuisinier. Quelles tâches faites-vous régulièrement ?
b. Recherchez avec quel(s) objet(s) : on nettoie, on épluche, on découpe, on fait la vaisselle.
c. Faites la liste de la classe des tâches et des objets.

document 2 — 66 et 67

5. 66 Écoutez la 1re partie de l'enregistrement (doc. 2) et répondez.
a. Où se passe la conversation ?
b. Quelles sont les professions des deux hommes ?

6. 66 **Par deux. Réécoutez la 1re partie de la conversation (doc. 2).**

a. **Relevez les instructions du chef. À quelles missions de l'annonce (doc. 1) correspondent-elles ?**

b. **Associez chaque tâche au produit qui correspond :**
crabes • légumes (les aubergines, les poivrons, les courgettes, les tomates) • poissons.

c. **Remettez dans l'ordre les tâches (b) réalisées par Hamidou.**

Plonger dans l'eau

Mélanger

Couper

Placer

Essuyer

Faire cuire

Rincer

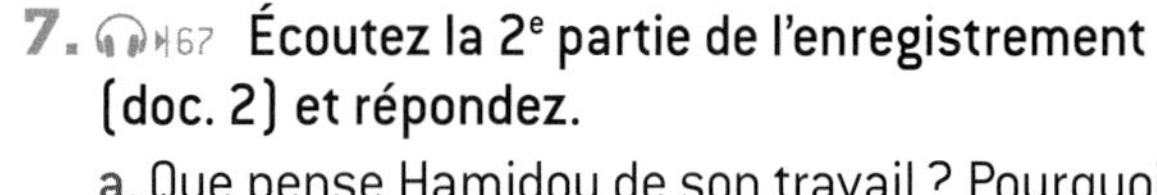

7. 67 **Écoutez la 2e partie de l'enregistrement (doc. 2) et répondez.**

a. Que pense Hamidou de son travail ? Pourquoi ?

b. Observez les photos de l'activité 3. Associez chaque instruction du chef à une photo.

8. Sons du français

▸ p. 199

Les sons [y], [ɥ] et [u]

68 **Écoutez et répétez ces phrases. Dites si vous entendez deux fois le même son ou deux sons différents.**

Exemple : *Tu cuisines bien ! → On entend deux sons différents.*

▸ p. 176

FOCUS LANGUE

▸ p. 207

Les verbes pour cuisiner

a. **Observez. Associez chacun des verbes suivants à la colonne qui correspond :** *placer, nettoyer, plonger.*

-cer		-ger		-yer		-ayer	
Je rince	Nous rinçons	Je mélange	Nous mélangeons	J'essuie	Nous essuyons	Je balaie	Nous balayons
Tu rinces	Vous rincez	Tu mélanges	Vous mélangez	Tu essuies	Vous essuyez	Tu balaies	Vous balayez
Il rince	Ils rincent	Il mélange	Ils mélangent	Il essuie	Ils essuient	Il balaie	Ils balaient

Attention ! Pour obtenir le son [s], on écrit **c** devant ***e, é, è, ê, i, y*** et **ç** devant ***a, o, u***.
Pour obtenir le son [ʒ], on écrit **g** devant ***e, é, è, ê, i, y*** et **ge** devant ***a, o, u***.
Avec les verbes en ***-oyer*** et en ***-uyer***, le **y** du radical se transforme en **i** devant les terminaisons ***e, es, ent***.
Pour la conjugaison des verbes en ***-ayer*** (exemples : *payer, balayer*), deux possibilités :
– ***y*** avec toutes les personnes : *je balaye, tu balayes, nous balayons*, etc.
– ***i*** devant les terminaisons ***e, es, ent*** : *je paie, tu paies, il paie, ils paient*.

b. **En petits groupes : un cuisinier et des apprentis.**
– Le cuisinier donne des instructions aux apprentis.
Exemple : *Tu prends les légumes et tu les rinces, tu les épluches, etc.*
– Les apprentis miment ces instructions. Le cuisinier donne les instructions de plus en plus vite.

▸ p. 176

9. Nous donnons des instructions.

En petits groupes.

a. Choisissez une tâche (act. 4c).

b. Faites la liste des actions utiles pour votre tâche.
Exemple : *prendre, laver, essuyer → pour faire la vaisselle*

c. Rédigez vos instructions.
Exemple : *→ Vous prenez les assiettes et les verres et vous les lavez. Vous les rincez et vous les essuyez. → pour faire la vaisselle*
N'oubliez pas de préciser les objets nécessaires.

d. Affichez vos productions dans la classe.
La classe devine de quelle tâche il s'agit.

▸ Expressions utiles p. 179

LEÇON 2 Au travail !

Rédiger une recette de cuisine

Depuis le début des années 2000, **le chef Alain Nonnet** vient régulièrement donner des cours de cuisine à **Santiago**. Il y a rencontré l'équipe de l'École et en est devenu le président. L'École de Santiago est reconnue par **les Maîtres cuisiniers de France**. La langue française y est bien sûr enseignée.

Americo Vespucio Sur 922
Las Condes, Santiago, Chile

1. Lisez la page Internet de l'école culinaire française. Où se trouve-t-elle ? Qui est son président ?

document 1 69

2. 69 **Écoutez l'enregistrement (doc. 1).**
- **a. Identifiez la situation : qui parle ? à qui ? où ?**
- **b. De quel type de cuisine parle-t-on ? Quelle est la définition proposée ?**
- **c. Relevez les deux exemples donnés.**

3. 69 **Par deux. Réécoutez (doc. 1) et répondez.**
- a. Aidez Alejandro à compléter ses notes.
- b. Que pensez-vous de la cuisine fusion ? Est-ce qu'il existe dans votre ville ou pays des restaurants qui proposent de la cuisine fusion ?

4

En petits groupes.
- **a. Faites la liste de 3 plats traditionnels de votre pays.**
- **b. Partagez avec la classe.**

5. Lisez la recette (doc. 2).
- **a. Identifiez :**
  le nom du plat • les ingrédients et la quantité • le nombre de personnes • le temps de préparation • le niveau de difficulté • les instructions pour la préparation.
- **b. Faites la liste des ustensiles nécessaires.**

document 2

Wok de dinde au curry

2 pers.

facile

50 min.

Pour 2 personnes,
il vous faut

- **400 grammes** d'escalope de dinde
- 1 courgette
- 2 carottes
- 1 pâte de curry
- 1 **pincée** de sel et de poivre
- 1 sauce barbecue asiatique
- **2 cuillères à soupe** de beurre

La cuisine fusion

Faire attention à...
Éviter de...
Penser à... (wok ? tajine ? plancha ?)
Chercher à...
Faire...

6. Par deux. Associez les photos aux instructions en rose dans la recette (doc. 2).

Exemple : *h → recommencez à faire chauffer un peu de beurre.*

Action !

1. Dans un wok, commencez par **faire chauffer** 2 à 3 cuillères à soupe de beurre.

2. **Coupez** en morceaux de 2 à 3 cm les 400 g. d'escalope de dinde. **Faites-les revenir** dans le beurre, **n'oubliez pas de saler et poivrer** selon votre goût.

3. Quand les morceaux de dinde sont dorés, **ajoutez à** la viande une cuillère à café de pâte de curry et une cuillère à soupe de sauce barbecue asiatique.

4. **Arrêtez** la cuisson de la viande.

5. Dans une poêle à part, **recommencez à faire chauffer** un peu de beurre et mettez dans la poêle les 2 carottes et la courgette coupées finement.

6. Faites dorer légèrement. **Remuez** avec une spatule en bois. Quand les légumes sont cuits, remettez sur le feu le wok avec la viande, ajoutez les légumes.

7. **Pensez à** faire réchauffer avant de servir.

Bon appétit !

FOCUS LANGUE

Les verbes prépositionnels pour donner des instructions

En petits groupes.

a. Relisez les notes d'Alejandro (act. 3). Classez les verbes dans la colonne qui correspond.

Verbes avec la préposition *de* + infinitif
Essayer, ..., ...

Verbes avec la proposition *à* + infinitif
Réussir, servir, ..., ..., ...

b. Relisez les instructions données dans la recette (act. 6) et complétez le tableau.

► p. 176

7. En petits groupes. Échangez.

Que pensez-vous de cette recette (doc. 2) ?
S'agit-il d'une recette de cuisine fusion ? Pourquoi ?
Êtes-vous d'accord avec le niveau de difficulté ?

FOCUS LANGUE

Les verbes d'action pour cuisiner

Les poids et mesures

g. → gramme cm → centimètre
cl. → centilitre c. à soupe → cuillère ou cuiller à soupe

► p. 176

À NOUS !

8. Nous rédigeons une recette de cuisine.

En petits groupes.

a. Choisissez un plat traditionnel de votre pays (act. 4b).
b. Rédigez la recette de votre plat.
c. Publiez votre recette sur le site de cuisine français www.marmiton.org.

► Expressions utiles p. 179

LEÇON 3 Vie pratique

Comprendre un mode de fonctionnement

document 1

kaizen
construire un autre monde... pas à pas

OASIS
AUTONOMIE, PARTAGE et CONVIVIALITÉ
UN NOUVEAU MODE DE VIE

colibris présente 100 LIEUX
PRÉFACE DE PIERRE RABHI

Je change

Repair Café : et si on arrêtait de gaspiller ?

Si on faisait réparer ses objets pour ne plus rien jeter ?

Quand un objet tombe en panne ou qu'un vêtement se déchire, le premier réflexe, c'est souvent d'en racheter un neuf ! Pourtant, une solution écologique existe : aller dans un Repair Café. Vous y trouverez des outils et plusieurs bricoleurs bénévoles pour vous aider. Et c'est gratuit !

1 Trouver son Repair Café.
Ce sont des équipes bénévoles qui organisent les Repair Cafés. Ils peuvent avoir lieu partout ! Dans un café, bien sûr, mais aussi dans un local associatif, un jardin public quand il fait beau. À Paris, deux ou trois Repair Cafés sont organisés par mois. Rendez-vous sur le site national repaircafe.org/fr et tapez le nom de votre ville.

2 Choisir quelque chose à réparer.
Chez soi, on se rend compte que des objets attendent qu'on les répare. Le réveil qui ne sonne plus sur la table de chevet. Un jean déchiré au fond de l'armoire... Vous pouvez aller au Repair Café avec plusieurs objets à réparer : électroménager, ordinateur, téléphone portable, vêtement, meuble, vaisselle, vélo, jouet...

3 Prendre un ticket.
Vous devez faire la queue, et la règle, c'est un seul objet par personne. Une solution ? Venir à deux, chacun avec un objet. Et pendant qu'on patiente, on fait connaissance. Certains prennent un café, d'autres discutent...

1. Observez la couverture du magazine. Identifiez son nom et son slogan.

2. Lisez le titre de l'article (doc. 1).
a. Identifiez son sujet.
b. Faites des hypothèses sur le lien entre l'article et la couverture du magazine.

3. Lisez l'introduction de l'article (doc. 1) et vérifiez vos hypothèses. Quel est le concept d'un Repair Café ?

4. Par deux. Lisez l'article (doc. 1).
a. Relevez les trois étapes à suivre pour utiliser les services d'un Repair Café.
b. Choisissez la (ou les) réponse(s) correcte(s).
1. Le Repair Café est un événement...
gratuit • convivial • participatif • culturel.
2. Le Repair Café est organisé dans des...
restaurants • jardins • locaux associatifs.
3. Nos réparateurs sont tous des...
bricoleurs • professionnels • bénévoles.
4. Vous pouvez faire réparer...
de l'électroménager • des jouets • des vêtements.

5

En petits groupes. Échangez.

a. Les Repair Cafés existent-ils dans votre ville ou pays ?

b. Connaissez-vous des cafés ou des lieux associatifs qui proposent un mode de fonctionnement original ?

FOCUS LANGUE

▸ p. 210

Si + imparfait pour faire une proposition ou inciter à agir

Trouvez deux exemples dans l'article (doc. 1).

J'utilise *si* + imparfait pour faire une proposition, une suggestion.

▸ p. 177

document 2 70 et 71

6. 70 **Par deux. Écoutez la 1re partie de la conversation (doc. 2) dans un Repair Café.**

a. Identifiez les deux objets à faire réparer.

b. Relevez pourquoi cette femme a décidé de faire réparer son objet dans un Repair Café.

7. 70 **En petits groupes. Réécoutez (doc. 2). Qu'est-ce qui a surpris la femme ? Faites des hypothèses sur l'objectif de cette pratique.**

8. 71 **Par deux. Écoutez la 2e partie de la conversation (doc. 2). Vérifiez vos hypothèses et relevez pourquoi ces visiteurs apprécient le Repair Café.**

FOCUS LANGUE

▸ p. 205

Les pronoms indéfinis pour désigner une personne, une chose, un lieu

Par deux

a. **Relisez ces extraits.**

1. Si on faisait réparer ses objets pour ne plus rien jeter ?
2. Les Repair Cafés peuvent avoir lieu partout !
3. Choisir quelque chose à réparer.
4. Personne n'a encore appelé mon numéro.
5. Aucun de mes amis n'arrive à le réparer.
6. Quand je suis arrivée, quelqu'un a pesé mon aspirateur !
7. Aujourd'hui, on ne peut faire réparer ces petits objets nulle part !
8. C'est rare d'arriver quelque part où vous rencontrez tout de suite des gens avec qui discuter !

b. **Classez les pronoms indéfinis dans le tableau.**

	Sens positif	Sens négatif	Fonction
Humains	…	personne …	sujet ou complément
Choses	…	… aucun	
Lieux	… partout	…	complément

Attention !

– Les pronoms indéfinis de la colonne *Sens négatif* s'utilisent ***toujours à la forme négative***.
Exemple : ***Aucun*** *de mes amis* ***n'****arrive à le réparer.*

– Le pronom indéfini complément se place en général après le verbe.
Exemple : *Les Repair Cafés peuvent avoir lieu* ***partout*** *!*

▸ p. 177

9. Sons du français

Le rythme et l'intonation de la question hypothétique (*Si* + imparfait... ?) pour inciter à agir

72 **Écoutez et répétez les phrases. Imitez le rythme et l'intonation.**

Exemple : *Et si on arrêtait de gaspiller ?*

▸ p. 177

10. Apprenons ensemble !

Fernanda répond à la question de l'activité 5a.

Il y a un Repair Café à Porto Alegre. Il se trouve dans un café, le Nova York Café. Il a ouvert récemment et pour le moment il n'y a pas personne. Je n'ai pas apporté d'objet à réparer parce que rien ne marche pas chez moi. Aucun de mes amis y va.

a. **Fernanda a-t-elle bien répondu à la question ?**

b. **Aidez Fernanda à corriger ses erreurs.**

c. **Comment faire pour ne pas répéter ces erreurs ? Partagez vos idées, vos techniques avec la classe.**

À NOUS !

11. Nous présentons un concept original.

a. **Choisissez un lieu de votre ville (act. 5) : café associatif, Repair Café, etc.**

b. **À la manière de l'article (doc. 1), présentez :**
– son concept/son principal objectif ;
– le(s) lieu(x) et la fréquence des activités ;
– son mode de fonctionnement.

c. **La classe vote pour le lieu le plus original.**

LEÇON 4 Un beau succès !

Évoquer une réussite (un succès)

1. Observez le titre de cette émission. Faites des hypothèses sur son thème.

document 1 73 et 74

2. 73 Écoutez l'introduction de l'émission « Parlons PME » (doc. 1). Vérifiez vos hypothèses et identifiez le sujet du jour.

3. 74 Par deux. Écoutez l'émission « Parlons PME » (doc. 1).

a. Légendez ces trois exemples d'exportation.

a

c

b

b. Associez chaque phrase à sa photo.
1. Elles sont partout dans le jardin du Luxembourg.
2. C'est une structure qui permet de pratiquer une activité physique.
3. Il est destiné à la vente de la presse et à la petite restauration.

4. 74 En petits groupes. Réécoutez l'émission (doc. 1). Relevez pour chaque exemple de mobilier urbain :
– le(s) lieu(x) et les pays où il s'exporte ;
– ce qui montre qu'il a du succès.

document 2

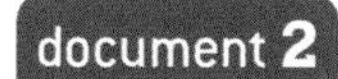

Nous vous proposons un zoom sur les produits français qui ont bien marché à l'étranger au cours de ces derniers mois. Et vous allez être surpris ! Les ventes de la France à l'export, ce ne sont pas que des parfums et des sacs de luxe. En effet, de nombreux objets du quotidien marchent très bien à l'étranger.

Par exemple, le Made in France marque des points avec la société Maped, qui fabrique des crayons à papier. Les Mexicains les ont vraiment adorés. Arrivée au Mexique il y a seulement 2 ans, Maped représente aujourd'hui plus de 15 % du marché des crayons dans ce pays.

Dans le domaine de l'électroménager, l'entreprise Seb connaît une énorme réussite avec son « compagnon kitchen machine », robot à tout faire. Les Allemands l'ont adopté. C'est aujourd'hui le modèle qui a le plus de succès dans sa catégorie : 40 000 robots seront vendus cette année.

Enfin, n'oublions pas Sophie la girafe. Les Japonais, comme les Américains, l'ont énormément achetée ces derniers mois. Le packaging insiste particulièrement sur la « French Touch » du jouet préféré des bébés, avec du bleu-blanc-rouge et la tour Eiffel.

En petits groupes.

Quels sont les principaux produits de votre pays qui s'exportent ? Dans quel(s) pays ?

Selon vous, pourquoi ces produits ont-ils du succès ?

6. Observez le site French Planète (doc. 2). Quels sont les points communs entre les trois objets en photo ?

7. Lisez le billet (doc. 2).

a. Relevez le nom des trois produits qui s'exportent.
b. Associez chaque produit à sa photo (doc. 2).

8. Par deux. Relisez le billet (doc. 2). Identifiez :

– les pays qui achètent beaucoup ces produits ;
– ce qui montre le succès de ces produits.

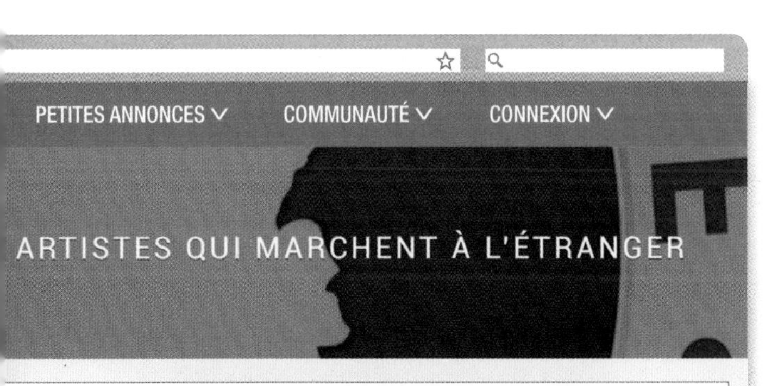

9. En petits groupes. Échangez.

Connaissez-vous ces produits ? Vous les avez déjà vus ? Utilisés ? Sont-ils populaires dans votre pays ?

FOCUS LANGUE

► p. 208

L'accord du participe passé avec le verbe *avoir*

Par deux.

a. De quel objet on parle ?

1. Les Mexicains les ont vraiment adorés.
2. Les Japonais, comme les Américains, l'ont énormément achetée ces derniers mois.
3. Starbucks les a commandées chez nous.

b. Observez et complétez la règle.

1. Les Mexicains ont vraiment adoré les crayons à papier.

   Les Mexicains les ont vraiment adorés.
   COD (masculin pluriel)

2. Les Japonais ont énormément acheté Sophie la girafe.

   Les Japonais l'ont énormément achetée.
   COD (féminin singulier)

3. Starbucks a commandé 10 000 chaises chez nous.

   Starbucks les a commandées chez nous.
   COD (féminin pluriel)

Le participe passé s'accorde avec le ... seulement s'il est placé ... le verbe.

Attention !
Au passé composé, avec l'auxiliaire *avoir*, le participe passé ne s'accorde jamais avec le sujet.

► p. 177

À NOUS !

10. Nous présentons un produit de notre pays.

En petits groupes.

a. Choisissez deux ou trois produits (act. 5).
b. À la manière du site French Planète, rédigez un article sur vos produits.
c. Illustrez votre article par une ou deux photos.
d. Proposez votre article à la Chambre de commerce et d'industrie de votre ville ou pays.

► Expressions utiles p. 179

LEÇON 5

Je prends soin de moi

Parler des produits d'hygiène et des cosmétiques

document 1

http://www.beautetest.fr

Beauté test

Tapez votre recherche ici...

Se connecter
Devenir membre

votre guide d'achat 100% beauté | Produits | Parfums | Communauté | Services | Shopping | Magazine

Quel gel douche choisir ?

Colline 03/03/17
Salut ! J'ai besoin d'un conseil sur un gel douche. Je viens de finir le mien (c'était le gel douche Rogé Cavaillès). Ma coloc m'a proposé le sien (je devrais dire la sienne), c'est une huile de douche orientale de chez Yves Rocher. Quelqu'un la connaît ?

Angie 03/03/17
Oui, elle n'est pas mal. Mais on parle toujours de gel douche, pourquoi pas utiliser des savons ? Moi, je change de savon tous les jours, j'en ai 15 au total ! 😊

Marie2188 03/03/17
Oui, moi aussi, je suis plus « savon ». J'achète les miens en parapharmacie. Je teste toutes les marques. Et toi, les tiens, tu les prends où ?

Pierre-Yves 03/03/17
Moi, je les prends à L'Occitane.

Pauline33 03/03/17
Oui, les leurs sont très bien, je confirme. Je conseille aussi les basiques : les savons de Marseille parfumés ou pas. On les trouve partout.

bons plans
SEPHORA
Rogé Cavaillès
NUXE PARIS
YVES ROCHER
Marionnaud PARIS
L'OCCITANE EN PROVENCE

Crèmes visage et corps : quelles marques vous préférez ?

Pauline33 04/03/17
Moi, j'utilise beaucoup de crèmes bios. Les miennes, je les prends à Sephora. Il y a un rayon « soins naturels » pour visage et corps qui est vraiment top ! Et il y a aussi des produits pour homme. Mon mari en achète régulièrement.

Angie 04/03/17
Marionnaud : pour les grandes marques. L'Occitane, pour leurs laits parfumés aux fleurs.

Aurélie31 04/03/17
Vous connaissez les cosmétiques naturels Nuxe ? Leurs huiles pour le corps sont exceptionnelles. La mienne, c'est l'Huile Prodigieuse. Je la recommande à 100 % ! En plus, ils font des coffrets cadeaux géniaux. Et comme c'est bientôt Noël... 😊

1. Observez cette page Internet (doc. 1). Identifiez le type de site et son thème.

2. En petits groupes. Échangez.
a. Observez la rubrique « bons plans ». Quelles marques connaissez-vous ?
b. Quels produits d'hygiène et quels cosmétiques connaissez-vous ?

3. Lisez les discussions du forum (doc. 1).
 a. **Qui sont ces internautes ? Qu'est-ce qu'ils font sur le forum ?**
 b. **Légendez les produits en photo.**

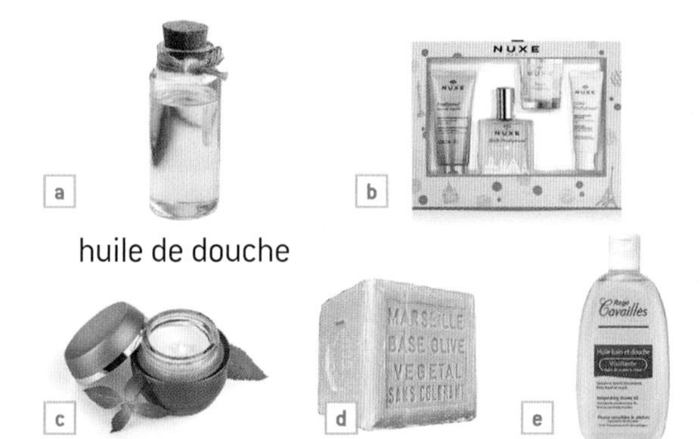

4. Par deux. Relisez « Quel gel douche choisir ? » (doc. 1). Vrai ou faux ? Pourquoi ?
 a. On a proposé un nouveau gel douche à Colline.
 b. Angie et Marie2188 préfèrent les savons aux gels douche.
 c. Pierre-Yves et Marie2188 achètent leurs savons à L'Occitane.
 d. Pauline33 pense que les savons de L'Occitane sont de bonne qualité.

5. Par deux. Relisez la discussion (doc. 1). Quelle enseigne conseillez-vous à ces personnes ? Pourquoi ?
 a. François cherche une crème pour le visage.
 b. Lætitia préfère les cosmétiques naturels.
 c. Anna veut faire un cadeau original à une amie.

6

En petits groupes.
 a. **Dans votre ville ou votre pays, est-ce qu'on trouve des produits d'hygiène et des cosmétiques français ? Lesquels ? Quelles marques ? Faites la liste de la classe.**
 b. **Est-ce que les habitants de votre pays apprécient ces produits ? Pourquoi ?**

document 2 75

7. 75 **Écoutez cette conversation (doc. 2) et identifiez la situation : qui ? où ? pour faire quoi ?**

8. 75 **Réécoutez la conversation (doc. 2).**
 a. Quels produits la cliente souhaite acheter pour son amie ? Et pour le mari de son amie ?
 b. Pourquoi ?

9. 75 **Écoutez encore (doc. 2) et répondez.**
 a. Quel produit conseille la vendeuse pour l'amie de la cliente ? Pourquoi la cliente est-elle intéressée ?
 b. Pourquoi la vendeuse conseille-t-elle L'Occitan ?

FOCUS LANGUE

► p. 204

Les pronoms possessifs pour exprimer la possession

Par deux.
 a. **Relisez ces extraits (act. 4 et 8). De quel(s) produit(s) on parle ?**
 Je viens de finir le mien et ma coloc m'a proposé le sien.
 Elle m'a dit qu'elle aimait beaucoup les miennes.
 J'achète les miens en parapharmacie.
 Il a dit ce matin qu'il avait fini la sienne.
 Les leurs sont très bien.
 b. **Complétez.**

Possesseur	Objet possédé			
	Singulier		Pluriel	
	Masculin	Féminin	Masculin	Féminin
(je)	...	la mienne	...	...
(tu)	le tien	la tienne	les tiens	les tiennes
(Il/elle)	...	...	les siens	les siennes
(nous)	le nôtre	la nôtre	les nôtres	
(vous)	le vôtre	la vôtre	les vôtres	
(ils/elles)	le leur	la leur	...	

► p. 178

10. Sons du français

► p. 199

Les sons [ʃ] et [ʒ]

76 **Écoutez et répétez ces phrases. Dites si on entend la consonne [ʃ] ou la consonne [ʒ] en 1re position.**
Exemple : *Je cherche un cadeau original. → On entend la consonne [ʒ] en 1re position.*

► p. 178

À NOUS !

11. Nous parlons des produits d'hygiène et des cosmétiques !

Seul.
 a. **Choisissez un produit d'hygiène ou de cosmétique. À la manière du forum (doc. 1), rédigez un message pour :**
 – conseiller ce produit et le(s) magasin(s) où l'acheter ;
 – demander des conseils sur d'autres produits et le(s) magasin(s) où les acheter.
 b. **Affichez votre message dans la classe.**
 c. **Lisez les messages des autres puis répondez à deux messages de votre choix.**
 d. **Créez une nouvelle discussion sur le forum *Beauté Test*.**

LEÇON

6 La culture du vintage

Raconter une suite d'actions

document 1

http://www.lapresse.ca

leSoleil

0°C QUÉBEC Changer de ville

| leDroit | leNouvelliste | laTribune | leQuotidien | laVoixdel'Est |

Actualités | Affaires | Arts | Chroniques | Justice et faits divers | Le Mag | Maison | Opinions | Photos | Sports | Voyages | ZONE

Architecture | Déco | Design | Habitation | Horticulture | Mobilier | Patrimoine

Si les objets pouvaient parler : le rendez-vous des nostalgiques.

« Le vintage est une contre-culture née au début des années 90, en réaction à la surconsommation**. » Bruno-Clément Boudreault*

Avant d'ouvrir leur première boutique, Bruno-Clément et Dominique, sa compagne, vendaient sur Internet des objets trouvés dans les brocantes. C'est en 2012 qu'ils ont décidé de créer leur première boutique de quartier *Si les objets pouvaient parler* pour y vendre des objets vintage et être en contact avec la clientèle. La même année, Bruno-Clément a quitté son emploi principal pour avoir le temps de faire des recherches sur les marchés aux puces : de la vaisselle, des cafetières, des jeux de société...
L'année suivante, ils ont accueilli dans leur boutique les travaux d'une quinzaine d'artisans qui n'avaient pas encore de « vitrine » : Marc-Olivier Grenier et ses lampes en bois, Laurence Petitpas et ses boucles d'oreilles en tissu, etc.
Deux ans plus tard, ils ont déménagé dans le quartier Saint-Roch. Depuis, ils ont fait de leur commerce un lieu de rencontre et de discussion dans le quartier. Après avoir été une simple boutique, leur magasin est désormais un mélange de brocante, musée, galerie et librairie.

* La contre-culture : ensemble des manifestations culturelles différentes et/ou opposées aux différentes formes de la culture dominante.
** La surconsommation : consommation excessive.

1. Observez cette page Internet du journal *Le Soleil* (doc. 1). Identifiez :
- dans quel pays on diffuse ce journal ;
- les rubriques sélectionnées.

2. Observez la photo (doc. 1). Faites des hypothèses sur le sujet de l'article.

3. Lisez l'article (doc. 1). Vérifiez vos hypothèses puis répondez.
a. Qui sont Bruno-Clément et Dominique ?
b. Que faisaient-ils avant l'ouverture de leur boutique ?
c. Que peut-on acheter dans leur magasin ?
d. Pourquoi ces objets sont-ils qualifiés de « vintage » ?

4. Par deux. Relisez l'article (doc. 1).

a. Complétez l'historique de la boutique.

	2012	2013	2015	Depuis 2015
au-dessus	*Bruno-Clément a quitté son emploi principal.*	...		...
au-dessous	...		...	

b. Relevez :
- les expressions utilisées pour situer les étapes de l'historique ;
- pourquoi le magasin est bien plus qu'une simple boutique.

En petits groupes. Échangez.
Est-ce qu'il existe des magasins d'objets d'occasion dans votre ville ou pays ? Quels objets y trouve-t-on ? Quels types d'objets vintage sont populaires dans votre pays ? Faites la liste de ces objets.

FOCUS LANGUE

▸ p. 211

Indiquer la chronologie dans une suite de faits et d'actions

Par deux.

a. Observez ces deux extraits (act. 3 et 4b).
   1. **Avant d'**ouvrir leur première boutique, Bruno-Clément et Dominique vendaient sur Internet des objets trouvés dans les brocantes.
   2. **Après** avoir été une simple boutique, leur magasin est désormais un mélange de brocante, musée, galerie et librairie.

b. Retrouvez l'ordre chronologique des faits pour chaque extrait.

c. Complétez.
   – J'utilise … + verbe à l'infinitif pour exprimer **l'antériorité** d'une action par rapport à une autre.
   – J'utilise … + verbe à l'infinitif passé pour exprimer **la postériorité** d'une action par rapport à une autre.
   Je forme l'infinitif passé avec *être* ou … + … du verbe.

▸ p. 178

document 2 77 et 78

6. 77 Écoutez la 1re partie de cette conversation (doc. 2) entre Dominique et Bruno-Clément.

a. Quelle idée a eu Dominique ?
   - ☐ Elle veut raconter l'histoire des objets.
   - ☐ Elle veut demander à Bruno-Clément de raconter l'histoire des objets.
   - ☐ Elle veut demander aux objets de raconter leur histoire.

b. De quel objet ils parlent ?

7. 78 Par deux. Écoutez la 2e partie de la conversation (doc. 2) et répondez.

a. Complétez l'« autobiographie » de cet objet vintage.

Je suis né dans les années 1900. Après ma naissance, ❶ À l'âge de 10 ans, ❷ En 1950, ❸ Cinquante ans ont passé, puis ❹ Un professeur qui m'aimait bien m'a emporté chez lui. En 2012, ❺ Ses enfants m'ont donné à la boutique « Si les objets pouvaient parler ». Depuis, ❻

ⓐ j'avais déjà travaillé avec beaucoup de professeurs.
ⓑ j'attends que quelqu'un m'achète !
ⓒ j'ai commencé à travailler très vite, dans une école.
ⓓ j'ai obtenu une place dans une université.
ⓔ ce professeur est mort.
ⓕ on m'a trouvé trop vieux.

b. Vérifiez avec la transcription.

FOCUS LANGUE

▸ p. 207 et 211

Les marqueurs temporels (2) pour situer des événements dans le temps

Par deux. Complétez à l'aide des marqueurs temporels (act. 7).

Indiquer une date, une période	Indiquer l'âge d'un objet, d'une personne	Préciser la chronologie d'une série d'événements	Indiquer l'origine d'un événement qui continue au moment où l'on parle
C'est en 2012 que… … … …	…	Deux ans plus tard… La même année… Cinquante ans ont passé… … …	Désormais… …

▸ p. 178

À NOUS !

8. Nous imaginons la vie d'un objet.
En petits groupes.

a. Choisissez un objet (act. 5).
b. Faites la liste des moments-clés de la vie de votre objet.
c. Rédigez l'« autobiographie » imaginaire de votre objet (utilisez les marqueurs temporels).
d. À la manière de Bruno-Clément, présentez l'autobiographie de votre objet.
e. Enregistrez votre présentation à l'aide de votre smartphone.

▸ Expressions utiles p. 179

1 Made in France

a. Regardez la vidéo.
Quel est le thème de ce journal ?
Quels produits sont présentés ?

b. En petits groupes.
Regardez encore la vidéo
et associez chaque PME
à son produit et au pourcentage
qui correspond.

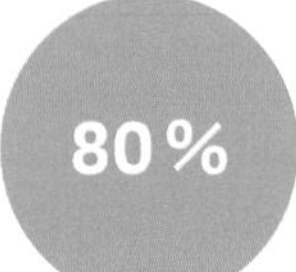

c. Faites la liste des villes et des pays cités dans la vidéo. Associez-les aux produits.
Regardez à nouveau la vidéo si nécessaire.

d. En petits groupes. Identifiez comment l'on présente chacun de ces produits dans le journal.
Exemple : *Méphisto → une carte de France et une photo du produit, un pourcentage à l'export, les drapeaux des pays où le produit s'exporte, des images animées de l'entreprise.*

e. Cette structure présente-t-elle efficacement ces entreprises?

INTERCULTUREL

f. En petits groupes. Est-ce que ces produits existent dans votre pays ?
Selon vous, pourquoi ils s'exportent bien ?

2 Vous avez dit vintage ?

http://www.evous.fr

J'aime 6 771

evous

PARIS LE MARAIS ARRONDISSEMENTS DE PARIS ÎLE-DE-FRANCE GUIDES FRANCE MUSIQUE CINÉMA EXPOSITIONS +++

Salon du vintage à Paris

20e Salon du vintage au Carreau du Temple. Les 15 et 16 octobre. Entrée : 6 €.
Au programme : mode, créateurs, vinyles à découvrir dans le Marais. Que reste-t-il de la création des designers des années 80 ? Découvrez la réponse avec plusieurs dizaines d'exposants sur 2 000 m^2.

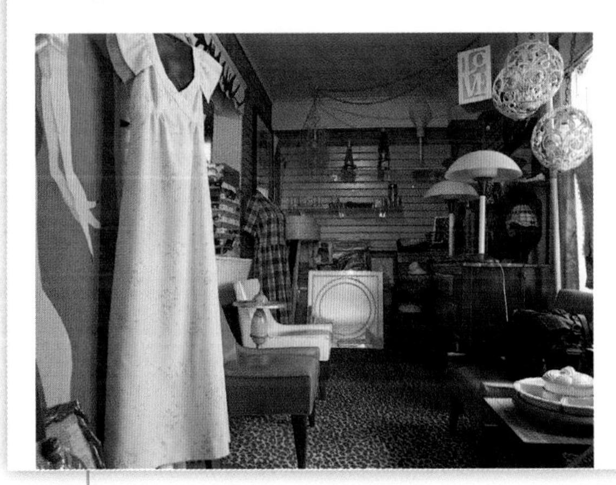

Le Salon du vintage est de retour au Carreau du Temple et promet pour sa 20e édition une magnifique sélection des années 80 !
C'est le rendez-vous des passionnés de vintage à Paris. Le salon regroupe une sélection des meilleurs exposants qui proposent des tee-shirts vintage, des accessoires hommes et femmes comme des sacs et des lunettes de grandes marques. Un véritable marché vintage où vous retrouverez aussi du mobilier et un grand choix de vinyles. Vous plongerez dans un univers rétro, chic, tendance et unique.

a. Lisez l'introduction de cet article et observez la photo. Répondez.
1. Quel événement présente la page ?
2. Dans quel quartier de Paris ?
3. Quand ?
4. Quel est le prix de l'entrée ?

b. En petits groupes. Qu'est-ce que le Salon du vintage. Faites des hypothèses.

c. Lisez l'article et vérifiez vos hypothèses. Proposez une définition du style vintage.

d. Relisez l'article. Vrai ou faux ? Pourquoi ?
1. Au Salon du vintage, on propose des créations des années 2000.
2. C'est la 1re fois qu'on organise ce salon à Paris.
3. En français, « vintage » a le même sens que « rétro ».

e. Où est situé le quartier du Marais ? Qu'est-ce que le Carreau du Temple ? Faites des recherches.

f. En petits groupes. Échangez. Vous aimez le style vintage ? Pourquoi ? Est-ce que ce style est populaire dans votre pays ?

COMPLÉTEZ VOTRE CARNET CULTUREL

En petits groupes. Dans notre ville/notre pays, on trouve :
1. des objets français : ...
2. des chaussures et des vêtements français : ...
3. des meubles français : ...
4. du mobilier urbain français : ...
5. des produits d'hygiène et des cosmétiques français : ...

Retournez aux pages 100-101. Répondez à nouveau aux questions.
Mettez en commun avec le groupe.

Projet de classe

Nous imaginons 24 heures de la vie d'un objet de notre quotidien.

En grand groupe.

1. Faites la liste des objets du quotidien découverts dans ce dossier.

En petits groupes. Chaque groupe choisit un objet parmi ceux de la liste (act. 1).

2. Lisez ces extraits de monologues d'objets et associez-les aux photos.
   a. « Je suis un voyageur qui change de place sans bouger. J'appartiens à une femme qui m'utilise pour se déplacer. Tous les matins, à la même heure… »
   b. « Je suis un peu fatigué de mon propriétaire. Il croit que je lui appartiens. Il m'utilise tout le temps. J'ai trois copains : le bleu, le noir, le vert. »
   c. « J'habite tout au fond d'un sac à main. Il n'y a pas beaucoup de lumière à l'intérieur. Ma propriétaire, elle ne m'aime pas, mais parfois elle me fait une belle surprise. Elle m'invite à voir un film avec elle ou à lire un livre. Le matin, elle n'arrête pas de crier : "Où je les ai mises ?" »

3. En petits groupes. Ne mentionnez pas le nom de l'objet.
4. Cherchez des sons pour accompagner le monologue de votre objet.
5. Désignez la personne de votre groupe qui lira le monologue.
6. Enregistrez votre monologue (le texte et les sons).
7. Choisissez et imprimez une photo de votre objet, ou dessinez une mise en scène de votre objet. Inspirez-vous des dessins ci-dessous.
8. En groupe. Affichez les photos et les dessins dans la classe.

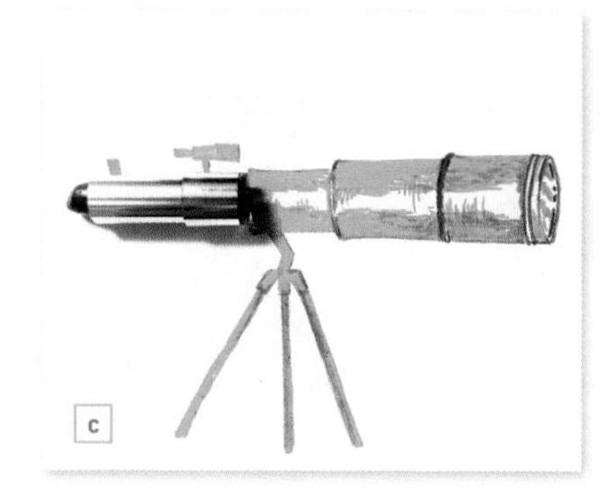

9. Chaque groupe fait écouter son monologue à la classe. La classe choisit la photo ou le dessin qui correspond à l'objet.

Projet ouvert sur le monde

▶ GP

Nous créons et publions une recette de cuisine fusion sur un site de partage.

DELF 6

I Compréhension des écrits

Exercice Lire des instructions

Vous lisez cette recette sur un site de cuisine.

CRÊPES SAMOSSAS Pour réaliser 12 samossas

Pâte :
- 125 g. de farine
- 3 œufs
- 70 cl de lait
- 2 cuillères à soupe d'huile d'olive

Garniture :
- 2 bananes
- 100 g. de chocolat noir
- 10 cl de lait de coco
- 1 cuillère à soupe de pâte de noisettes

- Mettez la farine dans un saladier.
- Incorporez les œufs un à un dans la farine sans cesser de mélanger.
- Versez ensuite le lait puis ajoutez l'huile.
- Quand la pâte est prête, verser une louche de préparation dans une crêpière et faites cuire 2 minutes de chaque côté. Faites ceci pour toute la pâte à crêpe.
- Dans une casserole, faites fondre le chocolat, la pâte de noisettes et le lait de coco.
- Déposez une cuillère à café de chocolat fondu et quelques rondelles de bananes dans un demi-crêpe et formez un triangle.
- Mettez au four pendant 10 minutes et servez chaud.

1. **Pour réaliser cette recette il faut…**

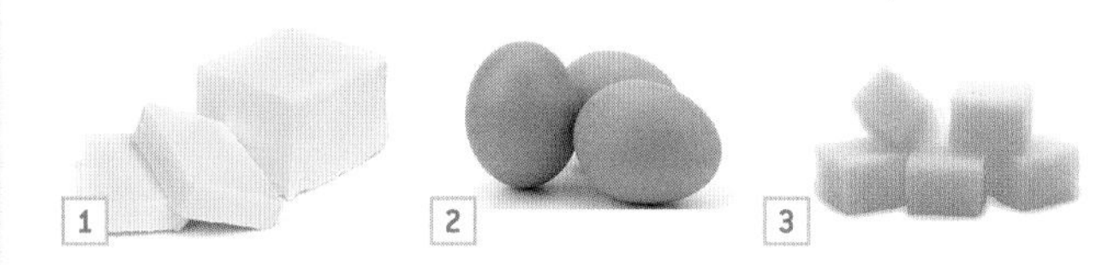

2. **Quel fruit devez-vous mettre dans la garniture ?**
3. **Quel premier ingrédient devez-vous mettre d'abord dans le saladier ?**
   a. Le lait.
   b. L'huile.
   c. La farine.
4. **Vous versez l'huile…**
   a. avant de mettre la farine dans le saladier.
   b. au moment de mettre les œufs.
   c. après avoir versé le lait.
5. **Il faut faire fondre quels ingrédients avec le chocolat ? (Deux réponses attendues.)**

II Production écrite

Exercice 1 Inviter, remercier, s'excuser, demander, informer, féliciter

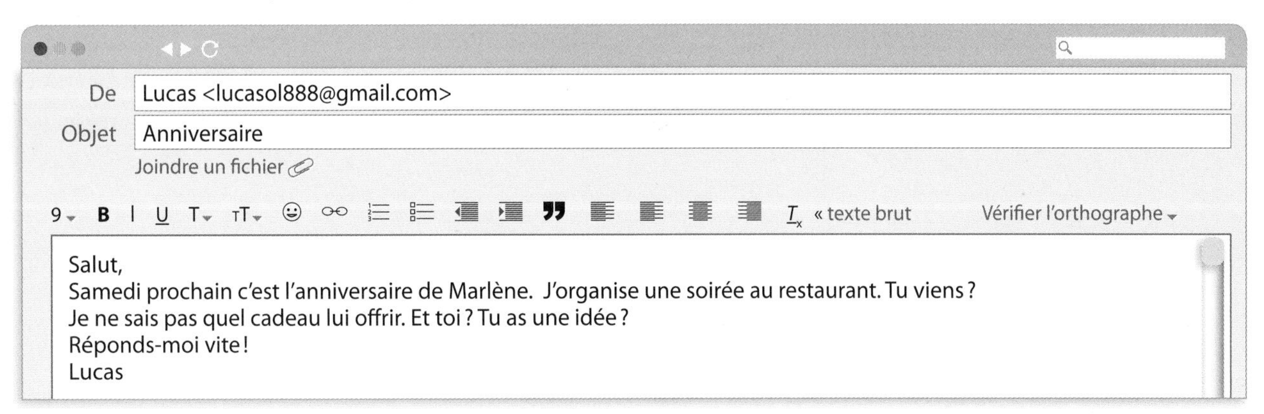
De : Lucas <lucasol888@gmail.com>
Objet : Anniversaire
Joindre un fichier

« texte brut   Vérifier l'orthographe

Salut,
Samedi prochain c'est l'anniversaire de Marlène. J'organise une soirée au restaurant. Tu viens ?
Je ne sais pas quel cadeau lui offrir. Et toi ? Tu as une idée ?
Réponds-moi vite !
Lucas

Vous répondez à Lucas. Vous le remerciez et vous acceptez son invitation. Vous lui demandez l'heure du rendez-vous et le nom du restaurant. Vous lui faites des propositions de cadeaux à offrir à Marlène. (60 mots minimum)

DOSSIER 7

Nous nous souvenons… et nous agissons !

S'engager

En petits groupes. Répondez et comparez vos réponses avec celles des autres groupes.

1

Quelle(s) manifestation(s) en faveur de la langue française connaissez-vous ?

a
Lundi 14 Mars
Journée de la langue française
Virgin RADIO

b
SEMAINE DE LA LANGUE FRANÇAISE & DE LA FRANCOPHONIE

c

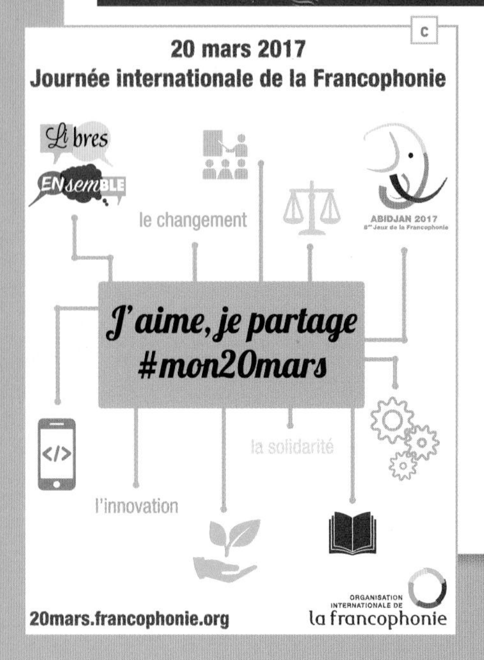

Dans votre pays, il y a des manifestations en faveur de la langue française ? Si oui, lesquelles ?

2

À votre avis, les Français s'engagent pour quelles causes ? (Classez de 1, la plus importante, à 3, la moins importante.)

a. L'action politique.

b. La protection de la nature.

c. L'action locale (de quartier).

Et les habitants de votre pays ?

3 À votre avis, les Français sont plutôt :

a. volontaires pour faire évoluer la vie en société.

b. volontaires pour s'engager dans l'armée.

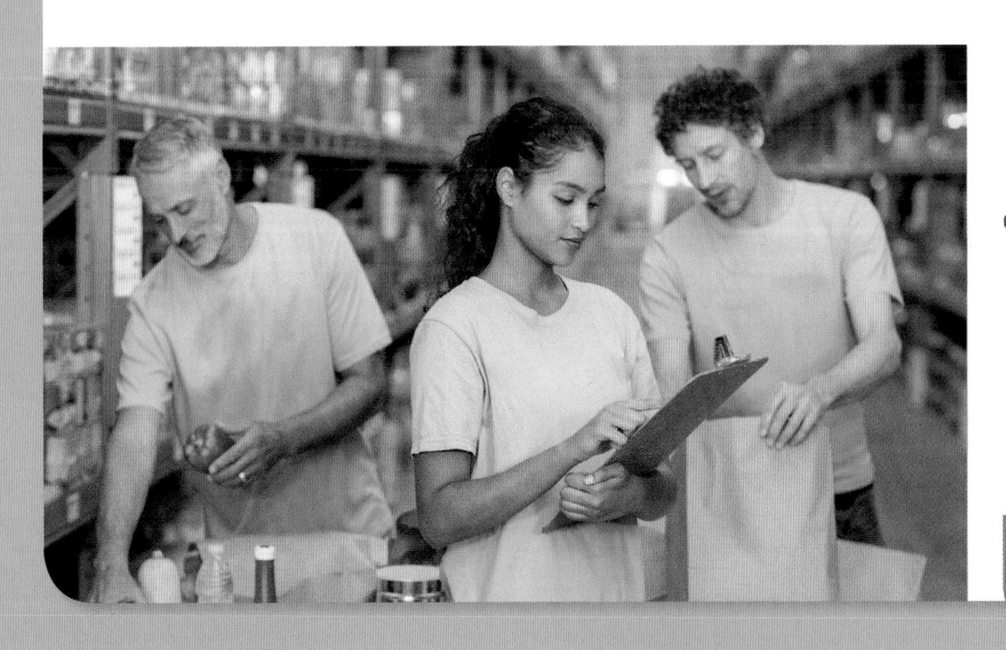

c. volontaires pour participer à des actions humanitaires.

Et les habitants de votre pays ?

PROJETS

- **Un projet de classe**

  Décrire un lieu et parler de son évolution dans le temps.

- **Et un projet ouvert sur le monde**

  Créer et diffuser un dépliant pour défendre une cause.

Pour réaliser ces projets, nous allons apprendre à :

- comprendre un récit
- raconter un souvenir
- exposer une suite de faits
- défendre une cause
- formuler une critique et proposer des solutions
- demander et donner un avis

LEÇON

1 Ils écrivent en français

Comprendre un récit

document 1

http://www.actualitte.com

ActuaLitté Ils ont préféré le français à leur langue maternelle

Linda Lê (*Œuvres vives*) est vietnamienne. Nancy Huston (*Bad Girl*) est canadienne. Atiq Rahimi (*Synguésabour. Pierre de patience*), est afghan. Tous les trois ont commencé leur carrière d'écrivain quand ils sont arrivés en France. Ils ont choisi d'écrire en français, pas dans leur langue maternelle. Mais pour quelles raisons ?

Nancy Huston est venue pour ses études et est restée pour l'écriture : « Il était plus facile pour moi d'écrire en français qu'en anglais car je n'avais pas vécu mon enfance en français. Si j'écris dans ma langue maternelle, certaines émotions sont trop fortes. » L'auteure explique qu'à l'écriture de son livre *Bad Girl*, elle avait choisi d'alterner le français, pour les passages théoriques, et l'anglais pour les passages plus intimes.

Atiq Rahimi, Linda Lê et Nancy Huston – Salon du livre de Paris.

Linda Lê a rapidement abandonné sa langue natale pour écrire en français. « Quand j'étais enfant, j'avais une passion pour la langue française. J'apprenais le français dans les dictionnaires. Je mémorisais des pages entières du *Petit Larousse* qui était un livre précieux quand je vivais au Vietnam. Les livres français y étaient rares. [...] Je n'y avais jamais réfléchi mais quand je me suis mise à écrire mon premier livre, la langue française s'est imposée. »

Atiq Rahimi a appris le français, une langue très différente de la sienne, grâce à la littérature française : « Le persan et notre littérature sont très poétiques. À chaque fois que j'écrivais dans ma langue maternelle, mon histoire se transformait en poème. [...] Je n'avais pas imaginé écrire un jour en français. Mais, c'est dans cette langue que j'ai écrit *Synguésabour. Pierre de patience*. Et c'est la langue française qui m'a permis de créer ce roman. »

1. Observez cette page Internet (doc. 1) et répondez.
a. Quel est le nom du site ? Quel est son thème ?
b. À votre avis, quels sont les deux mots utilisés pour former le nom de ce site ?

2. En petits groupes. Lisez l'introduction (doc. 1).
a. **Quels sont les points communs entre les trois personnes en photo ?**
b. **Pourquoi ces auteurs étrangers ont choisi d'écrire en français ? Faites des hypothèses.**

3. Par deux. Lisez l'article (doc. 1).
a. Associez chaque « présentation » à son auteur(e).
1. Il/Elle ne pensait pas écrire un jour en français. Il/Elle trouve que sa langue maternelle est trop poétique pour écrire des romans. Il/Elle a appris le français avec les livres.
2. Il/Elle apprenait par cœur des mots en français et leurs définitions. Pour lui/elle, le français est une passion. Il/Elle a découvert le français très jeune.
3. Il/Elle est venu(e) en France pour étudier. Pour lui/elle, le français est une langue moins émotionnelle que sa langue maternelle. Il/Elle est resté(e) pour écrire.

b. **Pourquoi ces auteurs ont-ils choisi d'écrire en français ?**
c. **Comparez avec vos hypothèses (act. 2b). Quels sont les points communs ? Les différences ?**

4. Relisez les paragraphes sur Nancy Huston et Atiq Rahimi (doc. 1). Relevez pourquoi le français les a aidés à écrire.

5

En petits groupes.

a. Connaissez-vous des auteurs étrangers qui écrivent en français ?

b. Faites des recherches pour compléter votre liste.

c. Pour chaque auteur, indiquez le titre d'un de ses livres.

d. Partagez avec les autres groupes et réalisez la bibliographie francophone de la classe.

document 2 79 et 80

6. 79 **Écoutez la 1re partie de l'interview d'Anna Moï (doc. 2) et répondez.**

a. Qui est Anna Moï ?

b. Quel est son point commun avec Atiq Rahimi, Nancy Huston et Linda Lê (doc. 1) ?

7. 79 **Réécoutez (doc. 2).**

a. **Pourquoi Anna Moï a-t-elle choisi d'écrire en français ?**

b. **Retrouvez la chronologie des événements. Vérifiez avec la transcription.**

À Saigon, dans les années 90…
proposition d'écriture d'une rubrique • *écriture d'un 1er texte* • *rencontre avec la rédactrice en chef d'une revue francophone* • *écriture du livre* L'Écho des rizières

8. 80 **Par deux. Écoutez la 2e partie de l'interview (doc. 2) et répondez.**

a. Pour Anna Moï, la langue française, c'est quoi ?

b. Quel exemple donne-t-elle pour illustrer la francophonie ?

FOCUS LANGUE

▸ p. 209

Le passé composé, l'imparfait et le plus-que-parfait pour construire un récit au passé

En petits groupes.

a. **Observez ces extraits (docs. 1 et 2).**

- « Quand j'étais enfant, j'avais une passion pour la langue française. […] Je mémorisais des pages entières du *Petit Larousse*. […] Je n'y avais jamais réfléchi mais quand je me suis mise à écrire mon premier livre, la langue française s'est imposée. »
- « J'avais beaucoup pratiqué le français avant cette rencontre avec la rédactrice en chef. Ce n'était pas la seule langue que j'avais apprise mais c'était ma préférée. »
- « Je n'avais pas imaginé écrire un jour en français. Mais, c'est dans cette langue que j'ai écrit *Syngué sabour. Pierre de patience*. Et c'est la langue française qui m'a permis de créer ce roman. »

b. **Associez.**

1. J'utilise le passé composé pour décrire/raconter…
2. J'utilise l'imparfait pour décrire/raconter…
3. J'utilise le plus-que-parfait pour décrire…

a. des habitudes, des souvenirs, une situation et des circonstances dans le passé.
b. des actions ponctuelles et accomplies dans le passé, des événements passés dans l'ordre chronologique.
c. une action antérieure à une autre action passée.

c. **Associez chaque règle de formation au temps verbal qui correspond : le passé composé, l'imparfait ou le plus-que-parfait.**

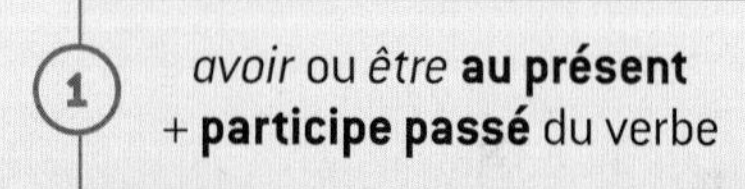

2 **la base :** présent de l'indicatif (1re personne du pluriel) + **les terminaisons :** *-ais, -ais, -ait, -ions, -iez, -aient*

3 *avoir* ou *être* **à l'imparfait** + **participe passé** du verbe

▸ p. 180

À NOUS !

9. Nous présentons un auteur étranger qui écrit en français.

En petits groupes.

a. Choisissez un auteur de la liste (act. 5).

b. Pourquoi a-t-il choisi d'écrire en français et pas dans sa langue maternelle ? Faites des recherches sur ses raisons : enfance, études, etc.

c. À la manière du site ActuaLitté, rédigez un paragraphe pour expliquer son choix.

En groupe.

d. Rédigez un article à partir des productions de la classe. Imaginez un titre et une introduction.

▸ Expressions utiles p. 183

LEÇON 2 Bilingues !

Raconter un souvenir

document 1

http://www.un.org/events/frenchlangageday

Nations unies
Journée de la langue française*

Recherche

Le français à l'ONU	Mars, mois de la francophonie	Pourquoi apprendre le français ?	Dites-le en français !	Langues et diversité culturelle	Célébrations de l'ONU

L'ONU encourage vivement le personnel à pratiquer plusieurs langues. Certains membres sont bilingues ou trilingues grâce à un héritage familial multiculturel, d'autres ont appris le français au cours de leurs études ou à l'ONU. Pilar Fuentes et Penelope MacDonnell expliquent ici pourquoi la maîtrise du français a été importante pour leur carrière.

Pilar Fuentes

J'ai appris le français à partir du moment où j'ai réalisé que cette langue allait être utile pour ma carrière. J'ai toujours voulu travailler dans une organisation internationale. J'ai étudié le français et l'anglais pendant plusieurs années, à l'école et à l'université. Le jour où j'ai commencé à travailler à l'ONU, j'ai compris que je ne m'étais pas trompée. L'ONU a six langues officielles, mais seuls l'anglais et le français sont des langues de travail. La maîtrise du français est donc un vrai « plus ». Je suis affectée au protocole et nous nous occupons de toutes les manifestations officielles. On m'a chargée des relations avec les pays francophones. Presque tous mes collègues parlent français.

Penelope MacDonnell

Je me suis intéressée au français après mes premières vacances en famille en France. Mon père parlait très bien le français. Il m'a fallu plusieurs années pour bien maîtriser la langue, jusqu'au moment où j'ai eu un niveau suffisant pour faire une maîtrise en interprétation et traduction. Ensuite, je suis partie travailler à Strasbourg comme interprète, au Conseil de l'Europe, où le français et l'anglais sont langues officielles. J'ai vécu à Strasbourg pendant sept ans. Quelques mois plus tard, j'étais capable de parler couramment. Je travaille désormais à l'ONU, à New York, et je traduis ou j'interprète du français à l'anglais. Les sujets sont variés : affaires juridiques, affaires politiques, maintien de la paix... La maîtrise de la langue française a été déterminante dans ma carrière.

* Depuis 2010, l'ONU célèbre le multilinguisme et la diversité culturelle avec les Journées des langues (pour ses six langues officielles).

1. Observez cette page Internet (doc. 1). Identifiez le type de site et la rubrique sélectionnée.

2. Lisez l'introduction sur la « Journée de la langue française » (doc. 1) et répondez.
À votre avis :
a. quelles sont les cinq autres langues officielles de l'ONU ?
b. pourquoi l'ONU encourage son personnel à pratiquer des langues ?

3. Par deux. Lisez les témoignages (doc. 1).
a. Retrouvez à qui correspondent ces affirmations : Pilar Fuentes ou Penelope MacDonnell.
1. Elle a commencé à apprendre le français pour des raisons familiales.
2. Elle a commencé à étudier le français pour des raisons professionnelles.
3. Elle a étudié le français et l'anglais à l'université.
4. Elle a travaillé en France.

b. Quel est le statut de la langue française à l'ONU ? Au Conseil de l'Europe ?

4. Par deux. Relisez les témoignages (doc. 1) et répondez.
   a. Quand Pilar Fuentes a-t-elle compris que parler le français était un atout ? Pourquoi ?
   b. En France, pour quelle institution a travaillé Penelope MacDonnell ? Pendant combien de temps ?
   c. Où travaille-t-elle maintenant ?

5

En petits groupes.
a. Souvenez-vous du jour où vous avez décidé d'étudier le français. Qu'est-ce qui vous a conduit à apprendre cette langue : décision personnelle, professionnelle, liée à votre entourage ?
b. Quelles sont les raisons qui ont motivé ce choix dans votre groupe ?
c. Partagez-les avec la classe.

6. Sons du français

▸ p. 199 et 200

Les sons [u] et /o/

81 Écoutez et répétez ces phrases. Dites si on entend le son [u] comme « vous » ou le son /o/ comme « francophone » ou bien les deux.

Exemple : *Souvenez-vous de ce jour-là.*
→ *On entend seulement le son [u].*

▸ p. 180

document 2 82

7. 82 Écoutez cette interview diffusée sur French Morning (doc. 2). Qui est Kaye Murdoch ? Pourquoi est-elle interviewée ?

8. 82 Réécoutez (doc. 2) et complétez l'infographie.

9. 82 Par deux. Écoutez encore (doc. 2) et relevez :
   a. pourquoi l'État de l'Utah a choisi le français ;
   b. comment les parents d'élèves ont réagi ;
   c. quelle est la préoccupation de Kaye Murdoch ;
   d. les institutions qui participent aux programmes.

FOCUS LANGUE

▸ p. 207

Quelques structures pour indiquer un moment précis et une durée dans le temps

Observez ces extraits des documents 1 et 2.

Indiquer un moment précis
J'ai appris le français **à partir du moment où** j'ai réalisé que cette langue allait être utile pour ma carrière. **Le jour où** j'ai commencé à travailler à l'ONU, j'ai compris que je ne m'étais pas trompée. **Au début**, nous avons eu beaucoup de questions, **jusqu'au moment où** nous leur avons expliqué que le français est une langue importante de la diplomatie. **À l'époque**, on a créé des classes bilingues français-anglais dans deux écoles. Il existe **désormais** 13 programmes bilingues français-anglais à l'école.

Indiquer une durée
J'ai vécu à Strasbourg **pendant** sept ans. **Jusqu'à présent**, nous avons eu un excellent partenariat.

▸ p. 180

À NOUS !

10. Nous racontons nos souvenirs d'apprentissage du français.

Seul.
a. Rédigez vos souvenirs d'apprentissage du français (act. 5). Expliquez comment l'apprentissage du français vous a fait évoluer.
b. Précisez si votre apprentissage de la langue a (eu) des conséquences sur votre carrière professionnelle et/ou sur votre vie personnelle.

En petits groupes.
c. Regroupez vos témoignages pour réaliser des recueils « Journée de la langue française ».

LEÇON 3 Mémoires

Exposer une suite de faits

france inter — Info Culture Humour Musique

Dimanche 17 mars

PÉRIPHÉRIES *PAR* **Édouard Zambeaux**

Passeurs de mémoires

1. Observez ce site Internet.
a. Identifiez : le nom de la station de radio ; le nom de l'émission et le sujet du jour.
b. Qui sont « les passeurs de mémoire » ? Faites des hypothèses.

document 1 83 et 84

2. 83 Écoutez la 1re partie de l'émission (doc. 1).
a. Qui est Marion ? De quelle expérience parle-t-elle ?
b. En France, qui peut faire un service civique ? Quels domaines cite Marion ?

3. 83 Par deux. Réécoutez la 1re partie de l'émission (doc. 1) et répondez.
a. Qu'est-ce que le projet « Passeurs de mémoire » ? Comparez avec vos hypothèses (act. 1b).
b. À quel domaine du service civique correspond-il ?
c. Quelle est la durée du service civique pour ce projet ?

4. 84 Par deux. Écoutez la 2e partie de l'émission (doc. 1).
a. Relevez les différentes activités des volontaires du projet « Passeurs de mémoire ».
b. L'expérience de volontaire de Marion est-elle positive ? Pourquoi ?

5 

En petits groupes.
a. Si vous participiez au projet « Passeurs de mémoire », quelle personne de votre entourage aimeriez-vous interviewer ?
b. Préparez une rencontre avec cette personne.

6. Observez cette page Internet (doc. 2). Expliquez le lien avec l'émission « Périphéries » (doc. 1).

7. Lisez le témoignage de Joël (doc. 2). Associez chaque étape de sa vie à une photo. Justifiez.

http://www.passeursdememoire.fr

Les mémoires Le projet

Les mémoires > Enfance & jeunesse > La jeunesse d'hier

La jeunesse d'hier à aujourd'hui

Témoignage de Joël, 70 ans, mémoire recueillie à Angers.

La famille
Je suis né dans une ferme, mes parents étaient agriculteurs. J'ai vécu chez eux pendant assez longtemps, jusqu'à l'âge de 20 ans. Nous avions de bonnes relations.

L'école
Je suis allé à l'école jusqu'à 14 ans. J'aimais bien l'école. C'était assez difficile. Il fallait être discipliné. Je n'ai été qu'à l'école primaire, de 6 à 14 ans. J'aimais bien les mathématiques. À l'époque, c'était plus difficile, il fallait passer un concours pour entrer en 6e.

8. Par deux. Vrai ou faux ? Pourquoi ?
a. Joël est resté longtemps chez ses parents.
b. Il a fait de longues études.
c. Il avait 20 ans quand il a commencé son service militaire.
d. Il a effectué le service militaire pendant deux ans.
e. Il a changé plusieurs fois de travail.

9. En petits groupes. Lisez encore et répondez. Que pense Joël :
a. de l'école de son enfance ?
b. de la fin du service militaire obligatoire en France ? Pourquoi ?
c. de la jeunesse aujourd'hui ?
d. des relations entre les parents et leurs enfants ?

FOCUS LANGUE

▸ p. 207

Les prépositions et les marqueurs temporels pour situer dans le temps (synthèse)

Observez et complétez avec les extraits du témoignage de Joël (activité 8).

Exprimer une durée prévue	Exprimer la limite d'une action	Indiquer une durée complète, une période de temps	Indiquer un point précis, une date	Indiquer l'origine d'une action
On s'engage pour une durée de 6 à 9 mois. Vous terminerez votre service dans combien de temps ?	…	Le service civique permet de s'engager pendant plusieurs mois. …	C'est un projet créé en 2008.	Franchement, ma vie a changé depuis que je participe à ce programme. Dès que les personnes donnent leur accord, on les met en ligne. …

▸ p. 181

document 2

Unis-Cité Les partenaires Presse Contact

à aujourd'hui

Le service militaire
Dès que j'ai eu 20 ans, je suis parti faire mon service militaire, pour une durée de 16 mois. C'était à Couaque, en Charente. Le service militaire permettait de rencontrer des jeunes de milieux différents. À partir de 1997, le service militaire n'a plus été obligatoire. Je trouve ça un petit peu dommage. Quand on n'avait pas fait d'études, on pouvait apprendre un métier.

Mon premier travail
J'ai été géomètre pendant deux ou trois ans puis j'ai passé un concours pour rentrer au ministère de l'Équipement. Je faisais des plans pour construire des routes, des maisons, des ponts...

La jeunesse d'aujourd'hui
Aujourd'hui, les jeunes ont plus de choix que nous. Ils sont plus libres et ils ont plus de loisirs. Avant, les relations avec les parents étaient très différentes de maintenant. Les parents étaient plus autoritaires. Aujourd'hui, je pense que les enfants obéissent moins.

10. Sons du français

▸ p. 200

Les sons [k], [g] et [ʒ]

85 **Écoutez ces phrases. Quelle consonne vous entendez en première position ? [k] comme « classe », [g] comme « groupe » ou [ʒ] comme « général » ? Répétez les phrases.**

Exemple : *Je voudrais créer un groupe de jeunes.*
→ *On entend le son [ʒ] en 1re position.*

▸ p. 181

À NOUS !

11. Nous recueillons les mémoires d'une personne de notre entourage.

Seul.
a. Demandez à la personne de votre entourage (act. 5) de vous parler de ses souvenirs d'enfance, de son parcours scolaire, son premier travail, etc.
b. Prenez des notes ou enregistrez son témoignage.
c. Rédigez en français les mémoires de cette personne. À la manière de celui de Joël (doc. 2), organisez le témoignage en différentes rubriques.

En groupe.
d. Créez le recueil de la classe.
e. Proposez le recueil aux « Passeurs de mémoire ».

▸ Expressions utiles p. 183

LEÇON 4 Moi, j'y crois !

Défendre une cause

DES ONG AUTOUR D'UN CAFÉ

« Quel rôle pour les ONG et les associations d'ici et de là-bas ? »

Les organisateurs et les intervenants pendant la présentation de la soirée.

1. Observez cet article du journal *Charente Libre*. Quel est le titre de l'article ? Son thème ? Qui sont les personnes en photo ?

2. En petits groupes. Vrai ou faux ? Échangez.
a. Le terme ONG signifie « Organisation non gouvernementale ».
b. C'est le gouvernement qui finance les ONG.
c. Les ONG défendent des causes, des opinions, des personnes.

document 1 86 et 87

3. 86 Par deux. Écoutez la 1re partie de cette conversation, à la sortie du café citoyen (doc. 1).

la santé Greenpeace
le respect des droits de l'homme
la lutte contre les discriminations
l'éducation et la protection de l'enfance
SOS Racisme Médecins du monde
la protection de la nature et de l'environnement
Amnesty International Unicef

a. Observez le nuage de mots.
b. Relevez les domaines et les associations dont ces personnes parlent.

4. 86 Par deux. Réécoutez la 1re partie (doc. 1). Relevez pour quelle(s) raison(s) ces personnes veulent s'engager dans les domaines suivants : l'écologie, l'éducation, la lutte contre le racisme.

5. 87 Écoutez la 2e partie de la conversation (doc. 1) et répondez.
a. Qui est Lilian Thuram ?
b. Pour quelle raison a-t-il créé une association ? Dans quel domaine ?

FOCUS LANGUE

La cause et la conséquence pour justifier un engagement (1)

Par deux. Classez vos réponses (activités 4 et 5b) dans la colonne qui correspond. Vérifiez avec la transcription.

J'exprime la cause, la raison, le motif.		J'exprime la conséquence, le résultat.
« Pourquoi ? » → Je trouve que peu de gens se rendent compte parce que … ; ….	« Comment ? » → c'est grâce à l'éducation que le monde peut s'améliorer !	Alors, je vais devenir volontaire pour l'UNICEF ! …

► p. 181

6

En petits groupes.
a. Quelles associations/ONG connaissez-vous ? Dans quels domaines elles interviennent ?
b. Pour quelle(s) association(s) et/ou domaine(s) aimeriez-vous vous engager ?

document 2

http://www. thuram.org

Nelson
Teresa
Martin

Fondation Lilian Thuram Éducation contre le racisme

Vous êtes ici : Accueil | La fondation | Objectifs

Tous égaux ▶ Nous appartenons toutes et tous à une même famille. Tous les êtres humains ont un nom, une silhouette, une couleur de peau. Nous souhaitons diffuser ce message car la couleur de la peau, le genre, la religion, la sexualité ne déterminent pas l'intelligence d'une personne.

« On ne naît pas raciste, on le devient. » ▶ Chacun de nous est capable de tout apprendre, le pire comme le meilleur. Contre le racisme, il faut donc éduquer. C'est pourquoi nous avons créé la Fondation Lilian Thuram Éducation contre le racisme.

Priorité à la jeunesse ▶ Notre fondation a pour objectif de lutter contre le racisme par l'éducation, grâce à des actions en milieu scolaire et à la publication de livres pour les jeunes et pour les adultes. C'est pour lutter contre le racisme que nous organisons des activités et des événements pour les enfants et leurs parents dans les écoles et dans les clubs sportifs.

Hommage à Gandhi, Nelson Mandela, Martin Luther King, Rosa Parks, Mère Teresa... ▶ La Fondation Lilian Thuram s'inspire de leur combat. Leur histoire et leur comportement inspirent notre fondation. C'est pour cette raison que, sur le logo, il y a leurs prénoms. Nous ne devons pas les oublier. Jamais.

7. Observez cette page Internet (doc. 2). Qui sont Nelson, Martin et Teresa ? Faites des hypothèses.

8. Lisez le paragraphe « Hommage à… » (doc. 2).
a. Vérifiez vos hypothèses (act. 7).
b. Pourquoi trouve-t-on leurs prénoms sur le logo ?

9. Par deux. Lisez la page (doc. 2) et relevez :
a. comment la fondation lutte contre le racisme ;
b. pourquoi elle a choisi cette façon de lutter contre le racisme ;
c. pour quelle raison elle lutte pour l'égalité entre les personnes.

FOCUS LANGUE

La cause et la conséquence pour justifier un engagement (2)

Par deux. Observez.

LA CAUSE

Exprimer la cause, c'est donner la raison d'un événement ou d'un comportement.

▶ Pourquoi souhaitons-nous diffuser ce message ? **Car** nos sociétés doivent comprendre que la couleur de la peau, le genre, la religion, la sexualité d'une personne ne déterminent pas son intelligence.

LA CONSÉQUENCE

Exprimer la conséquence, c'est montrer le résultat, les suites d'une action ou d'un événement.

Chacun de nous est capable d'apprendre. Résultat : il faut **donc** éduquer. **C'est pourquoi** nous avons créé la fondation.

▶ Notre fondation a pour objectif de lutter contre le racisme. Résultat : **c'est pour** lutter contre le racisme **que** nous organisons des activités.

▶ p. 181

À NOUS !

10. Nous présentons une association.

En petits groupes.

a. Choisissez un domaine et/ou une association (act. 6).

b. À la manière de la Fondation Lilian Thuram, présentez les objectifs de l'association, les moyens et les actions envisagées.

c. Présentez votre association à la classe et incitez vos camarades à y adhérer.

LEÇON 5 Agir pour la nature

Formuler une critique et proposer des solutions

document 1

http://www.vivvreenislande.com

L'HISTOIRE LE WEBZINE LES AUTEURS VIVRE SUR LE NET LES SPONSORS LA BOUTIQUE CONTACT Chercher

Vivre en Islande

À LA UNE | VUE D'ICI | VUE D'AILLEURS | À VIVRE | QUADRIS

Agir pour la protection de la nature

Árni Finnsson est directeur de l'INCA (*Iceland Nature Conservation Association*).
L'INCA est une ONG (Organisation non gouvernementale) qui compte 2 000 membres.
Objectifs : conserver et protéger les régions sauvages d'Islande.
Mission : participer aux instances et conférences internationales à l'ONU, à la COP21.

Quelle est votre opinion sur le tourisme en Islande et sur la protection de la nature ?
L'Islande est heureuse de recevoir des touristes. Le tourisme est bon pour son économie. Mais pourquoi les touristes viennent-ils ici ? Parce que l'Islande est connue pour la beauté de sa nature. Donc si on veut que le tourisme continue, il faut avant tout protéger la nature.

Quels sont les moyens à mettre en place pour protéger la nature ?
Le gouvernement n'est pas prêt à dépenser assez d'argent pour cette protection. Il faut qu'il investisse davantage dans la protection de la nature. Il faut aussi limiter le tourisme. Le tourisme de masse n'est pas une bonne chose. Il ne faut pas que les touristes viennent en trop grand nombre. Ce n'est pas bon pour l'environnement.

Comment faire pour limiter le tourisme ?
Il faudrait imposer une taxe, dès l'achat du billet d'avion. Ça se fait dans d'autres pays.

Il faudra alors expliquer aux touristes la raison de cette taxe.
Oui. Mais vous savez, heureusement, de nombreux touristes sont conscients de l'importance de la nature ici. Ils nous disent : « Faites attention, vous devez être fiers de votre nature et la protéger ! »

Pourquoi cette taxe sur le billet d'avion n'a pas été mise en place ?
Malheureusement, plusieurs compagnies aériennes refusent de l'appliquer...

1. Observez la page Internet du site « Vivre en Islande » (doc. 1) et répondez.
a. Selon vous, quelle est la fonction de ce site ?
b. Que voit-on de l'Islande sur cette page ?

2. Lisez l'encart sur l'INCA (doc. 1) et répondez.
a. Quels sont les objectifs de l'association INCA ?
b. Quelle est sa mission ?

3. Par deux. Lisez l'interview d'Árni Finnsson (doc. 1). Vrai ou faux ? Pourquoi ?
Selon Àrni Finnsson :
a. le tourisme est une bonne chose pour l'Islande ;
b. le tourisme de masse est dangereux pour la nature ;
c. le nombre de touristes en Islande doit diminuer ;
d. les touristes ne se rendent pas compte de l'importance de la nature en Islande.

1

2

3

4. Par deux. Relisez l'interview (doc. 1) et répondez.
a. Pourquoi Árni Finnsson critique-t-il son gouvernement ?
b. Quelle est sa proposition pour limiter le tourisme de masse ?
c. Quelle difficulté rencontre cette proposition ?

En petits groupes.
a. Quelle est votre opinion sur le tourisme et sur la protection de la nature dans votre pays ? À votre avis, faut-il limiter le tourisme de masse ?
b. Faites la liste de vos critiques sur la protection de la nature et la gestion du tourisme dans votre pays.

6. Observez ces images. Faites des hypothèses sur « Iceland Academy » et le contenu de ces vidéos.

document 2 88 et 89

7. 88 **Par deux. Écoutez la 1re partie de l'interview réalisée par « Vivre en Islande » (doc. 2).**
a. Identifiez le sujet de l'interview et la personne interviewée. Que pense-t-elle du tourisme en Islande ?
b. Relevez comment elle décrit l'Islande.

8. 89 **Écoutez la 2e partie de l'interview (doc. 2).**
a. Répondez.
– Quelle initiative a pris l'office de tourisme islandais ? Pourquoi ?
– Quels exemples de mauvais comportements donne Olöf ?
b. Associez les exemples donnés aux images.

FOCUS LANGUE

Les prépositions (à, *de*) pour relier un adjectif à son complément

Observez et complétez avec les extraits du document 2 (activité 7).

être + adjectif + *de*		*être*/autre verbe + adjectif + *à* + verbe à l'infinitif
+ un nom	+ un verbe à l'infinitif	Le gouvernement n'est pas prêt à dépenser. Nous voulions des vidéos faciles à comprendre. …
De nombreux touristes sont conscients de l'importance de la nature. Vous devez être fiers de votre nature. …	L'Islande est heureuse de recevoir des touristes. …	

► p. 182

9. Nous réalisons une campagne de protection de la nature.
En petits groupes.
a. Choisissez trois critiques que vous partagez (act. 5b).
b. Cherchez des photos ou dessinez pour illustrer votre campagne.
c. Légendez vos photos ou vos dessins.
d. Présentez votre « campagne » à la classe.
e. Proposez votre travail à l'office de tourisme de votre ville pour informer les francophones.

► Expressions utiles p. 183

LEÇON

6 Vous en pensez quoi ?

Demander et donner un avis

document 1

http://www.abclatina.com

ABC LATINA

Forum abc-latina Discussions sur l'Amérique latine

Accueil forums | Liste des membres | Règles | Recherche | S'inscrire | S'identifier

Forums sur le Brésil > Forum > Parler français au Brésil

Manuele502	Bonjour à tous, Je suis avocat et j'ai fait mes études en France. C'est très important pour moi de continuer à parler français. Malheureusement, je le pratique de moins en moins depuis mon retour et c'est vraiment dommage ! Est-ce que quelqu'un a des bons plans pour rencontrer des francophones au Brésil ?
Robbi	Salut Manuele, Tu habites où exactement ? Il y a peut-être une Alliance française près de chez toi ? Il s'en crée de plus en plus, un peu partout au Brésil. Elles organisent souvent des événements où les francophones peuvent se rencontrer.
Manuele502	Merci pour ton message Robbi ! J'habite à Boa Vista et malheureusement il n'y a pas d'Alliance française dans ma ville.
Estella	Bonjour Manuele, C'est pareil chez moi alors j'ai pris les choses en main ! Avec une copine, on a organisé un apéritif français dans un pub de notre quartier. On pensait être une dizaine et finalement plus de 30 personnes sont venues. Quel succès ! On a décidé de le faire une fois par mois et d'organiser de plus en plus d'activités, des sorties, des cinés… Notre bande de francophones commence à grandir !
Manuele502	Salut Estella ! Comme ça me fait plaisir de lire ça ! C'est génial cette initiative ! Tu as raison, quand une chose n'existe pas, il faut l'inventer ! 🙂 Comment vous vous êtes organisées exactement ?
Estella	On a commencé avec un post Facebook… puis un groupe… puis un événement ! Envoie-moi un message privé, je t'expliquerai.

1. Observez cette page de forum (doc. 1).

a. Identifiez le thème de la discussion.

b. À votre avis, où peut-on parler français au Brésil ?

2. Par deux. Lisez la discussion (doc. 1) et répondez.

a. Quelle est la demande de Manuele502 ? Pourquoi ?

b. Quel internaute propose la meilleure réponse ? Justifiez.

3. Par deux. Vrai ou faux ? Pourquoi ?

a. Il y a une Alliance française dans la ville d'Estella.

b. Estella a utilisé les réseaux sociaux pour rencontrer des francophones.

c. Son apéritif français a eu beaucoup de succès.

d. Elle va organiser régulièrement d'autres activités pour les francophones.

4

En petits groupes.

a. Et dans votre ville ou pays ? Quels sont les bons plans pour rencontrer des francophones ?

b. Faites la liste des différents lieux et/ou moyens de rencontrer des francophones.

c. Partagez avec la classe.

document 2 90

5. 90 **Écoutez (doc. 2). Identifiez la situation. Quel est le lien avec le forum ?**

6. 90 **Réécoutez (doc. 2). Légendez les photos avec les propositions des francophones.**

7. 90 **Par deux. Écoutez encore (doc. 2).**

a. **Que pensent ces personnes des activités proposées ? Relevez leurs réactions.**

b. **Pourquoi elles apprécient l'initiative de Manuele ?**

FOCUS LANGUE

L'exclamation pour donner son avis

Quel succès !
Comme ça me fait plaisir de lire ça !
Quelle bonne idée ! C'est une très bonne idée !
Excellente idée !
C'est formidable ! Bravo !

C'est dommage !
C'est vraiment dommage !

► p. 182

8. Sons du français

L'intonation expressive dans la phrase exclamative

91 **Écoutez ces phrases exclamatives. Dites si la personne est enthousiaste ou si elle n'est pas enthousiaste. Répétez les phrases.**

Exemple : *Quel succès !*
→ La personne est enthousiaste.
Quel dommage !
→ La personne n'est pas enthousiaste.

► p. 183

9. Apprenons ensemble !

Message de Mikuni posté à 13:17:05

Bonjour à tous !

J'étudie le français depuis trois ans maintenant. J'écris assez bien mais je n'arrive pas à m'exprimer à l'oral, surtout quand il faut donner son avis. Je pense que c'est à cause du manque de pratique. Par exemple, pour exprimer une idée, j'ai besoin de réfléchir longtemps !

Avez-vous des conseils, des activités ou des exercices à me proposer ?

Merci beaucoup.

En petits groupes.

a. **Lisez le message de Mikuni publié sur le forum du site francaisfacile.com.**

b. **Comment aider Mikuni à donner son avis à l'oral ? Échangez vos idées.**

c. **Partagez vos idées avec la classe.**

FOCUS LANGUE

de plus en plus / de moins en moins pour parler d'une évolution

Observez.

de plus en plus/de moins en moins
Malheureusement, je le pratique **de moins en moins** depuis mon retour. Il s'en crée **de plus en plus** un peu partout au Brésil.

de plus en plus **de**/de moins en moins **de** + nom
Il y a eu **de moins en moins d'**activités pour les francophones dans notre ville ! Il y a **de plus en plus de** gens qui arrivent.

À NOUS !

10. Nous proposons des activités pour les francophones de notre ville.

En petits groupes.

a. **Que pensez-vous des activités pour les francophones de votre ville ? (act. 4)**

b. **Proposez d'autres idées d'activités.**

c. **Choisissez votre idée préférée.**

d. **Présentez-la à la classe. La classe donne son avis.**

e. **Votez pour les activités préférées de la classe.**

f. **Organisez vos activités préférées.**

► Expressions utiles p. 183

CULTURES

1 *Demain* Vidéo 7

MOVEMOVIE ET MARS FILMS PRÉSENTENT

PARTOUT DANS LE MONDE, DES SOLUTIONS EXISTENT.

DEMAIN

UN FILM DE
CYRIL DION ET MÉLANIE LAURENT

DEMAIN-LEFILM.COM /DEMAIN.LEFILM @DEMAIN_LEFILM

a. Par deux. Observez cette affiche du film *Demain*. Faites des hypothèses sur le genre du film, son sujet, son objectif et les lieux de tournage.

b. Regardez la bande-annonce du film. Vérifiez vos hypothèses.

c. Regardez à nouveau le début de la bande-annonce (jusqu'à 0'58") et répondez.
1. Pourquoi voit-on des enfants au début ?
2. Quel constat fait Cyril (un des deux réalisateurs) ?

d. En petits groupes. Que pensez-vous des images ? de la musique ? Cette bande-annonce vous donne-t-elle envie de voir le film ? Pourquoi ? Pour vous, quelles sont les qualités d'une bonne bande-annonce ?

e. En petits groupes. Échangez. Que pensez-vous de cette initiative ? Êtes-vous d'accord avec la phrase de Gandhi citée dans le film
« Montrer l'exemple, ce n'est pas la meilleure façon de convaincre, c'est la seule. » ? Pourquoi ?

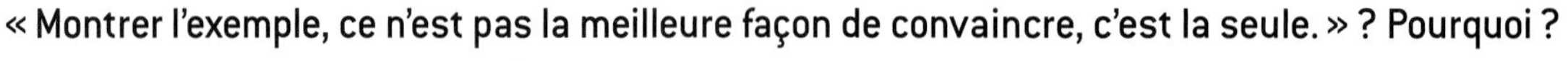

f. Regardez la bande-annonce de 0'58" à la fin. Quels sont les différents domaines abordés ?
Exemple : *l'agriculture.*

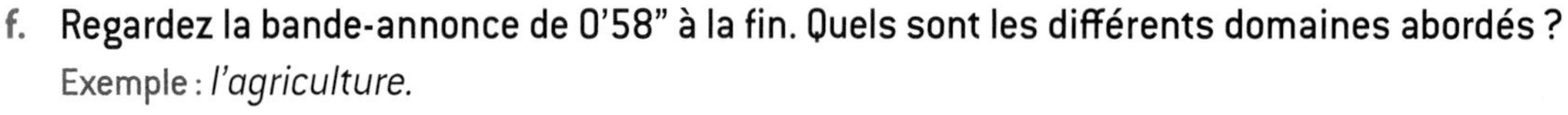

INTERCULTUREL

g. En petits groupe. Connaissez-vous des hommes et des femmes qui inventent un autre monde dans votre pays ? Qu'est-ce qu'ils font ? Dans quels domaines ? Partagez vos informations avec la classe.

2 S'engager pour quoi faire? Ce que les Français en pensent

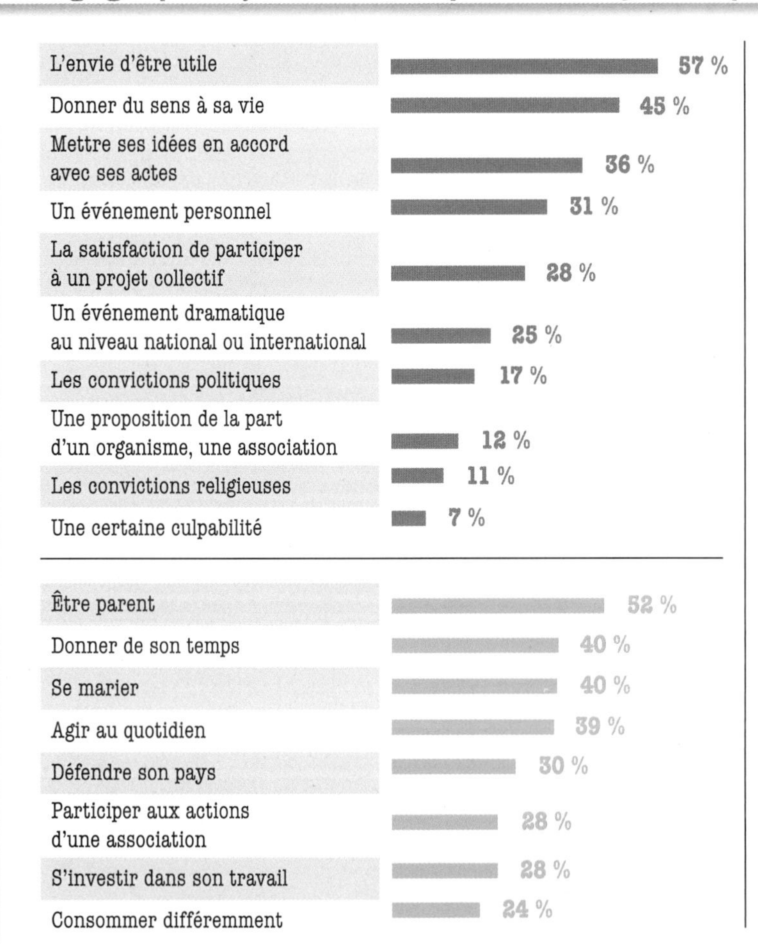

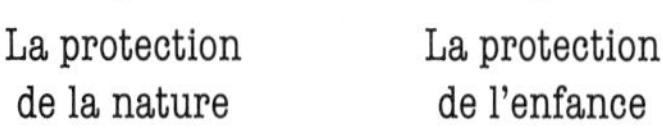

La protection de la nature

La protection de l'enfance

La lutte contre la pauvreté

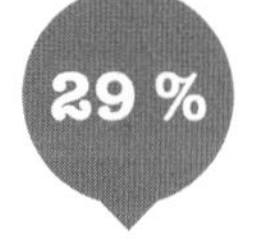

La lutte contre les grandes maladies

L'aide aux personnes âgées, dépendantes et aux handicapés

Les droits de l'homme

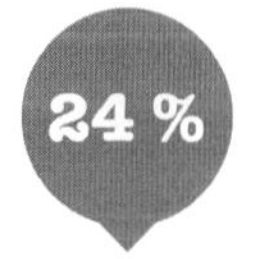

L'égalité homme/femme

La promotion du développement durable

L'action locale, de quartier

a. Lisez l'infographie. Associez les titres aux parties.
1. Les causes qui mobilisent les Français.
2. La définition du mot « engagement » selon les Français.
3. Les raisons de l'engagement des Français.

b. En petits groupes. Lisez les témoignages. Retrouvez pour chaque témoignage la cause qui mobilise et les raisons de l'engagement (infographies). Plusieurs réponses sont possibles.

INTERCULTUREL

c. En petits groupes. Faites des recherches sur les causes pour lesquelles s'engagent les habitants de votre pays. Comparez avec les Français. Quelles sont les similitudes ? Les différences ?

1 « J'ai toujours aimé me sentir utile. Au début, je signais des pétitions pour les droits de l'homme. Aujourd'hui, je m'implique de plus en plus, depuis mon écran d'ordinateur, dans plusieurs associations. Je traduis des textes bénévolement plusieurs heures par semaine et je soutiens des causes de défense des droits de l'homme et de protection des enfants. » **David**

2 « Il y a cinq ans, je suis partie en Thaïlande pour nettoyer des plages. Cette expérience m'a fait réfléchir sur la planète que je vais laisser à mes enfants. Depuis, je mène des campagnes de sensibilisation auprès de mon entourage pour enseigner les petits gestes efficaces pour la planète. » **Lydia**

COMPLÉTEZ VOTRE CARNET CULTUREL

1. Les grandes causes communes à la France et à mon pays : ...
2. Les moyens d'action identiques en France et dans mon pays : ...
3. Les associations représentées en France et dans mon pays : ...

Retournez aux pages 118-119. Répondez à nouveau aux questions. Mettez en commun avec le groupe.

PROJETS

Projet de classe

Nous présentons un lieu et son évolution dans le temps.

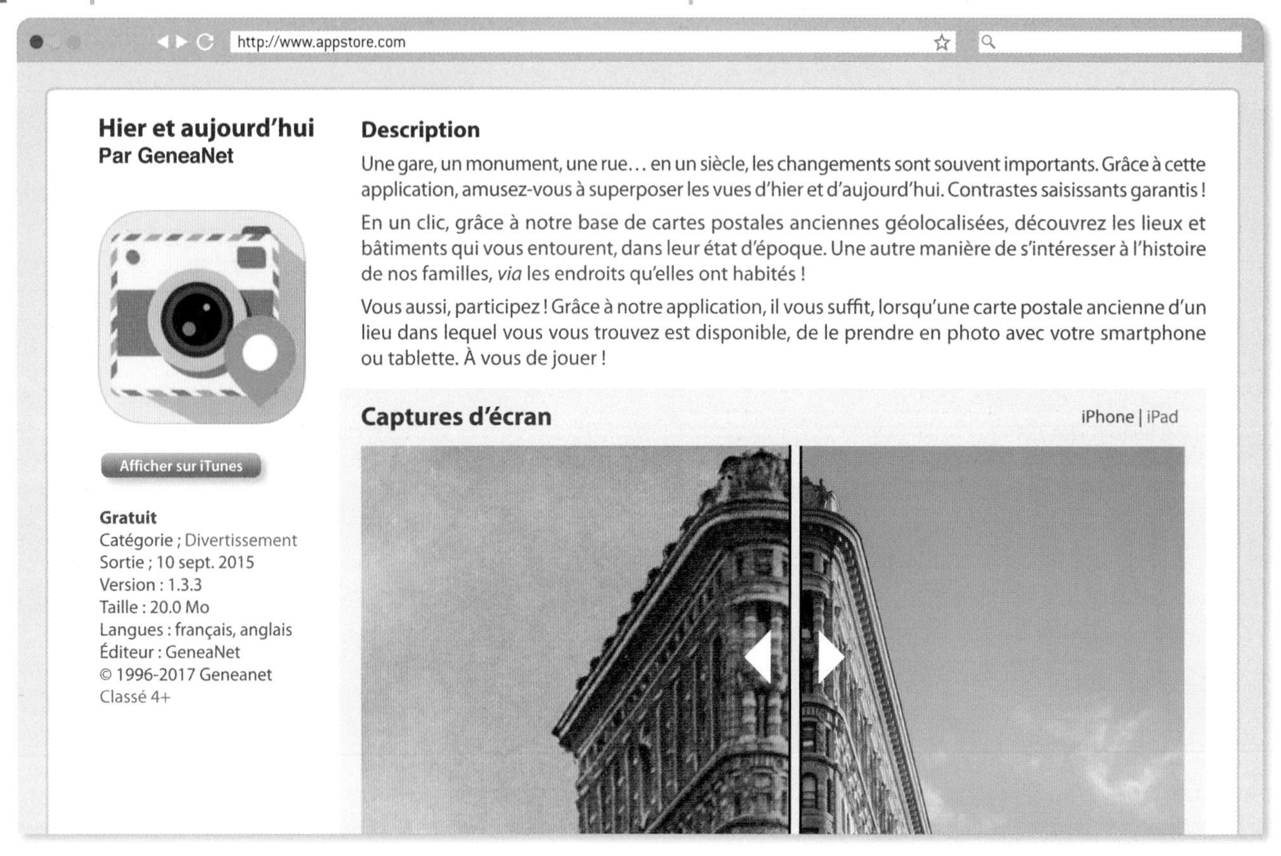

1. En petits groupes. Observez ce site. De quoi s'agit-il ? Faites des hypothèses.

2. Lisez la présentation et vérifiez vos hypothèses. Que propose cette application ?

3. En petits groupes. Choisissez un lieu que vous connaissez et que vous appréciez. Cherchez une photo ancienne et une photo actuelle de ce lieu.

4. Décrivez votre lieu dans le passé (photo ancienne) et rédigez un récit associé à la photo (les souvenirs que cette photo évoque pour vous, les faits qui se sont passés dans le lieu de la photo, les événements que vous avez vécus dans ce lieu avec d'autres personnes…).

5. Décrivez votre lieu dans le présent (photo actuelle). Expliquez ce qui a changé et rédigez un descriptif de l'évolution du lieu.

6. Donnez votre avis sur l'évolution du lieu. Est-ce qu'il a évolué positivement ou négativement ?

7. Présentez votre travail à la classe, racontez l'histoire de vos lieux.

8. Exposez vos travaux (vos descriptifs et vos photos) sur les murs de la classe.

Projet ouvert sur le monde

Parcours digital

Nous créons et nous diffusons un dépliant pour défendre une cause.

DELF 7

I Compréhension de l'oral

Exercice 1 Comprendre une émission de radio

Vous entendez cette émission à la radio française. Lisez les questions, écoutez deux fois le document, puis répondez aux questions.

1. **Le thème de l'émission est…**
   a. les grands auteurs de romans français.
   b. les écrivains étrangers célèbres en France.
   c. les auteurs étrangers qui écrivent en français.
2. **Quel est, d'après la journaliste, le point commun entre Kundera, Beckett et Casanova ?**
   a. Ils ont écrit leurs romans en français.
   b. Tous leurs romans ont été traduits en français.
   c. Ils ont toujours écrit dans leur langue maternelle.
3. **À quel moment Atiq Rahimi a-t-il eu envie d'écrire en français ?**
   …
4. **Atiq Rahimi avait des difficultés à écrire dans sa langue maternelle quand il devait parler de quels sujets ?**
   …
5. **Qu'est-ce que la langue française a permis à Atiq Rahimi ?**
   …

II Production orale

Exercice 1 Pour s'entraîner à la partie 1 de l'épreuve orale : l'entretien dirigé

Vous vous présentez et parlez de vous, de vos études, de vos activités, de ce que vous aimez et n'aimez pas.

Exercice 2 Pour s'entraîner à la partie 2 de l'épreuve orale : le monologue suivi

Vous vous exprimez seul(e) pendant environ 2 minutes sur le sujet suivant :

SUJET : S'engager dans une association
Êtes-vous engagé(e) dans une association ? Si oui, laquelle ? Pensez-vous qu'il est important de s'engager ? Pourquoi ? Dans quel domaine aimeriez-vous vous engager ? Pourquoi ?

Exercice 3 Pour s'entraîner à la partie 3 de l'épreuve orale : l'exercice en interaction

Par deux. Vous étudiez le français en France. Avec un étudiant de votre groupe, vous devez préparer une présentation orale sur le thème de l'écologie.
Vous vous mettez d'accord sur le sujet que vous allez présenter et sur les solutions que vous allez proposer.

DOSSIER 8

Nous nous intéressons à l'actualité

Les Français et l'actualité

En petits groupes.
Répondez et comparez vos réponses avec celles des autres groupes.

1 À votre avis, l'actualité préférée des Français, c'est plutôt :

a. l'information locale.

b. le débat d'opinion.

c. l'actualité littéraire.

Et dans votre pays ?

2 À votre avis, les Français s'informent plutôt :

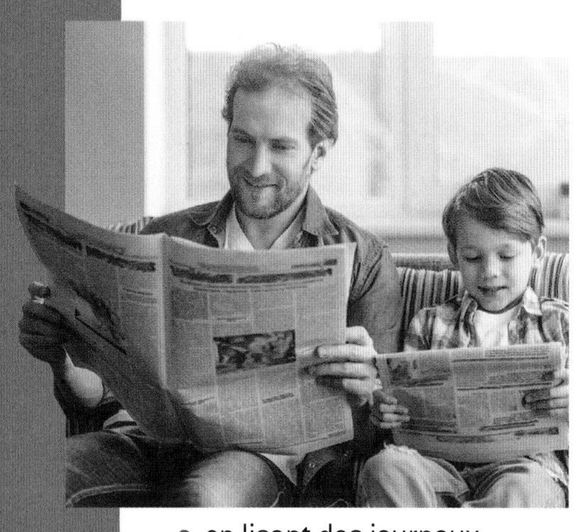

a. en lisant des journaux.

b. sur les réseaux sociaux.

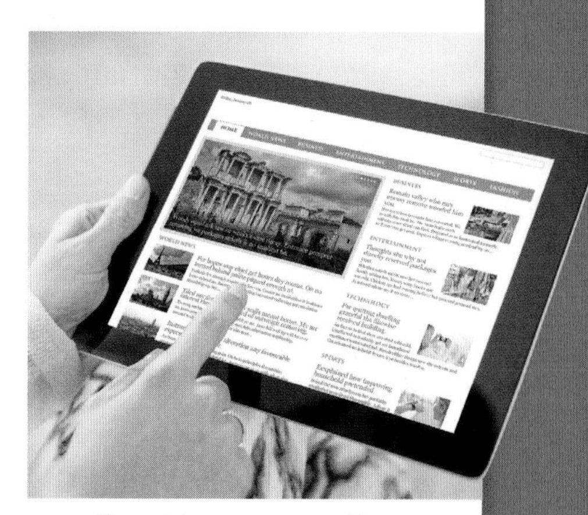

c. en lisant la presse en ligne.

Et les habitants de votre pays ?

3 À votre avis, les actualités à la radio en France, ce sont plutôt :

a. des interviews.

b. des journaux d'information.

c. des micros-trottoirs.

Et dans votre pays ?

PROJETS

- **Un projet de classe**
  Écrire au *Courrier des lecteurs* d'un journal ou d'un magazine.
- **Et un projet ouvert sur le monde**
  Écrire un article sur un sujet d'actualité pour le publier dans un journal citoyen.

Pour réaliser ces projets, nous allons apprendre à :

- ► parler de faits d'actualité
- ► comprendre des informations dans la presse
- ► réagir et donner des précisions
- ► faire des suggestions
- ► exprimer des souhaits et des espoirs
- ► parler de l'actualité littéraire

LEÇON

1 Original !

Parler de faits d'actualité

document 1

http://www.lecourrieraustralien.com

Actu / Australie / France

Home / Actu

22 décembre Inès Hirigoyen

« Héroïne d'une aventure à l'autre bout du monde », la Twingo entre au Musée national d'Australie

La Twingo française vient d'être adoptée par le Musée national d'Australie, à Canberra ! Cette « petite » voiture a été honorée par la presse dans plusieurs articles pour avoir parcouru plus de 250 000 kilomètres en Australie.

La Twingo a été créée dans les années 1990 par la marque automobile Renault. Au moment de sa sortie, un slogan avait été lancé pour la campagne publicitaire : « Twingo, à vous d'inventer la vie qui va avec ».

Le concept a séduit le journaliste français Jean Dulon. En 1994, il s'est lancé un défi : faire le tour de l'Australie en Twingo. À la fin de son long voyage, la Twingo de Jean Dulon a été entièrement décorée par deux artistes australiens, le designer John Moriarty et le peintre Frank Lee. Ils ont signé la nouvelle peinture de type aborigène de la Twingo.

Désormais, cette Twingo est à la retraite mais elle compte bien profiter encore de l'Australie. Plus de 20 ans après ce pari fou, l'île-continent vient de faire entrer la petite voiture au Musée national d'Australie, à Canberra. Encore une belle aventure entre la France et l'Australie pour le plus grand plaisir des amoureux de l'extrême.

1. Observez cette page Internet (doc. 1). Identifiez le nom du site et le titre de l'article.

2. En petits groupes. Échangez.

a. Quelles voitures françaises connaissez-vous ? (Marques ou modèles.)

b. Pourquoi cette voiture entre au Musée national d'Australie ? Observez la photo et faites des hypothèses.

3. Par deux. Lisez l'article (doc. 1).

a. Associez chaque paragraphe de l'article à un titre.

– Une aventure unique à l'autre bout du monde.
– Entrée au Musée national d'Australie. (×2)
– Petite histoire de la Twingo.

b. Vérifiez vos hypothèses. Répondez à la question 2b.

4. Par deux. Relisez l'article (doc. 1) et répondez.

a. Expliquez pourquoi le « défi » de Jean Dulon correspond au slogan publicitaire de la Twingo.

b. Qui a décoré la Twingo en photo ?

5

En petits groupes.

a. Cherchez, dans votre pays, des faits d'actualité originaux en relation avec :

– des Français ou des francophones ;

– un objet, un produit français ou francophone.

b. Partagez avec le groupe.

document 2 93 et 94

6. 93 **Écoutez la 1re partie de cette émission de radio (doc. 2). Identifiez :**
a. le nom de la radio et le type d'émission ;
b. le thème de l'émission ;
c. l'événement mentionné.

7. 93 **Par deux.**
Réécoutez la 1re partie (doc. 2).
a. Vrai ou faux ? Pourquoi ?
1. Des auteurs contemporains australiens et français ont écrit *On n'est pas là pour être ici*.
2. Le King Street Theatre de Sydney a présenté cette pièce en novembre.
3. Cette pièce a marqué l'année théâtrale à Sydney.
4. Les comédiens ont joué en français et en anglais.
5. On a surtitré la pièce en anglais.
6. Le public a aimé cette comédie.

b. Vérifiez avec la transcription.

8. 94 **Écoutez la 2e partie de l'émission (doc. 2).**
a. Identifiez le domaine mentionné et l'événement développé.
b. La marque Franck Provost est-elle populaire en Australie ? Justifiez.

FOCUS LANGUE

▸ p. 212

La forme passive pour mettre en valeur un élément

En petits groupes.

a. Observez les différences entre ces deux formes.

Forme active	Forme passive
1. Le King Street Theatre de Sidney a présenté cette pièce en novembre. 2. Cette pièce a marqué l'année théâtrale à Sydney. 3. On a surtitré la pièce en anglais.	1. Elle a été présentée en novembre au King Street Theatre. 2. L'année théâtrale a été marquée par la nouvelle production du petit théâtre de Sydney. 3. La pièce a été surtitrée en anglais pour la rendre accessible à tous.

b. Choisissez les réponses correctes.

1. À la forme passive :
☐ le sujet fait l'action.
☐ le sujet ne fait pas l'action.
☐ le sujet de la phrase active devient le COD de la phrase passive.
☐ le COD de la phrase active devient le sujet de la phrase passive.
→ On **a surtitré** la pièce en anglais.
→ La pièce **a été surtitrée** en anglais.

2. La forme passive se construit avec :
☐ l'auxiliaire *avoir* conjugué + le participe passé du verbe.
☐ l'auxiliaire *être* conjugué + le participe passé du verbe.

3. À la forme passive, le participe passé :
☐ s'accorde avec le sujet.
☐ ne s'accorde pas avec le sujet.

Attention !
J'utilise la préposition *par* quand je précise qui ou ce qui fait l'action.
Exemple : *L'année théâtrale a été marquée **par** la nouvelle production du petit théâtre de Sydney.*

▸ p. 184

À NOUS !

9. Nous présentons un fait d'actualité.

En petits groupes.
a. Choisissez un fait d'actualité (act. 5).
b. À la manière du site *Le Courrier australien*, rédigez un court article pour le présenter.
c. Donnez un titre et illustrez votre article.
d. Présentez votre article à la classe.
e. Réalisez le recueil de la classe.

▸ Expressions utiles p. 187

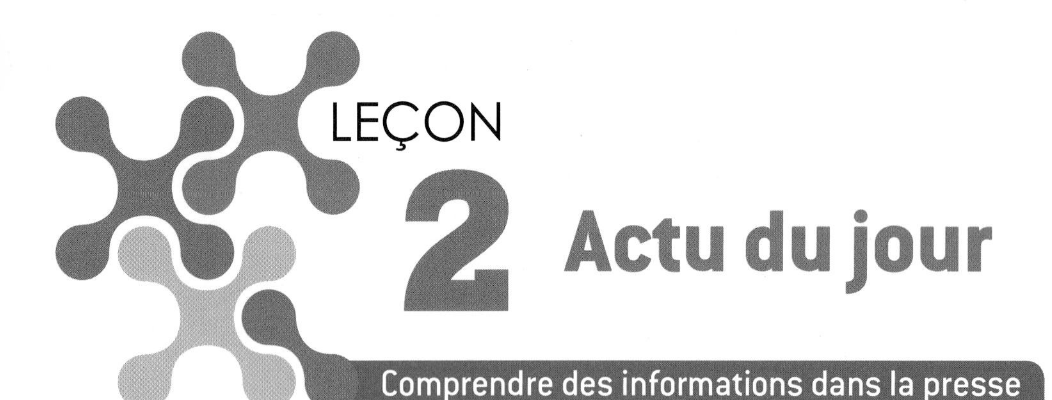

LEÇON 2 Actu du jour

Comprendre des informations dans la presse

1. Observez cette publicité et répondez.
Identifiez le nom de la radio.
Quelle est sa spécificité ?

document 1 95

2. 95 **Écoutez cet extrait de journal (doc. 1).**
a. Identifiez le pays de la radio L'essentiel.
b. Légendez chaque photo.

1

2

3

3. 95 **Par deux. Réécoutez le journal (doc. 1).**
Relevez l' (les) information(s) principale(s) correspondant à chaque photo.

En petits groupes.
Est-ce qu'il existe des émissions de radio en français dans votre pays ? Si oui, lesquelles ?
Pour vous informer, quel type de média préférez-vous ? Pourquoi ?

5. En petits groupes. Observez cette page Internet et les rubriques du journal luxembourgeois *Le Quotidien* (doc. 2).
a. Associez les photos à une rubrique du journal.
b. Proposez une définition pour cette rubrique.

6. Par deux. Lisez ces conseils d'écriture.

> Le chapeau ou chapô est une partie très importante d'un article. Il résume l'article en quelques lignes et doit **donner envie de le lire**. Il donne aussi quelques éléments de la conclusion. Idéalement, votre chapeau répond à sept questions !
>
> C'est **la méthode QQOQCCP !**
> **Q**ui ? **Q**uoi ? **O**ù ? **Q**uand ? **C**omment ? **C**ombien ? **P**ourquoi ?

Lisez le titre et le chapeau des deux articles.
À quelles questions de la méthode QQOQCCP pouvez-vous répondre ?

Le Quotidien

LUXEMBOURG | POLITIQUE ET SOCIÉTÉ | ÉCONOMIE | INTERNATI

Clervaux : cambriolage d'un appartement après un incendie

Un appartement de Clervaux, évacué à la suite d'un incendie dimanche, a été cambriolé par un voisin pendant que les occupants étaient à l'hôpital.

Dans l'après-midi de dimanche, à 15 h 15, un incendie s'est déclaré dans un appartement de la Grand-Rue. Deux enfants ont été conduits à l'hôpital pour des contrôles. Quand la famille a regagné son domicile, vers minuit, elle a constaté que le logement avait été cambriolé et que la télévision avait disparu. Au cours de leur enquête de voisinage, les policiers ont retrouvé l'écran plat chez un résident de l'immeuble. Au moment de son arrestation, le suspect a pris la fuite, s'est échappé par la fenêtre et s'est réfugié sur le toit.
Plusieurs agents ont fini par le maîtriser et l'homme a été arrêté.

**7. Par deux. Lisez les articles (doc. 2).
Pour chaque article, répondez.**

a. Quels sont les différents acteurs ?
Relevez les mots et expressions qui les désignent.
Exemple : *Drogo → l'animal, le chien, un american staff.*

b. Quelle est la situation de départ ?
Quelles sont les circonstances de l'événement ?

c. Qu'est-il arrivé ?

d. Comment l'histoire s'est-elle terminé(e) ?

8. Sons du français

► p. 201

Les voyelles [ø] et [œ]

96 **Écoutez et répétez ces phrases. Dites si on entend seulement le son [ø] comme « deux », seulement le son [œ] comme « seul » ou bien les deux.**

Exemple : *Les lecteurs sont jeunes. → On entend seulement le son [œ].*

► p. 184

document 2

Tweet Partager 0

GRANDE RÉGION FAITS DIVERS SPORTS CULTURE MAGAZINE

Soulagement à Niederfeulen : Drogo retrouvé sain et sauf

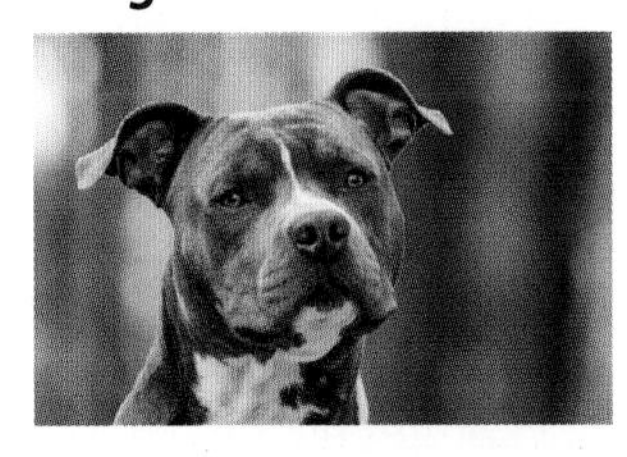

Drogo, un american staff qui avait disparu depuis mercredi, a été retrouvé sain et sauf vendredi matin.

Après de longues recherches qui n'avaient pas permis de retrouver l'animal, la famille Altamuro a lancé un appel pour demander de l'aide. Plusieurs habitants se sont alors portés volontaires pour aider la famille à chercher son american staff qui s'était perdu en forêt dans la journée de mercredi.
Le chien a été retrouvé par une équipe de volontaires vendredi, aux alentours de 10 h 30, dans les bois. Son maître est soulagé. Il a répondu à quelques questions. Drogo va bien et n'est pas blessé. Il est « juste un peu fatigué » par son aventure.
Une disparition qui connaît une heureuse conclusion ! Nous souhaitons à Drogo un bon retour chez lui !

FOCUS LANGUE

► p. 212

La nominalisation pour mettre en avant une information

En petits groupes.

a. **Relevez (docs. 1 et 2) les noms qui correspondent aux informations suivantes.**
1. Les employés *pratiquent des langues étrangères*.
2. Les Luxembourgeois *partagent leurs voitures*.
3. Un chauffeur de bus luxembourgeois va (...) *livrer du matériel aux enfants marocains*.
4. Son maître *est soulagé*.
5. Un appartement *a été cambriolé*.

b. **Observez ces deux phrases. À votre avis, pourquoi utilise-t-on la phrase 2 dans le titre de l'article ?**
1. Un appartement a été cambriolé.
2. Cambriolage d'un appartement.

► p. 184

9. Apprenons ensemble !

En petits groupes.

a. **Lisez ce message d'Edwina sur le forum www.francaisfacile.com.**

Bonjour les amis,
J'ai un examen de français cette semaine mais je n'arrive pas à maîtriser la nominalisation.
Est-ce que vous pouvez me donner des astuces pour transformer facilement les verbes en noms?
Edwina

b. **Proposez-lui des exemples et des astuces pour transformer les verbes en noms.**

c. **Partagez vos exemples et vos techniques avec la classe.**

À NOUS !

10. Nous rédigeons des faits divers.

En petits groupes.

a. **Choisissez un fait divers insolite qui s'est produit récemment dans votre pays.**

b. **Prenez des notes pour préparer la rédaction de votre fait divers en français.**

c. **Utilisez la nominalisation pour rédiger votre titre.**

d. **À l'aide de la méthode QQOQCCP, rédigez votre chapeau.**

e. **Répondez aux questions de l'activité 7 pour rédiger le corps de l'article.**

f. **Choisissez une photo pour illustrer votre fait divers.**

LEÇON

3 Nous réagissons !

Réagir et donner des précisions

document 1

http://www.dna.com

MENU **DNA** DERNIÈRES NOUVELLES D'ALSACE

COURRIER | COURRIER DES LECTEURS | ACTU RÉGION | FIL INFO DNA | FAITS DIVERS | POLITIQUE

NEWSLETTERS

L'heure d'hiver – Roger Lançon, Eckbolsheim

Ce n'est pas en changeant d'heure en hiver qu'on fait des économies d'énergie. On voit bien que les bureaux, les magasins, les usines, les logements restent éclairés en plein jour ! Tout le monde doit faire un effort. Ce n'est pas en gaspillant l'électricité qu'on fera de vraies économies !

Lettre ouverte pour la protection des animaux de compagnie – Jean-Louis Schmitt, Haguenau

Merci pour votre article sur la protection des animaux de compagnie ! Moi aussi je les défends en faisant des dons à l'association 30 millions d'amis et en signant des pétitions. Mais surtout en étant bénévole pour la Société protectrice des animaux de Haguenau. Comment protéger les animaux de compagnie ? En expliquant aux gens qu'avoir un animal, c'est une responsabilité. Bien sûr, vous ferez une bonne action en adoptant un animal, mais il faut pouvoir s'en occuper.

Les AMAP – Mireille Fischer, Strasbourg

Adhérer à une AMAP bio (Association pour le maintien de l'agriculture paysanne), c'est faire un geste citoyen. Le bio représente 2 % de la production alimentaire en France. En faisant le choix d'une alimentation saine et équilibrée, vous protégez votre santé car la santé passe d'abord par l'alimentation. Et vous aidez les petits producteurs à vivre.

1. En petits groupes. Observez ce site Internet (doc. 1).

a. Identifiez le nom du journal et la rubrique sélectionnée.

b. À votre avis, pour quelles raisons les lecteurs écrivent-ils à un journal ou à un magazine ?

2. Lisez les courriers de ces trois lecteurs (doc. 1).

a. Identifiez le thème principal de chaque courrier.

b. Relevez dans la liste suivante pour quelles raisons chaque lecteur a écrit au journal.

☐ formuler une critique
☐ défendre une cause
☐ raconter son histoire
☐ donner des conseils
☐ exprimer un désaccord
☐ donner un avis
☐ réagir et donner des précisions

3. Par deux. Relisez le courrier des lecteurs (doc. 1) et répondez.

a. Que pense Roger Lançon du changement d'heure en hiver ? Pourquoi ?

b. Pourquoi pense-t-il qu'on consomme plus d'électricité avec le changement d'heure ?

c. Comment Jean-Louis Schmitt défend-il les animaux de compagnie ?

d. Quel conseil donne-t-il pour la protection des animaux de compagnie ?

e. Qu'est-ce qu'une AMAP bio ?

f. Selon Mireille Fischer, comment les AMAP bio peuvent-elles nous aider à protéger notre santé ?

4 

En petits groupes.
Lisez-vous le courrier des lecteurs ? Avez-vous déjà écrit une lettre à un journal ou à un magazine ? Avez-vous déjà commenté des articles de journaux papier ou en ligne ? Pour parler de quoi ?

5. Observez cette page Internet. Identifiez le nom de la radio et le titre de l'émission.

document 2 97 et 98

6. 97 Écoutez la 1re partie de cette émission (doc. 2). Quel est le thème commun avec *le Courrier des lecteurs* (doc. 1) ?

7. 98 Par deux. Écoutez la 2e partie de l'émission (doc. 2). Quelle auditrice est d'accord avec Roger Lançon (doc. 1) ? Marie ou Nathalie ? Justifiez.

8. 98 Par deux. Réécoutez la 2e partie de l'émission (doc. 2).

a. Relevez les trois principaux arguments « pour » le changement d'heure.

b. Avec quel avis êtes-vous d'accord ? Pourquoi ?

FOCUS LANGUE

▸ p. 209

Le gérondif pour donner des précisions

En petits groupes.

a. Observez ces extraits des documents 1 et 2.

On fait des économies d'énergie en passant à l'heure d'hiver.
On diminue la production de CO_2 en faisant correspondre nos activités avec la lumière du soleil.
On diminue nos factures d'électricité en changeant d'heure.

b. Choisissez la réponse correcte.

Dans ces extraits, le gérondif donne des précisions sur :
☐ la manière (comment ?). ☐ le moment (quand ?).

c. Observez et complétez la règle.

~~Nous~~ fais~~ons~~ → en faisant
~~Nous~~ change~~ons~~ → en changeant
Pour former le gérondif, j'utilise … + la base de la 1re personne du pluriel du présent puis j'ajoute … .

Attention !
Trois verbes sont irréguliers : les verbes ***être*** (***en étant***), ***avoir*** (***en ayant***) et ***savoir*** (***en sachant***).
Exemple : *Mais surtout **en étant** bénévole pour la Société protectrice des animaux de Haguenau.*

▸ p. 185

À NOUS !

9. Nous réagissons.

a. Faites une liste des thèmes d'actualité qui vous donnent envie de réagir.

Par deux.

b. Choisissez un thème.

c. Préparez vos arguments (une personne « pour », une personne « contre ») et réagissez à la manière de Marie et Nathalie sur France Bleu. Donnez un maximum de précisions pour défendre votre position.

Classe divisée en deux (les « pour » et les « contre »), face à face.

d. Un étudiant « pour » réagit. Un étudiant « contre » lui répond.

▸ Expressions utiles p. 187

LEÇON 4 Vous en pensez quoi ?

Faire des suggestions

document 1 99 et 100

1. 99 **Écoutez la 1re partie de l'enregistrement (doc. 1) et répondez.**
a. De quel problème parle le journaliste ?
b. Quelles questions ont été posées aux passants ? À quelle occasion ?

2. 100 **Par deux. Écoutez la 2e partie de l'enregistrement (doc. 1). À partir des témoignages, légendez ces photos.**

prendre trop souvent des photos avec son téléphone

regarder tout le temps son téléphone

3. 100 **Réécoutez la 2e partie de l'enregistrement (doc. 1). Relevez les suggestions pour limiter ces comportements.**

4 En petits groupes.
a. **Répondez aux questions du journaliste (act. 1b).**
b. **Regardez les photos de l'activité 2. Que pensez-vous de ces comportements ? De ces habitudes ? Quelle(s) photo(s) vous correspond(ent) ?**

5. Observez cette page Internet (doc. 2).
a. **Identifiez le nom du journal et le titre de l'article. Faites des hypothèses sur le sujet de l'article.**
b. **Lisez le chapeau et vérifiez vos hypothèses. Quelle idée a eu la RATP ? Pour quoi faire ?**

6. En petits groupes. Lisez l'article (doc. 2).
a. **Repérez les suggestions des Parisiens. Classez-les en fonction des critères suivants : insolite, poétique, artistique, pratique.**
b. **Quelle idée illustre la dépendance au smartphone ? Pourquoi ?**
c. **Que pensez-vous des votes des Parisiens (nombre de likes) ?**

7. Relisez l'article (doc. 2).
a. **Votez pour vos trois idées préférées.**
b. **Présentez votre « classement » à la classe.**

http://www.leparisien.fr

le Parisien MA VILLE LA PARISIENNE LE PARISIEN ÉCO

Vos idées pour un métro au top

La RATP vient de recueillir les suggestions des usagers afin d'améliorer leurs transports. À vous de voter pour vos idées préférées parmi les 2 000 propositions publiées sur son site. Les 3 idées les plus populaires seront réalisées. Elles sont insolites, poétiques, artistiques ou très pratiques. Voici notre sélection.*

Un métro sans publicité
C'est l'idée qui est la plus populaire (+ de 10 000 likes). Il faudrait supprimer les affiches qui « polluent l'esprit » et les écrans de publicité qui « ont une consommation d'énergie importante ». À la place, cet internaute propose d'exposer des photos réalisées par les passagers.

Une musique plus douce
« La RATP devrait créer une mélodie spécifique pour chaque station ». Une musique calme aux heures de pointe plairait à plus de 1 000 internautes (1 100 likes).

Vivent la connexion et la 4G...
Ils sont plus de 300 à vouloir du réseau dans le métro. Certaines gares en sont déjà équipées.

... Mais pas partout !
Plus de 170 personnes ont voté pour la création d'une rame qui protège des ondes électromagnétiques. Elles pensent que ces ondes sont dangereuses pour la santé.

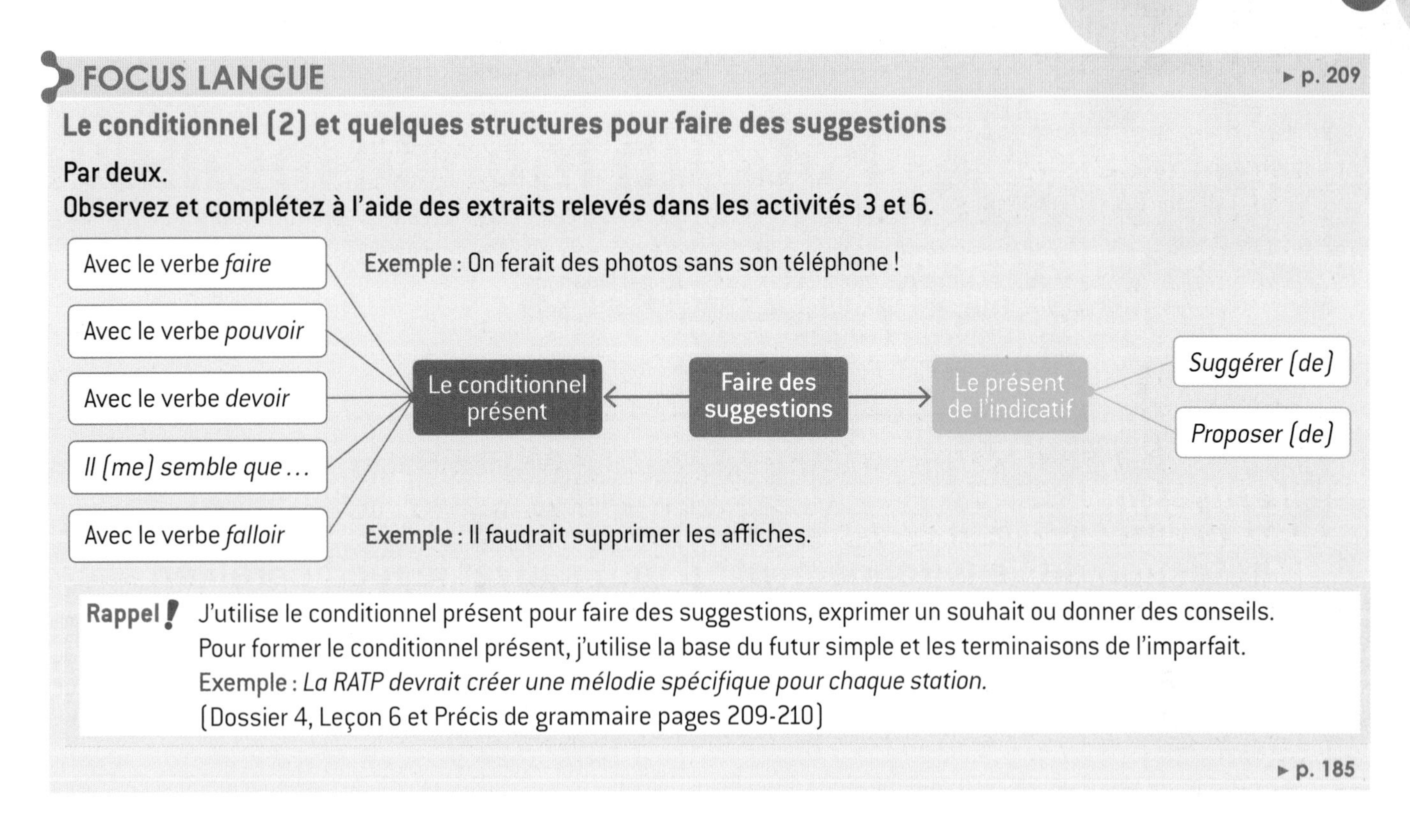

FOCUS LANGUE

▸ p. 209

Le conditionnel (2) et quelques structures pour faire des suggestions

Par deux.
Observez et complétez à l'aide des extraits relevés dans les activités 3 et 6.

Rappel ! J'utilise le conditionnel présent pour faire des suggestions, exprimer un souhait ou donner des conseils.
Pour former le conditionnel présent, j'utilise la base du futur simple et les terminaisons de l'imparfait.
Exemple : *La RATP devrait créer une mélodie spécifique pour chaque station.*
(Dossier 4, Leçon 6 et Précis de grammaire pages 209-210)

▸ p. 185

document 2

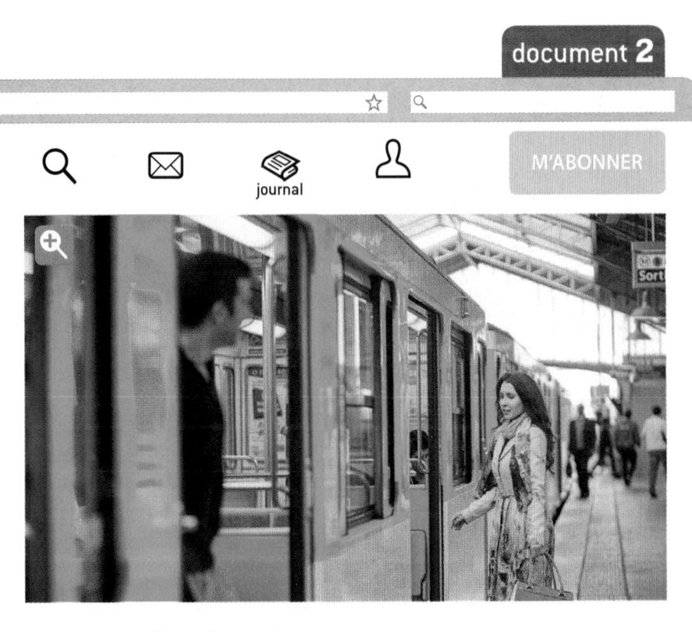

S'amuser dans le métro

Les usagers imaginent « un wagon surprise avec différents thèmes : discothèque / bibliothèque / spa avec massages ». Certains suggèrent aussi « un wagon détente et cocktails » (203 likes).

Un métro vert

Il vous semble que la nature devrait être plus présente dans les stations. Certains ont imaginé des jardins souterrains (53 likes).

Des toilettes !

Enfin, la RATP devrait s'engager à installer des toilettes dans chaque station !

* La Régie autonome des transports parisiens (RATP) assure les transports en commun de Paris et de sa banlieue.

8. Sons du français

Liaison ou enchaînement ?

101 **Écoutez et répétez ces phrases. Dites si on entend une liaison ou un enchaînement.**

Exemples : *une habitude → On entend un enchaînement : la consonne* **prononcée** *du premier mot est enchaînée avec la voyelle du mot suivant.*
des habitudes → On entend une liaison : la consonne **muette** *du premier mot est enchaînée avec la voyelle du mot suivant.*

▸ p. 185

À NOUS !

9. Nous faisons des suggestions.

Classe divisée en deux.

a. Choisissez un sujet :
Sujet n°1 : limiter la dépendance au téléphone
Sujet n°2 : améliorer les transports publics

b. Préparez cinq suggestions et rédigez-les sur des post-it.

c. Pour chaque sujet, regroupez l'ensemble des suggestions (post-it).

d. Choisissez vos trois suggestions préférées.
Exemple : sujet n° 2 → *Il faudrait mettre des bibliothèques dans les stations de métro.*

e. Dessinez vos trois suggestions et présentez-les à la classe.

f. La classe devine et formule vos propositions.

▸ Expressions utiles p. 187

LEÇON 5

Pour un monde meilleur

Exprimer des souhaits et des espoirs

document 1

http://www.lexpress.mu

lexpress.mu

Protection de l'environnement : il faut sauver le récif corallien

Le récif de Blue Bay dans un état inquiétant ■ Les récifs au sud-est de l'île Maurice sont dans un état inquiétant. Avec la pollution et le réchauffement climatique, une partie des coraux est en mauvais état. Pour attirer l'attention sur ce problème, Éco-Sud et d'autres organisations non gouvernementales (ONG) font découvrir au public les fonds marins de Blue Bay.

Yan Coquet, le coordinateur du programme de Lagon Bleu, ONG liée à Éco-Sud, a l'espoir de sauver le lagon si certaines pratiques évoluent. « Il faudrait que les Mauriciens soient mieux informés, qu'on crée une campagne de sensibilisation. Nous voudrions que les gens comprennent que le corail est indispensable à la vie du lagon. »

Pour résoudre ce problème, Yan Coquet souhaite que des programmes d'éducation à la protection des coraux puissent voir le jour dans les écoles en 2017. « Nous espérons que, dès le plus jeune âge, les enfants se rendront compte de l'importance des récifs. »

Le professeur Ranjeet Bhagooli de l'université de Maurice insiste, lui, sur l'économie. « Je voudrais que l'économie bleue devienne plus importante à Maurice. Pour cela, la protection de nos récifs sera déterminante », dit-il.

Souhaitons donc qu'il y ait rapidement une prise de conscience générale sur cette question.

1. Observez cette page Internet (doc. 1).
Identifiez le type de site et le thème de l'article.

2. Lisez le 1er paragraphe de l'article (doc. 1) et répondez.
a. Qu'est-ce qu'Éco-Sud ?
b. Quelle action mène-t-elle ? Pourquoi ?
c. Quelles sont les causes du problème ?

3. Par deux. Lisez la suite de l'article (doc. 1).
a. Qui est Yan Coquet ?
Relevez ses souhaits et ses espoirs.
b. Qui est Ranjeet Bhagooli ? Quel est son souhait ?
c. Que souhaite le journaliste ?

4

En petits groupes.
a. Choisissez un site naturel à protéger dans votre pays. À votre avis, pourquoi et comment doit-il être protégé ?
b. Faites la liste des sites de la classe.

document 2 102

5. 102 Écoutez cet extrait d'une émission diffusée à l'île Maurice (doc. 2).
a. Identifiez les questions posées par le journaliste.
b. Retrouvez les thèmes mentionnés par les Mauriciens.

l'amour • la santé • la famille • les études • le travail • l'argent • l'environnement • le sport • les accidents de la route • le bonheur

6. 102 **Par deux. Réécoutez (doc. 2) et retrouvez les souhaits et les espoirs des personnes interrogées. À quel thème (activité 5b) ces souhaits correspondent ?**

1. Je souhaite que toute ma famille… •
2. Je voudrais qu'il y … •
3. Personnellement, j'aimerais que ma situation financière… •
4. J'aimerais que ma carrière… •
5. Je souhaite vraiment… •
6. Je voudrais vraiment qu'on… •
7. J'espère qu'on… • → f.
8. Je voudrais que mes enfants… •
9. J'aimerais que mes enfants… •

- • a. fassent de bonnes études.
- • b. me donnent des petits-enfants…
- • c. s'améliore.
- • d. soit en bonne santé.
- • e. ait moins d'accidents de la route à Maurice.
- • f. fera quelque chose pour le lagon de Blue Bay.
- • g. continue d'évoluer.
- • h. trouver du travail.
- • i. fasse plus attention à l'environnement.

FOCUS LANGUE

▸ p. 210

Les structures pour exprimer des souhaits et des espoirs

a. Observez et complétez avec les extraits relevés dans les activités 3 et 6.

Exprimer des souhaits	Exprimer des espoirs
Nous voudrions que les gens **comprennent** que le corail est indispensable à la vie du lagon.	Yan Coquet a l'espoir de **sauver** le lagon… J'espère qu'on **fera**…

b. Choisissez les réponses correctes et complétez la règle.

Pour exprimer un souhait :
- J'exprime un souhait avec des verbes comme … .
- Ces verbes sont suivis d'une proposition ☐ *à l'indicatif* ☐ *au subjonctif* introduite par **que**.
- Dans ces phrases, les sujets sont toujours ☐ *identiques* ☐ *différents*.

Pour exprimer un espoir :
- J'exprime un espoir avec le verbe … ou la structure … .
- Le verbe **espérer** est suivi d'une proposition ☐ *à l'indicatif* ☐ *au subjonctif* introduite par **que**.
- Dans ces phrases, les sujets sont toujours ☐ *identiques* ☐ *différents*.

Attention !
Pour exprimer un souhait, je peux aussi utiliser l'infinitif.
Exemple : *Je souhaite trouver du travail.*

c. Associez chaque verbe à sa conjugaison au subjonctif : ***pouvoir – être – faire – avoir.***

	Verbes irréguliers
…	que je sois, que tu sois, qu'il/qu'elle soit, que nous soyons, que vous soyez, qu'ils/qu'elles soient
…	que je fasse, que tu fasses, qu'il/qu'elle fasse, que nous fassions, que vous fassiez, qu'ils/qu'elles fassent
…	que j'aie, que tu aies, qu'il/qu'elle ait, que nous ayons, que vous ayez, qu'ils/qu'elles aient
…	que je puisse, que tu puisses, qu'il/elle puisse, que nous puissions, que vous puissiez, qu'ils/qu'elles puissent

▸ p. 185

7. Sons du français

La prononciation des verbes au subjonctif

103 **Écoutez et répétez les phrases. Dites si la prononciation du verbe au subjonctif est identique ou différente dans les deux phrases.**

Exemple : *J'aimerais que mon fils* ***soit*** *heureux. / J'aimerais que mes enfants* ***soient*** *heureux.*
→ La prononciation du verbe au subjonctif est identique dans les deux phrases.

▸ p. 186

À NOUS !

8. Nous évoquons nos souhaits et nos espoirs.

En petits groupes.

a. Faites la liste de vos souhaits, de vos espoirs pour un monde meilleur.
b. Classez-les selon les thèmes évoqués : *l'environnement*, *la santé*, *le travail*, etc.
c. Présentez vos souhaits ou espoirs à la classe.

▸ Expressions utiles p. 187

LEÇON

6 Prix littéraires

Parler de l'actualité littéraire

document 1

http://www.lepetitjournal.com

LEPETITJOURNAL.COM
Le média des Français et francophones à l'étranger

EXPAT

ACCUEIL DUBLIN | COMMUNAUTÉ | ÉCONOMIE | SOCIÉTÉ | À VOIR, À FAIRE | PRATIQUE | CONTACT | PÉKIN | ARCHIVES

Prix Goncourt – Deux anciens élèves des lycées français de l'étranger récompensés : Leïla Slimani et Gaël Faye

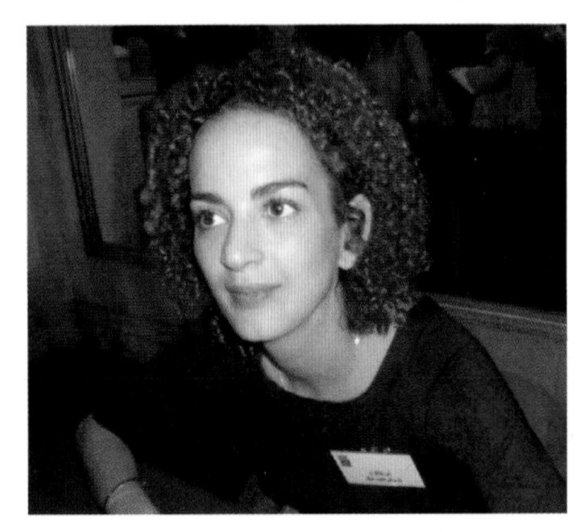

On ne s'y attendait pas : une belle récompense, encourageante pour tous les francophones. Ancienne élève du lycée Descartes de Rabat, au Maroc, **Leïla Slimani** est lauréate du prix Goncourt pour sa *Chanson douce*. **Gaël Faye**, ancien élève de l'école française de Bujumbura, au Burundi, a remporté le prix Goncourt des lycéens pour son roman *Petit Pays*.

Pourquoi le jury du Goncourt a-t-il choisi Leïla Slimani ? Sans doute parce qu'elle est plutôt jeune, et qu'on trouve dans son livre un juste équilibre entre le sujet traité (les questions de société) et une belle écriture.

Journaliste diplômée de Sciences Po Paris, elle n'a pas oublié son ancien lycée de Rabat. Elle y est revenue en 2014 à l'occasion de la sortie de son premier roman *Dans le jardin de l'ogre*.

Petit Pays est un roman applaudi par la critique et par le public. Il connaît un formidable succès en France. C'est un très beau livre nostalgique sur l'exil. Gaël Faye, qui est aussi rappeur et slameur, vit aujourd'hui au Rwanda.

Ces prix sont une très bonne nouvelle pour les lycées français, leur personnel et leurs élèves et pour la francophonie en général. Au *Petit Journal*, on est vraiment très heureux de cette double reconnaissance. Elle annonce une grande carrière littéraire pour ces deux jeunes auteurs.

On les félicite et on attend leurs prochains livres avec impatience.

1. Observez cet article du site lepetitjournal.com (doc. 1). Lisez son titre. Qui sont les personnes en photo ? Quels sont leurs points communs ?

2. Lisez l'article (doc. 1).

a. Pour chaque écrivain, identifiez :
- sa profession ;
- la ville et le pays où il/elle a fait ses études ;
- le titre de son livre ;
- le prix remporté ;
- si l'auteur(e) a publié d'autres livres.

b. Observez ces nuages de mots. Associez chaque nuage à un livre.

1 nostalgie – témoignage – amitié – premier roman – exil – enfance – souvenirs – littérature française – Goncourt des lycéens

2 famille – faits divers – société – prix Goncourt – drame – écriture – enfants – littérature française

3. Par deux. Relisez l'article (doc. 1) et répondez.
a. Selon *Le Petit Journal*, pour quelles raisons *Chanson douce* et *Petit Pays* ont-ils reçu un prix ?
b. La rédaction du *Petit Journal* est-elle satisfaite de l'attribution de ces prix ?
c. Quel message adresse-t-elle à ces deux écrivains ?

4

En petits groupes.
Faites la liste des livres qui font l'actualité littéraire francophone. Partagez vos résultats avec la classe.

document 2 104

5. 104 **Par deux. Écoutez l'enregistrement (doc. 2) et répondez.**
a. Que signifient les lettres L et D dans LD Radio ? Dans quelle ville est diffusée LD Radio ?
b. Quel est le thème de l'émission ?
c. Qui sont les deux personnes interviewées ? Où sont-elles ?

6. 104 **Réécoutez l'enregistrement (doc. 2). Relevez :**
a. de quoi parlent les personnes interviewées ;
b. comment elles ont appris cette nouvelle ;
c. quelle a été leur réaction.

7. 104 **Écoutez encore (doc. 2) et répondez.**
a. Qu'a aimé Bahia dans le roman de Leïla Slimani ?
b. Pourquoi le succès de Leïla Slimani est très positif pour le lycée Descartes de Rabat ?

FOCUS LANGUE

▸ p. 202

Les valeurs du pronom *on*

Par deux.
a. Relisez ces extraits des documents 1 et 2. Classez-les dans la colonne qui correspond.
On trouve dans son livre un juste équilibre... – **On** les félicite et **on** attend leurs prochains livres avec impatience. – J'étais à la maison quand **on** m'a téléphoné.

On = nous	On = les gens	On = quelqu'un
On est super contents ! ...	On ne s'ennuie jamais. ...	On nous a annoncé la nouvelle... ...

Attention ! ***On*** est toujours sujet de la phrase. Il se conjugue à la 3e personne du singulier.

b. Choisissez un roman que vous aimez particulièrement. Imaginez un exemple pour chaque colonne.
Exemples : *On a lu un extrait de ce livre en classe. On nous a dit qu'il avait gagné un prix. En France, on étudie ce livre à l'école.*

▸ p. 186

FOCUS LANGUE

Parler d'un livre qu'on aime

On trouve dans ce livre...
L'auteur(e) a un style très dynamique, une belle écriture.
On ne s'ennuie jamais.
C'est un roman applaudi par la critique et par le public.
Il connaît un formidable succès en France. C'est un très beau livre...
L'histoire, c'est un fait divers. Il y a beaucoup de suspense.
C'est un roman un peu policier, un peu fantastique, très dramatique.

▸ p. 186

À NOUS !

8. Nous présentons un livre.

En petits groupes.
a. **Choisissez un livre qui fait l'actualité francophone (act. 4).**
b. **Dites comment vous l'avez découvert et pourquoi vous avez envie de le lire.**
c. **Décrivez l'histoire, l'auteur et son style. Précisez ce que les gens en pensent et ce que vous en pensez.**
d. **Présentez-le à la classe.**
e. La classe choisit le livre dont elle étudiera un extrait.

▸ Expressions utiles p. 187

1 L'actualité autrement  Vidéo 8

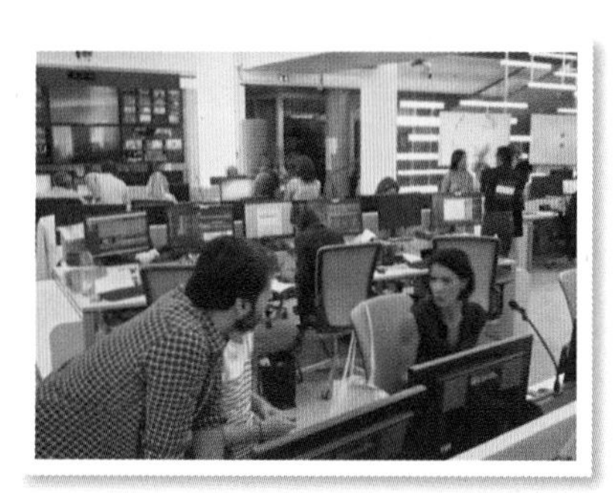

a. Observez ces trois images et faites des hypothèses sur le contenu de la vidéo. Quel est son thème ? Où se passe cette vidéo ? Qui sont ces personnes ?

b. Regardez la première partie de la vidéo (jusqu'à 0'49") et vérifiez vos hypothèses. Relevez :
1. le type de chaîne de télévision dont on parle ;
2. le nombre d'heures de diffusion par jour.

c. Regardez à nouveau la première partie. Lisez les informations ci-dessous et répondez.

	J'ai vu cette information.	J'ai entendu cette information.	Les deux.
« La chaîne se veut la plus transparente possible. »			
« Le présentateur anime son journal au milieu d'une rédaction en plein travail. »			
« Les journalistes se déplacent sur le plateau et utilisent un tableau tactile géant. »			

d. Regardez la vidéo de 0'50" à la fin. Légendez les photos.

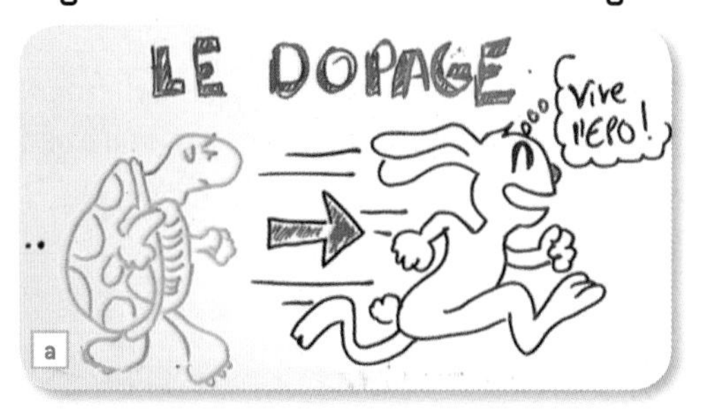

1. Des vidéos décalées et humoristiques.
2. De nouveaux reportages pour les enfants.

e. En petits groupes. Échangez. Que pensez-vous de cette manière de présenter des informations ? Les chaînes de télévision de votre pays ou d'un pays que vous connaissez proposent-elles des journaux télévisés originaux ? Donnez des exemples.

f. En petits groupes. Que propose le journaliste pour reconquérir le grand public ? Quelle technique utilise-t-on pour montrer que les journalistes travaillent beaucoup ?

g. En petits groupes. Que pensez-vous de cette nouvelle chaîne ? Est-ce que la vidéo vous donne envie de la regarder ? Pourquoi ?

2 Gaël Faye, *Petit Pays*

> En 1992, Gabriel, dix ans, vit au Burundi avec sa famille. Un quotidien paisible, une enfance douce qui vont s'arrêter brutalement quand ce « petit pays » d'Afrique va entrer dans la violence. Ce premier roman raconte la vie de personnages qui tentent de survivre à la tragédie.

Un jour, l'instituteur de Gabriel remet à chaque élève de la classe, la lettre d'un correspondant français...

Extrait n° 1

Vendredi 11 décembre 1992

Cher Gabriel,
Je m'appelle Laure et j'ai 10 ans. Je suis en CM2 comme toi. J'habite à Orléans dans une maison avec un jardin. Je suis grande, j'ai les cheveux blonds jusqu'aux épaules, les yeux verts et des taches de rousseur. Mon petit frère s'appelle Mathieu. Mon père est médecin et ma mère ne travaille pas. J'aime jouer au basket-ball et je sais cuisiner les crêpes et les gâteaux. Et toi ?
J'aime chanter et danser aussi. Et toi ? J'aime regarder la télévision. Et toi ? Je n'aime pas lire. Et toi ? Quand je serai grande, je serai médecin comme mon père. [...]
J'attends ta réponse avec impatience.
Bisou
Laure

PS : As-tu reçu le riz qu'on vous a envoyé ?

Extrait n° 2

Lundi 4 janvier 1993

Chère Laure,
Gaby c'est mon nom. De toute façon tout a un nom. Les routes, les arbres, les insectes... Mon quartier, par exemple, c'est Kinanira. Ma ville c'est Bujumbura. Mon pays c'est le Burundi. Ma sœur, ma mère, mon père, mes copains ils ont chacun un nom. Un nom qu'ils n'ont pas choisi. On naît avec, c'est comme ça. Un jour, j'ai demandé à ceux que j'aime de m'appeler Gaby au lieu de Gabriel, c'était pour choisir à la place de ceux qui avaient choisi à ma place. Alors pourras-tu m'appeler Gaby, s'il te plaît ? J'ai les yeux marron donc je ne vois les autres qu'en marron. [...] Chacun voit le monde à travers la couleur de ses yeux. Comme tu as les yeux verts, pour toi, je serai vert. J'aime beaucoup de choses que je n'aime pas. J'aime le sucre dans la glace mais pas le froid. J'aime la piscine mais pas le chlore. J'aime l'école pour les copains et l'ambiance mais pas les cours. [...] Plus tard, quand je serai grand, je veux être mécanicien pour ne jamais être en panne dans la vie. Il faut savoir réparer les choses quand elles ne fonctionnent plus. [...]
À bientôt
Bisou
Gaby

PS : Je vais me renseigner pour le riz.

a. Lisez la présentation du roman *Petit Pays*. Quand vous étiez enfant, aviez-vous un correspondant étranger ?

b. En petits groupes (groupes *Laure* et groupes *Gabriel*). Lisez les extraits n° 1 (groupes *Laure*) et n° 2 (groupes *Gabriel*). Retrouvez les éléments suivants dans chaque lettre.
se présenter • *parler de ses rêves* • *parler de ses goûts et de ses activités* • *parler de sa famille* • *se décrire physiquement*

Partagez avec la classe.

c. Que pensez-vous de chaque lettre ? Quelles différences remarquez-vous ? Qu'est-ce que le style/le ton de chaque lettre vous apprend sur son auteur(e).

d. Quelle lettre vous préférez ? Pourquoi ?

e. En petits groupes. Échangez. Vous aimeriez lire ce roman ? Pourquoi ? Ce livre est-il traduit dans votre langue ou une autre langue que vous connaissez ? Faites des recherches.

COMPLÉTEZ VOTRE CARNET CULTUREL

1. À quels journaux ou magazines français avez-vous accès dans votre pays ?
2. À quelles radios françaises ou francophones ?
3. À quelles chaînes de télévision françaises ou francophones ?
4. À quels blogs français ou francophones créés dans votre pays ?

Retournez aux pages 136-137. Répondez à nouveau aux questions.
Mettez en commun avec le groupe.

PROJETS

Projet de classe

Nous écrivons au *Courrier des lecteurs* d'un journal ou d'un magazine.

En groupe.

a. Faites la liste des thèmes qui vous font réagir (Leçons 2, 3 et 6). Constituez des petits groupes en fonction des thèmes.

En petits groupes.

b. Cherchez si les journaux et magazines français qui existent dans votre pays ont une rubrique *Courrier des lecteurs*. Faites la même recherche pour les blogs français ou francophones (zones de commentaires) qui existent dans votre pays (carnet culturel).

c. Choisissez votre rubrique *Courrier des lecteurs* ou « zone de commentaires » préférée.

d. Lisez les objectifs et l'aide-mémoire.

Objectifs

- Donner son opinion à propos d'un sujet.
- Exposer les raisons qui motivent son opinion (les arguments).
- Donner des arguments « pour » ou des arguments « contre ».
- Convaincre le lecteur.

Aide-mémoire

- J'utilise la nominalisation pour donner un titre court à mon message.
- Je dis ce que des personnes pensent du sujet de manière générale.
- J'exprime mon accord ou mon désaccord.
- Je fais des suggestions.
- Je donne des précisions.
- Je mets mes arguments en valeur.

e. Rédigez votre message sur le thème choisi pour le courrier des lecteurs sélectionné.

En groupe.

f. Affichez vos messages dans la classe. Lisez les messages des autres groupes et proposez des corrections si nécessaire.

g. Envoyez vos messages.

h. Consultez régulièrement votre *Courrier des lecteurs* pour lire les réponses.

Projet ouvert sur le monde

▸ GP Parcours digital

Nous écrivons un article sur un sujet d'actualité pour le publier dans un journal citoyen.

DELF 8

I Compréhension des écrits

Exercice 1 Lire pour s'informer

Vous lisez cet article sur Internet.

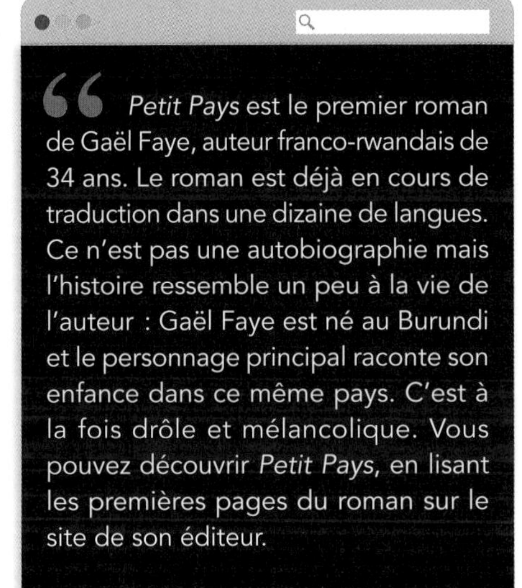

« *Petit Pays* est le premier roman de Gaël Faye, auteur franco-rwandais de 34 ans. Le roman est déjà en cours de traduction dans une dizaine de langues. Ce n'est pas une autobiographie mais l'histoire ressemble un peu à la vie de l'auteur : Gaël Faye est né au Burundi et le personnage principal raconte son enfance dans ce même pays. C'est à la fois drôle et mélancolique. Vous pouvez découvrir *Petit Pays*, en lisant les premières pages du roman sur le site de son éditeur.

1. **Vrai ou faux ? Dites si l'affirmation est vraie (V) ou fausse (F) et recopiez la phrase qui justifie votre réponse.**
   Gaël Faye a écrit d'autres livres avant *Petit Pays*. V☐ F☐
   Justification : ……………………
2. **Quelle est la nationalité de Gaël Faye ?**
   ……………………
3. **Vrai ou faux ? Dites si l'affirmation est vraie (V) ou fausse (F) et recopiez la phrase qui justifie votre réponse.**
   Petit Pays raconte l'histoire de la vie de Gaël Faye. V☐ F☐
   Justification : ……………………
4. **Où se passe l'histoire du roman *Petit Pays* ?**
   a. En France. • **b.** Au Rwanda. • **c.** Au Burundi.
5. **Comment le journaliste décrit-il le roman *Petit Pays* ? (Deux réponses attendues.)**
   ……………………
6. **Où est-il est possible de lire les premières pages de *Petit Pays* ?**
   ……………………

II Production écrite

Exercice 1 Décrire un événement ou raconter une expérience personnelle

Vous lisez cette annonce sur le site internet d'un magazine français :

> « Je trouve qu'on ne prend pas assez soin des animaux. » Solange, 54 ans
>
> *« Et vous ? Qu'en pensez-vous ? Envoyez vos avis à notre magazine, rubrique* Courrier des lecteurs.

Vous décidez d'écrire au *Courrier des lecteurs*. Vous donnez votre avis sur l'affirmation de Solange et vous racontez un événement ou une expérience personnelle pour illustrer votre opinion. (60 mots minimum)

Exercice 2 Inviter, remercier, s'excuser, demander, informer, féliciter

Vous êtes en France. Vous recevez cet e-mail de votre amie Mila :

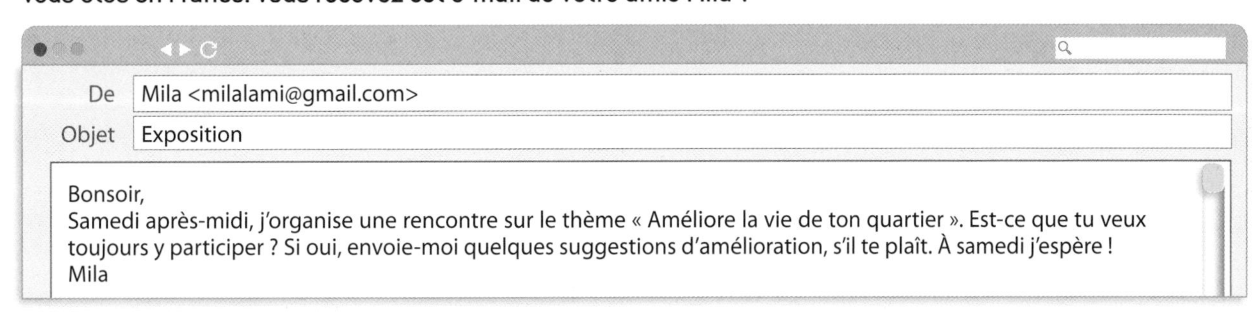

De Mila <milalami@gmail.com>
Objet Exposition

Bonsoir,
Samedi après-midi, j'organise une rencontre sur le thème « Améliore la vie de ton quartier ». Est-ce que tu veux toujours y participer ? Si oui, envoie-moi quelques suggestions d'amélioration, s'il te plaît. À samedi j'espère !
Mila

Vous répondez à Mila. Vous acceptez son invitation. Vous lui demandez quelques précisions sur le lieu et l'horaire de la rencontre. Vous lui donnez 2 suggestions minimum d'amélioration de la vie de votre quartier. (60 mots minimum)

ANNEXES

S'EXERCER

DOSSIER 1

Leçon 1

FOCUS LANGUE ▸ p. 13

Les structures pour comparer (1)

1. Comparez les deux propositions. Indiquez votre préférence. Justifiez.

Exemple : Paysage : mer ou montagne ?
→ Je préfère la montagne parce que c'est *plus calme que* la mer / il y a *moins de* touristes.

DESTINATION VACANCES !

a. Pays : **l'Argentine ou la France ?**
b. Hébergement : **l'hôtel ou le camping ?**
c. Activités : **des vacances culturelles ou des vacances sportives ?**
d. Durée : **une semaine ou un mois ?**
e. Style : **en famille ou avec des amis ?**

2. Par deux. Vous voulez partir en vacances ensemble. Comparez ces deux propositions de voyage.

CULTURE ET HISTOIRE !

MARSEILLE

DURÉE : 5 jours
HÉBERGEMENT : hôtel 3 étoiles + petit déjeuner
ACTIVITÉS : visite du MUCEM*, atelier de dégustation de la bouillabaisse**, visite de la basilique Notre-Dame-de-la-Garde, promenade guidée sur le vieux port, initiation au parler marseillais (2 heures), croisière dans les calanques
PRIX : 650 euros

*Musée des Civilisations de l'Europe et de la Méditerranée
**Spécialité de Marseille ; soupe de poissons à base de tomates

NATURE ET CALME !

LE MERCANTOUR

TYPE DE SÉJOUR : sportif et relaxant
THÈME(S) : découverte de la nature
DURÉE : 3 jours
HÉBERGEMENT : gîte
ACTIVITÉS : visite du parc des loups Alpha, randonnée pédestre débutant, spa thermal (3 heures), visite d'une fromagerie et dégustation de fromages, parcours de tyrolienne, excursion en canoë
PRIX : 520 euros

Sons du français ▸ p. 13

La prononciation du mot *plus*

3. a. 105 **Écoutez et répétez le dialogue.**
– Je trouve qu'il y a moins de touristes cette année.
– Non, je trouve qu'il y a plus de touristes !

b. Complétez les dialogues, comme ci-dessus.

1. – C'est moins agréable de dormir à l'hôtel que dans un camping.
   – Non, je trouve que…
2. – Je pense qu'il y a moins de musées à visiter à Toulouse qu'à Mulhouse.
   – Non, je pense que…
3. – Les vacances sportives sont moins amusantes que les vacances culturelles.
   – Non, je trouve que…
4. – La mer est moins belle que la montagne.
   – Non, à mon avis, la mer…

c. Par deux. Créez quatre dialogues. Utilisez *moins* / *plus*.

Leçon 2

FOCUS LANGUE ▸ p. 15

Les pronoms indirects *y* et *en* pour remplacer une chose, un lieu ou une idée

4. Répondez aux questions. Utilisez *y* et *en*.

Exemple : – Vous avez besoin d'un visa pour venir en France ?

– *Oui, j'***en** *ai besoin. / Non, je n'***en** *ai pas besoin.*

a. Pensez-vous partir habiter dans un pays étranger ?
b. Est-ce que vous vous intéressez aux offres d'emploi à l'étranger ?
c. Avez-vous envie de découvrir une culture différente ?
d. Faut-il avoir de l'argent pour voyager ?
e. Est-ce facile d'immigrer en France ?

5. Complétez les témoignages avec *y* et *en*. Que remplacent-ils ?

Quand je suis partie en Afrique du Sud pour une mission éducative, je ne pensais pas … rester définitivement. J'… ai appris beaucoup de choses. Puis, je suis tombée amoureuse de la culture africaine. J' … ai rencontré beaucoup de gens qui sont devenus des amis. Ma vie est géniale, ici ! L'Afrique du Sud, je ne veux plus … repartir !

a

b

Je prépare un nouveau séjour au Japon. J'… reviens et je veux … retourner. Je suis fasciné par ce pays mais la vie … est chère. J'ai fait des économies. Je vais … avoir besoin pour payer le transport, l'hébergement et la nourriture. J'ai vraiment hâte d'… être !

Sons du français

▸ p. 15

Les voyelles nasales [ã] et [ɛ̃]

6. a. 🎧 106 Écoutez et classez les mots.

hébergement • s'inscrire • longtemps • quotidien • enseignement • expérience • installation • combien • francophone • européen • sympa • évident

– Groupe des [ã] : …
– Groupe des [ɛ̃] : …

b. Par deux. Lisez tous les mots de chaque ligne.

Leçon 3

FOCUS LANGUE ▸ p. 17

Les pronoms COD/COI pour ne pas répéter (synthèse)

7. Lisez les phrases. Relevez et corrigez les erreurs.

Exemple : Le covoiturage est la solution la plus simple pour nous. Cela peut ~~lui~~ *nous* permettre de rencontrer des gens sympas !

a. Tu connais cette application qui t'aide à planifier ton séjour ? Non ? Alors il faut me télécharger et m'utiliser !
b. Mes parents prennent l'avion demain. Je dois vous imprimer les billets et vous accompagner à l'aéroport.
c. J'ai proposé cet itinéraire de voyage à Julie. Je ne sais pas s'il te plaît ou si elle souhaite te modifier.
d. Tu n'aimes pas programmer tes vacances trop en avance. Ça lui stresse quand les activités lui imposent des horaires fixes.

8. Lisez les phrases. Identifiez le pronom (COD ou COI ?) et dites s'il remplace quelqu'un ou quelque chose.

Exemple : Ne lui dis rien sur ses prochaines vacances, c'est un voyage surprise !

→ *lui = COI – remplace une personne*

a. N'emporte pas cette veste, tu ne vas pas la mettre, il va faire beau et chaud !
b. Je leur ai expliqué la route à suivre.
c. Paris va la charmer, c'est sûr !
d. Montre-le à la sécurité quand tu passeras le contrôle à l'aéroport.
e. On peut le réserver facilement sur Internet.

Leçon 4

FOCUS LANGUE ▸ p. 19

Structures pour exprimer des règles et des recommandations

9. Lisez les phrases. Dites si elles expriment une recommandation, une obligation, une interdiction ou une possibilité.

a. À l'hôtel, c'est plus cher, mais on peut prendre le petit déjeuner dans la chambre.
b. En résidence universitaire, il faut respecter les horaires d'ouverture de la réception.
c. Dans l'ensemble des hébergements, ne faites jamais de bruit après 22 heures.
d. Pour un séjour linguistique, choisissez la formule chez l'habitant. Pour pratiquer la langue du pays, c'est l'idéal !

10. Lisez les phrases. Faites une recommandation, exprimez une obligation, une interdiction ou une possibilité.

Exemple : J'aimerais fumer dans la chambre de la résidence universitaire.

→ *Il n'est pas possible de fumer dans la résidence universitaire.*

a. Je ne sais pas comment faire pour m'inscrire en école de langues.

b. Je souhaite emmener mon chien pendant mon séjour linguistique.

c. Pendant mon séjour, je voudrais rencontrer des étudiants mais je ne sais pas quel logement choisir.

d. J'aimerais utiliser la cuisine de l'habitant pour cuisiner moi-même.

Sons du français ▸ p. 19

L'intonation pour exprimer l'obligation

11. 107 **Par deux. Écoutez et jouez le dialogue en respectant l'accent d'insistance.**

PAUL : Alors, tout est prêt pour ton voyage en France ?
MARY : Oui, j'ai mon billet d'avion. Maintenant, je dois acheter mon billet de train.
PAUL : Oui, il faut le faire rapidement ! Et tu as trouvé un hébergement ?
MARY : Non, pas encore. Je sais, je dois m'en occuper.
PAUL : Oui, tu dois vraiment t'en occuper !
MARY : Je voudrais loger chez une famille française.
PAUL : C'est une très bonne idée !
MARY : Je voudrais surtout découvrir la vie des Français.

Leçon 5

FOCUS LANGUE ▸ p. 21

Les adverbes et locutions adverbiales pour décrire un lieu

12. Lisez les cinq descriptions. Associez les descriptions aux photos.

A

Située au milieu de la forêt, votre chambre ressemble à un nid d'oiseau suspendu dans les arbres à quelques mètres au-dessus du sol.

B

À l'extérieur de votre chambre, vous pouvez profiter d'une petite terrasse qui se trouve juste devant. À l'intérieur, vous pouvez vous coucher et observer le ciel.

C

Au milieu d'un lac, ces cabanes sont accessibles par bateau. Elles sont confortables et originales.

D

Dormir parmi les poissons, vous en rêvez ? C'est possible ! Venez dans notre hôtel plonger sous l'eau et admirer ces créatures le temps d'une nuit !

E

En haut d'une colline, vue sur la mer, notre chambre vous offre tous les charmes de la côte atlantique.

13. Écrivez le contraire.

A Cette chambre « grotte » se situe ~~sur~~ ***sous*** la terre. Elle se trouve à 5 mètres **au-dessus** du sol. **À l'extérieur de** la chambre, il y a un grand lit double et une belle salle de bains.

B Proposer une chambre **près de** la civilisation, au calme, est une excellente idée. Isolé **en bas d'**une montagne, ce petit chalet offre une vue exceptionnelle sur la nature. **Derrière** ce spectacle, vous pourrez vous relaxer et profiter de cette superbe expérience.

C Venez dormir sur les étoiles, **à l'extérieur d'**une grande tente, **loin de** la plage. Vivez **là-bas** un moment incroyable dans un cadre romantique qui vous invite à vous retrouver en toute intimité.

Leçon 6

FOCUS LANGUE ▸ p. 23

Les pronoms relatifs *qui, que, à qui, avec qui* pour donner des précisions

14. Imaginez la fin des phrases. Utilisez les pronoms relatifs : *qui, que, à qui, avec qui*.

Exemple : J'ai partagé mon taxi avec un Allemand ***qui*** *était très gentil*/***avec qui*** *j'ai beaucoup discuté*/***que*** *j'ai apprécié*/***à qui*** *j'ai laissé mes coordonnées.*

a. J'aimerais voyager avec un ami…

b. Tu as envie de découvrir un pays…

c. Elle souhaite visiter un musée…

d. Nous espérons avoir un guide touristique…

e. Vous voulez dîner dans un restaurant…

f. Ils préfèrent rencontrer un Parisien…

EXPRESSIONS UTILES

Leçon 1

- **Comparer deux séjours linguistiques**

Le nombre d'heures de cours
Je préfère le séjour A parce qu'il propose plus d'heures de cours que le séjour B.
La nature des cours
Le centre A a moins d'élèves par classe que le centre B. C'est mieux !
Ce centre propose autant d'heures de cours en laboratoire que d'heures de cours avec un professeur. Je préfère un centre qui propose seulement des cours avec un professeur.
Les locaux
Les locaux du centre A sont aussi grands que les locaux du centre B, mais les salles de classe du centre B ont l'air plus agréables.
La bibliothèque
La bibliothèque du centre A est moins complète que la médiathèque du centre B. Pour moi, une bonne bibliothèque, c'est important pour étudier après les cours.
Les prix
Le centre A est plus intéressant que le centre B, les livres pour les cours sont compris dans le prix.
La cafétéria
Après les cours, j'aime autant étudier à la cafétéria qu'à la bibliothèque. La cafétéria du centre B est vraiment chouette !

Leçon 2

- **Faire des démarches**
  – Pour venir à/en/au/aux *[nom de pays]*, il vous faut un visa. Pour en obtenir un, consultez les conditions sur le site Internet du consulat de *[nom de pays]*, à *[nom de ville]*. N'y allez pas directement, vous devez d'abord…
  – Vous venez à/en/au/aux *[nom de pays]* pour y faire des études. Prévoyez un budget de … / mois.
  Vous venez à/en/au/aux *[nom de pays]* pour y travailler ? Vous aurez besoin d'un visa de travail. Pour en demander un, il faut…
  – Il n'y a pas beaucoup d'appartements à louer à *[nom de ville]*. Pour en trouver un, consultez *[site Internet]*. Il est plus facile de trouver une colocation. Pensez-y !

Leçon 3

- **Présenter un circuit**
  Exemple pour une journée :
  – Départ de *[nom du lieu]*.
  – Visite de *[nom du lieu]*. Partez à la découverte de ses trois ports. Ils vont beaucoup vous plaire. (3 h)
  – Pique-nique : nous vous conseillons de le faire au bord de la mer. (1 h 30)
  – *[nom du lieu]* : charmant village breton. Visitez-le pour ses maisons traditionnelles. (3 h)
  – Trajet vers *[nom du lieu]*.

Leçon 4

- **Rédiger le descriptif d'un hébergement**

Les types d'hébergement
une famille d'accueil • un appartement à partager • un studio indépendant • une résidence universitaire…
Les modalités
apporter des draps et des serviettes • se faire à manger / faire la cuisine • partager une chambre…
Les formalités administratives
adresser sa demande • réserver *[durée]* à l'avance • vérifier les éléments de son dossier • faire des photocopies de ses papiers…

Leçon 5

- **Décrire un lieu insolite**

Pour qualifier le lieu
magnifique • insolite • hors du commun • notre coup de cœur • original • atypique • romantique…
Ce qu'on peut y faire
on peut y passer une nuit ou y dîner • profiter de la piscine… • au programme, détente au milieu de la nature…

Leçon 6

- **Proposer une visite d'une ville**

Le type de visite
des balades originales en petits groupes • en famille, entre amis • les grands classiques • les lieux habituels que les touristes aiment voir • le/la [nom de la ville] des [habitants de la ville] • les bistrots, les cafés, les restos, les crêperies • les musées, les quartiers qui bougent, les quartiers animés, populaires, romantiques…
À voir, à faire
rencontrer des gens à qui parler, avec qui discuter • visiter *[nom du quartier]*, c'est le quartier que nous préférons • aller *[préposition + nom du lieu]*, c'est une adresse que nous adorons

S'EXERCER

DOSSIER 2

Leçon 1

FOCUS LANGUE ► p. 31

L'accord du participe passé avec *être* au passé composé (rappel)
Quelques participes passés irréguliers (1)

1. Mettez les textes au passé composé.

a

Je découvre l'univers magique de Disney à l'âge de 8 ans à Disneyland Paris. Quand j'entre dans le parc, je reste immobile d'émotion car je rencontre mes personnages préférés. Cette aventure extraordinaire me plaît beaucoup !

b

Mon mari et moi, nous partons en Inde du Sud pour faire la randonnée des épices. Nous montons à dos d'éléphant pour admirer les rizières et les cocoteraies. Pendant quatre jours, nous vivons une expérience incroyable à la découverte des épices et nous apprenons beaucoup de choses sur la culture indienne !

2. Complétez les phrases avec les verbes. Utilisez le passé composé.

écrire • être • partager • découvrir • rester • faire • se promener • retourner • vivre (×2) • retrouver • rencontrer • plaire

a. J'… … de nombreux voyages, mais celui à la découverte de la Côte ouest des États-Unis façon road trip … … le meilleur !
b. Ce couple … … un livre sur ses multiples expériences parisiennes. Ils … … toute leur histoire dans la capitale française.
c. Quand Fanny … … en Finlande, elle … … tous ses souvenirs d'enfance.
d. Mes étudiants … … … dans Nice, ils … … un autre aspect de la ville.
e. Au Mali, j'… … des gens exceptionnels. J'… … des moments inoubliables avec eux !
f. Durban est une ville qui … … à ma fille. Elle y … … deux semaines.

3. a. Lisez le programme de l'excursion.

15 h	Entrée dans la grotte + présentation de l'environnement et des activités
15 h 20	Habits adaptés aux activités
15 h 35	Départ pour le parcours sportif (passage à la corde, tyrolienne, saut de 2 mètres)
17 h 45	Fin du parcours sportif
18 h	Changement de vêtements + découverte du campement
18 h 20	Apéritif + dîner fondue savoyarde + dégustation de vins
23 h	Nuit sur lits autogonflants
8 h	Petit déjeuner
9 h	Sortie de la grotte

b. Mettez les phrases dans l'ordre chronologique et conjuguez les verbes au passé composé.

1. À 15 heures, nous (entrer) dans la grotte et le guide nous (présenter) l'environnement et les activités.
2. Après le repas, tout le monde (se coucher) sur des lits autogonflants : quelle aventure !
3. Le matin, une fois réveillés, nous (prendre) le petit déjeuner.
4. Nous (s'habiller) avec des vêtements adaptés pour le parcours sportif.
5. Nous (commencer) le parcours sportif avec la corde puis la tyrolienne.
6. Le petit déjeuner terminé, nous (sortir) de la grotte pour rentrer chez nous.
7. Nous (se changer) et nous (découvrir) le campement.
8. Nous (finir) le parcours par le saut de 2 mètres : quelle peur !
9. Juste après, la soirée (commencer). Nous (prendre) l'apéritif et nous (dîner).

Sons du français ▸ p. 31

Les voyelles nasales [ɑ̃] et [ɔ̃]

4. a. 108 **Écoutez et classez les villes.**

Montreux • Nantes • Anvers • Londres • Montpellier • San Francisco • Ankara • Dijon • Perpignan • Toulon • Shanghaï • Angoulême • Hong Kong • Colombo • Rouen • Avignon

– Groupe des [ɑ̃] : *Nantes, ...*

– Groupe des [ɔ̃] : *Montreux, ...*

b. Écoutez et répétez le nom de ces villes françaises.

Clermont-Ferrand • Besançon • Châlons-en-Champagne • Mont-de-Marsan

Leçon 2

FOCUS LANGUE ▸ p. 33

Le subjonctif présent des verbes réguliers Exprimer l'obligation, l'interdiction et donner des conseils

5. Mettez les phrases au subjonctif présent.

Exemple : En voyage, tu dois faire attention à tes papiers d'identité. Tu ne dois pas les perdre. → *En voyage, il faut que tu* ***fasses*** *attention à tes papiers d'identité. Il ne faut pas que tu les* ***perdes****.*

a. Pendant vos vacances, reposez-vous et profitez bien du soleil sur la belle île Maurice !

b. Pour certaines destinations, les touristes sont obligés d'être vaccinés avant leur départ.

c. Nous ne devons pas être en retard aux rendez-vous pour partir en excursion, les guides n'attendent pas !

d. Si tu vas au Japon, tu dois aller voir le mont Fuji. Tu ne peux pas manquer ça !

e. Dans ce parc naturel sauvage, vous devez respecter la faune et la flore, vous ne pouvez rien jeter dans la nature.

Leçon 3

FOCUS LANGUE ▸ p. 34

Exprimer des sentiments et des émotions

6. Complétez les phrases avec les adjectifs de sentiment. Faites les transformations nécessaires.

peur • fier • nerveux • surpris • heureux • ému

a. J'ai rencontré un super professeur de français. Grâce à lui, j'ai réussi le DELF A2 ! Je suis vraiment ... de moi !

b. Paula est tombée amoureuse de Nigel pendant le cours de français. Ils se sont mariés un an après. Ils sont très ... et amoureux.

c. Avant d'arriver en France, Natalia était assez ... mais aujourd'hui, elle est rassurée car ses études en France l'aident à s'intégrer.

d. À l'université, Aldo a été ... d'entendre autant d'étudiants de nationalités différentes parlant français. C'était incroyable !

e. Au début, Iman avait ... de cette nouvelle vie en France. Mais, il a obtenu un diplôme, trouvé du travail, rencontré des gens gentils ! Et il est resté !

f. Le jour où j'ai trouvé un travail, j'ai été .... parce que je commençais une carrière en France grâce à mes études. La chance était là !

FOCUS LANGUE ▸ p. 35

Le passé composé et l'imparfait pour raconter des événements passés, des souvenirs

7. Choisissez la forme correcte : passé composé ou imparfait ?

a. « C'était / Ça a été en 2010, quand j'étudiais / ai étudié à l'université de Nantes. Cette année-là, je rencontrais / j'ai rencontré James à la bibliothèque. Il était / a été américain, moi ukrainien. Comme moi, il étudiait / a étudié l'économie. Avec le temps, nous devenions / sommes devenus très amis. Quand nous réussissions / avons réussi notre examen, nous décidions / avons décidé de créer notre entreprise de consultants pour les bureaux internationaux. Aujourd'hui, nous sommes collaborateurs et nous travaillons avec des sociétés multinationales en France. » Alekseï d'Ukraine

b. « Quand j'étais / ai été en France, je trouvais / j'ai trouvé un appartement en colocation. J'étais / ai été un peu nerveuse au début. Puis, je découvrais / j'ai découvert des colocataires exceptionnels. Nous partagions / avons partagé nos vies pendant deux ans. Ensuite, nous nous quittions / nous nous sommes quittés pour commencer une carrière dans une autre ville ou un autre pays. La séparation était / a été difficile mais, grâce à Internet, nous sommes toujours en contact et nous arrivons à nous retrouver une fois par an en France ! » Ana Cecilia d'Équateur

8. Associez la situation à l'événement. Utilisez l'imparfait et le passé composé.

Situation	Événement
Exemple : Être étudiant *Quand j'étais étudiant...*	Devoir travailler dur pour améliorer mon français *... j'ai dû travailler dur pour améliorer mon français.*

Situation	Événement
a. Faire une mission à Kuala Lumpur	Retrouver des anciens camarades français
b. Étudier le français	Rencontrer des personnes très sympathiques
c. Finir mes études	Décider de rester en France définitivement
d. Être en formation à l'Institut pédagogique de Paris	Croiser des intervenants du monde entier
e. Vivre à Paris pour mes études	Partager mon appartement avec des Français

Sons du français ▸ p. 35

La prononciation au passé composé et à l'imparfait

9. 109 **Écoutez les verbes. Dites s'ils sont identiques ou différents.**

Exemple : J'étais / J'ai été → *Différents.*

Leçon 4

FOCUS LANGUE ▸ p. 36

Les caractéristiques du français familier

10. Indiquez si les phrases sont en français familier ou en français standard. Transformez-les en français familier ou en français standard.

a. T'as déjà fait du parachute ascensionnel ? Y paraît que c'est génial !
b. J'pars avec des potes sur un bateau en Indonésie pour aller surfer pendant deux semaines.
c. Ce sont des amis qui m'ont recommandé de faire un stage de pilotage.
d. Descendre à 20 mètres de la surface de l'eau ? Ouais, j'ai adoré et j'ai pas eu peur !
e. Tu n'es jamais parti en randonnée dans le parc du Mercantour ? Il fait froid mais c'est superbe !
f. Je suis allé au Maroc pour faire du kite-surf, il y a des beaux spots pour en faire !

FOCUS LANGUE ▸ p. 37

***C'est... qui (qu')/C'est... que* pour mettre en relief**

11. Mettez les phrases en relief. Utilisez : *c'est* ou *ce sont*, *qui* ou *que*.

a. Le tourisme sportif, ...la solution ... convient à toutes les personnes actives et curieuses.
b. ... le pilotage ... m'a donné cette sensation de liberté et cette envie d'aventure.
c. Entre le surf et le surf des neiges, ... le surf ... je préfère.
d. ... des excursions ... sont proposées et accessibles à tout le monde.

12. Utilisez la mise en relief pour chaque élément.

Exemple : Le ski nautique → *Le ski nautique, c'est le sport qui vous donnera des sensations de vitesse incroyables !*

a. Le saut en parachute
b. Les excursions en montagne
c. La plongée sous-marine
d. Les activités aquatiques
e. Les sports collectifs

Leçon 5

FOCUS LANGUE ▸ p. 39

Le genre des noms (2)

13. Indiquez si le nom est féminin ou masculin. Choisissez l'article correct.

a. Pour participer à cet / cette **excursion**, il faut remplir un / une **fiche d'inscription**.
b. Cette semaine propose un / une **initiation** aux sports extrêmes avec, au programme, un / une **activité** pleine de surprises !
c. Le / La **randonnée** d'aujourd'hui va plaire aux grands sportifs du groupe, son / sa **durée** est de 5 heures !
d. Le / La **parachutisme** est une pratique dangereuse, il faut toujours faire attention à le / la **sécurité** des participants.
e. Venez découvrir le / la **nature** ! Nous avons un / une **mission** : vous faire vivre un / une **moment** sportif unique !
f. Faire un de nos séjours thématiques, c'est un / une **voyage** inoubliable !

Leçon 6

FOCUS LANGUE ▸ p. 41

Les marqueurs temporels

14. Complétez les phrases.

Exemple : Il y a 5 ans ... → *Il y a 5 ans, j'ai décidé de quitter mon travail et de partir faire le tour du monde.*

a. Il y a deux ans...
b. Pendant mes études...
c. Depuis une semaine...
d. Dans 3 mois...

15. **Complétez les témoignages avec les marqueurs temporels : *il y a, depuis, quand, pendant, pour, dans.***

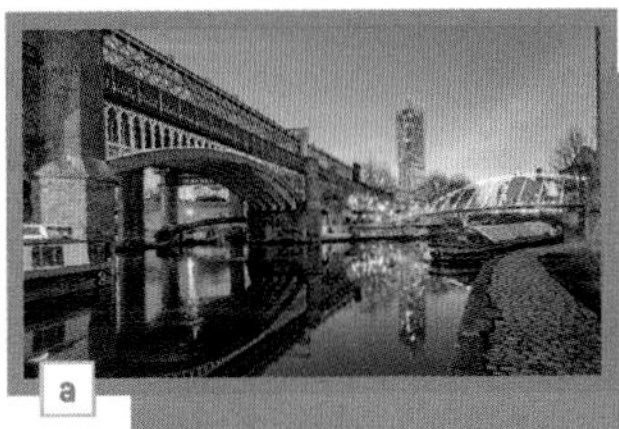

a

... j'avais 10 ans, j'ai commencé à aimer un groupe de musique qui s'appelait les Take That. J'écoutais leurs chansons ... des heures et j'essayais d'apprendre l'anglais avec le dictionnaire. Mon intérêt pour ce groupe a développé ma curiosité pour l'Angleterre. Alors, à l'âge de 23 ans, ... 12 ans exactement, je suis allée à Manchester. Je suis tombée amoureuse de cette ville et j'y suis restée pour y faire ma vie. J'ai fait mes études à l'université de Manchester et j'y travaille comme professeur ... 10 ans. C'est le bonheur !

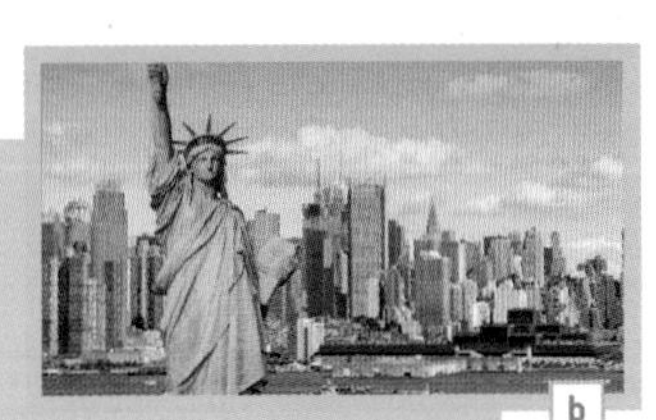

b

À la fin de l'université, j'ai pris un billet d'avion à destination de New York. Je partais ... 10 jours. ... je suis arrivé là-bas, j'ai adoré le rythme de cette ville. J'ai beaucoup appris de mon séjour et cette expérience a changé ma façon de penser et de voir le monde. ... ce voyage, je veux découvrir le reste du monde. Je dois partir ... trois mois à Tokyo pour plonger dans la culture japonaise si différente ! Je pars ... trois semaines, c'est une durée correcte pour me laisser le temps de visiter le pays.

Sons du français ▸ p. 41

La liaison avec les sons [z], [t] et [n]

16. 110 **Écoutez les phrases. Dites si vous entendez la liaison dans la 1re phrase ou dans la 2e phrase.**

Exemple : Ils ont tout compris ! Ils sont très contents !
→ *Liaison dans la première phrase.*

EXPRESSIONS UTILES

Leçon 1

- **Imaginer une histoire**

Le quartier *[nom, ville]*
Les personnages *[un homme, une femme, un couple...]*
Amorces de phrases
Elle est montée dans... • Il est parti à la découverte de... • Elles se sont assises sur... • Ils sont arrivés devant... • Elle s'est régalée au... • Ils sont revenus dans la rue... • Ils sont tombés amoureux. • Elles se sont rencontrées rue... • Ils se sont promenés... • Elle s'est installée à...

Leçon 2

- **Décrire une activité touristique originale (découverte de la nature ou d'animaux sauvages)**

L'activité
[nom de l'activité • heures de début et de fin • choses à emporter • condition physique des participants • nombre et âge des participants...]
Les formules pour préciser les règles et les précautions à prendre
il faut que vous soyez prudents • il faut que vous respectiez les précautions à prendre... → Il faut, il ne faut pas que... (ne pas se mettre à courir • attendre calmement • s'approcher des animaux • jeter des détritus • manger ou fumer près des animaux • rester silencieux • se déplacer doucement...)

Leçon 5

- **Décrire un voyage insolite**

Des noms
une inspiration • un voyage • des paysages • un hébergement • un mode de vie • des traditions • une expérience • une expédition • une activité • une sensation • une aventure • une évasion • un dépaysement • une destination • une diversité • une découverte • une idée...
Des verbes
partager • être • découvrir • aimer • voyager • proposer • fasciner • visiter • prendre son temps • s'arrêter • partir à l'aventure • souhaiter • entrer en contact...
Des adjectifs *(Attention ! Pensez à accorder les adjectifs au féminin et au pluriel !)*
sublime • traditionnel • nomade • unique • intense • chouette • classique • génial • véritable • spécialisé • sportif • facile • physique...

Leçon 6

- **Raconter comment vous avez réalisé un rêve d'enfance**

J'étais *[venu(e)]* pour quelques mois... • Quelques mois après *[mon arrivée]*... • Quand j'étais petit(e)... • Je voulais devenir... parce que ... • J'y suis *[allé(e)]* il y a *[deux ans]*... • J'y suis *[resté(e)]* pendant *[un an]* • *[J'habite ici]* depuis *[deux ans]*... • J'espère *[y retourner]* dans *[quelques mois]*...

DOSSIER 3

Leçon 1

FOCUS LANGUE ▸ p. 49

Comprendre une offre d'emploi

1. Complétez l'offre d'emploi avec les mots suivants.

net • compétences • CV • période d'essai • recrute • brut • motivation • CDI • H/F

OFFRE D'EMPLOI

L'Alliance française d'Adélaïde (Australie) ... un conseiller pédagogique (...) pour son école de français.

Conditions
– ... à temps plein + 6 mois de ...
– Salaire : 2 500 euros (...) soit 2 241 euros (...)

... et qualités requises
Avoir le sens du contact
Savoir travailler en équipe
Être énergique et efficace

Missions
Coordonner l'équipe enseignante
Planifier des formations
Créer des outils pédagogiques
Organiser les tests

Langues
Français (niveau B2)
Anglais obligatoire

Envoyer ... et lettre de ... à info@afadelaide.com
Informations sur le poste : paul.watson@afadelaide.com

Sons du français ▸ p. 49

Les sons [s] et [z]

2. 111 Écoutez et répétez les mots.

a. Dites si vous entendez le son [s] dans le 1er mot ou dans le 2e mot.
b. Indiquez combien de fois vous entendez le son [s] et le son [z].

Exemple : réseaux sociaux
→ *On entend le son [s] dans le 2e mot.*
→ *On entend deux fois le son [s] et une fois le son [z].*

FOCUS LANGUE ▸ p. 49

Décrire des compétences et qualités professionnelles

3. Lisez les définitions. Donnez le nom de la qualité/compétence.

être sérieux • être curieux • être positif • avoir l'esprit d'équipe • respecter les délais • faire preuve de logique • être autonome • être réactif • ~~avoir le sens de l'humour~~

Exemple : Je peux rire des choses, je ne suis pas toujours sérieux. → *J'ai le sens de l'humour.*

a. Je m'intéresse à tout. → ...
b. Je réponds rapidement aux questions. → ...
c. Je fais mon travail avec beaucoup de rigueur. → ...
d. Je termine toujours mon travail à l'heure. → ...
e. J'aime travailler avec les autres. → ...
f. Je fais les choses de façon raisonnée. → ...
g. Je sais travailler seul. → ...
h. Je suis optimiste. → ...

Leçon 2

FOCUS LANGUE ▸ p. 51

Les articulateurs pour structurer le discours

4. Complétez les témoignages avec les articulateurs.

a. à la fin de • ensuite • tout d'abord • pour conclure

Bonjour, ..., je me présente. Je m'appelle Enrico. Je suis brésilien et j'ai 33 ans. Je suis actuellement à la recherche d'un emploi dans le secteur de l'aérospatial. Je suis diplômé d'un master d'ingénierie spatiale que j'ai obtenu en 2013. ..., j'ai été embauché par Thalès en CDD pour un an. J'y ai occupé la fonction de technicien d'essais. ... mon contrat, je suis parti au Canada pour développer d'autres compétences chez ThyssenKrupp Aerospace. Je suis hautement motivé, sérieux et réactif. J'ai le sens du détail. ..., je cherche un travail en France pour enrichir mon expérience professionnelle.

b. pour conclure • de plus • enfin • tout d'abord

Je m'appelle Antonia, j'ai 27 ans, et je recherche un emploi. Je viens de finir mes études en gestion et management. Je n'ai pas d'expérience professionnelle mais j'ai d'excellentes qualités et compétences pour vous convaincre. ..., j'ai un grand sens du travail en équipe : je sais motiver et encourager les personnes qui travaillent avec moi. ..., je suis réactive, je peux gérer les problèmes et trouver une solution rapidement. ..., j'ai un bon sens relationnel. ..., j'espère pouvoir trouver une première opportunité professionnelle pour montrer mes compétences et les développer.

5. Lisez les textes. Ajoutez des articulateurs.

a. Sam a commencé à travailler à 21 ans. Il a été serveur, chef de rang et manager. Aujourd'hui, il cherche un collaborateur pour ouvrir un restaurant.

b. Sonia a obtenu une licence d'anglais et d'italien. Elle a continué avec un diplôme de traductrice trilingue. Elle souhaite faire un travail qui réunit ces trois langues en France ou en Europe.

Leçon 3

FOCUS LANGUE ▸ p. 53

Les adverbes pour donner une précision

6. Trouvez les adverbes puis transformez les phrases.

intelligent → intelligemment

a. difficile	c. sérieux	e. patient
b. énergique	d. attentif	f. courant

Exemple : Elle fait son travail avec beaucoup d'intelligence. → *Elle fait son travail intelligemment.*

1. Il a obtenu son diplôme avec difficulté.
2. Nous menons notre mission avec beaucoup d'énergie.
3. Vous cherchez du travail avec sérieux.
4. J'écoute les instructions de mon chef avec attention.
5. Tu attends avec patience ton deuxième entretien d'embauche.
6. Nos employés parlent le français de manière courante.

Leçon 4

FOCUS LANGUE ▸ p. 55

L'hypothèse avec *si* pour donner des conseils et indiquer une conséquence

7. Transformez les phrases. Proposez une autre structure.

Exemple : Si vous avez besoin de prendre un jour de congé, discutez avec votre directeur. → *Si vous avez besoin de prendre un jour de congé,* ***il faut discuter*** *avec votre directeur/****vous devez discuter*** *avec votre directeur.*

a. Si vos diplômes ont besoin d'être traduits en français, faites appel aux services d'une institution officielle.
b. Si vous souhaitez trouver un emploi dans une entreprise, il faut obtenir un niveau de langue B1.
c. Si votre profil professionnel doit être plus visible et accessible, inscrivez-vous sur le réseau Internet Linkedin.
d. Si tu as envie d'évoluer, il faut développer tes compétences grâce à une formation professionnelle.
e. Si vous voulez obtenir des entretiens d'embauche rapidement, présentez-vous directement aux entreprises.
f. Si tu désires réussir ton entretien d'embauche, tu dois rester modeste.

Leçon 5

FOCUS LANGUE ▸ p. 57

Parler de ses études et de son parcours professionnel

8. Associez les phrases qui ont le même sens.

a. J'ai obtenu mon diplôme.
b. J'ai suivi un cursus universitaire.
c. J'ai fait une demande d'inscription.
d. J'ai déposé ma candidature pour un emploi.
e. J'ai obtenu un emploi.
f. J'ai obtenu un crédit universitaire.

1. J'ai eu un travail.
2. J'ai eu des points européens pour un cours à l'université.
3. J'ai contacté l'université pour y étudier.
4. J'ai reçu une certification universitaire.
5. J'ai étudié à l'université.
6. J'ai envoyé mon CV et ma lettre de motivation.

Sons du français ▸ p. 57

La dénasalisation

9. 112 Écoutez et répétez les phrases. Repérez un mot dit au masculin et au féminin. Dites si vous entendez le masculin en 1re ou en 2e position.

Exemple : Mon voisin et ma voisine sont charmants.
→ *le masculin est en 1re position*

FOCUS LANGUE ▸ p. 57

Le plus-que-parfait pour raconter des événements passés

10. Conjuguez les verbes au plus-que-parfait.

a. Quand j'ai passé mon entretien d'embauche, j'étais à l'aise car je (se préparer) aux différentes questions.
b. Son profil était intéressant pour les recruteurs car elle (occuper) le même poste pendant deux ans dans une autre entreprise.
c. Avant d'accepter ce travail l'année dernière, je (avoir) une proposition presque aussi intéressante.
d. Elle a préféré téléphoner à l'entreprise pour convenir d'un rendez-vous car elle (envoyer) une dizaine de courriels restés sans réponse.
e. Lorsqu'il est parti en mission à Santiago, il (déjà travailler) au Chili une première fois.
f. Le directeur de l'entreprise m'a engagé car j'étais le seul candidat qui (se renseigner) sur l'entreprise.

11. Repérez les actions (action passée et action antérieure) et conjuguez les verbes au passé composé et au plus-que-parfait.

Exemple : Je (obtenir) cet entretien d'embauche car je (poser) ma candidature. → *J'ai obtenu (action passée) cet entretien d'embauche car j'avais posé (action antérieure) ma candidature.*

a. Le recruteur (téléphoner) à mon ancien employeur car je (présenter) sa lettre de recommandation avec ma candidature.
b. Le directeur me (demander) si je (aller) à l'étranger pour des missions professionnelles.
c. Tu (ne pas avoir) d'entretiens depuis longtemps car tu (rester) dans la même entreprise pendant des années.
d. Je (postuler) dans cette entreprise car mes amis me (recommander) le poste.

Leçon 6

FOCUS LANGUE ▸ p. 58

Poser des questions en situation formelle

12. Transformez les questions informelles en questions formelles.

a. Vous connaissez quoi de notre entreprise ?
b. Vous pourriez vous présenter, s'il vous plaît ?
c. Vous vous définissez comment ?
d. Vous aimeriez apporter quoi à notre compagnie ?
e. Vous aimez quoi dans votre profession ?
f. Pourquoi vous pourriez être le candidat idéal ?

FOCUS LANGUE ▸ p. 59

Les adjectifs indéfinis pour exprimer la quantité (1)

13. Complétez les témoignages avec les adjectifs indéfinis.

a. toutes • tout • plusieurs • toute • quelques
« Dans ma famille, réussir est une obligation car … le monde occupe un poste à responsabilités. À l'école, je devais obtenir de bons résultats mais j'étais nul dans … les matières ! … professeurs pensaient que je ne pourrais jamais réussir. Mais je ne les ai pas écoutés. J'ai avancé et j'ai rencontré … personnes qui m'ont inspiré. Il n'y en a pas eu beaucoup mais cela a suffi pour me faire devenir l'homme que je suis aujourd'hui : un entrepreneur en télécommunications admiré par … sa famille. »

b. tout • toute • plusieurs
« J'ai toujours pensé qu'on ne pouvait pas faire le même métier … sa vie. Il y a trop de choses intéressantes à

découvrir dans ce monde ! Moi, par exemple, j'aimerais être boulanger et avocat. J'essaie d'apprendre et de faire … choses en même temps. Actuellement, je travaille dans une banque comme conseiller et je suis une formation pour devenir plombier. … me passionne ! Mes amis pensent que je ne suis pas assez responsable mais la vie est trop courte ! »

Sons du français ▸ p. 59

La prononciation de *tout* et *tous*

14. a. **Lisez ces groupes de mots.**

Exemple : *Tous les jours. → On prononce [tu].*

1. Tout va bien. – 2. Tout est parfait.
3. Tous m'écoutent. – 4. Tous vos rêves.
5. Tout le monde. – 6. Tout à fait.
7. Tous mes amis. – 8. Tous sont partis.

113 b. **Écoutez pour vérifier.**

c. **À deux, trouvez d'autres exemples et prononcez-les.**

EXPRESSIONS UTILES

Leçon 1

- **Rédiger une offre d'emploi**

  Le lieu de travail
  un pays • une ville • une institution…
  Le sexe de la personne recherchée
  homme (H) • femme (F)
  Le type de contrat
  un CDD *[durée]* renouvelable ou non • un CDI • une période d'essai *[durée]*
  Les missions à effectuer
  accueillir un public • gérer un budget • vendre des cours et des examens…
  Les qualités requises
  avoir le sens des responsabilités • avoir l'esprit d'équipe • faire preuve de rigueur • respecter les délais • être dynamique…
  Les pièces à joindre à la candidature
  CV • lettre de motivation…
  Les langues parlées
  La personne à contacter
  par courrier • par mél • par téléphone…

Leçon 3

- **Proposer des services**
  – Je suis actuellement étudiant(e) à l'université. Je suis d'origine …, je parle donc cette langue couramment. Je propose des cours de *[nom de la langue]*. Pour me contacter : …
  – Je suis en France pour étudier le français. Je prends des cours à *[école de langue]*, mais j'ai aussi envie d'apprendre autrement. Alors, je propose gratuitement mes services pour garder vos enfants. Pour me contacter : …
  – Je suis informaticien(ne) et j'aime vraiment rendre service. Je propose des petites réparations. Je peux me déplacer facilement. Mon tarif : 15 €/heure.

Leçon 4

- **Donner des conseils à un francophone qui cherche du travail dans votre pays**
  – Si vous voulez trouver un emploi dans notre pays, on vous conseille de…
  – Si vous voulez qu'on vous remarque, n'hésitez pas à…
  – Si vous voulez trouver le job de vos rêves, il faudra…

Leçon 5

- **Parler de son parcours**
  En *[mois/année]*, j'ai obtenu… Puis j'ai étudié…
  Un an auparavant, j'avais fait… Je n'étais jamais allé(e)… J'avais travaillé… Je n'avais jamais organisé… Mon français s'était beaucoup amélioré…
  Ensuite, j'ai posé ma candidature…
  Cette expérience m'a beaucoup appris…
  En *[mois/année]*, je suis devenu(e)…

Leçon 6

- **Passer un entretien pour un stage**

  Bien préparer sa présentation
  Je fais des études de…
  Je voudrais me spécialiser…
  Je parle […] langues, …
  Ce stage me permettra de …
  Je suis motivé(e), dynamique…
  Se renseigner sur l'entreprise
  Je connais bien votre entreprise parce que…
  Justifier le choix du stage
  Faire un stage, c'est très…, parce que…

S'EXERCER

DOSSIER 4

Leçon 1

FOCUS LANGUE ▸ p. 66

Parler d'une série

1. Complétez le texte avec les mots suivants : *scénario, série, réalisateur, acteur, épisodes, tournés, personnages*.

SCOOP !

Le grand ... français, **Gérard Depardieu**, est l'un des ... principaux de la ... *Marseille*, diffusée sur Netflix.
Le producteur **Pascal Breton** s'est entouré de **Dan Franck** pour l'écriture du ... et du ... **Florent Emilio-Siri** pour la réalisation de la série.
La saison 1 compte huit ..., tous ... dans la célèbre ville du sud de la France.

FOCUS LANGUE ▸ p. 67

La place de l'adverbe

2. Mettez l'adverbe à la bonne place.

a. Avec le temps, la télévision et tous les autres médias de diffusion audiovisuelle ont évolué. (grandement)
b. La série *Scènes de ménage* a beaucoup de succès ! Les acteurs jouent bien. (extrêmement)
c. Le tournage du film *Intouchables* a été enrichissant pour les acteurs et les réalisateurs. (profondément)
d. La promotion du film *La Môme* était très intense ! Beaucoup d'interviews et de déplacements ! (vraiment)
e. Le scénario de la série *Marseille* m'a intéressé. J'ai regardé toute la série en une fois ! (immédiatement)
f. Le réalisateur-producteur Luc Besson est talentueux. Le cinéma à l'international le demande. (particulièrement)

3. a. Lisez les phrases et relevez l'adverbe.
b. Indiquez si l'adverbe caractérise un verbe, un adjectif ou un autre adverbe.

Exemple : Le public est vraiment sensible à la psychologie des personnages. → *L'adverbe « vraiment » caractérise l'adjectif « sensible ».*

a. Tout le monde a beaucoup apprécié les effets spéciaux.
b. Le cinéma adaptera bientôt cette série sur le grand écran.
c. Ce succès est totalement incroyable ! C'est fou !
d. L'acteur principal est réellement très drôle, je suis fan !
e. Le sujet de la série est vraiment très original.

Leçon 2

FOCUS LANGUE ▸ p. 69

***Ce qui/Ce que... c'est/ce sont...* pour mettre en relief**

4. Choisissez la forme correcte.

a. Ce qui / que est formidable pendant la fête de la Musique, c'est / ce sont le partage entre les gens.
b. Ce qui / que les Français aiment le 21 juin, c'est / ce sont toute la variété musicale dans la rue en une seule soirée.
c. Ce qui / que fait le succès d'un bar le 21 juin, c'est / ce sont les groupes de musique.
d. Ce qui / que les Parisiens attendent avec impatience, c'est / ce sont le grand concert organisé devant la tour Eiffel.
e. Moi, ce qui / que je préfère le 21 juin, c'est / ce sont tous ces moments de fête avec mes amis.

5. Transformez les phrases.

Exemple : J'adore la fête des Voisins. → *Ce que j'adore, c'est la fête des Voisins.*

La fête des Voisins

La fête des Voisins est l'occasion de rencontrer ses voisins pour développer la convivialité.
Elle permet de renforcer au quotidien les petits services entre voisins.
La dernière réunion a été un formidable succès.
8,5 millions de Français y ont participé.

a. Les petits services que je rends à ma voisine me plaisent beaucoup.
b. J'apprécie particulièrement la convivialité avec mes voisins.
c. Le concept de la fête des Voisins est intéressant.
d. Le partage caractérise très bien la fête des Voisins.
e. Les rencontres entre toutes les générations sont enrichissantes.

Sons du français ▸ p. 69

Le son [r]

6. 114 **a. Écoutez et répétez les phrases le plus vite possible.**

1. Les acteurs de cette série sont incroyablement drôles !
2. J'apprécie le rire de Marie qui partage mon appartement depuis mars.
3. La prochaine réunion pour organiser la fête, ce sera mercredi soir !
4. Faire du bruit dans la rue, c'est rarement autorisé ! Seulement le 21 juin !
5. Paris restera toujours Paris, avec ou sans son métro !
6. C'est trop tard ! Vraiment trop tard ! C'est vraiment trop tard !

b. Enregistrez-vous. Écoutez-vous et auto-évaluez-vous. Dans ma production, je prononce bien le son [r] : oui / non / parfois.

Leçon 3

FOCUS LANGUE ▸ p. 70

Les pronoms interrogatifs (*lequel, laquelle, lesquels, lesquelles*) pour demander une information ou une précision

7. Lisez les questions et associez-les avec le pronom interrogatif correct.

1. Si oui, lequel ?
2. Si oui, laquelle ?
3. Si oui, lesquels ?
4. Si oui, lesquelles ?

Les Français et les loisirs

a Pratiquez-vous un sport pendant votre temps libre ?
b Avez-vous des préférences musicales ?
c Avez-vous des loisirs ?
d Avez-vous une activité préférée ?
e Avez-vous vu un film au cinéma récemment ?
f Aimez-vous la gastronomie ?

8. Précisez votre demande avec un pronom interrogatif.

Exemple : Lecture papier ou lecture numérique ?
→ *Laquelle vous préférez ?*

a. Musique internationale ou variété française ?
b. Film de science-fiction ou policier ?
c. Théâtre classique ou comique ?
d. Littérature biographique ou historique ?
e. Ballet ou opéra ?
f. Sport collectif ou individuel ?

FOCUS LANGUE ▸ p. 71

Présenter les résultats d'une enquête
Exprimer un pourcentage
Décrire une classe d'âge, une tranche d'âge.

9. Lisez les statistiques et présentez l'enquête. Utilisez les expressions nécessaires.

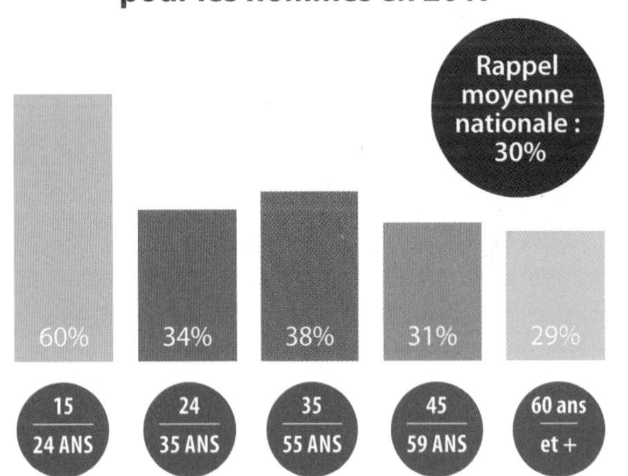

Leçon 4

FOCUS LANGUE ▸ p. 73

Le superlatif pour exprimer la supériorité ou l'infériorité

10. Complétez les témoignages avec les expressions du superlatif.

a. les plus (2 fois) • le plus d' • le moins • le plus
b. le meilleur • la plus (2 fois) • le mieux

Je suis russe et ce que j'aime ... dans la musique française, ce sont les mélodies ... simples et douces. Elles charment notre oreille parce que c'est ce style de musique qui donne ... émotions, en particulier avec les paroles qui sont ... belles au monde. Bien sûr, j'écoute différents chanteurs et chanteuses français, je m'intéresse au rock, mais c'est le style de musique que j'apprécie ... .

La culture française est riche ! Je pense à la chanson française qui occupe ... grande place sur nos radios belges. Stromae est considéré comme ... chanteur mais il y en d'autres qui ont aussi beaucoup de talent. On aime la chanson française en Belgique parce que c'est celle qui est ... semblable à notre propre culture. C'est celle qui nous ressemble ... .

11. Lisez les phrases et dites le contraire.

a. Édith Piaf et Jacques Brel sont les chanteurs français les plus célèbres pour représenter la chanson française.
b. C'est la culture gastronomique française que les étrangers apprécient le plus.
c. La mode française est considérée comme celle qui est la moins élégante.
d. C'est le film français *The Artist* qui a été le plus médiatisé dans le monde.
e. Victor Hugo est l'écrivain que les amoureux de littérature connaissent le moins.
f. C'est le football qui est le moins pratiqué dans le monde.

12. Répondez aux questions. Utilisez le superlatif.

a. Quel style de musique aimez-vous ?
b. Quel média utilisez-vous pour écouter de la musique ?
c. Quel chanteur/Quelle chanteuse est populaire actuellement ?
d. Quelle chanson chantez-vous souvent ?
e. Quel musique/artiste permet de découvrir la culture de votre pays ?
f. Quel artiste français connaissez-vous très bien ?

Sons du français ▸ p. 72

Les sons [y], [ø] et [u]

13. a. 115 Écoutez les mots. Dites si vous entendez le son [y] dans le 1er, le 2e ou le 3e mot. Répétez.

Exemple : deuxième – littérature – courir → *Le son [y] est dans le 2e mot.*

b. 116 Écoutez les mots. Dites si vous entendez le son [y] dans la 1re, la 2e ou la 3e syllabe. Répétez.

Exemple : mu/si/cien → *Le son [y] est dans la 1re syllabe.*

Leçon 5

FOCUS LANGUE ▸ p. 75

Les formes de l'interrogation pour poser des questions à l'écrit et à l'oral

14. Lisez les questions et classez-les.

a. Y a-t-il des personnages de BD française que vous connaissez ?
b. Vous avez déjà lu *Astérix et Obélix* ?
c. Les planches d'illustration ont-elles plu aux éditeurs ?
d. Les étrangers aiment l'humour français dans les BD ?
e. La BD française a-t-elle autant de succès que la littérature française dans le monde ?
f. Dans votre pays, vous achetez des BD françaises où ?
– Registre familier : ...
– Registre soutenu : ...

15. Transformez les questions orales en questions écrites et les questions écrites en questions orales.

a. Questions orales
1. L'histoire de la BD est intéressante ?
2. Les BD françaises sont diffusées où dans le monde ?
3. L'idée de cette BD est née comment ?

b. Questions écrites
1. Pourquoi cette BD a-t-elle autant de succès ?
2. De quels sujets cette BD traite-t-elle ?
3. Diffuse-t-on facilement les BD françaises dans votre pays ?

Leçon 6

FOCUS LANGUE ▸ p. 77

Le conditionnel présent pour exprimer un souhait et donner un conseil

16. Conjuguez les verbes au conditionnel.

a. Je (rêver) de pouvoir assister à une représentation du cirque de Monte Carlo.
b. Tu ne (devoir) pas réserver tes billets trop tard.
c. Il (falloir) voir ce spectacle une fois dans sa vie, il est absolument merveilleux !
d. Nous (souhaiter) obtenir des places au premier rang pour être près des acrobates et des clowns.
e. Vous (aimer) rencontrer les artistes de la troupe après le spectacle pour mieux découvrir leur univers.
f. Elles (devoir) arriver plus tôt le jour de la représentation pour pouvoir voir les répétitions.

17. **Complétez les phrases avec les verbes. Utilisez le conditionnel présent.**

falloir (2 fois) • devoir • souhaiter • désirer • vouloir

a. Mon enfant … s'inscrire dans un club de cirque pour apprendre à faire des figures comme les acrobates professionnels.
b. Il … représenter toutes les inspirations et les influences du monde dans nos spectacles.
c. Je … offrir des places de spectacle à ma fille comme cadeau d'anniversaire.
d. Vous … vérifier s'il y a des tarifs réduits pour les étudiants et les enfants.
e. Les acrobates … créer de la magie dans le regard de leur public.
f. Il … que les artistes de la troupe demandent au public de participer au spectacle en direct.

18. **Proposez une phrase au conditionnel. Donnez un conseil ou exprimez un souhait.**

Exemple : Se produire sur les plus grandes scènes *(souhait)* → *Ils **aimeraient** se produire sur les plus grandes scènes.* *(conseil)* → *Il **faudrait** se produire sur les plus grandes scènes.*

a. Regarder la programmation sur Internet.
b. Gagner des places gratuites pour leur spectacle.
c. Rencontrer la troupe du Cirque du Soleil.
d. Présenter son nouveau spectacle au public.
e. Aller voir le spectacle en famille.
f. Avoir une belle dédicace sur l'affiche du spectacle.
g. Travailler dur pour arriver à cette créativité.

Sons du français ▸ p. 77

La prononciation à l'imparfait et au conditionnel

19. 117 **Écoutez les phrases à l'imparfait. Transformez-les au conditionnel.**

Exemple : Je rêvais de devenir une artiste. → *Je rêverais de devenir une artiste.*

EXPRESSIONS UTILES

Leçon 1

- **Présenter une série**

Cette série s'appelle… C'est une série policière / fantastique… C'est une fiction historique…
C'est une comédie… en … épisodes réalisée en…
Elle parle de… Elle raconte…
Le réalisateur est… Les comédiens sont…
Elle est réaliste / comique…

Pour nuancer
évidemment • beaucoup • également • immédiatement • vraiment • déjà • largement…
Elle est diffusée dans … pays…

Leçon 2

- **Décrire un événement culturel**

Nous allons vous parler de…
C'est un événement *[adjectif]*…
Ce que nous apprécions beaucoup dans cet événement, c'est…
Ce qui est vraiment *[adjectif]*, c'est…
Ce que le public va aimer, c'est/ce sont *[activités, choses à faire, à voir]*…
Ce qui nous a marqué, c'est…

Leçon 5

- **S'informer sur un auteur de BD francophone**

Comment êtes-vous devenu auteur de BD ?
Qu'est-ce qui vous plaît dans votre métier ?
Quelle est la BD que vous rêvez de réaliser ?
Avez-vous un conseil pour un jeune qui rêve de faire de la BD ?
Quel est l'album qui vous a le plus marqué ?

Leçon 6

- **Exprimer des souhaits**

Notre pays, c'est :
– des images : … – des musiques : …
– des odeurs : … – des goûts : …
– des sons : … – des objets : …
Nous aimerions… • Nous voudrions… •
Vous devriez… • Vous pourriez… • Il faudrait…

DOSSIER 5

Leçon 1

FOCUS LANGUE ▸ p. 85

Caractériser quelqu'un

1. Associez les différents éléments pour faire des phrases.

a. Les Français, • La Française, • Le français, • La population française,
b. c'est • ce sont
c. une femme • une population • un homme • des gens
d. qui aiment avoir une certaine qualité de vie. • qui est réputée pour sa culture, son mode de vie et son éducation. • qui se montre élégante et délicate avec du caractère. • qui a de bonnes manières et qui a la réputation d'être romantique. • qui sont profondément attachés à leurs traditions et à leur pays. • qui bénéficie d'un système public critiqué mais véritablement bon par rapport aux autres.

2. Lisez les informations. Caractérisez les personnalités françaises en une phrase.

a. **Zaz**
chanteuse – sincère dans ses textes – fragile – appréciée par toutes les générations

b. **Victor Hugo**
écrivain – connu pour son livre *Les Misérables* – défenseur de l'Homme – sensible

c. **Gad Elmaleh**
humoriste – célèbre pour ses sketchs sur le quotidien – simple – accessible

d. **Antoine Griezmann**
footballeur – buteur talentueux – équipier de cœur

e. **Nicole Ferroni**
comédienne – chroniqueuse radio – humaine – intéressante – connue pour ses idées franches

Sons du français ▸ p. 85

Les sons [f], [v] et [b]

3. a. 118 **Écoutez les mots. Dites dans quel ordre vous entendez les consonnes [f] et [v].**
Exemple : la fête – très vite → *On entend [f] puis [v].*

b. 119 **Écoutez les mots. Dites dans quel ordre vous entendez les consonnes [v] et [b].**
Exemple : la vie – c'est bien → *On entend [v] puis [b].*

Leçon 2

FOCUS LANGUE ▸ p. 87

Le discours indirect au présent pour rapporter des propos

4. Lisez les phrases.

a. Associez.

1. Le professeur demande à ses étudiants si...
2. L'accueil de l'école demande où...
3. L'examinateur explique que...
4. Les formateurs DELF conseillent de...
5. Les autres étudiants disent que...
6. Le professeur nous demande ce que...

a. ...Leonardo habite pour remplir son inscription au DELF.
b. ...certains sont inscrits pour passer le DELF.
c. ...les dictionnaires sont interdits durant l'examen.
d. ...nous avons pensé de l'examen DELF après l'épreuve.
e. ...le DELF n'est pas trop difficile.
f. ...se préparer au DELF avec un livre d'entraînement.

b. Identifiez la structure.

– Question avec mot interrogatif : ...
– Question fermée (Oui/Non) : 1, ...
– Question avec *Qu'est-ce que ... ?* : ...
– Affirmation : ...
– Demande, reproche, invitation : ...

5. Mettez les phrases au discours indirect présent. Faites les transformations nécessaires.

a. L'examinateur me demande : « Est-ce que vous avez compris la consigne ? »
b. Les surveillants nous disent : « Préparez vos stylos et une feuille de brouillon avant l'examen. »
c. Notre professeur nous prévient : « Il y a quatre épreuves dans le DELF et il faut 50 points sur 100 pour le réussir. »
d. L'enseignant demande à la classe : « Qu'est-ce que vous ne comprenez pas dans cet exercice de préparation DELF ? »

e. Mon camarade de classe me demande : « Comment s'est passé ton examen ? »
f. La responsable des examens annonce : « Les résultats des derniers examens DELF sont arrivés ! »

6. Mettez les phrases au discours direct.
a. L'ambassade confirme que le DELF est indispensable pour trouver un travail en France.
b. Les étudiants demandent à leur professeur s'il peut leur donner des conseils pour réussir le DELF.
c. Anna confie qu'elle était très impressionnée pendant l'examen oral du DELF.
d. Je demande au bureau des inscriptions DELF quand le prochain examen aura lieu.
e. L'examinateur demande aux candidats DELF de présenter une carte d'identité.
f. Le professeur nous demande ce que nous souhaitons pratiquer en classe pour nous préparer à notre examen DELF.

Leçon 3

Exprimer son désaccord

7. Associez les phrases qui ont le même sens.
a. Nous ne sommes pas du même avis.
b. Ils sont en désaccord.
c. Je ne partage pas le même avis.
d. Je suis en partie d'accord.
e. Je ne suis pas du tout d'accord.
f. Je ne partage pas du tout le même avis.

1. Je suis totalement opposé(e) à ça !
2. Je n'ai pas la même opinion.
3. Je suis partiellement d'accord.
4. Ils ne sont pas d'accord.
5. Nous avons une opinion différente.
6. J'ai un avis complètement différent.

FOCUS LANGUE ▸ p. 89

Les pronoms relatifs *où* et *dont* pour donner des précisions

8. Complétez les phrases avec *où* ou *dont*.
a. Le conseiller de quartier qui représente les habitants à la mairie est vraiment celui … nous avons tous besoin.
b. Dans le quartier … j'habite, les rues sont animées.
c. Il faut que les habitants précisent à leur conseiller de quartier les aménagements … ils ont envie.
d. Il y a un parc dans le centre-ville … les familles aiment se promener.
e. Notre maire a un nouveau projet de transports … les médias locaux parlent beaucoup.
f. Nous aimerions un quartier … les gens circulent en toute sécurité.

9. Liez les deux phrases. Utilisez *dont* et *où*.
Exemple : *J'aime beaucoup aller dans ce coin de la ville. On peut facilement se divertir dans ce coin de la ville.*
→ *J'aime beaucoup aller dans ce coin de la ville* ***où*** *on peut facilement se divertir.*
a. Le maire a l'intention d'implanter des espaces verts. Les habitants ont besoin de ces espaces verts.
b. Il y a des zones dans la ville. Dans ces zones, il est nécessaire de développer les commerces de proximité.
c. Les conseillers de quartier vont dans la rue. Ils interrogent les passants dans la rue pour avoir leurs impressions.
d. Les habitants assistent à des réunions municipales. Il est possible de rencontrer le maire dans ces réunions.

Leçon 4

FOCUS LANGUE ▸ p. 91

Demander et donner un avis sur des relations entre des personnes

10. a. Demandez un avis sur :
1. la colocation avec des étrangers ;
2. la bise française ;
3. la culture française / les habitudes françaises.

b. Donnez votre avis sur :
4. la langue française ;
5. la vie / l'expérience dans un pays étranger ;
6. la politesse en France.

Sons du français ▸ p. 91

L'enchaînement consonantique

11. 120 Écoutez les phrases. Observez comment on prononce la/les consonne(s) soulignée(s).
1. La culture danoise. / La culture irlandaise.
2. Votre séjour est important. / Votre avis est important.
3. On partage notre maison. / On partage un appartement.
4. On doit faire des courses. / On doit faire un planning.

Leçon 5

FOCUS LANGUE ▸ p. 93

Les pronoms démonstratifs pour désigner et donner des précisions

12. Lisez les témoignages. Identifiez les pronoms démonstratifs et les éléments qu'ils remplacent.

a

À l'étranger, l'amour de la France, c'est celui de sa gastronomie. Quand on voit les longues files d'attente dans les boulangeries françaises ou les commerces qui proposent des produits typiquement français, on peut mesurer l'attachement au savoir-faire gastronomique français. C'est celui du plaisir, celui des saveurs et surtout celui de la qualité. Je n'ai qu'un mot : vive la France et vive les croissants !

b

J'aime aller dans l'association francophone de ma ville car c'est celle qui propose le plus d'activités. Ces activités sont assez variées : touristiques, professionnelles, culturelles. Moi, j'aime plus particulièrement celles où on peut discuter de la culture, c'est plus intéressant au niveau des échanges, car ce sont ceux qui sont les plus authentiques.

13. Reformulez les phrases. Utilisez un pronom démonstratif pour éviter les répétitions.

a. L'association où je vais propose des cafés ciné. Je vais aller au café ciné du vendredi soir.
b. Grâce au speed-dating, je rencontre beaucoup de natifs. J'aime beaucoup l'accent des natifs qui viennent du Sud.
c. La médiathèque possède une grande collection de films français. On adore les films avec Guillaume Canet.
d. Les associations francophones sont nombreuses. Je préfère les associations qui sont dirigées par des locuteurs natifs.
e. Le français, c'est une langue connue pour sa complexité. C'est aussi une langue que les gens aiment pour sa musicalité.
f. On prépare des dîners à la française dans l'association. Je suis chargé du dîner de la semaine prochaine.

FOCUS LANGUE ▸ p. 93

Convaincre

14. Lisez les phrases. Proposez un argument pour convaincre. Utilisez les expressions données.

a. Venez au petit déjeuner français de notre association samedi matin. Il y a du café et il y a même…
b. Dans notre association, on pratique le français. Et en plus…
c. Le français est une langue internationale, on l'utilise pour voyager, pour les vacances en France. Et ce n'est pas tout…
d. Il y a un super film français diffusé à la cinémathèque de la ville et … à ne pas manquer !
e. Découvrez la francophonie à travers des journées dédiées à un pays francophone et … . Vous ne le regretterez pas !
f. Le français, ce sont 274 millions de francophones et … . Vous vous rendez compte ?

Sons du français ▸ p. 93

L'intonation expressive pour convaincre

15. 121 Écoutez et répétez les phrases. Prononcez-les avec enthousiasme pour convaincre.

1. Notre association est formidable !
2. Venez nous rejoindre !
3. Vous êtes les bienvenus quand vous le voulez !
4. Nos équipes sont très motivées et toujours sérieuses !
5. Nous sommes prêts à agir ensemble !
6. Vous ne le regretterez pas !

Leçon 6

FOCUS LANGUE ▸ p. 94

Le futur proche et le passé récent (rappel)

16. Futur proche ou passé récent ? Lisez les phrases et choisissez la bonne option.

a. Je viens de / vais poser une candidature pour l'association Sauvons le reste ! Normalement, je viens de / vais recevoir une réponse à la fin du mois.
b. Eugenia vient de / va participer à un stage sur la logistique et le transport des produits alimentaires au Cambodge.

c. Nous ne savons pas encore quand nous venons de / allons créer notre association. Nous attendons la réponse de l'administration.
d. Je suis un peu sous le choc car ma meilleure amie vient de / va m'annoncer son départ pour le Venezuela.
e. Nous venons de / allons terminer notre séjour au Népal : c'était une très belle expérience humaine.
f. Leny et Jasmine viennent de / vont rentrer de leurs vacances en Tanzanie. Ils viennent de / vont y retourner pour une mission humanitaire.

FOCUS LANGUE ▸ p. 95

Le présent continu pour parler d'une action en cours

17. Complétez les phrases avec le présent continu.
a. Grâce à ce programme de volontariat, je ... de vivre des moments inoubliables !
b. Écoute la radio RFI ! Ils ... de diffuser une publicité sur le bénévolat en Inde.
c. Nous ... d'écrire un livre qui retranscrit toutes nos années de bénévolat.
d. Vous ... de réfléchir à votre prochain voyage humanitaire ?
e. Tu ... de te renseigner pour choisir la mission la plus intéressante pour toi.
f. Elle ... de préparer tous les papiers avant son grand départ.

EXPRESSIONS UTILES

Leçon 1

- **Caractériser des personnes**

Quelques clichés

	râleur • pessimiste • arrogant • malpoli • sale...

	éduqué • cultivé • romantique • intellectuel...

Pour nous, les Français, ce sont les Européens qui... / ce sont des personnes que...
Pour nous, le Français, c'est une personne qui... / c'est quelqu'un qui...

Leçon 3

- **Débattre**

Exemples de thématiques
les espaces publics • les lieux de rencontres • l'environnement • vivre ensemble • vie de quartier • modes de déplacement...
D'accord, pas d'accord
+ : je suis d'accord • je suis tout à fait d'accord...
+ ou – : je suis en partie d'accord...
– : je ne suis pas du tout d'accord • je ne partage pas ton avis • je ne suis pas de ton avis...

- **Donner des précisions**

[une chose] dont nous avons tous besoin.
[un lieu] où il ne se passe jamais rien.
[des choses] dont les habitants du quartier ont envie.
[un endroit] où il n'y a pas de transports.

Leçon 4

- **Parler des différences culturelles**

prendre les repas en famille • faire la bise • être à l'heure • faire du sport...

- **Demander un avis**

Que penses-tu de / que pensez-vous de... ?
Qu'est-ce que tu penses / qu'est-ce que vous pensez de... ?
À ton avis / À votre avis... ?
Je peux avoir ton / votre avis sur... ?
Quelle est ton opinion / quelle est votre opinion sur... ?
Il y a des différences entre ... et... ?

- **Donner un avis**

Je trouve que / Nous trouvons que...
Pour moi / Pour nous...
À mon avis / À notre avis...
Je crois que / Nous croyons que...
Il me semble que / Il nous semble que...

Leçon 6

- **Rassurer**

Je vous rassure. Il n'y a pas de problème.
Vous êtes en sécurité.
Je n'ai plus du tout peur. Je ne suis pas inquiet(ète).
Ne t'inquiète pas, on va trouver une solution. Ça va s'arranger !

DOSSIER 6

Leçon 1

FOCUS LANGUE ▸ p. 103

Les verbes pour cuisiner

1. Associez chaque verbe à sa définition.

a. mélanger
b. faire bouillir
c. rincer
d. faire cuire
e. placer
f. couper

1. transformer un aliment par le feu ou la chaleur pour le manger ;
2. utiliser l'eau pour nettoyer quelque chose ;
3. mettre à un endroit ;
4. mettre ensemble ;
5. faire monter la température à 100 °C ;
6. diviser en plusieurs morceaux.

2. Complétez les phrases avec les verbes proposés au présent.

essuyer • mélanger • nettoyer • plonger • balayer • placer • rincer

a. Nous … toujours la vaisselle à l'eau chaude.
b. Les assiettes ont été lavées avec du savon : vous pouvez les … dans l'eau pour retirer le produit et les … pour les ranger.
c. Une cuisine doit toujours être propre. Je … ma cuisine trois fois par jour.
d. Les chefs cuisinent ; les apprentis observent et … le sol.
e. Si tu … régulièrement tes ingrédients, ta préparation ne brûlera pas et ton plat sera réussi.
f. Ce sont généralement les apprentis qui … chaque produit dans les assiettes. Les chefs donnent les instructions.

Sons du français ▸ p. 103

Les sons [y], [ɥ] et [u]

3. a. 122 **Écoutez. Dites combien de fois vous entendez le son [ɥ] dans ces phrases : 0, 1, 2 ou 3 fois ?**

b. Lisez ces phrases.

1. On cuisine tous les produits du terroir ici.
2. Tu dois essuyer les aubergines selon mes instructions.
3. Il faut éplucher tous les légumes avant leur cuisson.
4. Tu coupes et découpes les courgettes régulièrement.
5. Tu cuis et recuis les tomates en suivant mes conseils.
6. Je préfère cuisiner avec lui pour apprendre des techniques.

Leçon 2

FOCUS LANGUE ▸ p. 105

Les verbes prépositionnels pour donner des instructions

4. Complétez les verbes avec la préposition *à* ou *de/d'*.

a. « Quand je cuisine, j'évite … mettre trop de sel car ce n'est pas bon pour la santé. Je fais attention … tous les produits que j'utilise pour être sûr(e) de la bonne qualité des repas. C'est important de penser … garder une alimentation saine et bonne ! »
b. « J'adore cuisiner et manger. Déguster un bon petit plat, c'est un vrai plaisir ! Mais j'essaye … ne pas manger trop gras et je cherche toujours … surprendre ma femme et mes enfants avec de nouvelles saveurs. Je réussis souvent … leur faire aimer des choses qu'ils n'aiment pas d'habitude. »
c. « Je suis une vraie catastrophe culinaire ! Mes plats n'ont pas beaucoup de goût car j'oublie régulièrement … ajouter du sel et du poivre. Je viens … acheter une nouvelle machine qui sert … préparer des plats à ma place. C'est incroyable ça, non ? »

FOCUS LANGUE ▸ p. 105

Les verbes d'action pour cuisiner

5. Complétez les recettes avec les verbes proposés.

a. couper (2 fois) • faire dorer • éplucher • ajouter • mélanger

La daube niçoise

1. … les carottes et les oignons. Bien enlever la peau.
2. Les … finement.
3. Mettre les oignons dans la poêle bien chaude, puis … les carottes, du sel, du poivre et des herbes de Provence.
4. … la viande de bœuf et … la viande avec les carottes et les oignons. … la préparation.
5. Baissez le feu et laisser cuire doucement quelques heures. Un vrai délice !

b. faire chauffer • couper (2 fois) • faire cuire • rincer • ajouter • mélanger

Les farcis niçois

1. … les légumes ; ils doivent être propres.
2. … les légumes en deux.
3. … la viande et … la viande avec un œuf et des herbes aromatiques. … du sel et du poivre, essentiels pour le goût. Ne pas oublier les oignons et l'ail !
4. … la préparation de viande puis la mettre dans chaque moitié de légume.
5. … 30 minutes.

Leçon 3

FOCUS LANGUE ▸ p. 107

Si + imparfait pour faire une proposition ou inciter à agir

6. Faites une proposition pour chaque situation. Utilisez *si* + imparfait.

Exemple : J'ai un vieux fauteuil tout abîmé.
→ *Et si tu achetais un nouveau fauteuil ?*

a. J'aimerais bien savoir réparer les meubles.
b. Gilles s'intéresse au bricolage.
c. J'adore rencontrer des gens et apprendre des nouvelles choses.
d. Je veux trouver quelqu'un pour recoudre mes vêtements.
e. J'ai envie de recycler ma table et la rendre plus moderne.

FOCUS LANGUE ▸ p. 107

Les pronoms indéfinis pour désigner une personne, une chose ou un lieu

7. Complétez les phrases avec : *quelque part*, *rien* (2 fois), *personne*, *partout*, *quelque chose*.

a. Dans les Repair Cafés, tous les objets ont une seconde vie, … n'est jeté à la poubelle.
b. … ne vient les mains vides dans un Repair Café, tout le monde apporte … à réparer.
c. Je dois apporter ma lampe … pour la remettre à neuf mais j'ai oublié l'adresse.
d. Tony ne connaît … au bricolage, c'est pour ça qu'il va dans un Repair Café !
e. Si tu veux trouver un Repair Café, ce n'est pas un problème, il y en a … dans la ville !

Sons du français ▸ p. 107

Le rythme et l'intonation de la question hypothétique (*si* + imparfait… ?) pour inciter à agir

8. 123 Écoutez. Dites si vous entendez une phrase interrogative ou exclamative. Observez la différence d'intonation et répétez les phrases.

Exemple : Et si on faisait quelque chose demain ?
→ *On entend une phrase* ***interrogative****.*
Si on faisait quelque chose, ce serait super !
→ *On entend une phrase* ***exclamative****.*

1. Et si tu prenais plus de temps pour toi ?
2. Si tu venais demain, je serais ravie !
3. Si tu allais sur mon blog pour voir mes infos ?
4. Et si tu participais à une action bénévole ?
5. Si tu voulais vraiment, tu viendrais avec moi !
6. Si tu faisais réparer tes vieux objets, ce serait utile !

Leçon 4

FOCUS LANGUE ▸ p. 109

L'accord du participe passé avec le verbe *avoir*

9. Accordez les participes passés si nécessaire.

a « Je ne pensais pas qu'il était possible de trouver le jouet Sophie la girafe dans un autre pays que la France. C'est amusant d'imaginer que des Américains l'ont **acheté**, que des Italiens l'ont déjà **vu** dans les rayons de leurs magasins ou que leurs enfants l'ont **eu** comme cadeau et l'ont **gardé**. Moi, j'en avais deux et je les ai **conservé** en souvenir. »

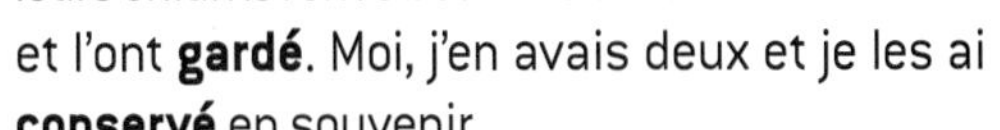

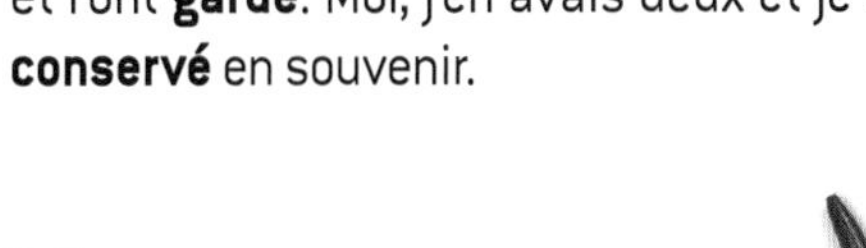

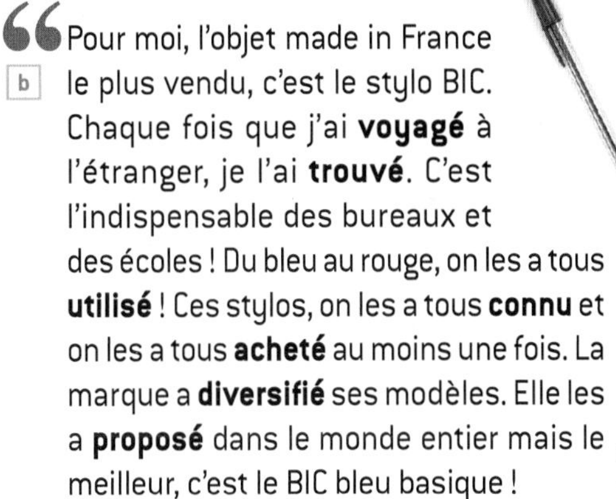

b « Pour moi, l'objet made in France le plus vendu, c'est le stylo BIC. Chaque fois que j'ai **voyagé** à l'étranger, je l'ai **trouvé**. C'est l'indispensable des bureaux et des écoles ! Du bleu au rouge, on les a tous **utilisé** ! Ces stylos, on les a tous **connu** et on les a tous **acheté** au moins une fois. La marque a **diversifié** ses modèles. Elle les a **proposé** dans le monde entier mais le meilleur, c'est le BIC bleu basique ! »

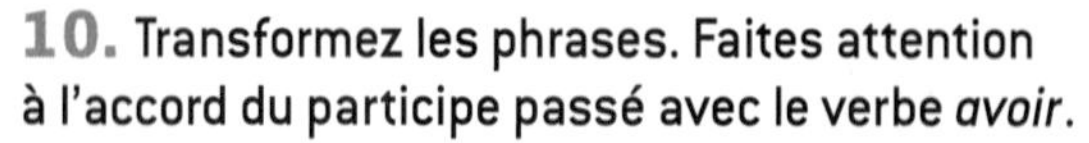

10. Transformez les phrases. Faites attention à l'accord du participe passé avec le verbe *avoir*.

Exemple : Seb est une marque française d'électroménager qui a séduit les étrangers. Ils ont adopté cette marque dans leur foyer. → *Ils **l'**ont adopté**e** dans leur foyer.*

a. La marque française Michel et Augustin a proposé ses cookies à New York : tout le monde a adoré leurs cookies.
b. Airbus a annoncé deux nouveaux modèles d'avion. Beaucoup de pays ont déjà commandé ces nouveaux modèles.
c. Le nouveau parfum Chanel est arrivé ! De nombreuses femmes ont acheté ce nouveau parfum.
d. Sophie la girafe, objet préféré des bébés français, a conquis les pays étrangers. Sophie a charmé ces pays.
e. Les automobiles Peugeot sont bien présentes en Europe. Les Européens ont élu ces autos comme les meilleures.

Leçon 5

FOCUS LANGUE ▸ p. 111

Les pronoms possessifs pour exprimer la possession

11. Relevez l'élément remplacé par le pronom possessif.

a. Ma meilleure amie a eu un nouveau parfum pour son anniversaire. J'aimerais bien acheter le même que le sien.
b. Je préfère ma crème hydratante à la tienne parce que je la trouve plus douce.
c. Nolan et Camilla utilisent le même savon que le nôtre, il n'y a pas de différence entre les enfants et les parents.
d. Rogé Gallet propose des produits cosmétiques fantastiques. J'aime acheter les leurs.
e. Ma fille adore mes soins du visage. Elle utilise toujours les miens, jamais les siens.
f. Mon huile de massage est super mais la vôtre est exceptionnelle. Quel est son nom déjà ?

12. Répondez à ces questions. Utilisez un pronom possessif pour éviter la répétition.

Exemple : Mon lait hydratant sent très bon. Et le tien ?
→ *Le mien a aussi un parfum très agréable.*

a. Ma meilleure amie a une excellente huile pour le corps ? Et toi ?
b. Les enfants utilisent un gel douche très hydratant et 100 % naturel. Et vous ?
c. Tous mes cosmétiques viennent de chez Sephora. Et les vôtres ?
d. J'utilise un gommage qui est à base de fruits. Et toi ?
e. Notre savon est sans paraben. Et le vôtre ?

Sons du français ▸ p. 111

Les sons [ʃ] et [ʒ]

13. a. 🎧 124 **Écoutez. Dites si vous entendez deux fois le son [ʃ], deux fois le son [ʒ] ou les deux sons.**

Exemple : un message urgent → on entend deux fois le son [ʒ]

b. **Répétez les mots.**

Leçon 6

FOCUS LANGUE ▸ p. 113

Indiquer la chronologie dans une suite de faits et d'actions

14. Lisez les phrases. Inversez l'évocation des actions. Utilisez *avant de* et *après*.

Exemple : Avant de commencer à acheter des meubles vintage, j'achetais des vêtements vintage.
→ ***Après** avoir acheté des vêtements vintage, j'ai commencé à acheter des meubles vintage.*

a. Avant d'être un tabouret, j'étais une chaise.
b. Après avoir fait le tour du marché aux puces, il a trouvé l'objet rare qu'il cherchait.
c. Avant de proposer ce fauteuil à la vente, on doit le nettoyer.
d. J'ai développé ma passion du vintage après avoir été dans un vide-grenier.
e. Je me suis renseigné sur la valeur de chaque objet avant de les vendre.

FOCUS LANGUE ▸ p. 113

Les marqueurs temporels (2) pour situer des événements dans le temps

15. Complétez les phrases avec les marqueurs temporels proposés. Respectez la chronologie.

a. après • en • depuis • c'est en 1981 que

Bonjour, je suis né ... 1978. J'ai d'abord été le fauteuil d'une petite fille et de sa maman pour lire des histoires le soir. ... j'ai déménagé dans une autre maison avec de nouveaux meubles. ... le déménagement, tout a changé. Il n'y avait plus de place pour moi alors ils m'ont laissé dans une brocante. J'y suis resté quelques années. Je suis devenu le fauteuil sur lequel un vieux monsieur s'assoit tous les jours ... 30 ans aujourd'hui.

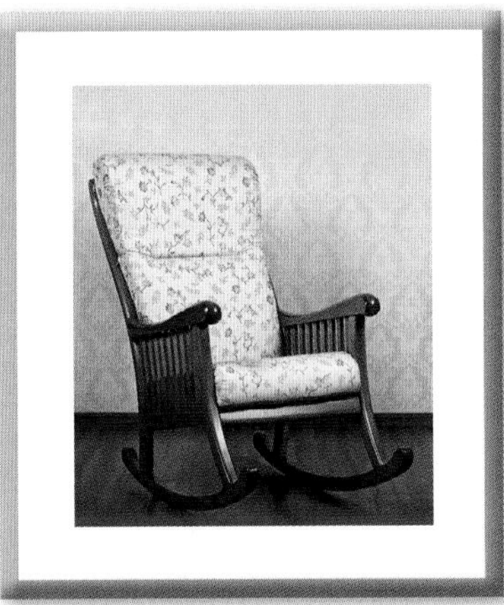

b. dans les années 1980 • à l'âge de • un an plus tard • puis • en

... 3 mois, je suis partie avec d'autres chaises pour accompagner une table de salon. ... , j'ai été blessée : mon pied avant gauche était cassé ! Heureusement, j'ai été soignée ! ... le temps a passé. ... , j'étais à la mode mais ... 2017, je suis vintage !

EXPRESSIONS UTILES

Leçon 1

- **Comprendre des tâches et des instructions**

  Exemples pour préparer un plat :
  Les verbes d'action : nettoyer • laver • éplucher • découper les légumes • mélanger • faire cuire • faire bouillir • plonger • rincer • cuire • essuyer • placer
  Les ingrédients : les aubergines • les courgettes • les poivrons • les tomates
  Les ustensiles : un saladier • une casserole • un plat • un couteau
  Les instructions : vous nettoyez et vous épluchez les ..., vous les mélangez dans un saladier. Vous les faites cuire dans une grande casserole d'eau...
  Autres thèmes : faire la vaisselle • nettoyer la cuisine • ranger la maison...

Leçon 2

- **Rédiger une recette de cuisine**

  – Pour combien de personnes
  Les ingrédients
  viande • poisson • légume • matières grasses • assaisonnement
  Le mode de cuisson
  wok • tajine • plancha
  Les ustensiles
  une cuillère (à soupe, à café) • une poêle • une spatule en bois
  Les conseils pour réussir le plat
  faire attention à • éviter de • penser à • chercher à • commencer par • recommencer à • ne pas oublier de...
  Les verbes d'action
  faire chauffer • couper en morceaux • faire revenir • saler • poivrer • ajouter (à) • mettre / remettre • faire dorer • remuer • faire réchauffer • servir

Leçon 4

- **Évoquer une réussite (un succès)**

  Il/Elle les a commandé(e)s chez...
  C'est le/la *[nom du produit]* que *[nom de l'institution]* a choisi(e)
  Ils l'ont immédiatement adopté(e)
  Ils l'ont adoré(e) / Ils les ont adoré(e)s
  Le/la *[nom du produit]* a cartonné
  Ils l'ont bien compris !
  Les produits qui ont bien marché...
  Ils l'ont énormément acheté(e)

Leçon 6

- **Raconter une suite d'actions**

  – Date de naissance
  – Récit de l'enfance
  – Début de l'âge adulte
  – Pendant l'âge adulte *[description de ce qui se passait, changements dans la vie de l'objet]*
  – En fin de vie
  je suis né en • dans les années • en • la même année • à l'âge de • deux ans plus tard • après • puis • 20 ans ont passé • depuis • désormais

DOSSIER 7

Leçon 1

FOCUS LANGUE ▸ p. 121

Le passé composé, l'imparfait, le plus-que-parfait pour construire un récit au passé

1. Conjuguez les verbes aux temps indiqués : passé composé, imparfait, plus-que-parfait.

« La France (inspirer) ma vie : mes études, ma famille, ma carrière ! Je (habiter) à Paris quand je (être) étudiante. J' (donner naissance) à mes enfants en France. J' (présider) le festival de Cannes en 2010. Je suis bien plus française qu'anglaise, cela (devenir) une certitude que je (sentir) depuis le début de mon aventure en France. Je (ne jamais imaginer) l'affection qu'un pays et une langue (pouvoir) offrir ! »

Kristin Scott Thomas, actrice

a

« Parler français, ça (changer) ma vie. Je (aller) au lycée français de Los Angeles. Ma famille (être) francophile et (chercher) le prestige de l'éducation française. Avant de doubler mes films en français, je (chanter) aux côtés de Serge Gainsbourg. Je (ne jamais avoir) une expérience comme celle-là auparavant. Je (apprendre) le français mais je (ne jamais l'utiliser) de cette façon. Ce (être) incroyable ! »

Jodie Foster, actrice

b

2. Conjuguez les verbes. Choisissez le passé composé, l'imparfait ou le plus-que-parfait.

a. Je (être) surprise d'apprendre que Nancy Huston (être) canadienne et non pas française.
b. Miguel (acheter) le livre de Tahar Ben Jelloun que je lui (recommander). Il le (adorer).
c. Dans ses livres, Léopold Sédar Senghor (savoir) utiliser la poésie pour exprimer les émotions qu'il (ressentir).
d. Ce nouvel écrivain francophone (trouver) dans la langue française des nuances lexicales qu'il (ne jamais connaître) dans d'autres langues.
e. Je (ne jamais s'intéresser) à la littérature francophone avant de lire Aimé Césaire. Ça (être) une belle révélation !

Leçon 2

FOCUS LANGUE ▸ p. 123

Quelques structures pour indiquer un moment précis et une durée dans le temps

4. Complétez les phrases avec : *à partir du moment où, pendant, jusqu'au moment où, le jour où, à l'époque, jusqu'à présent*.

a. ... j'ai su que je partais travailler à Bruxelles, j'ai décidé d'apprendre le français.
b. Je trouvais la langue française particulièrement difficile ... j'ai rencontré un professeur qui a rendu son apprentissage beaucoup plus facile.
c. ... , le français était surtout une langue littéraire. Elle est devenue plus pratique avec la création de l'Europe.
d. ... vous travaillez à l'international, le français est une langue très demandée parallèlement à l'anglais.
e. J'avais un correspondant français à Toulouse qui m'a aidé à pratiquer le français ... ma scolarité.
f. ..., je ne pouvais pas dire un mot en français mais avec les cours particuliers que j'ai pris, ça va mieux !

5. Associez les phrases.

a. Avant, je ne connaissais pas un mot de français.
b. J'ai voulu apprendre le français
c. Pendant mon entretien d'embauche,
d. Le jour où je suis entré au lycée français de ma ville,
e. Au début de ma carrière professionnelle, l'anglais suffisait
f. Jusqu'à présent, je n'utilisais jamais le français

1. j'étais complètement perdu, le système éducatif était très différent.
2. Désormais, je suis quasiment bilingue.
3. mais ma mission en Afrique m'a obligé à le pratiquer.
4. à partir du moment où j'ai compris son utilité.
5. j'ai appris que le français est une des exigences de l'entreprise.
6. mais le français est vite devenu indispensable avec certains clients.

Sons du français ▸ p. 123

Les voyelles [u] et /O/

3. 125 **Écoutez. Dites si vous entendez la voyelle [ɔ] en 1re ou en 2e position. Répétez les mots.**

Exemple : *une info / il informe→ Le son [ɔ] est en 2e position.*

Leçon 3

FOCUS LANGUE ▸ p. 125

Les prépositions et les marqueurs temporels pour situer dans le temps (synthèse)

6. Choisissez l'expression de temps correcte.

a. Adolescent, je devais travailler avec mon père pendant / dans les vacances.
b. Jusqu'à présent / Depuis que j'ai quitté mon pays pour la France, j'ai eu de la chance.
c. J'ai goûté à la liberté en / pour 1964 quand j'ai eu 18 ans.
d. Dès que / Pendant je suis sorti de l'université, j'ai trouvé un travail.
e. J'avais prévu de partir en / pour une semaine mais le voyage s'est transformé en tour du monde.
f. Beaucoup de choses ont changé en / à partir des années 1960.

7. Lisez les phrases et trouvez une suite logique. Utilisez : *jusqu'à, jusqu'au moment où, en, depuis que, pendant, désormais, à l'époque, pour, à partir de, le jour où*.

Exemple : La télévision était en noir et blanc...
→ *jusqu'en 1967.* → *de sa création à 1967.*

a. Enfant, je croyais au Père Noël...
b. J'achetais des gâteaux à la boulangerie du coin...
c. J'adorais aller au cinéma...
d. Internet n'existait pas...
e. J'ai travaillé à l'usine...
f. J'avais oublié ma maison d'enfance...

Sons du français ▸ p. 125

Les sons [k], [g] et [z]

8. 126 Écoutez la prononciation des lettres surlignées. Notez le son que vous n'entendez pas. Répétez les phrases.

Exemple : Le sujet du jour concerne les accords d'entreprise. → *on n'entend pas le son [g]*

a. Il est urgent de s'engager dans un projet.
b. On espère recueillir beaucoup de candidatures pour ce programme.
c. Mon entourage proche a organisé une superbe fête intergénérationnelle.
d. Un groupe de parole a été créé pour expliquer le vécu des anciens.
e. À l'époque de mes parents, les jeunes commençaient à travailler tôt.
f. En général, le sujet de discussion préféré de Coline est l'école d'aujourd'hui.

Leçon 4

FOCUS LANGUE ▸ p. 126

La cause et la conséquence pour justifier un engagement (1)

9. Relevez l'expression de la cause et de la conséquence dans chaque phrase.

a. Avec un petit geste de tous, le monde pourra aller mieux. C'est pour ça que je suis inscrite dans une association.
b. Les Restos du Cœur est une association française très populaire qui existe grâce à l'initiative de Coluche.
c. Comme la faim est le problème planétaire prioritaire pour moi, je donne de l'argent à Action contre la faim.
d. Je suis sensible aux difficultés des enfants, alors je m'intéresse aux associations dédiées aux enfants.
e. À cause du racisme, les gens n'ont pas les mêmes opportunités que les autres.
f. Les associations lancent un appel aux gens parce qu'elles manquent de bénévoles.

FOCUS LANGUE ▸ p. 127

La cause et la conséquence pour justifier un engagement (2)

10. Complétez les textes avec les expressions proposées.

a. donc • c'est pour... que • grâce à

FONDATION NICOLAS HULOT

... apprendre aux gens le respect de la nature et de l'homme ... la fondation a été créée en 1990. ... son engagement international, elle aide à améliorer les comportements de l'homme dans son environnement. Le bien-être de l'homme dépend de son environnement, il est ... important de faire attention à la nature.

b. comme • c'est pourquoi • alors

PETITS PRINCES

Les enfants malades n'ont pas toujours la chance de réaliser leurs rêves, ... l'association Les Petits Princes les aide à oser les rêves les plus fous ! ... la maladie est un moment difficile pour un enfant, Les Petits Princes sont là pour lui donner des moments de bonheur ! Nos bénévoles suivent les enfants régulièrement, ... ils créent une relation très forte.

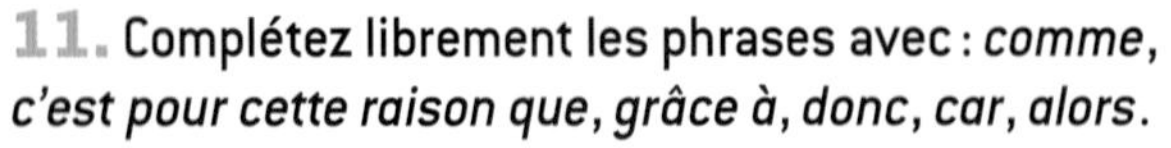

11. Complétez librement les phrases avec : *comme, c'est pour cette raison que, grâce à, donc, car, alors*.

a. Les problèmes environnementaux sont ceux qui me touchent le plus…
b. L'animal n'est pas assez protégé, on devrait y faire beaucoup plus attention…
c. La protection de l'enfance est une priorité absolue…
d. Tout le monde a droit aux soins médicaux, la médecine est un droit naturel…
e. Manger et boire, ce sont les premières nécessités…
f. L'éducation est essentielle à tout enfant dans le monde…

Leçon 5

Quelques expressions pour formuler une critique et proposer des solutions

12. Indiquez si les phrases sont des critiques ou des solutions.

a. Malheureusement, la conscience écologique des hommes semble difficile à faire évoluer.
b. Il faudrait que chacun de nous prenne ses responsabilités pour vraiment faire une différence.
c. Chaque pays n'est pas prêt à engager les budgets nécessaires pour lutter contre la pollution.
d. Il ne faut pas qu'on reste sans rien faire face à la situation environnementale de notre planète.
e. Il faut imposer différents systèmes de taxes pour forcer les gens à comprendre l'enjeu écologique.
f. Il faut que les constructions écologiques soient encouragées pour favoriser un habitat durable et sain.

13. Formulez une critique ou proposez une solution pour chaque situation. Utilisez une expression différente à chaque fois.

Exemple : La pollution des sols
→ *Les gouvernements ne sont pas prêts à prendre des mesures plus strictes.*
→ *Il faut que les gens soient conscients et responsables. / Il faudrait créer une taxe pour les déchets.*

a. Les espèces animales en danger
b. La disparition des forêts
c. La pollution de l'eau
d. La toxicité de l'air
e. L'épuisement des ressources naturelles
f. Le changement climatique

FOCUS LANGUE ▸ p. 129

Les prépositions (à, *de*) pour relier un adjectif à son complément

14. Choisissez la bonne préposition.

a. L'homme doit être conscient à / de la richesse de la nature et doit la préserver.
b. Se ressourcer au milieu de la nature est une chose agréable à / de faire.
c. Il faut être content à / d' avoir ce que nous avons, il faut savoir épargner la nature.
d. Tes principes écologiques sont différents à / de ceux de tes parents car tu as appris beaucoup de choses sur le changement climatique.
e. Ce n'est pas toujours facile à / de comprendre clairement les dangers et les risques écologiques.
f. Il est urgent à / de voir un changement se produire dans les consciences humaines.

Leçon 6

FOCUS LANGUE ▸ p. 131

L'exclamation pour donner son avis

15. Associez une exclamation correcte à chaque phrase.

a. Je pense créer un groupe Facebook pour réunir tous les francophones et les francophiles.
b. Je ne trouve personne pour voir des films en français au cinéma.
c. J'ai rencontré un Français natif de Nantes, on pratique la langue ensemble.
d. Aucune communauté francophone ou francophile n'existe autour de moi.
e. J'ai réussi à rassembler plus de 500 francophones sur mon groupe Facebook.
f. Je suis parvenu à m'exprimer clairement en français !

1. C'est dommage !
2. Quel succès !
3. Excellente idée !
4. C'est vraiment dommage !
5. C'est formidable !
6. Bravo !

Les locutions adverbiales pour justifier son avis

16. Lisez les phrases. Complétez l'avis positif et négatif. Utilisez les locutions adverbiales pour justifier votre avis.

a. On aimerait créer un partenariat avec les écoles de français pour organiser des événements sociaux.
– C'est dommage ! … / – C'est formidable ! …

b. Je suis en train de négocier la diffusion d'un film français une fois par semaine à la cinémathèque de la ville.
 – Bravo ! ... / – Bof ! ...
c. On va peut-être organiser un voyage en France !
 – Génial ! / – Ce n'est pas possible ! ...
d. J'ai l'intention de créer un club de lecture en français.
 – Mauvaise idée ! ... / – Super ! ...

Sons du français ▸ p. 131

L'intonation expressive dans la phrase exclamative

17. 127 **Observez la transformation des phrases (affirmatives • exclamatives). Écoutez et répétez.**

1. C'est une idée intéressante. → Quelle bonne idée !
2. C'est une belle initiative. → Quelle belle initiative !
3. Pas d'Alliance française, c'est dommage. → C'est vraiment dommage !
4. C'est un beau succès. → Quel beau succès !
5. Je trouve cela bizarre. → C'est vraiment bizarre !
6. J'adore les réseaux sociaux. → Les réseaux sociaux, c'est génial !

EXPRESSIONS UTILES

Leçon 1

- **Présenter un écrivain francophone**
  – Nom, prénom et nationalité de l'auteur.
  – Début de sa carrière d'écrivain : Il/Elle a commencé sa carrière d'écrivain...
  – Raisons pour lesquelles il/elle a décidé d'écrire en français : Il/Elle n'avait pas imaginé d'écrire en français, mais...
  – Il/Elle avait beaucoup... avant de...
  – Rapport à la langue française (pendant l'enfance) : Quand il/elle était enfant, il/elle avait une passion pour la langue française...
  – Études en français : ce n'était pas la seule langue qu'il/elle avait apprise, mais c'était...
  – Émotions liées à la langue française : Il était plus facile pour lui/elle d'écrire en français car il/elle...

Leçon 3

- **Recueillir un témoignage**
  – Jusqu'à quand avez-vous vécu chez vos parents ? / Pendant combien d'années avez-vous vécu chez vos parents ? Jusqu'à quel âge avez-vous été à l'école ? / De quel âge à quel âge avez-vous été à l'école ?
  – Avez-vous fait votre service militaire ? / Un service civique ? Pour quelle durée ? / Pendant combien de temps ?
  – En quelle année avez-vous commencé à travailler ? Avez-vous commencé à travailler dès que vous avez quitté l'école ?
  – Déjà retraité : que pensez-vous de la jeunesse d'aujourd'hui ? Les choses ont beaucoup changé depuis que vous avez pris votre retraite ?
  – Pas encore retraité : dans combien de temps allez-vous prendre votre retraite ?

Leçon 5

- **Réaliser une campagne de protection de la nature**
  Pour critiquer
  – Les habitants de mon pays / touristes / autorités ne sont pas prêt(e)s à ...
  – ... n'est pas une bonne chose
  – Il ne faut pas que ...
  – Malheureusement, les gens ne font pas assez attention à...
  Pour encourager à protéger la nature
  – Je suis conscient de l'importance de la nature.
  – Je suis fier de la beauté de mon pays, je protège la nature.
  – Nous sommes très contents d'accueillir beaucoup de touristes, mais ils doivent être respectueux de l'environnement.
  – Mon pays est connu pour la beauté de ses paysages, respectez-les !

Leçon 6

- **Proposer des activités pour les francophones**
  Pour constater
  – Nous pratiquons de moins en moins notre français parce que...
  – Il y a de moins en moins d'activités francophones dans notre ville ces dernières années, c'est vraiment dommage !
  – Il y a de plus en plus de francophones qui aimeraient se retrouver...
  Pour proposer
  – Un festival de cinéma français ! Il y en a un à .... Quel succès !
  – Un cours de cuisine ! C'est une excellente idée !
  – Un apéro français deux fois par mois ! Ce serait formidable !

DOSSIER 8

Leçon 1

FOCUS LANGUE ▸ p. 139

La forme passive pour mettre en valeur un élément

1. a. Indiquez si les phrases sont à la forme active ou passive.

1. Les matchs de rugby entre la France et l'Australie sont souvent commentés.
2. Frank Provost a exporté sa marque en Australie avec succès.
3. Beaucoup de Français sont attirés par l'aventure australienne.
4. La communauté française en Australie est de 80 000 personnes environ.
5. Melbourne a de nombreuses épiceries françaises.
6. L'hôtelier français Accor mène le marché touristique en Australie.

b. Mettez les phrases actives de l'activité a. à la forme passive et les phrases passives à la forme active.

Exemple : Les matchs de rugby entre la France et l'Australie sont souvent commentés. (forme passive)
→ *On commente souvent les matchs de rugby entre la France et l'Australie. (forme active)*

2. Mettez les phrases à la forme passive.

a. Laurent Boillon a importé le pain français en Australie en 1991.
b. Les autorités demandent un VVT (Visa Vacances Travail) aux Français pour entrer en Australie.
c. L'Australie embauche des chefs français pour garantir la qualité culinaire.
d. L'Australie favorise l'entreprenariat. C'est une vraie chance pour les Français.
e. Thalès (entreprise française d'aérospatial) et le ministère de la Défense australien signeront un contrat de conception d'armement militaire aujourd'hui.
f. L'Australie a adopté l'industrie Renault.

Leçon 2

FOCUS LANGUE ▸ p. 141

La nominalisation pour mettre en avant une information

3. a. Associez les verbes aux noms.

1. acheter • 2. partir • 3. découvrir • 4. voter • 5. représenter • 6. vendre • 7. changer

a. changement • b. vote • c. représentation • d. départ • e. vente • f. découverte • g. achat

b. Proposez un titre de journal à partir des noms.

Exemple : *Découverte d'un nouveau pays !*

4. Transformez les phrases verbales en phrases nominales.

Exemple : Le gouvernement luxembourgeois a proposé un nouveau programme sur la diversité linguistique.
→ *Proposition d'un nouveau programme sur la diversité linguistique par le gouvernement luxembourgeois.*

a. Les enfants luxembourgeois apprendront le français dès l'école maternelle.
b. Le Tour de France arrive au Luxembourg en 2017.
c. L'Institut français de Luxembourg présente la pièce de théâtre *Où on va papa ?*
d. Le Luxembourg célèbre la francophonie dès la semaine prochaine avec la Semaine de la francophonie !
e. La gastronomie luxembourgeoise protège ses origines paysannes.

5. Transformez les phrases nominales en phrases verbales.

Exemple : Rencontre entre francophones du pays autour d'un festival de poésie. → *Les francophones du pays se rencontrent/vont se rencontrer/se sont rencontrés autour d'un festival de poésie.*

a. Élection de Miss Luxembourg le week-end prochain.
b. Diffusion du match de football entre le Luxembourg et l'Espagne ce soir.
c. Venue du président français sur le sol luxembourgeois hier.
d. Ouverture gratuite des monuments et des musées au Luxembourg à l'occasion du Museum Smile.
e. Aide de l'organisme Film Fund Luxembourg pour développer l'industrie du cinéma luxembourgeois.

Sons du français ▸ p. 141

Les sons [ø] et [œ]

6. a. 128 Écoutez. Dites combien de fois vous entendez le son [œ] dans ces phrases : 0, 1, 2 ou 3 fois ?

b. Lisez ces phrases.

1. Seules deux langues étrangères sont pratiquées ici.
2. Samedi, il y aura très peu de chauffeurs, j'en ai peur.
3. Le facteur arrive toujours à l'heure.
4. Tous les deux ans, on peut participer à un grand jeu.
5. Les jeunes peuvent rêver d'un meilleur avenir.
6. Les lecteurs et les auditeurs participent à leur manière à l'info.

Leçon 3

FOCUS LANGUE ▸ p. 143

Le gérondif pour donner des précisions

7. Conjuguez les verbes au gérondif.

a. Le gouvernement redynamisera l'économie (limiter) les taxes salariales et (favoriser) l'entreprenariat.
b. Les gens seront plus responsables (être) mieux informés et (avoir) plus conscience des enjeux écologiques de notre planète.
c. Les Français parleraient mieux les langues étrangères (apprendre) ces langues dès l'école maternelle et (pratiquer) plus avec des natifs.
d. La sécurité routière sensibilise la population (diffuser) des campagnes publicitaires « choc » dans les médias et (montrer) les images réelles des accidents les plus graves à la télévision.
e. Nous essayons d'agir pour l'environnement (économiser) l'eau et (éteindre) le matériel électrique et électronique de la maison quand nous ne l'utilisons pas.
f. Je fais attention au gaspillage (finir) mon assiette et (acheter) la nourriture au fur et à mesure.

8. Imaginez les réponses. Utilisez le gérondif.

Comment ?

a. Comment limiter la disparition de certaines espèces animales ?
b. Comment réduire la pollution de l'air ?
c. Comment motiver les jeunes générations à apprendre une langue étrangère ?
d. Comment encourager les gens à avoir une vie plus saine ?
e. Comment limiter le chômage et dynamiser l'emploi ?

Leçon 4

FOCUS LANGUE ▸ p. 145

Le conditionnel (2) et quelques structures pour faire des suggestions

9. Donnez un conseil, faites une suggestion ou exprimez un souhait pour chaque sujet proposé. Utilisez le conditionnel.

Exemple : Travailler sans Internet. → *On devrait obliger les employés à ne pas utiliser Internet plus de 2 heures par jour.*

a. Encourager l'ouverture des magasins le dimanche.
b. Éviter le téléphone au volant.
c. Améliorer le service client.
d. Motiver les étrangers à apprendre le français.
e. Se protéger des ondes électromagnétiques.

Sons du français ▸ p. 145

Liaison ou enchaînement ?

10. 129 **Écoutez ces phrases prononcées avec la liaison ou sans liaison. Répétez.**

1. C'est une idée intéressante. C'est une idée intéressante.
2. Des personnes interrogées. Des personnes interrogées.
3. Ils ont imaginé des wagons surprise. Ils ont imaginé des wagons surprises.
4. C'est un jour comme les autres. C'est un jour comme les autres.

Leçon 5

FOCUS LANGUE ▸ p. 147

Les structures pour exprimer des souhaits et des espoirs

11. Complétez les témoignages avec les formes proposées.

a. il faudrait • j'ai l'espoir de • je veux • j'aimerais

Pour un monde meilleur, ... que l'homme puisse changer car ce sont nos attitudes, nos mentalités et nos actions qui contribuent aux différents problèmes. ... qu'on prenne conscience de tous les trésors que nous avons sur cette planète et que nous sommes en train de les détruire. ... qu'on soit capables d'avancer dans la bonne direction pour les futures générations. ... voir un monde meilleur car je sais que l'homme est capable d'accomplir de belles choses.

b. je souhaiterais • je voudrais • j'espère • il faudrait

... que les gens soient plus responsables et mieux éduqués. ... qu'ils fassent plus attention à leurs comportements dans leur environnement personnel, professionnel et public. Cela améliorerait notre citoyenneté. ... que nous évoluerons ensemble. Plus personnellement, ... aussi mieux m'informer pour mieux comprendre ce qui se passe dans notre monde, c'est capital pour bien agir.

12. **Formulez un souhait et un espoir pour chaque sujet.**

a. L'humanité

d. La technologie

b. La médecine

e. Le commerce

c. L'éducation

f. La qualité de vie

Sons du français ▸ p. 147

La prononciation des verbes au subjonctif

13. **a.** 🎧 130 **Écoutez ces débuts de phrases au subjonctif et répétez-les.**

b. Par deux. Complétez les phrases.

1. a. J'aimerais que tu **sois**… • b. J'aimerais qu'elle **soit**… • c. J'aimerais qu'ils **soient**…
2. a. Il faudrait que j'**aie**… • b. Il faudrait que tu **aies**… • c. Il faudrait qu'elle **ait**…
3. a. Tu voudrais que je **comprenne**… • b. Je voudrais que tu **comprennes**… • c. Il voudrait qu'il **comprenne**……
4. a. J'aimerais qu'on **fasse**… • b. J'aimerais que tu **fasses**… • c. J'aimerais qu'elles **fassent**…

Leçon 6

FOCUS LANGUE ▸ p. 149

Les valeurs du pronom *on*

14. **Indiquez la valeur du pronom *on* (nous, les gens, quelqu'un).**

a. En France, on lit Victor Hugo ou Gustave Flaubert au collège.
b. On trouve des trésors littéraires dans la littérature marocaine d'expression française.
c. Dans mon lycée, on lit les romans qu'on choisit ! Nos professeurs n'imposent rien.
d. On m'a recommandé l'écrivain marocain Edmond Amran El Maleh.
e. Avec mon mari, on a commencé deux livres de Tahar Ben Jelloun. On est enchantés !
f. On m'a donné un roman de Mohamed Choukri. C'est un superbe livre !

15. **Transformez les phrases. Utilisez *on*.**

a. Selon moi, les gens ne lisent pas assez. Ils préfèrent se divertir avec le numérique, c'est dommage.
b. Nous suivons la remise des prix littéraires comme le prix Goncourt ou le prix Renaudot car nous pensons que ces prix récompensent des livres de qualité.
c. Généralement, les gens choisissent un livre par rapport à sa couverture et au prix qu'il a eu. Les gens s'arrêtent à l'apparence.
d. Chez nous, nous lisons beaucoup de romans étrangers car nous adorons ça.
e. Quelqu'un m'a suggéré de lire en français. Tout le monde m'a dit aussi que c'était bien pour comprendre la culture de la langue.
f. Dans les rayons de la Fnac, une personne m'a conseillé la littérature canadienne pour changer un peu. Cette personne m'a précisé que c'était une littérature très sympa.

FOCUS LANGUE ▸ p. 149

Parler d'un livre qu'on aime

16. **Complétez le résumé avec les expressions proposées.**

c'est un roman applaudi par la critique et le public… • l'histoire, c'est… • on trouve dans ce livre… • l'auteur a un style, une écriture… • il connaît un formidable succès…

La Liste de mes envies de Grégoire Delacourt

… celle d'une femme nommée Jocelyne. Elle n'avait rien d'extraordinaire, elle vivait simplement avec les modestes atouts que la nature lui avait donnés. Mais un ticket de Loto gagnant et tout bascule ! … un vrai sentiment d'humanité car … très authentique et simple. Aujourd'hui, … en librairie mais aussi au cinéma ! … que je recommande à tous ! Une belle idée de cadeau !

EXPRESSIONS UTILES

Leçon 1

- **Présenter un fait d'actualité**

  Choisir un bon titre
  Par exemple : Héroïne d'une aventure à l'autre bout du monde, la Twingo entre au Musée national d'Australie.
  Sélectionner un bon sujet pour un article
  Par exemple : Une belle aventure entre la France et l'Australie pour le plus grand plaisir des amoureux de l'extrême.
  Préciser qui, quand, comment, où, quoi, pourquoi
  Par exemple : La Twingo française / vient d'être adoptée / par le Musée national / à Canberra / parce qu'elle est l'héroïne d'une aventure à l'autre bout du monde. / Elle a été décorée par deux artistes australiens.
  Apporter des informations précises
  Par exemple : La Twingo a parcouru 250 000 km en Australie. • Jean Dulon s'est lancé un défi : faire le tour de l'Australie en Twingo.
  Mettre l'information au début de l'article
  Par exemple : La Twingo française vient d'être adoptée par le Musée national d'Australie, à Canberra.
  Donner du rythme à l'article, utiliser des phrases courtes
  Par exemple : La Twingo a été créée dans les années 1990 par la marque automobile Renault.
  Penser à mettre en valeur les éléments avec la forme passive
  Par exemple : Elle a été créée… • Un slogan avait été lancé. • Elle a été entièrement décorée.

Leçon 3

- **Réagir**

  Pour
  – Alors moi, je suis pour. En *[gérondif + complément]*, …
  – C'est très important pour…
  – Et puis en *[gérondif + complément]*, on…
  – Il suffit de…
  – Il faut penser à…
  Contre
  – Alors moi, je crois qu'on ne…
  – Il faudrait déjà commencer à… en *[gérondif + complément]*
  – Et puis…
  – Je ne suis pas d'accord…
  – Ce n'est pas en *[gérondif + complément]*, qu'on…

Leçon 4

- **Faire des suggestions**

  On ferait des photos sans son téléphone !
  Je suis sûre que **je pourrais** le laisser à la maison de temps en temps…
  La RATP devrait créer une mélodie spécifique pour chaque station.
  Il faudrait supprimer les affiches.
  Certains suggèrent aussi un wagon détente et cocktails.
  Cet internaute propose d'exposer des photos réalisées par les passagers.

Leçon 5

- **Exprimer des souhaits**

  – Il faudrait qu'on crée …
  – Nous souhaitons que des … puissent voir le jour.
  – Nous voudrions que … devienne plus important(e).
  – Je souhaite que … soit en bonne santé.
  – Je voudrais vraiment qu'on fasse plus attention à …
  – J'aimerais que … s'améliore.
  – Nous voudrions que les gens comprennent …
  – Je voudrais qu'il y ait moins de/plus de …
  – Nous souhaitons …

- **Exprimer des espoirs**

  – Nous espérons que … se rendront compte de …
  – J'espère qu'on fera quelque chose pour …
  – Nous avons l'espoir de …

Leçon 6

- **Présenter un livre**

  – Montrer le livre en indiquant : le titre, le nom de l'auteur, le genre (BD, roman [humoristique, aventure, science-fiction, fantastique, policier]), le style (dynamique, une belle écriture…).
  – Expliquer qui sont les personnages principaux, leur rôle, leurs liens. L'époque, le lieu de l'histoire. Le début de l'histoire.
  – Choisir un court extrait du livre ou le résumé (4e de couverture) et le lire pour donner envie.
  – Expliquer comment vous avez découvert le livre et pourquoi vous avez envie de le lire.
  – Préciser ce que les gens en pensent et ce que vous en pensez.

DELF A2

Compréhension de l'oral 25 points

Vous allez entendre 4 enregistrements, correspondant à 4 documents différents.
Pour chaque document, vous aurez :
– 30 secondes pour lire les questions ;
– une première écoute, puis 30 secondes de pause pour commencer à répondre aux questions ;
– une seconde écoute, puis 30 secondes de pause pour compléter vos réponses.

Répondez aux questions en cochant ☒ la bonne réponse ou en écrivant l'information demandée.

Exercice 1 5 points

131 **Lisez les questions. Écoutez le document puis répondez.**
Vous entendez cette annonce à la radio française.

1. Cette annonce concerne… 1 point

a  b  c 

2. L'annonce parle d'un site Internet qui aide à trouver… 1 point
   a. un métier.
   b. un voyage.
   c. une association.
3. On peut regarder quel type de document sur le site internet cité dans l'annonce ?
   (Plusieurs réponses possibles, une seule attendue.) 1 point
4. Quelle est l'adresse du site Internet cité dans l'annonce ? 1 point
5. Une fois sur le site Internet cité dans l'annonce, que faut-il faire ? 1 point

a  b  c 

Exercice 2 6 points

132 **Lisez les questions. Écoutez le document puis répondez.**
Vous écoutez ce message sur votre répondeur.

1. Qui est Mme Gelleni ? 1 point
2. Mme Gelleni vous conseille de venir avec… 1 point

a  b   c 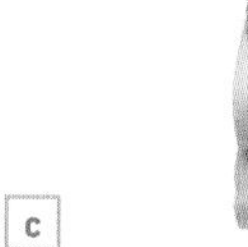 

3. Mme Gelleni vous propose la formule... 1 point
   a. petits déjeuners seulement.
   b. petits déjeuners et déjeuners.
   c. petits déjeuners et dîners.
4. Les petits déjeuners sont servis... 1 point
   a. dans votre chambre.
   b. dans un espace collectif.
   c. à l'extérieur de votre logement.
5. Quel est le prix d'une chambre individuelle par nuit ? 1 point

   .... euros.

6. Vous pouvez contacter Mme Gelleni au... 1 point

   01 ....

Exercice 3 — 6 points

133 **Lisez les questions. Écoutez le document puis répondez.**
Vous écoutez cette émission à la radio française.

1. Pour se laver, ... % des Français utilisent le gel douche. 1 point
2. En plus de laver, que fait le gel douche d'après les publicités ?
   (Plusieurs réponses possibles, une seule attendue.) 1 point
3. D'après l'émission, beaucoup de gels douche sont... 1 point
   a. très mauvais pour la santé.
   b. peu utilisés par les Français.
   c. assez efficaces pour la peau.
4. D'après le journaliste, il faut faire attention... 1 point

   a 6.10€ — b — c

5. Quel type de savon, le journaliste conseille-t-il d'utiliser ?
   (Plusieurs réponses possibles, une seule attendue.) 1 point
6. Pour obtenir plus d'informations sur les gels douche, le journaliste conseille... 1 point
   a. d'en parler à son médecin.
   b. de prendre contact avec la radio.
   c. de lire un site Internet sur la santé.

Exercice 4 — 8 points

134 **Vous allez entendre 2 fois 4 dialogues, correspondant à 4 situations différentes.**
Lisez les situations. Écoutez le document puis reliez chaque dialogue à la situation correspondante.
Vous êtes en France, dans un café. Vous entendez ces conversations.

Dialogue 1 •	• a. Donner des conseils.
Dialogue 2 •	• b. Raconter un souvenir.
Dialogue 3 •	• c. Parler de ses émotions.
Dialogue 4 •	• d. Comprendre des consignes.

DELF A2

Compréhension des écrits — 25 points

Répondez aux questions en cochant ☒ la bonne réponse ou en écrivant l'information demandée.

Exercice 1 — 5 points

Vos amis sont à la recherche d'une association pour faire du bénévolat.
Voici les annonces que vous avez trouvées sur www.tousbenevoles.org.

1. Aider, à domicile, des jeunes à faire leurs devoirs pour l'école, le collège ou le lycée, quelques heures par semaine.

2. De novembre à mars, aidez-nous à remplir les banques alimentaires pour distribuer ensuite la nourriture aux personnes qui en ont besoin.

3. Foot, basket-ball, boxe… Certains quartiers en ville ont besoin d'animateurs sportifs. Vous êtes sportif ? Rejoignez-nous !

4. Venez tenir compagnie à des personnes âgées quelques heures par semaine. Les visites se font à domicile ou en maison de retraite.

5. Beaucoup de personnes ont besoin d'aide et de conseils pour remplir des papiers administratifs. Rencontrez-les deux fois par semaine.

Associez l'association qui correspond à chaque personne.	**Situation n°**
a. Marius est professeur d'éducation physique et sportive.	…
b. Stephen est professeur de mathématiques.	…
c. Luisa travaille à la mairie de son quartier.	…
d. Yohann gère les réserves de produits dans un supermarché.	…
e. Marinella aime beaucoup discuter avec des personnes qui ont l'âge de ses grands-parents.	…

Exercice 2 — 6 points

Vous avez reçu cet e-mail d'une amie française.

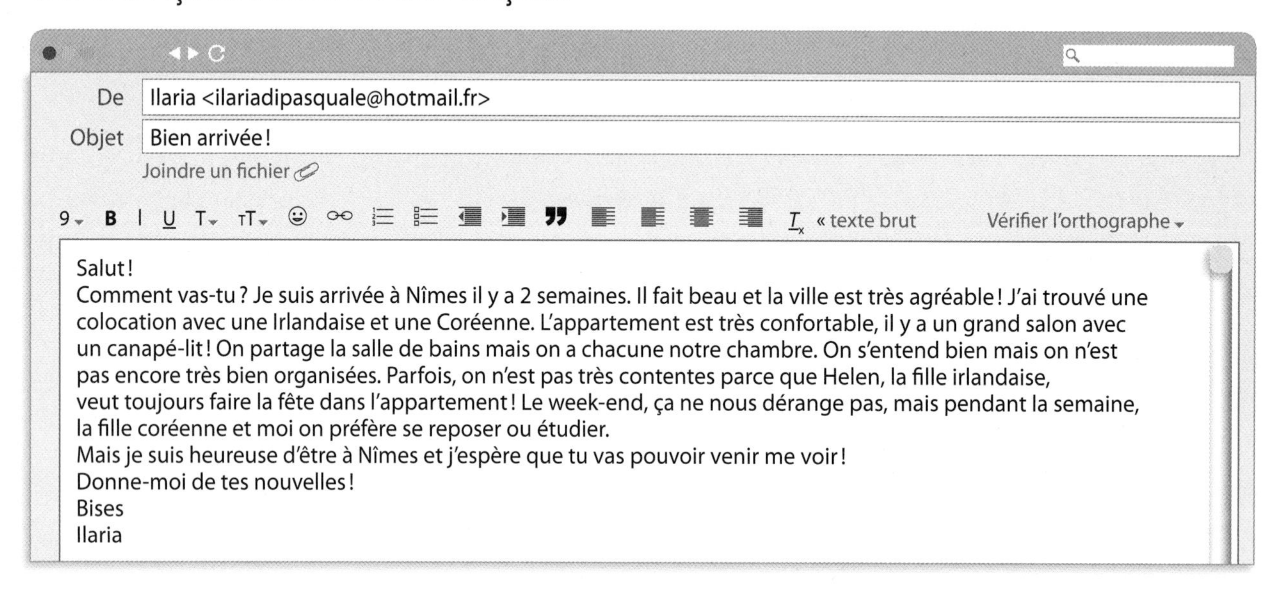

De : Ilaria <ilariadipasquale@hotmail.fr>
Objet : Bien arrivée !
Joindre un fichier

Salut !
Comment vas-tu ? Je suis arrivée à Nîmes il y a 2 semaines. Il fait beau et la ville est très agréable ! J'ai trouvé une colocation avec une Irlandaise et une Coréenne. L'appartement est très confortable, il y a un grand salon avec un canapé-lit ! On partage la salle de bains mais on a chacune notre chambre. On s'entend bien mais on n'est pas encore très bien organisées. Parfois, on n'est pas très contentes parce que Helen, la fille irlandaise, veut toujours faire la fête dans l'appartement ! Le week-end, ça ne nous dérange pas, mais pendant la semaine, la fille coréenne et moi on préfère se reposer ou étudier.
Mais je suis heureuse d'être à Nîmes et j'espère que tu vas pouvoir venir me voir !
Donne-moi de tes nouvelles !
Bises
Ilaria

1. Depuis quand Ilaria est-elle à Nîmes ? — 1,5 point
2. Que pense Ilaria de son appartement ? — 1,5 point

3. Dans la colocation, Ilaria… 1 point
   a. a une chambre individuelle.
   b. dort sur le canapé-lit du salon.
   c. partage sa chambre avec une autre fille.
4. Ilaria et ses colocataires… 1 point
   a. sont mal organisées.
   b. ont des problèmes d'argent.
   c. ne s'entendent pas très bien.
5. La fille irlandaise… 1 point
   a. veut toujours étudier le week-end.
   b. a besoin de se reposer pendant la semaine.
   c. organise des fêtes dans l'appartement en semaine.

Exercice 3 — 6 points

Vous êtes à la recherche d'un emploi en France. Vous regardez le site www.pole-emploi.fr.

http://www.pole-emploi.fr

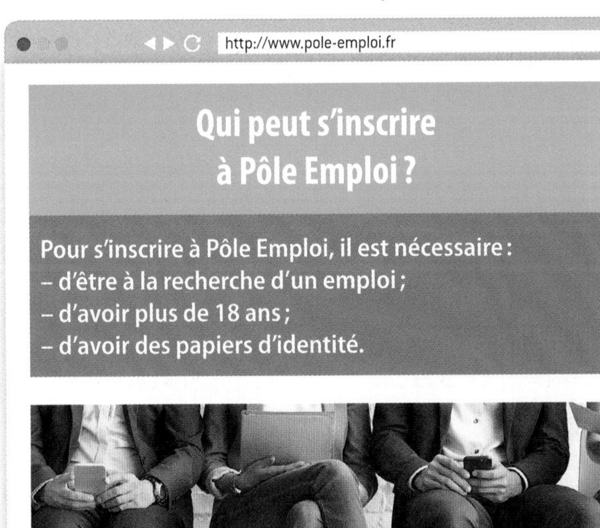

Qui peut s'inscrire à Pôle Emploi ?

Pour s'inscrire à Pôle Emploi, il est nécessaire :
- d'être à la recherche d'un emploi ;
- d'avoir plus de 18 ans ;
- d'avoir des papiers d'identité.

Comment s'inscrire à Pôle Emploi ?

Vous pouvez vous inscrire depuis www.pole-emploi fr. Ce service est disponible 7 J/7, 24 heures/24 et vous permet d'effectuer votre démarche d'inscription en ligne rapidement et en toute sécurité.

Pour créer votre espace professionnel :
- Allez dans la rubrique « candidat » puis répondez aux questions (cochez OUI ou NON) concernant votre situation personnelle.
- Complétez le formulaire en ligne.
- Indiquez une ou plusieurs catégorie(s) professionnelle(s) selon le métier que vous voulez faire.
- Confirmer votre inscription en cliquant sur le bouton « valider ».

Vous n'avez pas accès à Internet ?
Contacter le 39 49, un conseiller Pôle Emploi constituera votre dossier par téléphone.

1. Pour vous inscrire en ligne à Pôle Emploi vous devez présenter… 1 point

a

b

c

2. À quel endroit du site devez-vous aller pour vous inscrire ? 1,5 point
3. Pour vous inscrire, vous devez répondre à des questions sur... 1 point
   a. votre parcours scolaire.
   b. votre vie professionnelle.
   c. votre situation personnelle.
4. Après avoir répondu aux questions en ligne, vous devez... 1 point
   a. remplir un questionnaire.
   b. confirmer votre inscription.
   c. indiquer le métier que vous voulez faire.
5. Quel numéro de téléphone devez-vous faire pour avoir un conseiller Pôle Emploi ? 1,5 point

Exercice 4 — 8 points

Vous lisez cet article sur un site Internet français.

http://www.lyon-visite.info

Visiter Lyon – La ville des lumières

Lyon est une ville très ancienne qui a su conserver un important patrimoine architectural tout au long de son histoire.
Commencez votre promenade le long du fleuve, le Rhône. Vous pouvez louer un vélo (le Vélo'V). Le ticket pour 24 heures est de 1,50 €. La première demi-heure est gratuite, puis ça passe à 1 € la seconde demi-heure, puis à 2 € les autres demi-heures.
Sur le côté est du fleuve, il y a une petite forêt. Vous pouvez ensuite aller au parc de la Tête d'or et faire du pédalo sur le grand lac ou aller voir des lions, des pandas roux, des singes ou des léopards, au zoo !
Du côté de l'autre fleuve, la Saône, visitez la vieille ville. Vous pouvez visiter le théâtre antique romain et le soir, assister à des concerts, pendant les Nuits de Fourvière.
Prenez la très jolie rue Saint-Jean et allez manger dans ces restaurants typiques appelés les bouchons lyonnais.
Enfin, tous les ans, au mois de décembre, Lyon fête les lumières. C'est vraiment magnifique...

1. Où est-il conseillé de commencer notre balade à Lyon ? 1,5 point
2. Pour se promener, combien coûte la location d'un vélo la seconde demi-heure ? 1 point
   a. 1€.
   b. 1,50€.
   c. 2€.

3. Où se trouve la petite forêt dont l'article parle ? 1,5 point

4. Vrai ou faux ? Dites si l'affirmation est vraie (V) ou fausse (F) et recopiez la phrase qui justifie votre réponse. 1,5 point
Il y a un zoo dans le parc de la Tête d'or. V☐ F☐
Justification : ....

5. Vrai ou faux ? Dites si l'affirmation est vraie (V) ou fausse (F) et recopiez la phrase qui justifie votre réponse. 1,5 point
On peut assister à des concerts dans le théâtre antique. V☐ F☐
Justification : ....

6. Dans la rue Saint-Jean on peut… 1 point
a. assister à des concerts.
b. visiter le théâtre antique.
c. manger dans des restaurants typiques.

Production écrite — 25 points

Exercice 1 — 13 points

Vous venez de participer à un Salon des métiers. Vous écrivez à un de vos amis francophones pour lui raconter cette journée. Vous lui parlez des personnes que vous avez rencontrées, ce que vous avez découvert et vos impressions sur cette journée. (60 mots minimum)

Exercice 2 — 12 points

Vous avez reçu cet e-mail.

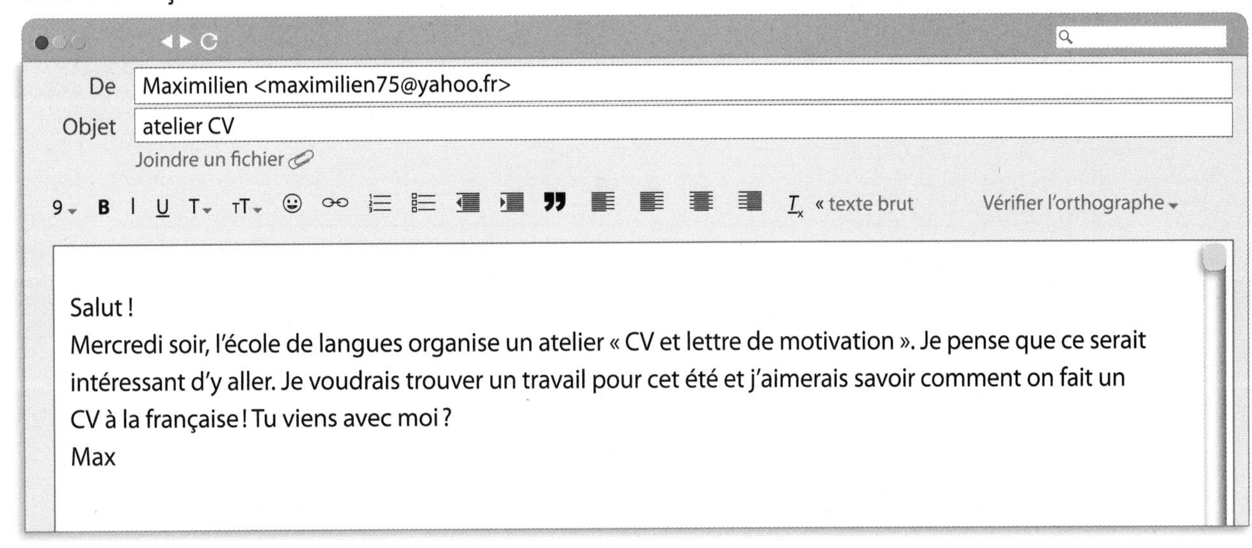

De : Maximilien <maximilien75@yahoo.fr>
Objet : atelier CV
Joindre un fichier

Salut !
Mercredi soir, l'école de langues organise un atelier « CV et lettre de motivation ». Je pense que ce serait intéressant d'y aller. Je voudrais trouver un travail pour cet été et j'aimerais savoir comment on fait un CV à la française ! Tu viens avec moi ?
Max

Vous répondez à Maximilien. Vous refusez sa proposition. Vous lui expliquez pourquoi vous ne pouvez pas venir. Vous lui dites aussi que vous savez comment faire un CV et lui donnez quelques conseils. Vous lui proposez enfin de le rencontrer un autre jour pour lui expliquer. (60 mots minimum)

DELF A2

Production orale 25 points

Cette épreuve de production orale comporte 3 parties.
Elle dure de 6 à 8 minutes. La première partie se déroule sans préparation.
Vous avez 10 minutes pour préparer les parties 2 et 3 (monologue suivi et exercice en interaction).
Les 3 parties s'enchaînent.

Exercice 1 Entretien dirigé sans préparation (1 minute 30 environ)

Après avoir salué votre examinateur, vous vous présentez (vous parlez de vous, de votre famille, de vos amis, de vos études, de vos goûts, des animaux que vous aimez, etc.). L'examinateur vous posera des questions complémentaires.

EXERCICE 2 Monologue suivi avec préparation (2 minutes environ)

Vous tirez au sort 2 sujets et vous en choisissez 1. Vous vous exprimez sur le sujet.
L'examinateur peut ensuite vous poser des questions pour vous aider.

SUJET 1 : Lire

Qu'est-ce que vous aimez lire (romans, magazines, BD...) ? Pourquoi ? Quelle est votre dernière lecture et de quoi s'agissait-il ?

SUJET 2 : Personnalité célèbre

Quelle est la personnalité que vous préférez ? Décrivez-la et expliquez pourquoi vous l'appréciez.

EXERCICE 3 Exercice en interaction avec préparation (3 ou 4 minutes environ)

Vous tirez au sort 2 sujets et vous en choisissez 1.
Vous devez simuler un dialogue avec l'examinateur afin de résoudre une situation de la vie quotidienne. Vous montrez que vous êtes capable de saluer et d'utiliser des règles de politesse. Dans certains sujets, le genre masculin est utilisé pour alléger le texte. Vous pouvez naturellement adapter la situation en adoptant le genre féminin.

SUJET 1 : L'anniversaire de Florian

Vous voulez organiser l'anniversaire de Florian avec un de vos amis francophones. Vous discutez avec votre ami pour vous mettre d'accord sur le lieu, l'heure, le type de fête, le nombre de personnes à inviter, la nourriture et les boissons.

L'examinateur joue le rôle de l'ami francophone.

SUJET 2 : Pratiquer un nouveau sport

Vous proposez à un de vos amis francophones de pratiquer un nouveau sport. Vous vous mettez d'accord sur le type de sport, la fréquence et les jours. Vous vous organisez aussi pour votre inscription à un club de sport.

L'examinateur joue le rôle de l'ami francophone.

PRÉCIS

PRÉCIS de phonétique – phonie-graphie

(Tableau sur *les voyelles du français, les principales consonnes du français* et *les semi-consonnes du français* dans le guide pédagogique)

DOSSIER 1

La prononciation du mot *plus*

135 **Écoutez et observez ces cinq phrases. Complétez le tableau de la règle de prononciation du mot *plus*. Répétez les phrases.**

1. Paris est la plus belle ville du monde !
2. Mais l'air de Paris est plus pollué que l'air de Royan.
3. Moi, je trouve que des vacances à Royan, c'est plus agréable que des vacances à Paris, parce qu'il y a la mer.
4. Oui, mais il y a plus de musées à Paris qu'à Royan.
5. Finalement, je préfère aller plus souvent à Paris, mais c'est mieux de vivre à Royan.

Rappel. Il y a trois possibilités pour prononcer le mot *plus* : [ply], [plys] ou [plyz].

Plus de + nom	Plus + adjectif ou adverbe qui commence par une consonne	Plus + adjectif ou adverbe qui commence par une voyelle
Le mot ***plus*** se prononce [...] Exemple(s) : ...	Le mot ***plus*** se prononce [...] Exemple(s) : ...	Le mot ***plus*** se prononce [...] Exemple(s) : ...

Les voyelles nasales [ɑ̃] et [ɛ̃]

136 **1. Écoutez et répétez ces mots. Recopiez les mots dans la colonne correspondante.**

~~hébergement~~ • ~~inscription~~ • campus • quotidien • longtemps • simple • vacances • sympa • européen • plein • ensemble • imprimer • remplacer • timbre • ambassade

Les graphies du son [ɑ̃]	Les graphies du son [ɛ̃]
hébergement – ...	inscription – ...
en – ... – ... – ...	in – ... – ... – ... – ... – ... – ...

2. Que remarquez-vous après les graphies *am, em, im, ym* ?

137 **3. Écoutez ces phrases et écrivez les lettres manquantes. Répétez les phrases.**

C'est très s...ple de venir étudier ... Fr...ce pour les étudi...ts europé...s parce qu'ils n'ont pas beso... de visa. Les étudi...ts d'autres pays peuvent être aidés par l'ag...ce C...pus Fr...ce ou par leur ...bassade. ...suite, ils pourront choisir d'...tégrer un programme universitaire ou une école d'...génieurs, par ex...ple.

DOSSIER 2

Les voyelles nasales [ɑ̃] et [ɔ̃]

138 **1. Observez les mots suivants. Écoutez et retrouvez les graphies des deux voyelles nasales [ɑ̃] et [ɔ̃]. Répétez les mots.**

[ɑ̃] **en**se**m**ble – restaur**an**t – c**am**pagne – **am**bassade
[ɔ̃] patr**on** – c**om**prendre – n**om**breux

→ Les principales graphies du son [ɑ̃] sont : **en** – … (+ p, b) – … – … (+ p, b)
→ Les principales graphies du son [ɔ̃] sont : … et … (+ p, b)

139 **2. Écoutez ces phrases et écrivez les lettres manquantes. Répétez les phrases.**
P…d…t mes prochaines vac…ces, je p…se que nous all…s voyager d…s le c…t… de Vaud … Suisse et … suite, nous ir…s … Autriche. Nous voul…s vivre une expéri…ce nouvelle, r…c…trer des g…s et déguster les n…breuses spécialités de ces régi…s d'Europe que nous ne connaiss…s pas …core bien.

La liaison avec les sons [z], [t], [n]

140 **1. Observez le phénomène de la liaison avec ces groupes de mots. Écoutez et répétez-les.**

Pas de liaison	Liaison
Me**s** copains Deu**x** jours → **« s » et « x » ne se prononcent pas**	Me**s** amis Deu**x** ans → **« s » et « x » se prononcent [z]**
C'es**t** mon pays → **« t » ne se prononce pas**	C'es**t** un pays → **« t » se prononce [t]**
E**n** France U**n** mois → **« n » ne se prononce pas**	E**n** Estonie U**n** an → **« n » se prononce [n]**

141 **2. Écoutez et répétez ces phrases. Dites si on fait la liaison après le mot souligné. Répétez les phrases.**
1. Il y a un an, j'ai voyagé en Écosse pendant un mois avec des copains.
2. Nous avons rencontré des Écossais très agréables et très sympas.
3. Nous sommes allés dans des villages où des habitants nous ont bien accueillis.
4. L'Écosse, c'est un pays magnifique et c'est vraiment comme je le pensais.

3. Choisissez une réponse pour retrouver la règle.
Quand un mot se termine par une consonne non prononcée :
→ ☐ on fait la liaison / ☐ on ne fait pas la liaison si le mot suivant commence par une consonne.
→ ☐ on fait la liaison / ☐ on ne fait pas la liaison si le mot suivant commence par une voyelle.
(Attention ! La liaison n'est pas toujours possible.)

Les sons [s] et [z]

142 **Écoutez et répétez ces mots. Observez comment on prononce les lettres *s*, *x* et *c*.**

poste – salaire – institut profession	La lettre ***s*** se situe au début du mot / entre une voyelle et une consonne Les lettres ***ss*** se situent entre deux voyelles → ***s* et *ss* se prononcent [s]**
réseau – organisé	La lettre ***s*** se situe entre deux voyelles → ***s* se prononce [z]**

extrait	Les lettres ***ex*** sont suivies d'une consonne → ***x* se prononce [ks]**

examen – leçon	Les lettres *ex* sont suivies d'une voyelle → **x se prononce [gz]**

recette – capacité français – reçu	La lettre **c** est suivie des voyelles **e** ou **i** On ajoute une cédille pour la lettre **c** suivi des voyelles **a**, **o** et **u** → **c et ç se prononcent [s]**
candidat – contrat curriculum – créatif	La lettre **c** est suivi des voyelles **a**, **o**, **u** ou suivi d'une consonne → **c se prononce [k]**

La dénasalisation

143 **1. Observez la prononciation de la voyelle finale et complétez la règle. Répétez les phrases.**

1. Il est canad**ien**. / Elle est canad**ienne**.
2. Il est b**on**. / Elle est b**onne**.
3. mon cous**in** / ma cous**ine**
4. **un** Améric**ain** / **une** Améric**aine**

→ *ien + ne / on + ne / (a)in + e* sont des voyelles ☐ orales / ☐ nasales
→ Au masculin, la voyelle finale est ☐ nasale / ☐ pas nasale
→ Au féminin, la voyelle finale est ☐ nasale / ☐ pas nasale

144 **2. Écoutez ces phrases et écrivez les lettres manquantes. Utilisez les graphies proposées. Répétez les phrases.**

1. Sim… (on / onne) est … (un / une) vois… (in / ine) améric… (ain / aine).
2. Ma cous… (in / ine) Lili… (an / ane) est canad…. (ien / ienne).
3. Le Japon est … (un / une) pays loint… (ain / aine).
4. C'est … (un / une) b… (on / onne) idée de venir la sem… (ain / aine) proch… (ain / aine).

DOSSIER 4

Le son [r]

145 **1. Écoutez ces mots. Observez la prononciation de la consonne [r]. Répétez ces mots.**

1. jouer – jour – amateur – pouvoir –cœur – finir – premier
2. partout – important – autre – prochain – partager – célébrité
3. rue – rapide – récit – radio – réveil – roman – réunion

2. Choisissez la réponse pour retrouver la règle.

Quand la consonne *r* est la dernière lettre du mot,
☐ on prononce toujours [r]. / ☐ on ne prononce pas toujours [r].

Quand la consonne *r* est située à l'intérieur du mot,
☐ on prononce toujours [r]. / ☐ on ne prononce pas toujours [r].

Quand la consonne *r* est la première lettre du mot,
☐ on prononce toujours [r]. / ☐ on ne prononce pas toujours [r].

Les sons [y], [ø] et [u]

146 **1. Écoutez et écrivez ces mots dans le tableau. Complétez ensuite la deuxième partie du tableau avec les différentes graphies possibles pour ces trois voyelles.**

population • peuplé • partout • culturel • mieux • zoom • vœux • groupe • concours • j'ai eu

Mots avec la voyelle [y]	Mots avec la voyelle [ø]	Mots avec la voyelle [u]
...	...	...
Graphies du son [y] : ... / ...	Graphies du son [ø] : ... / ...	Graphies du son [u] : ... / ...

147 **2. Écoutez et écrivez les lettres manquantes. Utilisez les graphies trouvées dans le tableau. Répétez ce texte.**

Bienven...e s...r le t...rnage d... prochain film de L...c T...sson. Ce film raconte l'histoire fab...l...se d'...ne jeune j...rnaliste am...r...se d'un f...tballeur d... t...t petit club de Périgu...x. Ce club a ... l'incroyable destin d'aller j...squ'en finale de la C...pe de France. L'équipe a perd..., mais t...t le monde a déc...vert un n...veau talent ! N...s souhaitons t...s nos v...x de ré...ssite à l'équipe d... t...rnage p...r ce film qui n...s rend h...r...x.

DOSSIER 5

Les sons [f], [v] et [b]

148 **Écoutez ces mots et écrivez la consonne *v*, *b*, *f* ou les deux consonnes *ph*. Répétez les mots.**

1. ...aire	...ouloir	...i...re	...éné...icier	...éri...ier
2. ...idéo	...ocus	...otogra...ie	portrait-ro...ot	...ien...enue
3. ...acile	célè...re	con...orta...le	...oot...alleur	...ormida...le

DOSSIER 6

Les sons [y], [ɥ] et [u]

149 **Écoutez et classez les mots dans le tableau, selon le son que vous entendez. Répétez les mots.**

~~cuisiner~~ • cuisson • couper • éplucher • instructions • traduction • traduire • couteau • appuyer • produits • bouillir • régulièrement • courgette • essuyer

Le son [y]	Le son [ɥ]	Le son [u]
...	Exemple : cuisiner ...	...

Le son [y] s'écrit généralement ***u***.
Le son [ɥ] s'écrit généralement ***ui* / *uy***.
Le son [u] s'écrit généralement ***ou***.

Les sons [ʃ] et [ʒ]

150 **1. Écoutez ces phrases et écrivez les lettres *ch* pour le son [ʃ] et les lettres *j* ou *g* pour le son [ʒ]. Répétez les phrases.**

1. ...e vais faire un é...an...e car cette ...upe et ce ...emisier sont trop ...ers.
2. ...'ai un messa...e très ur...ent pour ...eor...es, mon ...entil voisin. Son ...ien a man...é toutes les fleurs du ...ardin de la résidence.
3. À ...aque fois que ...'a...ète un ob...et à offrir à ...ulie, ...'essaie de faire un ...oix ori...inal et ...ic.
4. Ma ...ère sœur ...er...e tou...ours les nouveaux produits de beauté à la mode et bon mar...é. L'autre ...our, elle a déni...é un sè...e-...eveux ...énial et un ...el dou...e à la mangue.

2. **Voici les graphies des sons [ʃ] et [ʒ]. Complétez le tableau avec des exemples. Complétez la phrase sous le tableau.**

→ Le son [ʃ] s'écrit avec les lettres *ch*	Exemples : é**ch**ange – …
→ Le son [ʒ] s'écrit avec les lettres *j* ou *g* suivies des voyelles *e*, *i*	Exemples : …

Attention ! Si la lettre *g* est suivie de la voyelle … , on prononce [g]. Exemple : …

DOSSIER 7

Les sons [o] et [ɔ]

151 **1.** **Écoutez les mots et dites si vous entendez le son [o] ou le son [ɔ].**

	[o]	[ɔ]
1. B**o**nne idée		✓
2. Une belle déc**o**		
3. Une cons**o**nne		
4. C'est b**eau**coup		
5. Les imp**ô**ts		
6. Elle est pr**o**che		
7. Un styl**o**		
8. Les rés**eau**x soci**au**x		
9. À l'éc**o**le		
10. Journ**au**x		

2. **Choisissez une réponse pour retrouver la règle de prononciation en français standard.**
- La lettre ***o*** suivie d'une consonne prononcée dans la même syllabe ☐ se prononce [o] / ☐ se prononce [ɔ].
- La lettre ***o*** située à la fin d'une syllabe ☐ se prononce [o] / ☐ se prononce [ɔ].
- Les lettres ***ô***, ***eau*** et ***au*** ☐ se prononcent [o] / ☐ se prononcent [ɔ].

Les deux prononciations de la lettre g : [g] et [ʒ]

152 **1.** **Écoutez les mots qui contiennent la lettre *g* et dites si vous entendez le son [g] ou le son [ʒ].**

	[g]	[ʒ]
1. Un beau **g**âteau	✓	
2. C'est domma**ge**		
3. Un pro**gr**amme		
4. Encoura**ge**ment		
5. L'écolo**gi**e		
6. C'est ur**ge**nt		
7. C'est **gl**acé		
8. Un **go**ûter		

2. Choisissez une réponse pour retrouver la règle de prononciation en français standard.

- La lettre ***g*** + ***a***, ***o*** se prononce toujours ☐ [g] ☐ [ʒ]
- La lettre ***g*** + **une consonne** se prononce toujours ☐ [g] ☐ [ʒ]
- La lettre ***g*** + ***e***, ***i*** se prononce toujours ☐ [g] ☐ [ʒ]

DOSSIER 8

Les sons [ø] et [œ]

153 **1. Écoutez, observez et dites si les lettres eu se prononcent [ø] ou [œ].**

~~peu~~ • ~~peur~~ • veulent • veux • chaleur • chaleureux • chaleureuse • mieux • meilleur • peut • peuvent • heure • heureux • heureuse • ceux • seul

[ø]	[œ]
peu – …	peur – …
Les lettres ***eu*** situées à la fin d'une syllabe se prononcent en général [ø]	Les lettres ***eu*** suivies d'une consonne prononcée dans la même syllabe se prononcent en général [œ]

Attention ! Si les lettres ***eu*** sont suivies de la consonne ***s***, on prononce [øz].

154 **2. Répétez les phrases et les mots.**

1. J'en ai très **peu**. / J'en ai très **peur**.
2. Ils le **veulent**. / Il le **veut**.
3. C'est chaleu**reux**. / la cha**leur** / Elle est heu**reuse**.
4. C'est bien **mieux**. / C'est bien mei**lleur**.
5. Elle le **peut**. / Elles le **peuvent**.
6. C'est **l'heure**. / Il est heu**reux**.
7. Je pense à tous **ceux** qui sont **seuls**.

PRÉCIS de grammaire

Les noms

1. Le genre des noms

▶ D2 L5 p. 39

Parfois, la terminaison des noms indique le genre.

	Terminaisons	Exemples
Noms masculins	-ment -age -isme	un dépayse**ment**, un héberge**ment** un voy**age**, un tourn**age**, un personn**age** le réal**isme**, le tour**isme**
Noms féminins	-té -tion -sion -ée -ure -ette	la liber**té**, une activi**té** une destina**tion**, une traduc**tion** une éva**sion**, une immer**sion** une travers**ée**, une id**ée** une aventu**re**, la cultu**re** une moby**lette**, une fourch**ette**

Attention ! Il existe quelques exceptions :
-age : **une** plage, **une** page, **une** cage, **une** image
-té : **un** côté, **un** été
-ée : **un** musée, **un** lycée

2. La nominalisation

Voir page 212.

Les pronoms

1. Le pronom sujet *on*

▶ D8 L6 p. 149

Le pronom on est toujours **sujet** de la phrase. Il se conjugue à la 3e personne du singulier.
On peut avoir trois valeurs différentes :

On = nous	***On*** *a lu un extrait de ce livre en classe.*
On = quelqu'un	*J'étais à la maison quand* ***on*** *a sonné.*
On = les gens	*En France,* ***on*** *étudie ce livre à l'école.*

2. Les pronoms personnels compléments

▶ D1 L3 p. 17

On utilise les pronoms personnels compléments pour éviter une répétition.
Ils remplacent un complément d'objet direct (COD) ou indirect (COI).

	1re personne	2e personne	3e personne	
	COD/COI	COD/COI	COD	COI
Singulier	me (m')	te (t')	le, la, (l')	lui
Pluriel	nous	vous	les	leur
Les pronoms COD et COI se placent en général avant le verbe*.				

Attention ! À l'impératif affirmatif, le pronom se place après le verbe. *Regarde-**le**. Donne-**lui**.*

Emplois

On utilise **le pronom COD** pour remplacer une personne ou un objet.
– Il est le complément d'un verbe à construction directe :
Regarder quelqu'un / Compléter quelque chose
– Il répond à la question « qui ? » ou « quoi ? ».
*Tu **le** regardes. (Tu regardes qui ?)*
*Tu **les** complètes. (Tu complètes quoi ?)*

On utilise le **pronom COI** pour remplacer une ou des personnes.
– Il est le complément d'un verbe à construction indirecte :
*Donner à quelqu'un / Expliquer à quelqu'un : Le site **t'**explique tout.*
– Il répond à la question « à qui ? ».
*Tu **lui** donnes ta ville de départ. (Tu donnes ta ville à qui?)*

3. Les pronoms relatifs

▸ D1 L6 p. 23 / D5 L3 p. 89

On utilise les pronoms relatifs pour relier deux phrases entre elles, éviter la répétition d'un nom et donner des précisions.

	Fonction dans la seconde phrase	Exemples
QUI	remplace le sujet	*Ce sont souvent des gens. **Ces gens** aiment bien discuter.* *→ Ce sont souvent des gens **qui** aiment bien discuter.*
QUE*	remplace le COD	*Je fais visiter des lieux. Les touristes aiment **ces lieux**.* *→ Je fais visiter des lieux **que** les touristes aiment.*
À QUI	remplace le COI introduit par à	*Ce sont des gens. On peut parler **à ces gens**.* *→ Ce sont des gens **à qui** on peut parler.* *Je suis un guide. Vous pouvez **me** poser des questions.* *→ Je suis un guide **à qui** vous pouvez poser des questions.*
AVEC QUI	remplace le complément d'objet indirect introduit par avec	*Il y a des gens. On peut discuter **avec ces gens**.* *→ Il y a des gens **avec qui** on peut discuter.*
DONT	remplace un complément introduit par de	*Le conseiller est un intermédiaire. Les habitants ont besoin **de cet intermédiaire**.* *→ Le conseiller est un intermédiaire **dont** les habitants ont besoin.*
OÙ	remplace un complément de lieu	*Dans le quartier, il y a des zones. Les habitants ont de gros problèmes **dans ces zones**.* *→ Dans le quartier, il y a des zones **où** les habitants ont de gros problèmes.*

Attention ! *Que* **devient** *qu'* **devant une voyelle ou un h muet.**

4. La mise en relief

▸ D2 L4 p. 37 / D4 L2 p. 69

Il est possible de souligner et mettre en relief un élément de la phrase.
C'est … qui pour mettre en relief le sujet :
*L'escalade, **c'est** une expérience unique **qui** vous fera découvrir des sites magnifiques.*

C'est … que pour mettre en relief le complément d'objet direct (COD) :
*Le canyoning, **c'est** la découverte de lieux magiques **que** vous n'oublierez jamais !*

Ce qui / ce que … c'est / ce sont *pour mettre en relief un élément de la phrase :*
***Ce qui** a été fantastique, **c'est** ma rencontre avec Ira Losco !*
***Ce que** j'aime particulièrement, **ce sont** les vacances !*

Attention ! Dans ***ce qui / ce que***, « ce » signifie « la chose qui », « la chose que ».

5. Les pronoms interrogatifs

▸ D4 L3 p. 70

On utilise un pronom interrogatif pour demander une information ou une précision.

	Singulier	Pluriel
Masculin	lequel	lesquels
Féminin	laquelle	lesquelles

*J'ai regardé un film hier. → **Lequel** ? (Quel film ?)*
*Visite cette ville. → **Laquelle** ? (Quelle ville ?)*
*Il a appris plusieurs poèmes. → **Lesquels** ? (Quels poèmes ?)*
*Vous allez adorer ces photos ! → **Lesquelles** ? (Quelles photos ?)*

6. Les pronoms démonstratifs

▸ D5 L5 p. 93

On utilise un pronom démonstratif pour donner des précisions.

	Masculin	Féminin
Singulier	celui	celle
Pluriel	ceux	celles

Attention ! Pour désigner une chose ou une personne, le pronom démonstratif est suivi de –***ci*** ou –***là***.
*Je voudrais une robe noire. → **Celle-ci** ou **celle-là** ?*

Les pronoms démonstratifs sont obligatoirement suivis par la préposition **de** ou par un pronom relatif.
*Nous voyageons dans les pays francophones, comme **celui d'**Amar, le Maroc.*
*Il y a beaucoup de francophiles, pas seulement **ceux qui** ont fait des études en France.*
*Les associations sont nombreuses. **Celles que** je connais sont excellentes.*

7. Les pronoms possessifs

▸ D6 L5 p. 111

On utilise un pronom possessif pour remplacer un nom précédé d'un adjectif possessif et éviter une répétition.

Possesseur	Objet possédé			
	Singulier		Pluriel	
	Masculin	Féminin	Masculin	Féminin
(je)	le mien	la mienne	les miens	les miennes
(tu)	le tien	la tienne	les tiens	les tiennes
(il/elle)	le sien	la sienne	les siens	les siennes
(nous)	le nôtre	la nôtre	les nôtres	
(vous)	le vôtre	la vôtre	les vôtres	
(ils/elles)	le leur	la leur	les leurs	

*Un parfum ? Je viens de finir **le mien** et ma coloc m'a proposé **le sien**.*
*Où achetez-vous vos crèmes ? J'achète **les miennes** en parapharmacie.*

8. Les pronoms *en* et *y*

▸ D1 L2 p. 15

EN

– remplace un COI introduit par de : *Ils n'ont pas besoin **de visa**. → Ils n'**en** ont pas besoin.*
– remplace un COD introduit par **un**, **une**, **des** ou **du**, **de la**, **des** (quantité déterminée ou indéterminée) :
*Ce n'est pas toujours évident de trouver **du travail**. → Ce n'est pas toujours évident d'**en** trouver.*

Attention ! Si la quantité est déterminée, il faut la préciser après le verbe.
*Je voudrais recevoir **un cadeau**. → Je voudrais **en** recevoir **un**.*

Y

– remplace un COI introduit par à :
*Vous vous êtes déjà inscrit **à l'université** ? → Vous vous **y** êtes déjà inscrit ?*
– remplace un complément de lieu introduit par *chez*, *dans*, *en*, etc. :
*Ce soir, je vais **chez Mathilde**. → Ce soir, j'**y** vais.*

Attention ! En général, les pronoms ***y*** et ***en*** se placent devant le verbe (avec un temps simple) ou devant l'auxiliaire (avec un temps composé).
*Vous vous **y** êtes déjà inscrit ? Vous **en** avez rêvé ?*

9. Les pronoms indéfinis

▶ D6 L3 p. 107

	Sens positif	Sens négatif	Fonction
Humains	quelqu'un	ne ... personne ne ... aucun(e)	sujet (personne / aucun / rien ... ne) ou complément (ne ... personne / aucun / rien)
Choses	quelque chose	ne ... rien ne ... aucun	
Lieux	quelque part partout	ne ... nulle part	complément

*J'attends **quelqu'un**. ≠ Je **n**'attends **personne**. Je **n**'attends **aucun** de mes amis.*
***Quelqu'un** arrive. ≠ **Personne n**'arrive. **Aucun** de mes amis **n**'arrive.*

*Je lis **quelque chose**. ≠ Je **ne** lis **rien**. Je **ne** lis **aucun** journal français.*
***Quelque chose** est réparé. ≠ **Rien n**'est réparé. **Aucun** objet **n**'est réparé.*

*La rencontre est **quelque part**. Je vais **partout**. ≠ La rencontre **n**'est **nulle part**.*

Les adjectifs

Les adjectifs indéfinis

▶ D3 L6 p. 59

On utilise un adjectif indéfini pour exprimer ou préciser la quantité :
– ***tout/tous/toutes/tout*** pour exprimer la totalité. *Je peux travailler dans **tous** les pays du monde. Je conseille de saisir **toutes** les occasions qui se présentent.*

– ***quelques*** pour exprimer un nombre indéterminé mais peu élevé. *Comment gagner sa vie et passer **quelques** mois au soleil ? Voici **quelques** solutions !*

– ***plusieurs*** pour exprimer un nombre indéterminé supérieur à ***quelques***. *Je présente aussi **plusieurs** études scientifiques.*

La comparaison

1. Les comparatifs

▶ D1 L1 p. 13

La comparaison peut porter sur une quantité (avec un nom ou un verbe) ou sur une qualité (avec un adjectif ou un adverbe).

	Avec un nom	Avec un verbe	Avec un adjectif	Avec un adverbe
+	***plus de*** + nom *Il y a **plus de** soleil.*	verbe + ***plus*** *J'étudie **plus**.*	***plus*** + adjectif* *C'est **plus** sympa.*	***plus*** + adverbe** *Il va **plus** loin.*
=	***autant de*** + nom *J'ai **autant de** travail.*	verbe + ***autant*** *Il travaille **autant**.*	***aussi*** + adjectif *Il est **aussi** timide.*	***aussi*** + adverbe *Je parle **aussi** bien.*
–	***moins de*** + nom *Il y a **moins de** pluie.*	verbe + ***moins*** *Je dors **moins**.*	***moins*** + adjectif *C'est **moins** sympa.*	***moins*** + adverbe *J'y vais **moins** souvent.*

* L'adjectif *bon(ne)* ne s'utilise pas avec le comparatif *plus*. On utilise *meilleur(e)* qui s'accorde en genre et en nombre avec le nom : *J'ai une **meilleure** idée ! Il a de **meilleurs** résultats que moi.*

** L'adverbe *bien* ne s'utilise pas avec le comparatif *plus*. On utilise *mieux*. *Elle parle **mieux** polonais que français.*

Si le comparant est précisé, il est précédé de *que*.
Gabriel court aussi vite ***que*** *Suzanne.*
Attention ! *Il y a* ***plus de*** *soleil* ***que de*** *pluie.*

2. Les superlatifs

▸ D4 L4 p. 73

	+	–
Avec un nom	***le plus de*** + nom *La Chine offre* ***le plus de*** *festivals.*	***le moins de*** + nom *Ce film a* ***le moins de*** *succès.*
Avec un verbe	*verbe* + ***le plus*** *Le romantisme plaît* ***le plus.***	verbe + ***le moins*** *C'est le film qu'il aime* ***le moins.***
Avec un adjectif	***le/la/les plus*** + *adjectif* *Ce sont* ***les plus*** *connus.*	***le/la/les moins*** + *adjectif* *C'est* ***la moins*** *célèbre.*
Avec un adverbe	***le plus*** + adverbe *Ils sortent* ***le plus*** *souvent pour voir de la danse.*	***le moins*** + adverbe *L'exposition dure* ***le moins*** *longtemps.*

Attention ! Le superlatif de ***bon(ne)(s)*** est ***le/la/les meilleur(e)(s)***.
On pensait être ***les meilleurs*** *musiciens.*
Le superlatif de *bien* est *le mieux* : *De tous les étudiants, il écrit* ***le mieux.***

Les adverbes

1. Les types d'adverbes

▸ D1 L5 p. 21 / D3 L3 p. 53 / D4 L1 p. 67

On utilise un adverbe pour donner une information supplémentaire : l'adverbe nuance ou précise.
C'est un mot invariable. Il peut caractériser un verbe, un adjectif ou un autre adverbe.

Adverbes de manière	Adverbes de temps, de fréquence	Adverbes de quantité, d'intensité	Adverbes de lieu
bien, mal, mieux, vite Les adverbes en –ment : gratuitement, facilement…	jamais, rarement, parfois, souvent, toujours	peu, assez, plutôt, très, beaucoup, trop	ici, là, derrière, devant, sur, sous, partout, nulle part…

2. La formation des adverbes en *–ment*

▸ D3 L3 p. 53

Formation de l'adverbe	Exemples
En général : adjectif au féminin singulier + *–ment*	actuelle**ment**, douce**ment**, lente**ment**
Si l'adjectif au masculin se termine par une voyelle : adjectif au masculin singulier + *–ment*	absolu**ment**, vrai**ment**, poli**ment**
Si l'adjectif au masculin se termine par *–ent* ou *–ant* : *–emment* ou *–amment*	évid**emment**, suffis**amment**

3. La place de l'adverbe

▸ D4 L1 p. 67

Les adverbes se placent :
– **après le verbe** avec une forme verbale simple :
C'était ***vraiment*** *fantastique ! Je suis* ***réellement*** *très heureuse !*

– **entre l'auxiliaire et le participe passé** avec une forme verbale composée :
Je me suis ***immédiatement*** *imaginée jouer ce rôle. Le scénario m'a* ***beaucoup*** *plu.*

– **devant un adjectif**: *Ce restaurant est* ***plutôt*** *agréable.*

– **devant un autre adverbe** : *Cette personne parle* ***trop*** *vite !*

Les marqueurs temporels

▸ D2 L6 p. 41 / D6 L6 p. 113 / D7 L2 p. 123 / D7 L3 p. 125

Pour indiquer une heure	**à**	*La classe commence* ***à*** *9 heures.*
Pour indiquer un mois, une année	**en**	*Mon fils est né* ***en*** *mars,* ***en*** *2015.*
Pour indiquer l'origine d'un événement qui continue au moment où l'on parle	**depuis**	*J'habite à Paris* ***depuis*** *deux ans.*
Pour indiquer une durée complète	**pendant**	*J'y suis restée* ***pendant*** *un an.*
Pour situer un événement passé par rapport au moment présent	**il y a**	*Je suis rentré en France* ***il y a*** *un an.*
Pour exprimer un événement futur	**dans**	*Je vais ouvrir mon agence* ***dans*** *1 an.*
Pour indiquer une période	**dans les années**	*Je suis né* ***dans les années*** *1900.*
Pour indiquer l'âge	**à l'âge de**	***À l'âge de*** *10 ans, j'allais à l'école.*
Pour préciser la chronologie d'une série d'événements	**… jours/mois/ ans plus tard** **la même année** **après** **puis** **… ans ont passé**	***Deux mois plus tard,*** *je travaillais.* ***La même année,*** *j'ai étudié l'anglais.* ***Après*** *mes études, je suis allé à Nice.* ***Puis*** *j'ai déménagé.* ***10 ans ont passé*** *et j'habite depuis à Londres.*

Les verbes

1. Le présent de l'indicatif (voir tableau de conjugaison p. 214)

▸ D6 L1 p. 103

On utilise le présent de l'indicatif pour parler de faits actuels et d'habitudes.
Pour conjuguer les verbes au présent de l'indicatif, il faut :
– identifier la base du verbe (un verbe peut avoir une ou plusieurs bases) ;
– ajouter les terminaisons.

Attention ! L'orthographe de certains verbes change en fonction de leur terminaison à l'infinitif.

	-cer	-ger	-yer	-ayer
je/j'	rin**ce**	mélan**ge**	essu**ie**	bal**aie**
tu	rin**ces**	mélan**ges**	essu**ies**	bal**aies**
il/elle	rin**ce**	mélan**ge**	essu**ie**	bal**aie**
nous	rin**çons**	mélan**geons**	essu**yons**	bal**ayons**
vous	rin**cez**	mélan**gez**	essu**yez**	bal**ayez**
ils/elles	rin**cent**	mélan**gent**	essu**ient**	bal**aient**

Pour obtenir le son /s/, on écrit ***c*** devant ***e, é, è, ê, i, y*** et ***ç*** devant ***a, o, u***.
Pour obtenir le son /ʒ/, on écrit ***g*** devant ***e, é, è, ê, i, y*** et **ge** devant ***a, o, u***.

Avec les verbes en *–oyer* et en *–uyer*, le *y* du radical se remplace par un *i* devant les terminaisons ***e***, ***es***, ***ent***.
Pour la conjugaison des verbes en *–ayer* (exemples : ***payer***, ***balayer***), deux possibilités :
– *y* avec toutes les personnes : *je balaye*, *tu balayes*, *nous balayons*, etc.
– *i* devant les terminaisons *e*, *es*, *ent* : *je paie*, *tu paies*, *il paie*, *ils paient*.

2. Le présent continu : *être* au présent + *en train de* + action à l'infinitif

▶ D5 L6 p. 95

On utilise le présent continu pour exprimer une action en cours de réalisation au moment où on parle.
*Je **suis en train de découvrir** un nouveau monde. Tu **es en train de préparer** tes bagages.*

3. Le futur proche : *aller* au présent + action à l'infinitif

▶ D5 L6 p. 94

On utilise **le futur proche** pour exprimer des actions dans le futur immédiat.
*Nous **allons ouvrir** un centre d'accueil. Ils **vont rentrer** chez eux bientôt.*

4. Le passé récent : *venir* au présent + *de* + action à l'infinitif

▶ D5 L6 p. 94

On utilise **le passé récent** pour exprimer des actions dans un passé immédiat, juste avant le moment où on parle.
*Je **viens de rentrer** dans l'avion. Nous **venons d'accueillir** des bénévoles canadiens.*

5. Le passé composé : auxiliaire *avoir* ou *être* au présent + participe passé

▶ D2 L3 p. 35

On utilise le passé composé pour raconter des faits, des événements passés.
La majorité des verbes utilisent l'auxiliaire **avoir**.

Attention ! Tous les verbes pronominaux se conjuguent avec **être**.
Les 15 verbes suivants se conjuguent aussi avec **être** : *naître*, *mourir*, *devenir*, *arriver*, *partir*, *entrer*, *sortir*, *rester*, *passer*, *retourner*, *monter*, *descendre*, *tomber*, *aller*, *venir*.
*J'ai **découvert** le fromage suisse. Nous **avons déjeuné**. Nous **avons visité** le musée.*
*Je **suis partie**. Je **me suis assise**. Nous **sommes arrivés** à Montreux.*

6. Le participe passé

▶ D2 L1 p. 31 / D6 L4 p. 109

En règle générale, le participe passé des verbes en *–er* se termine par *–é* :
*parler → parl**é** ; aimer → aim**é** ; jouer → jou**é** ; regarder → regard**é** ; préparer → prépar**é***
En règle générale, le participe passé des verbes en *–ir* se termine par *–i* :
*finir → fin**i** ; sortir → sort**i** ; dormir → dorm**i** ; partir → part**i** ; réunir → réun**i***
Les autres participes passés peuvent se terminer par :

–u	*lire → l**u** ; voir → v**u** ; boire → b**u** ; devoir → d**û** ; savoir → s**u** ; vivre → véc**u** ; plaire → pl**u*** *venir → ven**u** ; revenir → reven**u** ; devenir → deven**u***
–i	*rire → r**i** ; suivre → suiv**i** ; poursuivre → poursuiv**i***
–is	*prendre → pr**is** ; apprendre → appr**is** ; comprendre → compr**is*** *mettre → m**is** ; s'asseoir → ass**is***
–t	*faire → fai**t** ; écrire → écri**t** ; dire → di**t***
Autres formes irrégulières	*découvrir → découv**ert** ; ouvrir → ouv**ert** ; offrir → off**ert*** *avoir → **eu** ; être → **été** ; mourir → **mort** ; naître → **né***

Attention ! Avec l'auxiliaire **être**, le participe passé s'accorde toujours avec le sujet.
*Je me suis assis**e** confortablement. Mathilde est arrivé**e** à l'école. Ils sont ven**us** chez moi.*

Attention ! Avec l'auxiliaire *avoir*, le participe passé ne s'accorde jamais avec le sujet.
Il s'accorde avec le **complément d'objet direct** (s'il est placé avant le verbe).
*Les Mexicains ont adoré **les crayons à papier**. → Les Mexicains **les** ont adoré**s**.*
*Les Japonais ont acheté **Sophie la girafe**. → Les Japonais **l'**ont acheté**e**.*

7. Le passé composé et l'imparfait

▸ D2 L3 p. 35 / D7 L1 p. 121

On utilise le passé composé pour :

raconter des faits, des événements	*Arnaud **est arrivé** en juillet dernier.*
parler d'une succession d'actions	*Je leur **ai raconté** la vie à Bogota : ils **ont changé** d'avis.*

On utilise l'imparfait pour :

décrire les circonstances de la situation (lieu, date, heure...)	*C'était en 2012, je **rencontrais** le public universitaire français pour la 1re fois.*
les émotions ou les sentiments	*J'**étais** très émue. Il **se sentait** triste. J'**étais** très content de faire la visite.*
les habitudes	*Nous **parlions** souvent espagnol.*

8. Le plus-que-parfait : auxiliaire *avoir* ou *être* à l'imparfait + participe passé

▸ D3 L5 p. 57 / D7 L1 p. 121

On utilise le plus-que-parfait pour parler d'une action antérieure à une autre action au passé.
*J'ai fait un master à l'université de Sherbrooke. Je n'**étais** jamais **allée** au Canada.*
*Il a obtenu un diplôme à Winnipeg. Auparavant, il **avait fait** des études à Hanoï.*

9. Le gérondif

▸ D8 L3 p. 143

Formation

Pour former le gérondif, on utilise :
en + la base de la 1re personne du pluriel du présent + **–ant**
faire au présent : *nous **fais**ons → **en faisant***
changer au présent : ***nous change**ons → **en changeant***

Attention ! Trois verbes sont irréguliers : *être → en **ét**ant ; avoir → en **ay**ant ; savoir → en **sach**ant*

Emplois

On utilise le gérondif pour donner des précisions sur la manière. (comment ?)
Le gérondif précise une action simultanée à celle donnée par le verbe principal. Le sujet des deux verbes est identique.
*Je défends les animaux **en faisant** des dons aux associations.* (Comment ?)

10. Le conditionnel présent

▸ D4 L6 p. 77 / D8 L4 p. 145

Pour former le conditionnel présent, on utilise :

le verbe à l'infinitif		→ la base du futur simple		+ les terminaisons de l'imparfait		= conditionnel présent	
aimer	boire	j'**aimer**ai	je **boir**ai	**-ais**	**-ions**	j'aimer**ais**	nous boir**ions**
vouloir	mettre	je **voudr**ai	je **mettr**ai	**-ais**	**-iez**	tu voudr**ais**	vous mettr**iez**
devoir	être	je **devr**ai	je **ser**ai	**-ait**	**-aient**	il devr**ait**	ils ser**aient**

On utilise le conditionnel présent pour :
– **exprimer un souhait** (avec les verbes *souhaiter*, *aimer* et *vouloir*).
Nous ***souhaiterions*** *travailler. On* ***aimerait*** *connaître le même succès. Elle* ***voudrait*** *rire.*
– **donner un conseil** (avec les verbes *devoir* et *falloir*).
Nous ***devrions*** *aller les voir. Il* ***faudrait*** *signaler que tous les spectacles ne sont pas bons.*
– **faire des suggestions** (avec les verbes *pouvoir*, *falloir*…).
On ***pourrait*** *aller à la médiathèque. Il* ***faudrait*** *supprimer les affiches qui polluent l'esprit.*

11. Le subjonctif présent

▸ D2 L2 p. 33 / D8 L5 p. 147

Formation : le subjonctif présent est toujours précédé de *que*.

bases du présent	+ terminaisons		= subjonctif présent	
ils **prenn**ent	**-e** **-es**	**-e** **-ent**	que je **prenne** que tu **prennes**	qu'il/qu'elle **prenne** qu'ils/qu'elles **prennent**
nous **pren**ons	**-ions** **-iez**		que nous **prenions*** que vous **preniez**	

* Pour *nous* et *vous*, la conjugaison du subjonctif est identique à celle de l'imparfait.

Attention ! être → que je sois, que tu sois, qu'il soit, que nous soyons, que vous soyez, qu'ils soient
avoir → que j'aie, que tu aies, qu'il ait, que nous ayons, que vous ayez, qu'ils aient
aller → que j'aille, que tu ailles, qu'il aille, que nous allions, que vous alliez, qu'ils aillent
pouvoir → que je puisse, que tu puisses, qu'il puisse, que nous puissions, que vous puissiez, qu'ils puissent

Emplois

Pour exprimer l'obligation	*Il faut que* + verbe au subjonctif présent	*Il faut que j'****aille*** *chez le docteur.*
Pour exprimer l'interdiction	***Il (ne) faut pas que*** + verbe au subjonctif présent	*Il ne faut pas que vous* ***fumiez*** *dans les lieux publics.*
Pour donner un conseil	***Il (ne) faut (pas) que*** + verbe au subjonctif présent	*Il ne faut pas que tu* ***te mettes*** *à courir.* *Il faut que tu* ***lises*** *plus.*
Pour exprimer des souhaits	***Il faudrait que / souhaiter que / vouloir que*** + verbe au subjonctif présent*	*Il faudrait qu'on* ***crée*** *une nouvelle campagne.* *Je souhaite qu'elle* ***soit*** *en bonne santé.* *Nous voudrions qu'ils* ***comprennent*** *que le corail est nécessaire.*

***Attention !** On utilise le subjonctif présent après les verbes *souhaiter* et *vouloir* uniquement quand les deux sujets de la phrase sont différents.
Si les deux sujets sont identiques, on utilise l'infinitif. *Je souhaite* ***trouver*** *du travail.*

Attention ! Pour exprimer **un espoir** :
On utilise l'expression *avoir l'espoir de* + infinitif ou *espérer que* + indicatif.
Yan Coquet ***a l'espoir de sauver*** *le lagon.*
Yan Coquet ***espère que*** *le lagon* ***sera*** *protégé.*

L'expression de l'hypothèse

▸ D3 L4 p. 55 / D6 L3 p. 107

Pour donner un conseil dans une situation éventuelle :
On utilise ***si*** + verbe au présent, verbe au présent ou à l'impératif.
Le conseil se trouve dans la deuxième partie de la phrase.
Si vous ***voulez*** *trouver un stage, on vous* ***conseille*** *la lettre de motivation Twitter.*
Si vous ***voulez*** *qu'on vous remarque, n'****hésitez*** *pas à être créatif.*

Pour indiquer une conséquence dans une situation éventuelle :
On utilise ***si*** + verbe au présent, verbe au futur simple.
La conséquence se trouve dans la deuxième partie de la phrase.
*Si tu **veux** obtenir le job de tes rêves, il **faudra** rédiger une lettre de motivation.*

Pour formuler une proposition, une suggestion :
On utilise ***si*** + imparfait dans une phrase interrogative.
*Et **si on arrêtait** de gaspiller ? **Si on faisait** réparer ses objets pour ne plus rien jeter ?*

La construction du discours

▶ D3 L2 p. 51

Introduire un message	*tout d'abord*	***Tout d'abord,** j'ai fait mes études secondaires en Thaïlande.*
Organiser chronologiquement des informations	*après* *puis* *ensuite*	***Après** mon baccalauréat, je suis allée en France.* ***Puis,** j'ai obtenu un BTS dans ce domaine.* *J'ai **ensuite** travaillé dans un hôtel.*
Ajouter une information	*de plus*	***De plus,** j'ai suivi une formation d'aide médicale.*
Conclure	*enfin* *pour conclure*	***Enfin,** je sais faire preuve de qualités humaines.* ***Pour conclure,** je précise habiter à Koh Samui.*

Les rapports temporels

▶ D6 L6 p. 113

Quand on veut indiquer la chronologie dans une suite de faits et d'actions :
– on utilise *après* + verbe à l'infinitif passé* pour exprimer **la postériorité** d'une action par rapport à une autre.
Après avoir été une simple boutique, leur magasin est désormais un concept original.
*On forme l'infinitif passé avec *avoir* ou *être* + le participe passé du verbe.

– on utilise *avant de* + verbe à l'infinitif pour exprimer **l'antériorité** d'une action par rapport à une autre.
***Avant d'ouvrir** sa boutique, il vendait sur Internet des objets trouvés dans les brocantes.*

Les transformations de la phrase

1. La forme interrogative

▶ D3 L6 p. 58 / D4 L5 p. 75

	Français familier	Français standard	Français soutenu
Questions fermées	***Tu lis** souvent ?*	***Est-ce que tu lis** souvent ?*	***Lis-tu** souvent ?*
Questions ouvertes	*Vous venez **comment** ?* ***Pourquoi** vous avez choisi notre offre ?* *Tu mets **quoi** comme nom ?*	***Comment est-ce que** vous venez ?* ***Pourquoi est-ce que** vous avez choisi notre offre ?* ***Qu'est-ce que** tu mets comme nom ?*	***Comment venez-vous** ?* ***Pourquoi avez-vous choisi** notre offre ?* ***Que mets-tu** comme nom ?*

Attention ! À l'écrit ou en situation formelle, on ajoute un **t** dans une question inversée **pour faciliter la prononciation entre deux voyelles** (le verbe se termine par une voyelle et le pronom sujet commence par une voyelle).
***Parle-t-il** français ?*
*Pourquoi **parle-t-on** de spécificités françaises dans le domaine de la BD ?*
*La France **a-t-elle** le monopole de la bande dessinée ?*

2. Le passif

▸ D8 L1 p. 139

Emplois

Le passif (ou forme / voix passive) est utilisé pour mettre en valeur un élément.
Il se différencie de la forme (voix) active.
– Forme active (l'action est réalisée par le sujet) : *On a surtitré la pièce en anglais.*
– Forme passive (l'action n'est pas réalisée par le sujet) : *La pièce a été surtitrée en anglais.*

Pour transformer une phrase active à la forme passive, il faut une construction directe :
– le sujet de la phrase active devient le complément (d'agent) de la phrase passive ;
– le COD de la phrase active devient le sujet de la phrase passive.
Forme active : ***Cette pièce*** *a marqué* ***l'année théâtrale*** *à Sydney.*
sujet COD
Forme passive : ***L'année théâtrale*** *a été marquée* ***par cette pièce.***
sujet complément d'agent

Le complément d'agent est introduit par la préposition *par*.

Attention ! Si l'auteur de l'action n'est pas connu ou si le contexte est évident, on ne précise pas le complément d'agent.
Un homme a été tué. La loi a été votée hier.

Formation

Le verbe *être* (conjugué au même temps que le verbe de la forme active) + le participe passé du verbe.

Attention ! Le participe passé s'accorde avec le sujet.
Cette « petite » voiture ***a été honorée*** *par la presse.*
La Twingo française ***vient d'être adoptée*** *par le Musée national d'Australie.*
Le film ***sera projeté*** *dans les salles de cinéma au mois de juin.*

3. La nominalisation

▸ D8 L2 p. 141

La nominalisation consiste à utiliser un nom plutôt qu'un verbe pour mettre en avant une information.
Ce procédé est beaucoup utilisé dans la presse.

Attention ! Dans une phrase nominalisée, le nom est souvent suivi de la préposition ***de***.
Un appartement a été cambriolé. → ***Cambriolage d'****un appartement.*
Son maître est soulagé. → ***Soulagement de*** *son maître.*

4. La mise en relief

▸ D2 L4 p. 37 / D4 L2 p. 69

Pour mettre en valeur le sujet : ***c'est … qui***
C'est *un pays* ***qui*** *est formidable.* ***Ce sont*** *des cultures* ***qui*** *sont très différentes.*

Pour mettre en valeur le complément : ***c'est … que***
C'est *un pays* ***que*** *j'adore.* ***Ce sont*** *des cultures* ***que*** *je connais.*

Pour mettre en valeur un idée : ***ce … qui, c'est*** / ***ce que …, c'est***
Ce qui *est fantastique,* ***c'est*** *ma rencontre avec Ira Losco !*
Ce que *j'aime particulièrement,* ***c'est*** *la découverte de l'inconnu !*

5. Le discours indirect

▶ D5 L2 p. 87

On utilise le discours indirect pour rapporter des propos. Il faut faire attention aux termes introducteurs et changer les pronoms utilisés si nécessaire.

Discours direct	Discours indirect
Affirmations : *« Cette activité est difficile. »* « Le français est important. »	*dire / expliquer que…* → ***Il nous dit que*** *cette activité est difficile.* → ***Il t'explique que*** *le français est important.*
Questions fermées : « [Est-ce que] tout va bien ? »	*demander si…* → ***Il nous demande si*** *tout va bien.*
Questions ouvertes : *« Quelles sont vos qualités ? »* *« Comment sont les Français ? »*	*demander + mot interrogatif…* → ***Il nous demande quelles*** *sont nos qualités.* → ***Il me demande comment*** *sont les Français.*
Questions « qu'est-ce que… » : *« Qu'est-ce que vous faites dans la vie ? »*	*demander + ce que …* ***Il nous demande ce qu'****on fait dans la vie.*
Demandes, invitations, reproches : *« Parlez-moi de vous ! »* *« Venez chez moi ! »* *« Tu donnes trop souvent ton avis ! »*	*demander, proposer, reprocher + de +* verbe à l'infinitif ***Il nous demande de*** *lui parler de nous.* ***Il nous propose de*** *venir chez lui.* ***Il me reproche de*** *trop souvent donner mon avis.*

PRÉCIS de conjugaison

	Présent	Passé composé	Imparfait	Futur
Être	je suis tu es il/elle/on est nous sommes vous êtes ils/elles sont	j'ai été tu as été il/elle/on a été nous avons été vous avez été ils/elles ont été	j'étais tu étais il/elle/on était nous étions vous étiez ils/elles étaient	je serai tu seras il/elle/on sera nous serons vous serez ils/elles seront
Avoir	j'ai tu as il/elle/on a nous avons vous avez ils/elles ont	j'ai eu tu as eu il/elle/on a eu nous avons eu vous avez eu ils/elles ont eu	j'avais tu avais il/elle/on avait nous avions vous aviez ils/elles avaient	j'aurai tu auras il/elle/on aura nous aurons vous aurez ils/elles auront
Aller	je vais tu vas il/elle/on va nous allons vous allez ils/elles vont	je suis allé(e) tu es allé(e) il/elle/on est allé(e) nous sommes allé(e)s vous êtes allé(e)s ils/elles sont allé(e)s	j'allais tu allais il/elle/on allait nous allions vous alliez ils/elles allaient	j'irai tu iras il/elle/on ira nous irons vous irez ils/elles iront
Pouvoir	je peux tu peux il/elle/on peut nous pouvons vous pouvez ils/elles peuvent	j'ai pu tu as pu il/elle/on a pu nous avons pu vous avez pu ils/elles ont pu	je pouvais tu pouvais il/elle/on pouvait nous pouvions vous pouviez ils/elles pouvaient	je pourrai tu pourras il/elle/on pourra nous pourrons vous pourrez ils/elles pourront
Devoir	je dois tu dois il/elle/on doit nous devons vous devez ils/elles doivent	j'ai dû tu as dû il/elle/on a dû nous avons dû vous avez dû ils/elles ont dû	je devais tu devais il/elle/on devait nous devions vous deviez ils/elles devaient	je devrai tu devras il/elle/on devra nous devrons vous devrez ils/elles devront
Vouloir	je veux tu veux il/elle/on veut nous voulons vous voulez ils/elles veulent	j'ai voulu tu as voulu il/elle/on a voulu nous avons voulu vous avez voulu ils/elles ont voulu	je voulais tu voulais il/elle/on voulait nous voulions vous vouliez ils/elles voulaient	je voudrai tu voudras il/elle/on voudra nous voudrons vous voudrez ils/elles voudront
Faire	je fais tu fais il/elle/on fait nous faisons vous faites ils/elles font	j'ai fait tu as fait il/elle/on a fait nous avons fait vous avez fait ils/elles ont fait	je faisais tu faisais il/elle/on faisait nous faisions vous faisiez ils/elles faisaient	je ferai tu feras il/elle/on fera nous ferons vous ferez ils/elles feront
Prendre	je prends tu prends il/elle/on prend nous prenons vous prenez ils/elles prennent	j'ai pris tu as pris il/elle/on a pris nous avons pris vous avez pris ils/elles ont pris	je prenais tu prenais il/elle/on prenait nous prenions vous preniez ils/elles prenaient	je prendrai tu prendras il/elle/on prendra nous prendrons vous prendrez ils/elles prendront

Impératif	Plus-que-parfait	Subjonctif présent	Conditionnel présent
sois soyons soyez	j'avais été tu avais été il/elle/on avait été nous avions été vous aviez été ils/elles avaient été	que je sois que tu sois qu'il/elle/on soit que nous soyons que vous soyez qu'ils/elles soient	je serais tu serais il/elle/on serait nous serions vous seriez ils/elles seraient
aie ayons ayez	j'avais eu tu avais eu il/elle/on avait eu nous avions eu vous aviez eu ils/elles avaient eu	que j'aie que tu aies qu'il/elle/on ait que nous ayons que vous ayez qu'ils/elles aient	j'aurais tu aurais il/elle/on aurait nous aurions vous auriez ils/elles auraient
va allons allez	j'étais allé(e) tu étais allé(e) il/elle/on était allé(e) nous étions allé(e)s vous étiez allé(e)s ils/elles étaient allé(e)s	que j'aille que tu ailles qu'il/elle/on aille que nous allions que vous alliez qu'ils/elles aillent	j'irais tu irais il/elle/on irait nous irions vous iriez ils/elles iraient
	j'avais pu tu avais pu il/elle/on avait pu nous avions pu vous aviez pu ils/elles avaient pu	que je puisse que tu puisses qu'il/elle/on puisse que nous puissions que vous puissiez qu'ils/elles puissent	je pourrais tu pourrais il/elle/on pourrait nous pourrions vous pourriez ils/elles pourraient
dois devons devez	j'avais dû tu avais dû il/elle/on avait dû nous avions dû vous aviez dû ils/elles avaient dû	que je doive que tu doives qu'il/elle/on doive que nous devions que vous deviez qu'ils/elles doivent	je devrais tu devrais il/elle/on devrait nous devrions vous devriez ils/elles devraient
veux / veuille voulons voulez / veuillez	j'avais voulu tu avais voulu il/elle/on avait voulu nous avions voulu vous aviez voulu ils/elles avaient voulu	que je veuille que tu veuilles qu'il/elle/on veuille que nous voulions que vous vouliez qu'ils/elles veuillent	je voudrais tu voudrais il/elle/on voudrait nous voudrions vous voudriez ils/elles voudraient
fais faisons faites	j'avais fait tu avais fait il/elle/on avait fait nous avions fait vous aviez fait ils/elles avaient fait	que je fasse que tu fasses qu'il/elle/on fasse que nous fassions que vous fassiez qu'ils/elles fassent	je ferais tu ferais il/elle/on ferait nous ferions vous feriez ils/elles feraient
prends prenons prenez	j'avais pris tu avais pris il/elle/on avait pris nous avions pris vous aviez pris ils/elles avaient pris	que je prenne que tu prennes qu'il/elle/on prenne que nous prenions que vous preniez qu'ils/elles prennent	je prendrais tu prendrais il/elle/on prendrait nous prendrions vous prendriez ils/elles prendraient

	Présent	Passé composé	Imparfait	Futur
Venir	je viens tu viens il/elle/on vient nous venons vous venez ils/elles viennent	je suis venu(e) tu es venu(e) il/elle/on est venu(e) nous sommes venu(e)s vous êtes venu(e)s ils/elles sont venu(e)s	je venais tu venais il/elle/on venait nous venions vous veniez ils/elles venaient	je viendrai tu viendras il/elle/on viendra nous viendrons vous viendrez ils/elles viendront
Parler	je parle tu parles il/elle/on parle nous parlons vous parlez ils/elles parlent	j'ai parlé tu as parlé il/elle/on a parlé nous avons parlé vous avez parlé ils/elles ont parlé	je parlais tu parlais il/elle/on parlait nous parlions vous parliez ils/elles parlaient	je parlerai tu parleras il/elle/on parlera nous parlerons vous parlerez ils/elles parleront
Voir	je vois tu vois il/elle/on voit nous voyons vous voyez ils/elles voient	j'ai vu tu as vu il/elle/on a vu nous avons vu vous avez vu ils/elles ont vu	je voyais tu voyais il/elle/on voyait nous voyions vous voyiez ils/elles voyaient	je verrai tu verras il/elle/on verra nous verrons vous verrez ils/elles verront
Choisir	je choisis tu choisis il/elle/on choisit nous choisissons vous choisissez ils/elles choisissent	j'ai choisi tu as choisi il/elle/on a choisi nous avons choisi vous avez choisi ils/elles ont choisi	je choisissais tu choisissais il/elle/on choisissait nous choisissions vous choisissiez ils/elles choisissaient	je choisirai tu choisiras il/elle/on choisira nous choisirons vous choisirez ils/elles choisiront
Écrire	j'écris tu écris il/elle/on écrit nous écrivons vous écrivez ils/elles écrivent	j'ai écrit tu as écrit il/elle/on a écrit nous avons écrit vous avez écrit ils/elles ont écrit	j'écrivais tu écrivais il/elle/on écrivait nous écrivions vous écriviez ils/elles écrivaient	j'écrirai tu écriras il/elle/on écrira nous écrirons vous écrirez ils/elles écriront
Sortir	je sors tu sors il/elle/on sort nous sortons vous sortez ils/elles sortent	je suis sorti(e) tu es sorti(e) il/elle/on est sorti(e) nous sommes sorti(e)s vous êtes sorti(e)s ils/elles sont sorti(e)s	je sortais tu sortais il/elle/on sortait nous sortions vous sortiez ils/elles sortaient	je sortirai tu sortiras il/elle/on sortira nous sortirons vous sortirez ils/elles sortiront
Réfléchir	je réfléchis tu réfléchis il/elle/on réfléchit nous réfléchissons vous réfléchissez ils/elles réfléchissent	j'ai réfléchi tu as réfléchi il/elle/on a réfléchi nous avons réfléchi vous avez réfléchi ils/elles ont réfléchi	je réfléchissais tu réfléchissais il/elle/on réfléchissait nous réfléchissions vous réfléchissiez ils/elles réfléchissaient	je réfléchirai tu réfléchiras il/elle/on réfléchira nous réfléchirons vous réfléchirez ils/elles réfléchiront
Connaître	je connais tu connais il/elle/on connaît nous connaissons vous connaissez ils/elles connaissent	j'ai connu tu as connu il/elle/on a connu nous avons connu vous avez connu ils/elles ont connu	je connaissais tu connaissais il/elle/on connaissait nous connaissions vous connaissiez ils/elles connaissaient	je connaîtrai tu connaîtras il/elle/on connaîtra nous connaîtrons vous connaîtrez ils/elles connaîtront

Impératif	Plus-que-parfait	Subjonctif présent	Conditionnel présent
	j'étais venu(e)	que je vienne	je viendrais
viens	tu étais venu(e)	que tu viennes	tu viendrais
	il/elle/on était venu(e)	qu'il/elle/on vienne	il/elle/on viendrait
venons	nous étions venu(e)s	que nous venions	nous viendrions
venez	vous étiez venu(e)s	que vous veniez	vous viendriez
	ils/elles étaient venu(e)s	qu'ils/elles viennent	ils/elles viendraient
	j'avais parlé	que je parle	je parlerais
parle	tu avais parlé	que tu parles	tu parlerais
	il/elle/on avait parlé	qu'il/elle/on parle	il/elle/on parlerait
parlons	nous avions parlé	que nous parlions	nous parlerions
parlez	vous aviez parlé	que vous parliez	vous parleriez
	ils/elles avaient parlé	qu'ils/elles parlent	ils/elles parleraient
	j'avais vu	que je voie	je verrais
vois	tu avais vu	que tu voies	tu verrais
	il/elle/on avait vu	qu'il/elle/on voie	il/elle/on verrait
voyons	nous avions vu	que nous voyions	nous verrions
voyez	vous aviez vu	que vous voyiez	vous verriez
	ils/elles avaient vu	qu'ils/elles voient	ils/elles verraient
	j'avais choisi	que je choisisse	je choisirais
choisis	tu avais choisi	que tu choisisses	tu choisirais
	il/elle/on avait choisi	qu'il/elle/on choisisse	il/elle/on choisirait
choisissons	nous avions choisi	que nous choisissions	nous choisirions
choisissez	vous aviez choisi	que vous choisissiez	vous choisiriez
	ils/elles avaient choisi	qu'ils/elles choisissent	ils/elles choisiraient
	j'avais écrit	que j'écrive	j'écrirais
écris	tu avais écrit	que tu écrives	tu écrirais
	il/elle/on avait écrit	qu'il/elle/on écrive	il/elle/on écrirait
écrivons	nous avions écrit	que nous écrivions	nous écririons
écrivez	vous aviez écrit	que vous écriviez	vous écririez
	ils/elles avaient écrit	qu'ils/elles écrivent	ils/elles écriraient
	j'étais sorti(e)	que je sorte	je sortirais
sors	tu étais sorti(e)	que tu sortes	tu sortirais
	il/elle/on était sorti(e)	qu'il/elle/on sorte	il/elle/on sortirait
sortons	nous étions sorti(e)s	que nous sortions	nous sortirions
sortez	vous étiez sorti(e)s	que vous sortiez	vous sortiriez
	ils/elles étaient sorti(e)s	qu'ils/elles sortent	ils/elles sortiraient
	j'avais réfléchi	que je réfléchisse	je réfléchirais
réfléchis	tu avais réfléchi	que tu réfléchisses	tu réfléchirais
	il/elle/on avait réfléchi	qu'il/elle/on réfléchisse	il/elle/on réfléchirait
réfléchissons	nous avions réfléchi	que nous réfléchissions	nous réfléchirions
réfléchissez	vous aviez réfléchi	que vous réfléchissiez	vous réfléchiriez
	ils/elles avaient réfléchi	qu'ils/elles réfléchissent	ils/elles réfléchiraient
	j'avais connu	que je connaisse	je connaîtrais
connais	tu avais connu	que tu connaisses	tu connaîtrais
	il/elle/on avait connu	qu'il/elle/on connaisse	il/elle/on connaîtrait
connaissons	nous avions connu	que nous connaissions	nous connaîtrions
connaissez	vous aviez connu	que vous connaissiez	vous connaîtriez
	ils/elles avaient connu	qu'ils/elles connaissent	ils/elles connaîtraient

Carte de la France

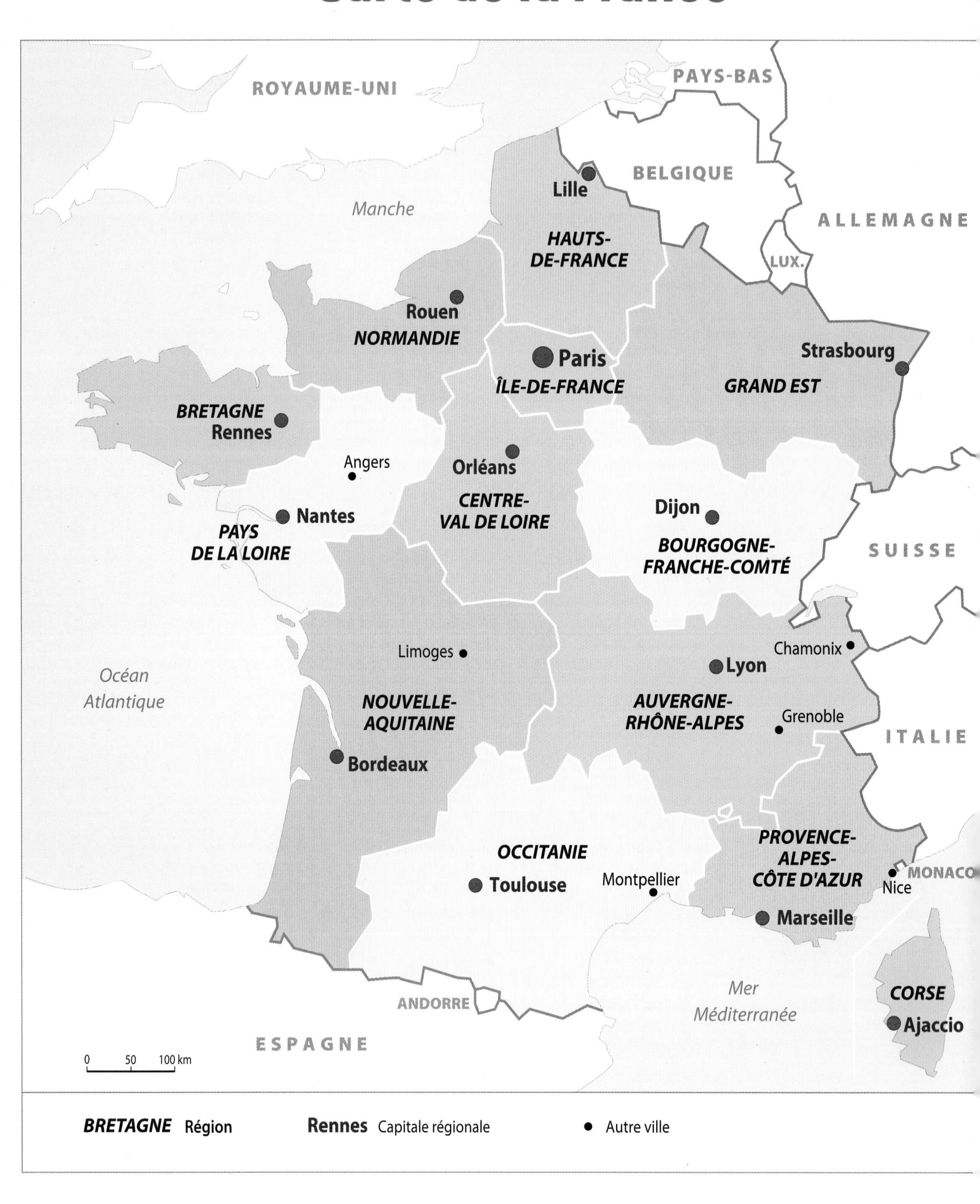

BRETAGNE Région　**Rennes** Capitale régionale　• Autre ville

Carte de l'Europe

Pays de l'Union européenne

Autre pays d'Europe

* Le Royaume-Uni a voté par référendum sa sortie de l'Union européenne

Plan de Paris

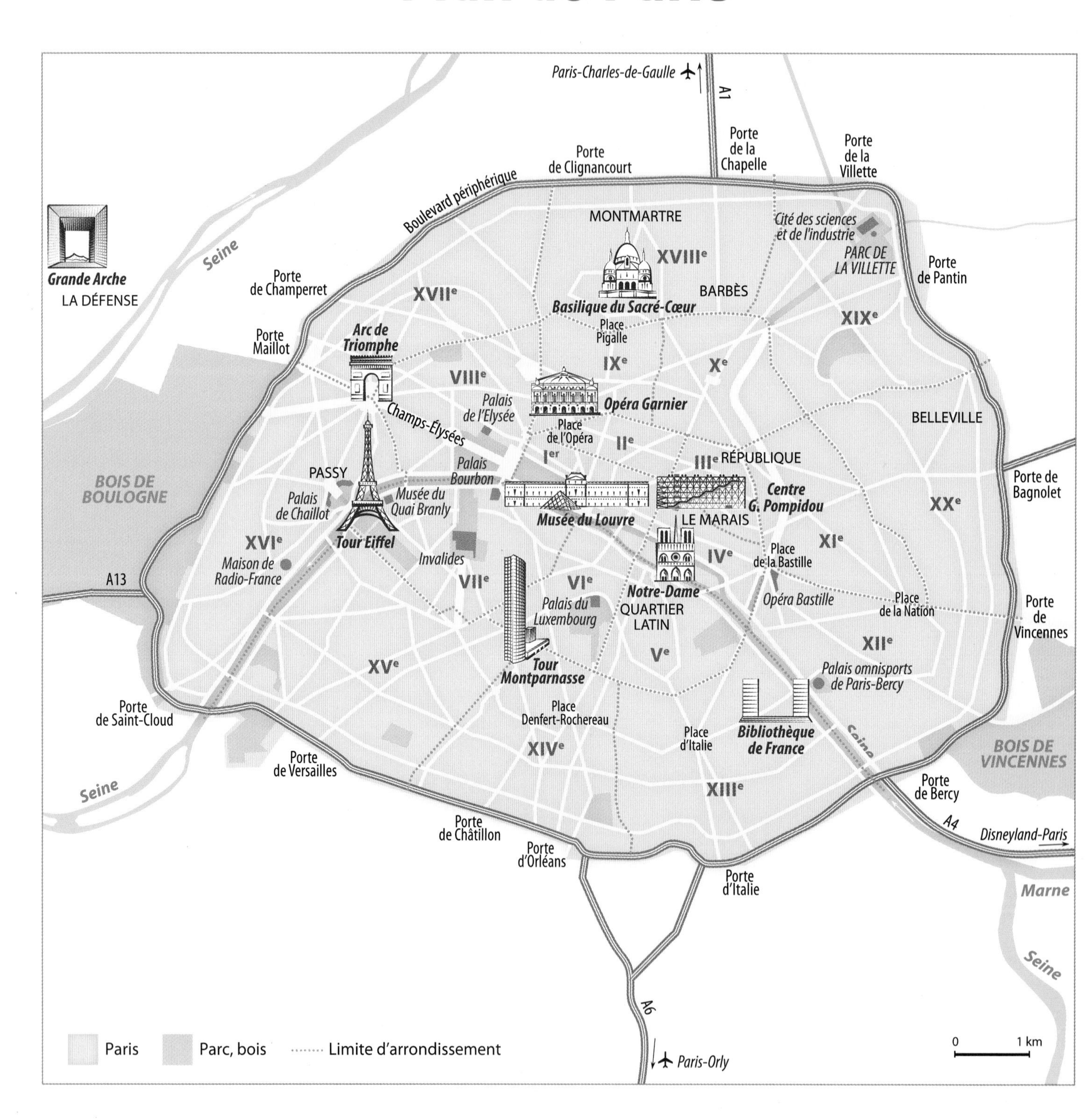

Remerciements

L'éditeur remercie les enseignants suivants :

COLOMBIE

Cédric Dupout, Leonardo Duran, Fernando Salgado Ribiero, Adélaïde Strzoda

ESPAGNE

Patricia Aldasoro, Michèle Berger, Enriqueta Cabra Luna,
Mercedes Castaño López, Sofía González, Marta Gracia,
Fernanda Ibáñez, Anna López, Noël Nkondock, Paloma Rey

FRANCE

Paule Boissard, Karine Bouchet, Julien Boureau, Carole Garcia,
Céline Himber, Meryem Idoubrahim, Julia Ligot, Stéphanie Rabin,
Florence Vacher, Nadine Vallejos

MAROC

Samuel Amor, Imane Bouteldja, Anne-Laure Clarisse, Abderrahim Jahid,
Maryline Laidin, Bryan Maillet, Marion Oudot, Natalie Pourchet, Julie Uny

MEXIQUE

Rosalva González, Annabel Juarez, Alicia Mendoza, Sabrina Miramontes

POLOGNE

Barbara Klimek, Mariola Paprzycka, Elżbieta Paniczek

Nathalie Hirschsprung remercie tout particulièrement Martine Stirman,
Anna Mubanga Beya et Adrien Berthier.

Tony Tricot remercie tout particulièrement Cécile Deville pour son soutien
inconditionnel.

Crédits

Photo de couverture : Vienne, Autriche. Nicolas Piroux

Photos et documents

p. 10 : 1-c © Campus France ; 2-b : © guesttoguest.fr ; 3-c haut © Cariboo cariboo.co/fr ; 3-c bas © pretty-streets.com/fr – **p. 11** : 3-b © Photojope, iStock – **p. 12** : © Campus France – **p. 14** : © Agence de promotion du FLE – **p. 17** : © France Voyage, www.france-voyage.com – **p. 18** ; © CAREL, www.carel.org – **p. 20** : © Gîtes du Mas d'Aspech, www.hotels-insolites.com – **p. 22** : © Cariboo, https://www.cariboo.co/fr/ – **p. 24** : © Moldavie.fr – **p. 25** : 6 © François Renault, Photononstop – **p. 30** : © MOB Compagnie du chemin de fer Montreux Oberland bernois ; © voyages-sncf.com – **p. 33** : © Le Château – Brasserie belge, http://lechateaukampala.com/ ; © Destination Jungle, www.destinationjungle.com – **p. 34** : © UEB Radio – **p. 36** : ©Face Sud, www.face-sud.com – **p. 38** : © vacanceo.com – **p. 39** : © Autoroute Info – **p. 40** : © votretourdumonde.com – **p. 43** : a © Roberto Westbrook, Image Source – **p. 48** : © Institut français d'Allemagne, www.institutfrancais.de ; © Institut français du Cambodge – **p. 49** : © Gavroche Thaïlande – **p. 50** :© www.needelp.com – **p. 54** : © Magazine *ELLE*, www.elle.fr – **p. 56** : © Explore, avec l'aimable autorisation de Harold Rennie – **p. 58** : © Ici Londres – **p. 61** : ©CIEP – **p. 62** : 4 © Hero Images – **p. 64** : 1-a et d © Éditions FEI ; © 1-b La Trilogie Nikopol, d'Enki Bilal ©Casterman, avec l'aimable autorisation des auteurs et des Éditions Casterman ; © 1-c © 2017 Humanoids, Inc. Los Angeles – **p. 65** : © 3-a © 2016 VALERIAN SAS – TF1 FILMS PRODUCTION ; 3-b © 2015 - Onyx Films - Orange Studio – Kinology ; 3-c : Le Cercle noir pour The Alamo / Photos : David KOSKAS © 2014 SPLENDIDO – QUAD CINEMA / TEN FILMS / GAUMONT / TF1 FILMS PRODUCTION / KOROKORO – **p. 66** : © CANAL PLUS – **p. 67** : © VOO, voo.fr – **p. 72** : © Radio France – **p. 73** : © Le Petit Journal Shanghai, lepetitjournal.com – **p. 74** : © dedicacedebd.blogspot.fr ; © Éditions FEI – **p. 75** : © Le Cirque du Soleil – **p. 76** : © Le Cirque du Soleil – **p. 82** : 1-c © Sam Edwards, Caiaimage – **p. 83** : 3-a © Union des Français de l'étranger ; 3-b © Amitié France-Autriche de Linz – **p. 84** : © *La Croix* ; © Peyo – 2017 – Licensed through I.M.P.S (Brussels) – www.smurf.com – **p. 85** : © *Courrier international* – **p. 86** : © Université Lucian Blaga de Sibiu – **p. 88** : © rouenensemble.fr – **p. 90** : © lepetitjournal.com – **p. 91** : © Amitié France-Autriche de Linz – **p. 94** : © CKIA – **p. 95** : © Tourisme au Burkina Faso, http://www.burkinatourism.com/ ; MissHibiscus, E+ – **p. 97** :d'après La Fédération des cafés citoyens – **p. 98** : 3 © Jon Feingersh, Blend Images – **p. 102** : © TERROU-BI – **p. 104** : © École culinaire française – **p. 106** : © *KAIZEN* – **p. 108** : © Parlons-PME BNP-Paribas ; © French Planet – **p. 110** : © beaute-test.com – **p. 112** : © *Le Soleil* – **p. 115** : © evous.fr – **p. 118** : 1-a © Virgin Radio – **p. 119** : © 3b Avid_Creative, E+ – **p. 120** : © ActuaLitte.com, image sous licence CC by SA 2.0 – **p. 122** : © Nations Unies – **p. 124** : © France Inter ; © Unis-Cité, Passeurs de mémoires – **p. 126** : © *CHARENTE LIBRE*, auteur : Jean-Pierre Champagne, date de publication : 21 novembre 2012 – **p. 127** : © Fondation Lilian Thuram – **p. 128** : © Vivreenislande.fr/Eric Eymard – **p. 129** : © Iceland Academy – **p. 130** : © ABC LATINA – **p. 131** : 6-a © Alliance française – **p. 138** : © *Le Courrier australien* – **p. 140** : © L'Essentiel Kadio ; © *Le Quotidien* – **p. 142** : © *Dernières Nouvelles d'Alsace* / site www.dna.fr – **p. 143** : © France Bleu – **p. 144** : *Vos idées pour un métro au top*, 01/12/2016 – Jila Varoquier © *Le Parisien – Aujourd'hui en France* – **p. 145** : © Lexpress.mu – **p. 148** : © lepetitjournal.com – **p. 149** : © LD Radio – **p. 152** : © Robert D. Barnes Moment – **p. 172** : © Eric Fougère, Corbis

Pour toutes les autres photos : © Shutterstock

Textes

p. 151 : Gaël Faye, *Petit Pays*, © Éditions Grasset & Fasquelle, 2016
p. 186 : Grégoire Delacourt, *La Liste de mes envies*, © Éditions Jean-Claude Lattès, 2012

Vidéos

D1 : *Visiter Paris* © France Télévisions
D2 : *Voyager autrement* © Alex Vizeo, Dormir gratuitement chez l'habitant, le Nightswapping, www.vizeo.net
D3 : *Destination francophonie* © TV5 Monde
D4 : *Un nouveau roi à Versailles* © Source BFMTV
D5 : *Le Sens des gestes*
Film réalisé par Eve Pinçon, Oriane Rips, Angèle Bafounda et Stéphanie Bougazale
INALCO, Communication et Formation interculturelle, 2012-2013
Les auteurs remercient les élèves et les professeurs de l'INALCO qui ont participé à ce projet et le personnel de l'université.
D6 : *Made in France* © France Télévisions
D7 : *Demain* © Move Movie / France 2 Cinéma / Mars Films / Mely Productions
D8 : *L'Actualité autrement* © France Télévisions

Cosmopolite 2

Méthode de français A2

Transcriptions

DOSSIER 1. Nous allons pratiquer notre français en France

LEÇON 1 : On y va ?

Piste 2. Activités 2 et 3

Sandrine Mazarin : Daniel Gomez ?
Daniel Gomez : Oui, c'est moi !
Sandrine Mazarin : Bonjour Monsieur Gomez. Je suis Sandrine Mazarin.
Daniel Gomez : Bonjour. Enchanté.
Sandrine Mazarin : Venez. Asseyez-vous, je vous en prie. Qu'est-ce que je peux faire pour vous ?
Daniel Gomez : Eh bien. Voilà... Je prends des cours de français ici à Buenos Aires et j'ai presque le niveau B2. Mais mon objectif est de partir travailler en France. Donc, je veux parler et écrire aussi bien qu'un Français !
Sandrine Mazarin : Et vous voulez aller étudier dans un pays francophone ?
Daniel Gomez : C'est ça ! Je crois que c'est mieux pour progresser rapidement.
Sandrine Mazarin : C'est vrai !
Daniel Gomez : Est-ce que vous pouvez me donner des conseils ?
Sandrine Mazarin : J'ai une meilleure idée ! Vous avez un smartphone ?
Daniel Gomez : Euh... Oui ! Pourquoi ?
Sandrine Mazarin : Vous allez voir ! Cherchez l'application Immersion France, elle est gratuite, et téléchargez-la.

Piste 3. Activité 4

Daniel Gomez : C'est bon !
Sandrine Mazarin : Alors, je vous explique. Cette application propose une sélection des écoles de langue et des universités dans toutes les régions de France et d'outre-mer.
Daniel Gomez : D'accord.
Sandrine Mazarin : Vous avez accès au total à plus de 300 séjours sur-mesure.
Daniel Gomez : 300 ?? Mais, alors, comment on fait pour choisir ?
Sandrine Mazarin : Regardez. L'application vous pose des questions sur vos objectifs, les activités ou les régions souhaitées, la durée puis elle vous propose des séjours adaptés à vos besoins.
Daniel Gomez : C'est génial !

Piste 4. Sons du français activité 8

Exemple : Habiter à Paris, c'est plus agréable que d'habiter à Perpignan ?
1. Perpignan est une ville plus petite que Paris mais plus ensoleillée.
2. À Paris, il y a plus d'universités qu'à Perpignan et plus d'étudiants aussi.
3. Je peux aller au théâtre plus facilement à Paris que dans les autres villes de France parce qu'il y a plus de choix.
4. Finalement, habiter à Paris, c'est plus agréable qu'habiter à Perpignan ?

Leçon 2 : Avant le départ

Piste 5. Sons du français – Activité 5

Exemple : Venir en France, j'en rêve depuis longtemps !
1. L'Agence Campus France s'occupe des visas.
2. Les formalités sont plus simples pour les Européens.
3. Il y a plein de choix comme les écoles de commerce ou les écoles d'ingénieurs.
4. Beaucoup d'étudiants ont un petit emploi pour financer leurs études.
5. Avant de s'installer en France, c'est mieux de s'intégrer à la vie à la française.
6. De nombreux sites Internet donnent les informations principales pour bien vivre ici.

Piste 6. Activités 6 et 7

Employé : Monsieur Johl Nkomo ?
Johl Nkomo : Oui, c'est moi.
Employé : Bonjour !
Johl Nkomo : Bonjour.
Employé : Venez, suivez-moi. Asseyez-vous. Alors, vous venez pour une demande de visa long séjour ? N'est-ce pas ?
Johl Nkomo : Oui, c'est ça.
Employé : On va voir ça ensemble. J'ai quelques questions à vous poser. Pourquoi voulez-vous aller en France ?
Johl Nkomo : Pour y poursuivre mes études.
Employé : D'accord. Et où allez-vous étudier ?
Johl Nkomo : À l'université d'Aix-Marseille.
Employé : Et vous vous y êtes déjà inscrit ?
Johl Nkomo : Oui, l'attestation est dans mon dossier.
Employé : Très bien, oui, elle y est, effectivement. Vous vous êtes inscrit en sciences politiques. C'est bien ça ?
Johl Nkomo : Oui, c'est ça. Je pense que c'est une bonne formation pour devenir diplomate à mon retour en Afrique du Sud. La politique, je m'y suis toujours intéressé et l'université d'Aix-Marseille est de très bonne qualité.
Employé : Comment pensez-vous financer vos études et votre séjour en France ?
Johl Nkomo : Je pense travailler à mi-temps. La loi française m'y autorise, n'est-ce pas ?
Employé : Absolument, mais du travail, ce n'est pas toujours évident d'en trouver, vous savez ?

Johl Nkomo : Oui. Oui, j'en suis conscient. Je pars avec des économies pour commencer. Vous avez l'attestation de ma banque dans le dossier.
Employé : Oui, je vois. Bon, votre dossier est complet. Nous allons commencer la procédure.

Leçon 3 : Brest-Quimper

▸ Piste 7. Activité 2

Présentatrice : Aujourd'hui, dans notre chronique « Gros plan sur les bons moyens de voyager moins cher » : connaissez-vous le covoiturage ? Gros succès pour ce mode de transport, surtout en été. Nous avons rencontré Pierre, Nicolas et Jérôme. Ils ne se connaissent pas mais ils vont faire 6 heures de route ensemble de Paris jusqu'à Vannes. Pierre, le conducteur, a rencontré ses deux passagers sur Internet grâce à un site de covoiturage.

▸ Piste 8. Activité 3

Présentatrice : Pierre, pourquoi proposez-vous de prendre des passagers dans votre voiture ?
Pierre : Ça me fait de la compagnie. Paris-Vannes, c'est long vous savez ! Presque 500 kilomètres ! Et ça me permet de faire des économies.
Présentatrice : Pour les passagers aussi, c'est avantageux. Le trajet Paris-Vannes leur coûte à chacun 30 €. En train c'est environ 90 €. Et vous, Nicolas vous avez choisi cette formule parce que c'est moins cher ?
Nicolas : Oui, mais pas seulement. Quand je voyage, j'aime me décider au dernier moment. Allez, demain, je vais à Vannes ! Je fais un mail à Pierre : « Vous m'emmenez ? » Pierre me répond : « D'accord, je vous retrouve demain à 14 h 00 ». 2 lignes de mail et c'est parti !
Présentatrice : Et vous, Jérôme ?
Jérôme : C'est trois fois moins cher que le train... et surtout c'est plus sympa ! On peut rencontrer de nouvelles personnes, c'est très agréable. Ça me plaît beaucoup.

Leçon 4 : Séjour linguistique

▸ Piste 9. Sons du français – Activité 5

Exemple : Il faut étudier.
Il faut beaucoup étudier.
Il faut vraiment étudier pour bien parler français.
Je dois faire la cuisine.
Je dois toujours faire la cuisine.

▸ Piste 10. Activité(s) 6

Standardiste : CAREL, bonjour !
Père : Bonjour madame, je voudrais des informations sur l'hébergement des étudiants, s'il vous plaît.
Standardiste : Ne quittez pas je vous passe le service hébergement.
Homme : Service hébergement bonjour !
Père : Bonjour monsieur. Voilà... Je vous appelle du Mexique. J'ai un fils de 16 ans. Ma femme et moi avons décidé de l'inscrire dans votre centre en juillet prochain pour pratiquer son français.
Homme : Très bien !
Père : J'ai lu votre brochure et j'ai quelques questions sur l'hébergement en famille.

▸ Piste 11. Activités 7 et 8

Homme : Je vous écoute.
Père : Pour cet hébergement, il faut apporter des draps et des serviettes ?
Homme : Non, il n'apporte rien tout est fourni par la famille.
Père : D'accord... Et on peut se faire à manger ?
Homme : Non, en famille, on ne fait jamais la cuisine. Cette formule est en demi-pension : la famille prépare les petits déjeuners et les dîners. Les repas se prennent en famille.
Père : D'accord ! Et il peut y avoir plusieurs étudiants dans une même famille ?
Homme : Oui, c'est possible. Votre fils peut partager une chambre avec un autre étudiant.
Père : Et combien ça coûte ?
Homme : Entre 20 et 30 € la nuit. Pour avoir un tarif exact, il faut préciser votre choix : chambre simple ou chambre double.
Père : Bon, merci beaucoup, je vais réfléchir.
Homme : Vous avez d'autres questions ?
Père : Oui, est-ce que vous pouvez me passer le service des cours ?
Homme : Oui, bien sûr, ne quittez pas... Désolé, mes collègues sont tous en ligne. Vous pouvez rappeler un peu plus tard ?
Père : Oui, bien sûr. Merci beaucoup. Au revoir !
Homme : Au revoir !

Leçon 5 : Lieux insolites

▸ Piste 12. Activités 2, 3 et 4

Bienvenue sur Radio France Internationale ! Auditeurs du bout du monde, vous venez en France ? Offrez-vous un week-end hors du commun. Sandrine et Guillaume nous emmènent dans des lieux insolites.
Guillaume : Sandrine, bonjour.
Sandrine : Bonjour Guillaume. Bonjour à tous.
Guillaume : Sandrine, vous nous présentez vos coups de cœur.
Sandrine : Absolument ! Mon premier coup de cœur, c'est le village igloo à la Plagne, tout en haut des montagnes, à plus de 2 000 mètres d'altitude, juste devant le mont Blanc.
Guillaume : Un village igloo en France ? Je connaissais la mode des cabanes dans les arbres mais pas les igloos !
Sandrine : Eh oui, le village igloo ça existe aussi en France ! Et c'est vraiment insolite ! Ce village, c'est un univers naturel de neige et de glace. Vous pouvez y passer une nuit ou simplement y dîner.
Guillaume : Ça donne envie ! Le village se trouve dans la station de sports d'hiver ?
Sandrine : Plus exactement au-dessus du village de Plagne Soleil. On trouve un plan d'accès sur le site Internet du propriétaire.
Guillaume : Super. Et votre 2e coup de cœur ?
Sandrine : Nous partons dans un endroit atypique, insolite et romantique, proch de Toulouse. Dans un pigeonnier... Il est situé dans une prairie, c'est comme une cabane au milieu des bois.
Guillaume : Et pour les repas ?
Guillaume : On peut profiter des repas de l'auberge. Elle n'est pas loin du pigeonnier. Autrement, il y a aussi une mini-cuisine.
Guillaume : Et, pour en savoir plus, un seul site : insolithome. Trois w point insolithome point com. Merci Sandrine !

Leçon 6 : Paris autrement

▸ Piste 13. Activités 6, 7 et 8

Serveur : Et trois crêpes au chocolat, trois !
Charlene : Hum ! Ces crêpes sont... délicieuses !
David : Oui ! C'est une adresse que j'adore. J'aime bien la faire découvrir à mes amis.
Michaël : Alors, David, qu'est-ce que tu nous conseilles pour découvrir Paris ?
David : Bon d'abord, qu'est-ce que vous cherchez ? Les grands classiques ? La tour Eiffel, le musée du Louvre... ?
Charlene : Oui, bien sûr, mais pour ça on se débrouille ! Nous, on veut surtout rencontrer des Parisiens, des gens à qui parler, avec qui discuter...
David : OK ! OK ! Pas de problème. Le Paris des cafés, des restos ! Les quartiers qui bougent quoi !
Michaël : Voilà, c'est ça ! Quels sont les coins que tu préfères ?
David : Pour sortir, le quartier que je préfère, c'est le canal Saint-Martin ! C'est un quartier très animé, typiquement parisien, populaire et aussi très romantique
Charlene : Est-ce que c'est facile d'y rencontrer des gens ?
David : Oui, l'ambiance est très sympa ! Un conseil : quand vous voyez un bar qui vous plaît, installez-vous au comptoir.
Charlene : Au comptoir ? Pourquoi ?
David : Parce que les clients qui s'installent au comptoir sont souvent des gens

qui aiment bien discuter avec leurs voisins.
Michaël : Le canal Saint-Martin tu dis ? Ça a l'air d'être exactement ce qu'on cherche !
David : Après dîner, on peut aller y prendre un verre si vous voulez ?

DELF 1

Piste 14. Compréhension de l'oral

Dialogue 1 :
Homme : Tu fais quoi ce week-end ?
Femme : Je vais à Quimper chez une amie.
Homme : Super ! En ce moment, il fait aussi beau qu'à Paris.
Femme : Oui, et il y a moins de pollution à Quimper qu'à Paris !
Dialogue 2 :
Homme : Ce studio est parfait pour notre week-end ! Il faut apporter des draps et des serviettes ?
Femme : Non, tout est fourni !
Homme : Attention, regarde : il est impératif de réserver au minimum 15 jours à l'avance.
Femme : Alors, je le fais tout de suite !
Dialogue 3 :
Femme : Je te propose un brunch dans un endroit sympa.
Homme : Avec plaisir ! C'est où ?
Femme : Ça s'appelle le Biglove Caffè et c'est dans le Marais. C'est de la cuisine italienne. Tous les produits sont frais et les plats sont faits-maison. À l'intérieur, on est à la fois dans un restaurant et dans une petite épicerie.
Homme : Ça a l'air génial !
Dialogue 4 :
Femme : Je préfère habiter seule, c'est possible ?
Homme : Oui, il y a aussi des studios.
Femme : Et quelle est la surface ?
Homme : 20 m^2. Il y a des photos, regarde.
Femme : Ça semble propre et confortable.

DOSSIER 2. Nous partageons nos expériences insolites ou originales

Leçon 1 : Balades insolites

Piste 15. Sons du français – Activité 5

Exemple : À Montreux, nous avons pris un train original.
1. Quelle expérience intéressante !
2. On a passé un moment agréable entre amis.
3. Après la démonstration, nous avons fait une dégustation !
4. Je recommande à tout le monde ce restaurant.
5. Le patron est aussi un artisan et il propose de bons produits.
6. Avec un plan, j'ai découvert des quartiers très intéressants.

Piste 16. Activité 7

Présentatrice : Bonjour à toutes et à tous. Aujourd'hui, nous allons parler d'une expérience insolite proposée par l'association Pré en bulle dans le quartier des Grottes, à Genève. Des balades sonores imaginées par 4 écrivains genevois à télécharger sur smartphone. Elles permettent aux promeneurs de redécouvrir ce quartier surprenant. Par exemple, à travers l'histoire d'un personnage. Il a habité le quartier, il l'a quitté et il y revient. Écoutons un extrait.

Piste 17. Activités 8 et 9

Comme le temps a passé... Aujourd'hui, il est revenu dans la rue de son enfance, la rue Charles Rosselet. Il n'a rien oublié de cette époque. En particulier, l'été de ses 17 ans quand il est tombé amoureux d'Aurélie. Ils se sont rencontrés rue des Grottes, au bar de la Galerie lors de sa dernière soirée à Genève avant son départ pour la Russie. Elle lui a parlé, ils ont ri, elle s'est assise près de lui. Puis ils se sont promenés rue de la Sibérie. Elle lui a laissé son numéro de téléphone et son adresse. Il ne lui a jamais écrit. Il est parti. Il a vécu en Russie et en Chine. Ses parents se sont installés à Paris mais, lui, il est revenu à Genève. Va-t-il retrouver Aurélie ?

Leçon 2 : Safari gorilles

Piste 18. Activité 2

Serveur : Hi ! Welcome to Le château restaurant !
Femme : Hi ! Bonjour... On peut parler français ?
Serveur : Oui, bien sûr ! Le château est le lieu préféré des francophones de Kampala !
Femme : Super ! On voulait justement rencontrer des gens qui parlent le français pour avoir des conseils sur notre séjour !
Serveur : Vous êtes au bon endroit ! Regardez à droite, là, il y a toute une table de l'Alliance française ! Suivez-moi !

Piste 19. Activités 3, 4 et 5

Femme 1 : Bonjour !
Plusieurs voix : Bonjour !
Femme 1 : On peut s'asseoir avec vous ?
Homme : Bien sûr, asseyez-vous ! Soyez les bienvenues !
Femme 1 : Merci !
Homme : C'est votre premier séjour à Kampala ?
Femme 2 : Oui, on rêvait depuis longtemps de venir en Ouganda !
Homme : Et qu'est-ce que vous avez prévu ?
Femme 1 : On voudrait faire un safari gorilles ! On a fait une réservation à l'agence Destination Jungle. Vous connaissez ?
Homme : Oui ! Le patron est très sympa. En plus, il parle très bien français !
Femme 2 : Génial ! Il faut que nous confirmions dès demain ! Vous avez déjà fait le safari gorilles ? C'est dangereux ?
Homme : Pour ça, il faut discuter avec Paul. Il a été guide quand il était plus jeune. Paul ! Il faut que tu viennes !
Paul : Bonjour !
Homme : Paul, Ces personnes veulent savoir si le safari gorilles est dangereux !
Voix de femmes : Bonjour !
Paul : Non, ce n'est pas dangereux ; il faut juste que vous soyez prudentes et il faut que vous respectiez les précautions à prendre.
Femme 2 : On a un peu peur quand même... Les gorilles attaquent parfois ?
Homme : Ça peut arriver. Dans ce cas, suivez l'exemple des guides. Baissez-vous. Ne les regardez pas dans les yeux...
Femme 2 : Et courez !
Paul : Non, non, il ne faut surtout pas que tu te mettes à courir ! Il faut que tu attendes calmement et ils vont s'en aller.
Femme 1 : Waouh... C'est impressionnant...

Leçon 3 : Rencontres

Piste 20. Activité 2

Présentateur : Aujourd'hui, dans « À vous la parole », nous recevons Ayaka et Silea. Deux étudiantes étrangères inscrites à l'université Bretagne-Loire. Bonjour Ayaka. Bonjour Silea.
Ayaka et Silea : Bonjour !
Présentateur : Vous êtes arrivées en France il y a un an, c'est ça ?
Ayaka : Oui ! Avant, je vivais au Japon !
Silea : Et moi je vivais en Suisse... mais pas en Suisse francophone !
Présentateur : Dans cette émission, nous allons parler de vos premières impressions et de vos sentiments à votre arrivée en France. Une chose qui vous a fait peur, un événement surprenant, une rencontre... Ayaka ?

Piste 21. Activités 3 et 4

Ayaka : Le premier jour, à l'université, j'avais très peur. Je ne parlais pas bien français. Et puis, dans la rue, des étudiants fumaient sans se cacher ! J'étais très étonnée. On ne fait pas ça, au Japon. Au bout de trois jours de cours, j'ai pu faire la bise à mes camarades de classe. J'étais très heureuse. On ne fait pas ça non plus, au Japon. Ici, tout est un plaisir : regarder un film, vivre à la cité universitaire, tout !

Présentateur : Merci Ayaka. Et toi Silea ? Tes impressions à ton arrivée ?

Silea : Quand je suis arrivée à Rennes, j'étais inquiète. Est-ce que ma famille d'accueil m'attendait ? Je suis descendue du TGV et j'ai marché sur le quai. Tout à coup, j'ai entendu une dame qui m'appelait par mon prénom avec enthousiasme. Ouf ! J'étais soulagée ! Le voyage en voiture a duré environ une demi-heure. J'étais nerveuse. Je ne comprenais pas les questions qu'on me posait. Mais, en un an, j'ai fait beaucoup de progrès ! Aujourd'hui, je suis très contente !

Piste 22. Sons du français – Activité 8

Exemple : J'étais très content !

1. Au début, j'avais très peur !
2. Je ne parlais pas bien anglais.
3. J'ai été très étonné de pouvoir m'intégrer si vite.
4. J'ai rencontré beaucoup d'étudiants.
5. Je participais souvent à des visites.
6. J'étais fier de ma réussite.
7. J'ai adoré ma vie à l'étranger.
8. Je me levais tôt tous les jours.

Leçon 4 : Un peu de sport

Piste 23. Activités 2 et 3

Homme 1 : Tu fais quoi le week-end prochain ?

Homme 2 : Rien de spécial... Pourquoi ?

Homme 1 : T'as pas envie de tenter un truc nouveau ?

Homme 2 : Comme quoi ?

Homme 1 : Se faire un week-end char à voile sur la côte d'Opale !

Homme 2 : Du char à voile ?

Homme 1 : Ouais ! C'est un sport que j'ai envie d'essayer depuis super longtemps !

Homme 2 : J'connais pas... Ça doit être super dur au début, non ?

Homme 1 : C'est clair ! Il vaut mieux commencer l'expérience avec un moniteur. Regarde ce site. C'est mon pote Julien qui m'en a parlé. Le club s'appelle Les Drakkars et il propose des séances d'initiation.

Homme 2 : Waouh ! La plage est immense !

Homme 1 : Et t'as vu la vidéo ? C'est vraiment des pros ! T'imagines les sensations ! C'est le genre d'expérience que j'adore !

Homme 2 : Comment ça se passe ? C'est cher ?

Homme 1 : Deux heures d'initiation, c'est 45 €. Et on pratique pendant 1 h 30 au minimum.

Homme 2 : Et on va loger où ?

Homme 1 : On trouvera une chambre sur AirBnB. J'ai déjà regardé : y'en a plein !

Homme 2 : Pour y aller, je te propose le covoiturage. C'est le transport qui nous coûtera le moins cher !

Homme 1 : On prépare le budget ?

Homme 2 : C'est parti !

Leçon 5 : Voyages aventure

Piste 24. Activités 6, 7 et 8

Présentateur : Pour vos prochaines vacances, vous souhaitez partir à l'aventure ? Le site planet-ride.com propose des road-trips aux 4 coins du monde avec tous les véhicules imaginables ! Baptiste, créateur du site, nous explique le concept.

Baptiste : Notre idée, c'est de proposer une véritable évasion, un dépaysement. Le voyageur est acteur de son voyage, en toute liberté. Sur planet-ride.com, chaque voyageur peut faire une demande. Alors, il entre en contact avec une multitude d'agences locales partout dans le monde, spécialisées dans les aventures motorisées.

Présentateur : Plus de 60 destinations sont proposées sur le site et une grande diversité de véhicules pour partir à l'aventure.

Baptiste : L'objectif, c'est de pouvoir proposer des voyages pour tous les goûts : pour les grands sportifs mais aussi pour des familles avec enfants. Il y a des voyages faciles comme la découverte de l'Italie en vespa ou des voyages plus physiques comme la traversée de l'Himalaya à moto.

Présentateur : Et côté tarifs, là aussi, il y en a pour tous les goûts. Par exemple 205 € pour un week-end en buggy en Tunisie ou 2 400 € pour 15 jours d'aventure à moto dans l'Himalaya. Pour en savoir plus : trois www point planet tiret ride point com.

Leçon 6 : C'est ma vie

Piste 25. Sons du français – Activité 6

Exemple : Son histoire → liaison avec le son [n]

1. Mes études
2. En Ukraine
3. L'Espagne est un beau pays.
4. Deux étudiants
5. Je les apprends.
6. C'est un pays très agréable.
7. Des agences de voyage
8. Un Estonien

Piste 26. Activités 8, 9 et 10

Laurence : Alors, Emma, tu es déjà allée en France ?

Emma : Oui, j'y suis allée, il y a deux ans.

Laurence : Pour des vacances ?

Emma : Non, pour mes études. J'y suis restée pendant un an. J'ai étudié le français à l'université de Perpignan.

Laurence : Et ça t'a plu ?

Emma : Oui, beaucoup ! J'ai passé une année formidable. J'ai fait beaucoup de progrès. J'ai rencontré des gens très sympas. Et toi, Laurence, tu es à Tallinn depuis longtemps ?

Laurence : Oui, moi, j'habite ici depuis deux ans et demi. J'étais venue pour quelques mois et j'ai adoré la vie ici, alors j'ai décidé de rester.

Emma : Tu as pu trouver un travail sans problème ?

Laurence : Au début, c'était un peu difficile. Mais, maintenant, je travaille à « Art nouveau », la crêperie française dans le centre-ville. Tu connais ?

Emma : Oui, je vois très bien où c'est !

Laurence : Quand j'ai décidé de rester, quelques mois après mon arrivée, je suis allée les voir et ils m'ont proposé un travail. En fait, je suis bretonne ! J'ai trouvé amusant de gagner ma vie en Estonie en faisant des crêpes ! Et toi, tu fais quoi comme travail ?

Emma : Je suis traductrice. Je veux ouvrir ma propre agence, ici, à Tallinn, dans quelques mois. Mais j'espère un jour retourner en France pour les vacances !

Piste 27. Activité 11

Quand j'étais petite, je voulais devenir guide touristique parce que j'avais envie de découvrir le monde. Quand j'ai eu 18 ans, je suis partie faire le tour du monde. Pour un an, j'ai visité plus de quarante pays. Ensuite, j'ai décidé de m'installer en France. Je suis arrivée à Lyon depuis 3 semaines. J'ai commencé les cours de français dans une semaine. Je suis très heureuse.

Quand j'étais petite, je voulais devenir guide touristique parce que j'avais envie de découvrir le monde. Quand j'ai eu 18 ans, je suis partie faire le tour du monde. Pendant un an, j'ai visité plus de quarante pays. Ensuite, j'ai décidé de m'installe en France. Je suis arrivée à Lyon il y a 3 semaines. J'ai commencé les cours de français il y a une semaine. Je suis très heureuse.

Dossier 3. Et en plus, nous parlons français !

Leçon 1 : Poste à pourvoir

Piste 28. Sons du français – Activité 5

Exemple : responsabilités

1. organisation
2. exercer

3. présentation
4. négociation
5. réseaux sociaux
6. des examens
7. assistant
8. indispensable

Piste 29. Activités 7 et 8

Extrait n° 1

Recruteur : Pourquoi pensez-vous que vous êtes le bon candidat pour ce poste ?
Homme 1 : Je travaille depuis plusieurs années dans le secteur de la communication. Je suis très créatif et je suis passionné par la publicité. Je peux passer des heures devant un ordinateur pour réaliser des supports promotionnels originaux. J'ai également une très bonne maîtrise des réseaux sociaux.

Extrait n° 2

Recruteur : Pourquoi pensez-vous que vous êtes une bonne candidate pour ce poste ?
Femme 1 : Eh bien, j'ai de très bonnes connaissances en comptabilité. Dans mon dernier poste, je gérais seule le service comptable d'une entreprise de 30 personnes. J'ai le sens des responsabilités et je suis très autonome. J'ai une grosse capacité de travail et les heures supplémentaires ne me font pas peur ! En comptabilité, il faut savoir respecter les délais !

Extrait n° 3

Recruteur : Pourquoi pensez-vous que vous êtes un bon candidat pour ce poste ?
Homme 2 : J'ai fait deux ans d'études comptables après le lycée. Je n'ai pas encore d'expérience professionnelle, c'est pourquoi je pense qu'un poste d'assistant est une bonne idée pour commencer. J'ai fait plusieurs stages, et mes supérieurs ont toujours apprécié ma capacité à travailler en équipe et à être réactif.

Extrait n° 4

Recruteur : Pourquoi pensez-vous que vous êtes une bonne candidate pour ce poste ?
Femme 2 : J'ai une longue expérience professionnelle dans le secteur de la vente. Je sais faire preuve de très bonnes qualités relationnelles. Je sais organiser mon travail, je suis dynamique et énergique.

Leçon 2 : Je me présente...

Piste 30. Activité 5

Cory : Sawadika.
Pierre : Allô ! Madame Labarbere ?
Cory : Oui, c'est moi.
Pierre : Bonjour, je m'appelle Pierre Guichon.
Cory : Bonjour monsieur.
Pierre : Je suis le directeur de l'hôtel français Le Victor, à Hua Hin. Je vous appelle suite à votre annonce sur le site Gavroche. Vous êtes toujours à la recherche d'un travail ?
Cory : Oui ! Absolument !
Pierre : Alors, j'ai peut-être quelque chose à vous proposer. Vous avez quelques instants à m'accorder ?
Cory : Bien sûr ! Je vous écoute.

Piste 31. Activités 6 et 7

Pierre : Il s'agit d'un poste d'animatrice culturelle dans notre hôtel.
Cory : Animatrice culturelle ? Ah oui ! C'est un poste qui peut m'intéresser !
Pierre : Plusieurs éléments de votre profil ont retenu mon attention. Premièrement, vous parlez trois langues, c'est important pour notre clientèle. Deuxièmement, vous avez déjà eu une expérience dans l'animation culturelle et vous connaissez bien le secteur de l'hôtellerie.
Cory : Effectivement, j'ai travaillé en France dans ces deux domaines.
Pierre : Et puis les qualités humaines que vous mentionnez sont très importantes pour ce poste...
Cory : En plus, je connais très bien la région de Hua Hin. C'est un atout pour proposer des activités aux clients !
Pierre : Tout à fait ! La rémunération est de 450 dollars par mois. Vous serez logée gratuitement à l'hôtel, et puis vos repas seront pris en charge.
Cory : D'accord...
Pierre : Êtes-vous disponible pour un entretien jeudi prochain ?
Cory : Jeudi ? Attendez... Je vérifie dans mon agenda...

Leçon 3 : La nouvelle économie

Piste 32. Activités 2 et 3

Présentateur : Guillaume de Kergariou, vous êtes le président de Needelp, un site qui permet de mettre en relation des particuliers pour réaliser des petits travaux. Comment est né Needelp ?
Guillaume de Kergariou : Je me suis aperçu que, dans chaque ville de France, il y a des gens réellement compétents et disponibles pour des petits travaux de bricolage, par exemple. Ces gens peuvent utilement proposer leurs services.
Présentateur : Donc Needelp les aide à trouver... Comment dire... un « deuxième travail » ?
Guillaume de Kergariou : Exactement ! Le monde du travail est en train de changer. Needelp contribue à ce changement. Notre plateforme permet à des gens de proposer très facilement leurs services à leurs voisins.
Présentateur : Mais, alors, vous faites de la concurrence aux artisans ?
Guillaume de Kergariou : Absolument pas ! Needelp, c'est vraiment pour les tout petits travaux. Un artisan ne se déplace pas pour une petite réparation. Il travaille généralement sur de gros chantiers. On développe une offre qui n'a jamais existé avant : les petits services.
Présentateur : Donc... je vais sur la plateforme Needelp, je crée mon compte et j'écris par exemple : « J'ai besoin de quelqu'un pour m'aider à monter une étagère » ?
Guillaume de Kergariou : C'est ça ! Vous postez votre annonce, les jobbers du quartier vont la voir immédiatement et vont vous faire une offre très rapidement. Cinq minutes en moyenne.
Présentateur : Guillaume de Kergariou, Needelp sans « h ». Merci beaucoup !

Leçon 4 : Nous osons !

Piste 33. Activités 8 et 9

Femme 1 : Quand tu cherches un emploi, la lettre de motivation est un passage obligé... souvent aussi pénible à écrire qu'à lire ! Mais si tu veux obtenir le job de tes rêves, il faudra rédiger une lettre de motivation. Youcef est étudiant en communication. Il a eu une idée super originale pour rédiger la sienne. Il a cherché des tweets d'inconnus et il a construit sa lettre de motivation uniquement avec des retweets ! Toute la presse en a parlé ! Même la télé ! Écoute ça !
Femme 2 : Si vous voulez trouver un stage ou un emploi, on vous conseille la lettre de motivation Twitter ! C'est original, malin... on adore !
Homme : Mon coup de cœur, c'est Youcef et sa lettre de motivation en tweets. Youcef a tout compris ! Si vous voulez séduire votre futur employeur, montrez-lui ce que vous savez faire !
Femme 1 : Bref, si toi aussi tu veux faire le buzz, fais comme Youcef et trouve une idée originale pour te faire remarquer !

Leçon 5 : Francophonies

Piste 34. Sons du français – Activité 5

Exemple : canadien – canadienne

1. national – nation
2. profession – professionnel
3. candidat – Canada
4. inutile – intéressant
5. un – une
6. interrogation – inutile
7. immersion – imposer
8. antérieure – année

Piste 35. Activités 6 et 7

VOVworld : Nguyen Thi Cuc Phuong, bonjour. Vous êtes vice-rectrice de l'université de Hanoï et vous avez consacré votre carrière à la promotion de la langue française. Pouvez-vous nous dire quelques mots sur votre parcours professionnel ?

Nguyen Thi Cuc Phuong : L'événement qui a marqué mon parcours professionnel, c'est mon séjour au Canada entre 1992 et 1998. J'ai fait un master à l'université de Sherbrooke et un doctorat à l'université de Montréal en sciences de l'éducation grâce à une bourse de l'Organisation internationale de la francophonie. Je n'étais jamais allée au Canada, je ne savais même pas qu'il faisait si froid là-bas ! Auparavant, j'avais fait des études de français à l'université d'Hanoï et j'avais aussi travaillé comme enseignante. J'avais étudié la culture française, des œuvres littéraires, mais je ne connaissais presque rien de la francophonie.

Piste 36. Activité 8

VOVworld : Et que vous apporte ce séjour au Canada, professionnellement ?

Nguyen Thi Cuc Phuong : Quand j'ai repris mon poste d'enseignante à l'université de Hanoï, j'ai pu mettre en place des choses nouvelles. Par exemple, l'université n'avait jamais organisé de projets internationaux francophones. Elle n'avait pas encore développé de site web d'apprentissage du français J'ai donc mis en place, avec un autre enseignant, un projet avec le Laos et la Belgique. Et nous avons créé une plateforme numérique pour les jeunes Vietnamiens et Laotiens. Ça a très bien marché. Au Canada, j'ai découvert la francophonie et aujourd'hui, mon université participe à de nombreux projets soutenus par l'OIF.

Leçon 6 : Parlez-nous de vous

Piste 37. Activités 3 et 4

Femme : Alors, pourquoi avez-vous choisi notre offre de stage ?

Homme : Je fais des études de marketing et je voudrais me spécialiser dans le secteur de la presse. Et, comme je suis bilingue français-anglais, votre annonce m'a tout de suite intéressé.

Femme : D'accord !

Homme : Et puis, le stage proposé permet de développer plusieurs compétences : la vente de publicité, la recherche de partenariats... Ce sont des domaines qui m'intéressent particulièrement !

Femme : Connaissez-vous *Ici Londres* ?

Homme : Je connais bien votre magazine, comme la plupart des Français qui vivent à Londres. Je le lis tous les mois ! Je partage les articles rédigés en anglais avec mes amis anglophones. Ils adorent !

Femme : Pouvez-vous me parler de vous ?

Homme : Je suis très motivé, dynamique et j'adore le contact avec les gens. J'ai déjà fait quelques stages et ça s'est toujours bien passé.

Femme : Que préférez-vous dans votre formation ?

Homme : Le marketing... Oui, le marketing est la matière que je préfère, mais bon j'apprécie tous les cours ! Aujourd'hui, on peut pas avoir une seule compétence. Et faire un stage tous les ans, c'est un vrai plus dans cette formation.

Piste 38. Sons du français – Activité 10

Exemple : Je les ai tous lus !

1. Tout d'abord, il faut croire en sa chance.
2. Tout a commencé ici.
3. Tous les rêves sont possibles.
4. On peut apprendre à tous les âges de la vie.
5. Tous les pays du monde sont intéressants à visiter.
6. Je voudrais tous les visiter.
7. Tout est plus rapide aujourd'hui qu'hier.
8. Tout le monde n'a pas la même chance que toi.

DELF

Piste 39. Compréhension de l'oral

Homme : Bonjour Agnès. Aujourd'hui, vous nous expliquez ce qu'est qu'un bon CV !

Femme : Absolument ! D'abord, un bon CV doit être court. Il doit pouvoir être lu en 30 secondes ! Un bon CV, ça doit être une carte de visite qui présente vos compétences. Normalement, il n'est pas nécessaire de mentionner son état-civil, comme l'âge ou son statut marital : ce ne sont pas des compétences. Il faut aussi faire un CV qui corresponde bien à la profession qu'on souhaite exercer.

Homme : Et pour rédiger une lettre de motivation, vous avez des conseils ?

Femme : Oui. Il faut surtout rédiger une lettre de motivation selon un ordre logique : commencez par parler de la personne qui recrute et montrez votre intérêt pour son entreprise, puis parlez de vous, de vos compétences, enfin, parlez de ce que vous pouvez apporter à cette entreprise.

Dossier 4. Nous échangeons sur nos pratiques culturelles

Leçon 1 : Silence, on tourne !

Piste 40. Activité 2

Journaliste : Aujourd'hui, dans notre émission, nous recevons Leila Bekthi. Bonjour Leïla.

Leïla Bekthi : Bonjour.

Journaliste : Le Petit Journal est très heureux de vous rencontrer, ici, à Stockholm.

Leïla Bekthi : Merci ! Je suis également très heureuse d'être là !

Journaliste : Vous venez nous parler de la première série de fiction franco-suédoise *Jour Polaire*.

Piste 41. Activités 3 et 4

Journaliste : Alors ? La Suède ?

Leïla Bekthi : Je n'étais jamais venue en Suède avant le tournage. J'ai passé quatre mois en Laponie suédoise. C'était vraiment fantastique !

Journaliste : Votre enthousiasme fait plaisir ! Parlez-nous un peu de la série...

Leïla Bekthi : C'est une série policière en huit épisodes qui parle de mon quotidien – je joue le rôle d'une capitaine de police française. On m'a envoyée à Kiruna, ville suédoise du cercle polaire, pour enquêter sur le meurtre violent et mystérieux d'un citoyen français.

Journaliste : Pourquoi avoir accepté de tourner dans cette série ?

Leïla Bekthi : Le scénario m'a beaucoup plu. J'ai trouvé l'idée très originale et je me suis immédiatement imaginé jouer ce rôle.

Journaliste : Et comment s'est passé le tournage ?

Leïla Bekthi : J'ai vraiment adoré travailler avec les réalisateurs qui sont les auteurs de la série *Bron* et avec le comédien Gustaf Hammarsten qui joue le rôle du procureur suédois

Journaliste : Et on parle combien de langues dans la série ?

Leïla Bekthi : Il y a plusieurs nationalités dans la série donc les personnages communiquent évidemment en plusieurs langues : français, suédois et anglais.

Journaliste : Alors, ce soir, à Stockholm. c'est l'avant-première de la série.

Leïla Bekthi : Oui, absolument. Je suis vraiment très heureuse d'être ici !

Leçon 2 : Faites de la musique

Piste 42. Sons du français – Activité 6

Exemple : On cherche les meilleurs programmes !

1. Professionnels et amateurs proposent des concerts tous les samedis.
2. Partout en Belgique, on adore faire la fête !
3. C'est un événement culturel très important !
4. Pas nécessaire d'être célèbre pour jouer de la musique.
5. On peut se promener en toute liberté d'une rue à l'autre.
6. Partagez vos coups de cœur sur un forum !

Piste 43. Activité 7

Présentateur : Votre webzine des jeunes Européens est aujourd'hui à Malte, pour vous faire partager un grand événement. C'est la première fête de la Musique ici sur l'île et l'invité d'honneur est Matthieu Chedid.

Piste 44. Activité 8

Présentateur : Matthieu Chedid, bonjour.

Matthieu Chedid : Bonjour !

Présentateur : C'est votre premier voyage à Malte, je crois ?

Matthieu Chedid : Absolument ! Ce que j'aime particulièrement, c'est La découverte de l'inconnu ! Alors, me retrouver ici pour la fête de la Musique, c'est génial !

Présentateur : Et alors ? Vos premières impressions ?

Matthieu Chedid : L'île est splendide... mais ce qui a été fantastique, c'est ma rencontre avec Ira Losco ! Une chanteuse maltaise très populaire ici et qui a un talent fou ! On a partagé un moment de musique hier soir avec ma sœur Anna. C'était incroyable !

Présentateur : Matthieu, merci beaucoup pour ce témoignage et belle fête de la Musique ce soir !

Matthieu Chedid : Merci !

Piste 45. Activité 9

Présentateur : Cette première fête de la Musique à Malte, c'est l'occasion de s'interroger sur la place du français dans cette île de la Méditerranée. Nous sommes allés poser la question à l'ambassade de France.

Présentateur : Bonjour, vous travaillez à l'ambassade de France. Que pouvez-vous nous dire sur la présence de la France à Malte ?

Homme : Ce que je souhaite souligner, c'est le goût des Maltais pour la langue française. Je sais que le ministre des Affaires étrangères prend des cours de français, le ministre de la Culture prend des cours de français et même le Président prend des cours de français... J'espère qu'ils seront là ce soir pour cette première fête de la Musique à Malte !

Leçon 3 : La culture et nous

Piste 46. Activités 7 et 8

Florent : Bonjour et bienvenue dans votre chronique « Les pratiques culturelles des Français ». Une étude récente confirme que les Français sont de grands consommateurs de produits culturels. Oui mais lesquels ? Frédéric Mercier a enquêté pour nous. Bonjour Frédéric !

Frédéric : Bonjour Florent. Eh bien, cette étude montre que les types de produits culturels consommés par les Français dépendent surtout de l'âge. Les jeunes de 15 à 24 ans sont les plus gros consommateurs de musique, de films et de jeux vidéo. Les 25-64 ans écoutent de la musique, regardent des films, lisent des livres et des bandes dessinées mais sont moins fans de jeux vidéo. Enfin, ce sont les seniors qui lisent le plus de livres et de bandes dessinées.

Florent : Et parmi les motivations des Français pour consommer des produits culturels, lesquelles sont les plus importantes ?

Frédéric : Sans surprise, Florent, les Français répondent à 85 % que c'est pour le plaisir, pour se divertir. La moitié des personnes interrogées disent que c'est également pour se cultiver.

Florent : Intéressant ! Dernière question, Frédéric. Support physique (livre, CD, DVD) ou numérique ? Lequel est le chouchou des Français ?

Frédéric : Eh bien, surprise sur ce point... Le support physique gagne ! 87 % des Français préfèrent le livre, le CD ou le DVD contre 69 % qui pratiquent le streaming ou le téléchargement !

Leçon 4 : La France s'exporte

Piste 47. Activités 2 et 3

Patrick : Le zoom de la rédaction vous emmène dans le pays le plus peuplé au monde, le 3e pays le plus grand de la planète, la Chine. Depuis quelques années, la Chine s'intéresse particulièrement au marché de la musique internationale. Bonjour Matthieu, vous êtes notre correspondant à Pékin et vous vous trouvez au Festival Sound of the city.

Matthieu : Bonjour Patrick ! Oui, le Festival Sound of the city existe à Pékin depuis 2015. C'est le plus important marché de la musique du pays. Ici, j'ai rencontré son fondateur Zhang Ran.

Zhang Ran : La Chine est le pays du monde qui propose actuellement le plus de festivals de musique. Il y en a aujourd'hui une trentaine en Chine !

Piste 48. Activité 4

Matthieu : Et les Chinois apprécient la musique française ?

Zhang Ran : Absolument ! Nous accueillons beaucoup d'artistes français. Ce qui plaît le plus aux Chinois quand ils évoquent la France, c'est le romantisme français. Ça leur donne envie de découvrir cette culture, par la musique, par exemple.

Patrick : Des musiciens français qui charment le public chinois, c'est vraiment une réalité, Matthieu ?

Matthieu : Eh oui ! J'ai assisté au concert du groupe Juveniles, originaire de Rennes, et qui vient de faire une tournée de presque un mois ici. Jean-Sylvain, le chanteur, en garde un souvenir inoubliable !

Jean-Sylvain : On ne s'attendait pas à jouer devant autant de monde sur les plus grandes scènes du pays ! On avait vraiment l'impression d'être les meilleurs musiciens du monde !

Piste 49. Sons du français – Activité 6

Exemple : le domaine culturel

1. Depardieu est très connu.
2. Qui sont vos chouchous parmi tous les footballeurs ?
3. La culture est partout à Paris.
4. L'humour et la culture sont plus populaires !
5. Matthieu Chedid a plus de deux succès.
6. J'apprécie de plus en plus la peinture contemporaine.
7. Je trouve ce festival de mieux en mieux chaque année.
8. Jean Reno et Marion Cotillard sont tous les deux célèbres en Chine.

Leçon 5 : Vous aimez la BD ?

Piste 50. Activités 6 et 7

Christian Rossi : Bonjour !

Adrien : Salut !

Christian Rossi : Je mets quoi comme prénom ?

Adrien : Adrien, s'il vous plaît.

Christian Rossi : Adrien. Et tu lis souvent mes BD ?

Adrien : Oui ! J'adore ce que vous faites ! Ça m'inspire beaucoup !

Christian Rossi : Ah ! Tu es aussi dessinateur ?

Adrien : J'essaie ! L'année prochaine, je veux me présenter au concours Jeunes talents.

Christian Rossi : Génial ! Et c'est quoi ton truc ?

Adrien : Ben, un peu comme vous le western ! ... mais c'est pas vraiment facile !

Christian Rossi : Il faut juste que tu trouves ton propre style. Ça fait combien de temps que tu dessines ?

Adrien : Quelques années. C'est vraiment ma passion.

Christian Rossi : Et tu voudrais en faire ton métier ?

Adrien : C'est mon rêve ! Gagner le concours, ça peut m'aider, je pense.

Christian Rossi : Écoute, si tu veux, je te donne mon mail et tu m'envoies quelques planches ? Je ne t'aiderai pas pour le concours mais je peux te donner mon avis.

Adrien : C'est vrai ? Merci beaucoup !

Christian Rossi : Avec plaisir. Donc j'écris : « Pour Adrien, avec mes meilleurs vœux de réussite au concours ». Je te mets mon adresse mail en dessous.

Adrien : Merci ! Vous êtes trop sympa !

Leçon 6 : Quel cirque !

Piste 51. Activités 5, 6 et 7

Journaliste : Karen Collado, vous êtes chargée des relations publiques au Cirque du soleil. Bonjour !

Karen Collado : Bonjour !

Journaliste : Merci de répondre à nos questions dans notre émission « À la une ».
Karen Collado : C'est avec grand plaisir !
Journaliste : Karen, le Cirque du Soleil prépare une tournée au Mexique. Votre spectacle *Joya* a déjà connu un grand succès là-bas. Et bientôt vous y retournez avec *Toruk premier envol*. C'est bien ça ?
Karen Collado : Absolument ! L'accueil du public a été formidable lorsque nous avons présenté *Joya* ! On aimerait connaître le même succès avec *Toruk* !
Journaliste : On dit même que vous préparez un spectacle sur le Mexique comme vous l'avez déjà fait sur le Brésil ?
Karen Collado : C'est vrai ! Le Mexique, c'est la chaleur, les couleurs, les odeurs, la mer, la pluie qui tombe fort. Nous souhaiterions travailler sur le thème de l'eau qui est un élément central dans ce pays. Nous, on voyage avec les yeux, avec le cœur, loin des clichés. La compagnie voudrait que les spectateurs ressentent des émotions fortes à travers nos spectacles.
Journaliste : Vous pourriez même réaliser plusieurs spectacles sur ce beau pays ?
Karen Collado : Oui, Jean-François Bouchard, notre guide créatif, rêverait de faire deux, trois ou même quatre autres spectacles sur ce pays ! Il trouve que sa végétation, sa culture, ses coutumes et ses origines sont tellement inspirants !
Journaliste : Merci Karen ! Alors, on vous souhaite bonne chance et on attend ces spectacles avec impatience !
Karen Collado : Merci !

▸ Piste 52. Sons du français – Activité 8

Exemple : je voulais / je voudrais
1. j'aimerais / j'aimais
2. nous souhaitions / nous souhaiterions
3. tu devais / tu devrais
4. vous aimiez / vous aimeriez
5. on pourrait / on pouvait
6. il faisait / il ferait
7. je réalisais / je réaliserais
8. tu conseillerais / tu conseillais

Dossier 5. Vivons ensemble !

Leçon 1 : Opinions

▸ Piste 53. Sons du français – Activité 6

Exemple : fin de conversation → On entend le son [f] et le son [v].
1. Tout va bien !
2. Une belle photo.
3. La vie en France.
4. Votre abonnement.
5. Lire en français facile.
6. Le portrait-robot des Belges.
7. Une vie confortable.
8. La vraie vie.

▸ Piste 54. Activités 8, 9 et 10

Julie : Bonjour à toutes et à tous, je suis Julie, du *Courrier International*. Tout le monde est bien connecté ?
Adriana, Cheng, Emma, Maria Christina : Oui, oui... C'est OK pour moi... Pas de problème... Moi aussi...
Julie : OK, donc, c'est parti... Je vais enregistrer vos témoignages sur le sujet « La France et les Français vus de l'étranger ». N'oubliez pas de vous présenter et de dire dans quel pays vous vivez. Adriana ? Tu commences ?
Adriana : OK, donc. Bonjour, je m'appelle Adriana, je suis mexicaine. Pour les Mexicains, le Français, c'est une personne qui a une bonne éducation, qui est cultivée et qui a fait des études. La France représente donc un modèle culturel, éducatif et économique.
Julie : Merci. À toi, Cheng.
Cheng : Bonjour, je m'appelle Cheng, je suis chinois. En Chine, on pense que les Français, ce sont les gens qui représentent le mieux le « romantisme ». Les Chinois sont très surpris quand on parle des problèmes de la France. Pour nous, c'est un pays où tout le monde est content et heureux de vivre.
Julie : La parole est à Emma.
Emma : Moi, c'est Emma. Je suis danoise. Quand les Danois rentrent d'un séjour en France, ils se souviennent surtout d'une chose : le Français, c'est quelqu'un qui comprend ce qu'on lui dit en anglais, mais qui répond en français ! Je pense que ce n'est pas toujours comme ça, mais les Français devraient faire plus d'efforts pour bien parler l'anglais.
Julie : À toi, Maria Cristina.
Maria Cristina : Bonjour. Je m'appelle Maria Cristina, je suis argentine. Les Argentins admirent beaucoup la pensée française. Ils disent souvent que les Français, ce sont des femmes et des hommes qui savent bien présenter leurs idées. Les Argentins aiment les débats « à la française » organisés à la télé ou dans les universités.

Leçon 2 : Très français !

▸ Piste 55. Activités 2 et 3

Lucie : Bonjour Anca.
Anca : Bonjour.
Lucie : Je m'appelle Lucie, je travaille au service communication de l'Institut français de Roumanie. Nous réalisons une enquête sur les étudiants qui ont passé ou qui passent le diplôme du DELF. Est-ce que je peux vous poser quelques questions ?
Anca : Oui, pas de problème.
Lucie : Vous êtes étudiante de français ici à l'université Lucian Blaga à Sibiu. Vous vous êtes déjà présentée à des examens du DELF ?
Anca : Oui, plusieurs fois. L'année dernière, j'ai passé le DELF B1 et je vais bientôt me présenter au B2.
Lucie : Et comment ça s'est passé ?
Anca : Ça s'est bien passé dans l'ensemble. Mais il y a des activités que nous n'avons pas l'habitude de faire en Roumanie.
Lucie : Par exemple ?
Anca : Par exemple, l'examinateur nous demande de parler de nous. « Parlez-moi de vous ! », ça fait un peu peur ! On ne sait pas toujours quoi répondre. Il nous demande aussi ce qu'on fait dans la vie, pendant nos loisirs. Ou alors il nous demande quelles sont nos qualités, quels sont nos défauts... C'est un peu difficile de parler de soi à une personne qu'on ne connaît pas.

▸ Piste 56. Activité 4

Lucie : Une autre chose qui vous surprend ?
Anca : Alors oui, c'est une chose très française : exposer ou résoudre un problème. On doit jouer le rôle d'une personne qui expose un problème, ou qui n'est pas d'accord avec une autre personne. Presque tous les étudiants disent que cette activité est difficile. C'est surtout parce qu'en Roumanie, on ne fait pas ça dans les examens.
Lucie : Et vous pouvez donner un exemple précis ?
Anca : Oui, par exemple, j'ai eu un sujet comme ça : « Vous allez parler avec le directeur de votre école de langue. Vous lui expliquez qu'il y a un problème avec le niveau de votre classe de français. Et vous lui demandez de vous changer de classe. Il n'est pas d'accord, vous insistez ». C'est très stressant !

Leçon 3 : D'accord, pas d'accord !

▸ Piste 57. Activités 2, 3 et 4

Modérateur : Bonjour à toutes et à tous et bienvenue à notre conseil de quartier. Nous allons discuter ce soir du projet de création d'un café associatif place Raoul Follereau. Qui veut prendre la parole ?
Hugo : Moi, je veux bien.
Modérateur : Bonjour. Vous pouvez vous présenter ?
Hugo : Bonjour à tous. Je m'appelle Hugo. Moi, je pense que l'association qui propose de créer ce café a raison. Je suis donc d'accord avec ce projet. La place Raoul Follereau est un espace où il ne se passe jamais rien. Ce café, c'est un lieu

de rencontre dont nous avons tous besoin.
Modérateur : Une autre opinion ?
Bogdan : Oui, moi. Bonjour, je m'appelle Bogdan. Je ne partage pas l'avis de Hugo. J'habite dans un immeuble de la place Raoul Follereau depuis deux ans. J'ai deux jeunes enfants. Je ne suis pas du tout d'accord avec ce projet. Nous n'avons pas besoin, sous nos fenêtres, d'un café où il va y avoir beaucoup de monde, donc beaucoup de bruit. En plus, le quartier ne manque pas de cafés ! Il y en a plein sur le canal !
Modérateur : S'il vous plaît, silence s'il vous plaît, une dame demande la parole !
Anna : Bonjour. Je m'appelle Anna. Je vis dans le quartier depuis longtemps. Je suis en partie d'accord avec Bogdan. Il faut faire attention au problème de bruit dont il parle. Mais j'ai lu le projet et il n'est pas prévu que le café ouvre le soir. S'il y a un peu de bruit dans la journée, ce n'est pas très grave. Tout le quartier profiterait d'un nouvel endroit où les associations pourraient se retrouver.

Piste 58. Activité 9

À mon avis, c'est d'abord un quartier que les gens vivent bien ensemble. Les relations entre voisins sont importantes pour moi. C'est aussi un quartier qu'on trouve des espaces verts, beaucoup de jardins et donc pas beaucoup de pollution. En fait, c'est le quartier que tout le monde rêve !
À mon avis, c'est d'abord un quartier où les gens vivent bien ensemble. Les relations entre voisins sont importantes pour moi. C'est aussi un quartier où on trouve des espaces verts, beaucoup de jardins et donc pas beaucoup de pollution. En fait, c'est le quartier dont tout le monde rêve !

Leçon 4 : Vivre ensemble

Piste 59. Sons du français – Activité 6

Exemples : Ils / vivent en / co/lo/ca/tion.
Vi/vre à / Du/blin.
1. La colocation entre étrangers est plus ou moins difficile.
2. On partage un appartement mais aussi un idéal de vie !
3. Nous sommes une famille !
4. Faire un planning est une nécessité.
5. Il faut des règles pour éviter les problèmes.
6. Quel est votre avis sur la vie en colocation ?

Piste 60. Activité 7

Bonjour à tous, nous sommes en direct de Dublin et, comme tous les samedis, je vous souhaite la bienvenue dans votre émission « Quartiers francophones ». Aujourd'hui, j'accueille Sébastien. Il vient de France et il habite maintenant en Irlande. Nous allons discuter des différences culturelles entre la France et l'Irlande.

Piste 61. Activités 8 et 9

Journaliste : À votre avis, Sébastien, il y a des différences entre la vie de famille en France et en Irlande ?
Sébastien : Je vis actuellement chez une famille irlandaise et j'ai trouvé qu'ils passaient moins de temps ensemble que les familles françaises. Ils ne mangent pas toujours en même temps donc oui je pense que c'est un peu différent. À mon avis, en France on est plus souvent en famille.
Journaliste : D'accord. Et une chose qui vous a surpris ?
Sébastien : Je crois que ce qui m'a le plus surpris, c'est qu'en Irlande, on ne fait jamais la bise. Ici, les gens se saluent plutôt de loin. Depuis que je suis ici, je me dis que la bise, c'est vraiment un truc français !
Journaliste : Qu'est-ce que vous pensez de la ponctualité ? Il y a des différences entre la France et l'Irlande ?
Sébastien : Oh là là ! C'est très différent ! Il me semble que nous n'avons pas du tout la même éducation sur cette question. J'ai remarqué que les Irlandais ne sont jamais à l'heure. Parfois même, ils ne viennent pas du tout ! En France, la ponctualité, c'est plutôt important.
Journaliste : Comment voyez-vous la place du sport dans chaque pays ?
Sébastien : Je pense qu'en France, c'est moins important qu'ici. En Irlande, tout le monde est dans une équipe, tout le monde fait du sport, tout le monde va à la gym. En France, on a quand même des sports d'équipe, mais c'est beaucoup moins important qu'ici.
Journaliste : Merci beaucoup Sébastien !
Sébastien : Merci à vous.

Leçon 5 : France-Autriche

Piste 62. Activités 6 et 7

Sylvia : Bonjour !
Plusieurs voix : Bonjour !
Sylvia : Alors, aujourd'hui, le thème de notre discussion va intéresser tout le monde ! Les relations franco-autrichiennes et la place du français en Autriche. Kurt, tu as fait quelques recherches, je crois ?
Kurt : Oui, je me suis renseigné auprès de l'ambassade de France, et j'ai découvert qu'il y avait beaucoup d'associations françaises et francophones en Autriche.
Femme 1 : Ce sont des associations culturelles, j'imagine ?
Kurt : Pas seulement ! Les associations sont classées en plusieurs catégories. Il y a celles qui proposent des échanges interculturels, comme nous, mais aussi celles qui s'occupent de l'éducation. Il y a aussi des associations professionnelles...
Homme 1 : Vous savez qu'il y a même une émission culturelle française sur une radio autrichienne ? C'est celle de Monika Heller.
Sylvia : Vous connaissez tous cette émission ? Vous voyez qui c'est ?
Femme 1 : Oui, oui, très bien ! Ça s'appelle « Les sardines francophones », c'est sur Radio Orange !
Kurt : Il me semble qu'en Autriche, il y a beaucoup de francophiles, pas seulement ceux qui ont fait des études en France.
Femme 1 : Moi, je suis tout à fait d'accord ! Les Autrichiens aiment la France et la langue française ! Vous avez vu le choix des Autrichiens à l'Eurovision : ils ont fait celui d'une chanson en français pour les représenter ! Vous vous rendez compte ?
Sylvia : Quelqu'un est d'un autre avis ?

Piste 63. Sons du français – Activité 8

Exemples : Couscous à ne pas manquer ! Couscous à ne pas manquer !
1. Venez participer à nos soirées !
2. Tout le monde est bienvenu !
3. Nous proposons un programme de manifestations pour celles et ceux qui s'intéressent à la francophonie.
4. Les soirées sont animées par une passionnée !
5. N'hésitez pas à devenir membre de notre association !
6. Les Autrichiens aiment la France et les Français !

Leçon 6 : On y va !

Piste 64. Activités 2 et 3

Présentateur : Aujourd'hui dans « Planète Afrique », nous accueillons Adama Ouédraogo. Bonjour Adama.
Adama : Bonjour à vous.
Présentateur : Vous êtes président et animateur de l'association Sauvons le reste à Ouahigouya, au Burkina Faso.
Adama : Effectivement.
Présentateur : Quel est l'objectif de votre association ?
Adama : Nous luttons contre les exclusions, nous essayons d'améliorer la vie des personnes en difficulté. Par exemple, nous sommes en train de créer un programme pour les personnes qui ont des difficultés psychologiques. Nous allons bientôt ouvrir un centre d'accueil.
Présentateur : Et pour réaliser ce projet, vous avez besoin de bénévoles ?
Adama : Oui, nous en avons vraiment besoin. Nous venons d'accueillir des stagiaires et des bénévoles canadiens et ils font un travail formidable. Mais ils vont bientôt rentrer chez eux. Alors, je lance un appel à ceux qui nous écoutent. Nous avons besoin de vous !
Présentateur : Un appel que nous diffusons avec grand plaisir. Adama, faut-il

avoir peur de venir au Burkina Faso ?
Adama : Non, je vous rassure. Il n'y a pas de problème. Venir au Burkina dans le cadre d'une association, ce n'est pas comme voyager seul dans le pays. Ici, avec nous, les gens sont en sécurité.
Présentateur : Merci beaucoup Adama. Qu'est-ce qu'on peut vous souhaiter ?

DELF 5

Piste 65. Compréhension de l'oral

Journaliste : Mme Stylianou, bonjour. Vous êtes professeure à l'institut français d'Athènes, en Grèce, que pouvez-vous nous dire au sujet du DELF ?
Mme Stylianou : Je crois qu'à travers ces examens, on apprend aux élèves à être heureux dans l'apprentissage du français. Il n'y a pas de stress, c'est le plaisir de participer à un examen.
Journaliste : Mme Le Goupil, vous travaillez à l'alliance française de New York. Votre avis ?
Mme Le Goupil : Les candidats au DELF sont des personnes passionnées par la langue et la culture française. Ça fait vraiment plaisir !
Journaliste : Waee Shen, vous êtes étudiante à l'alliance française de Hong-Kong. À quel mot vous fait penser le DELF ?
Waee Shen : Je dirais, la reconnaissance, parce que c'est un diplôme très connu dans le monde.
Journaliste : Et enfin, Mme Gacoska-Zlatkovska, vous êtes examinatrice DELF à l'institut français de Skopje, pourquoi est-ce utile d'obtenir un DELF ?
Mme Gacoska-Zlatkovska : Parce que le DELF ouvre les portes vers la réussite des études et la réussite professionnelle. Aujourd'hui, parler anglais ne suffit pas, il faut aussi parler français et... réussir le DELF !

Dossier 6. Nous mettons en scène notre quotidien

Leçon 1 : En cuisine !

Piste 66. Activités 5 et 6

Chef : Hamidou !
Hamidou : Oui, chef, j'arrive tout de suite !
Chef : Tu vas commencer par m'aider à préparer la ratatouille s'il te plaît !
Hamidou : OK !
Chef : Alors... tu prends les aubergines, les courgettes, les poivrons et les tomates. Tu les laves bien puis tu les coupes en petits morceaux. Après, tu les mélanges dans un grand saladier. C'est clair ?
Hamidou : Oui !
Chef : Quand tu as fini, tu fais cuire les crabes : tu fais bouillir une grande casserole d'eau puis tu les plonges dedans pendant 25 minutes.
Hamidou : Oui chef !
Hamidou : Chef, c'est bon, j'ai fini.
Chef : Parfait ! Alors maintenant, tu prends ces poissons. Tu les rinces, tu les essuies bien et tu les places dans ce plat. Abdou va s'occuper de la cuisson.

Piste 67. Activité 7

Chef : Alors, Hamidou, cette première journée, ça te plaît ?
Hamidou : Oui, ça me plaît beaucoup. J'aime bien l'ambiance de la cuisine. C'est très intéressant de vous aider à préparer les plats.
Chef : Tu sais, le travail d'aide-cuisinier, ce n'est pas seulement faire la cuisine ! Il y a aussi tout le nettoyage. C'est vraiment très important ! Il faut que la cuisine soit toujours parfaitement propre.
Hamidou : Bien sûr !
Chef : Bon, alors, au travail ! Tu vas bien ranger ton poste de travail et nettoyer la cuisine. Et tu balayes aussi, d'accord ?
Hamidou : Oui chef !

Piste 68. Sons du français – Activité 8

Exemple : Tu cuisines bien !
1. Les légumes sont crus.
2. La courgette est cuite.
3. Il faut découper le poulet.
4. Les produits sont cuisinés ici.
5. La cuisson dure une heure.
6. Il faut couper les légumes.
7. Je dois traduire cette recette de cuisine.
8. Le cuisinier donne des instructions.

Leçon 2 : Au travail !

Piste 69. Activités 2 et 3

Alain Nonnet : Alors, aujourd'hui, nous allons parler de la cuisine fusion. Pour vous, c'est quoi la cuisine fusion ? Oui, Alejandro ?
Alejandro : Pour faire de la cuisine fusion, il faut réussir à mélanger des produits de différentes origines et essayer d'intégrer des ingrédients exotiques. C'est une cuisine multiculturelle.
Alain Nonnet : Oui Alejandro, c'est bien. Adriana ?
Adriana : Je suis d'accord avec Alejandro mais il faut faire attention à ne pas mélanger des aliments qui ne vont pas ensemble. J'ai mangé récemment dans un restaurant de cuisine fusion et ce n'était pas bon du tout !
Alain Nonnet : Tu as raison, Adriana. Évitez de mélanger plus de deux influences gastronomiques dans un même plat. Pensez aussi à varier les modes de cuisson (wok, tajine, plancha, par exemple). Oui, Juan ?
Juan : Moi, je cherche à bien connaître le goût des ingrédients avant de les mélanger. Donc, je fais des tests avant de préparer mon plat. Ça sert à éviter les mauvais mélanges.
Alain Nonnet : Absolument Juan ! Est-ce que vous pouvez donner des exemples de cuisine fusion ?
Adriana : La cuisine tex-mex ?
Alain Nonnet : Très bien ! Un autre exemple ?
Juan : La cuisine franco-japonaise ? J'ai goûté des sushi au foie gras : j'ai trouvé ça génial !
Alain Nonnet : Excellent ! Allez, on se met en cuisine ! Je vous ai préparé une surprise...

Leçon 3 : Vie pratique

Piste 70. Activités 6 et 7

Femme : Bonjour !
Homme : Bonjour !
Femme : Vous attendez aussi pour faire réparer quelque chose ?
Homme : Oui, je suis là pour ma cafetière. Je suis arrivé il y a dix minutes mais personne n'a encore appelé mon numéro.
Femme : Moi, c'est pour mon aspirateur. Aucun de mes amis n'arrive à le réparer.
Homme : Vous êtes déjà venue ?
Femme : Non, c'est la première fois. J'ai lu un article dans un magazine alors j'ai cherché un Repair café dans le quartier. Je trouve le concept très chouette ! Quand je suis arrivée quelqu'un a pesé mon aspirateur ! C'est bizarre !
Homme : Oui ! Ils ont aussi pesé ma cafetière ! Vous savez pourquoi ?
Femme : Non !

Piste 71. Activité 8

Homme : Eh bien, c'est pour calculer combien de kilos d'objets on ne jettera pas grâce au Repair Café ! C'est vraiment dommage de jeter des appareils qui ont encore de la valeur.
Femme : Oui, ce n'est pas très écolo !
Homme : Moi, je viens souvent parce qu'aujourd'hui on ne peut faire réparer ces petits objets nulle part ! On vous dit que ce n'est pas la peine, qu'il faut en racheter un neuf. Je ne suis pas d'accord avec ça.
Femme : Moi non plus ! Je trouve qu'on gaspille trop, qu'on jette trop. Et en plus l'ambiance a l'air sympa ici !
Homme : Oui ! C'est rare d'arriver quelque part où vous rencontrez tout de suite des gens avec qui discuter !

Piste 72. Sons du français – Activité 9

Exemple : Et si on arrêtait de gaspiller ?
1. Et si on dev(e)nait bénévole ?
2. Et si on agissait pour la planète ?

3. Et si on faisait réparer nos vieux objets ?
4. Et si tu v(e)nais au Repair Café avec moi ?
5. Et si on y allait ensemble sam(e)di prochain ?
6. Et si on trouvait d'autres associations originales ?

Leçon 4 : Un beau succès !

Piste 73. Activité 2

Animateur : Bonjour et bienvenue dans votre chronique économique « Parlons PME ». Le saviez-vous ? En Europe, en Amérique, en Australie, le mobilier urbain français a investi l'espace public des grandes villes. Aujourd'hui, l'exemple de deux entreprises, deux PME : Fermob et Sineu Graff.

Piste 74. Activités 3 et 4

Animateur : On écoute le témoignage de Marine Bidaud, chef de projet chez Fermob.
Marine Bidaud : Quand Starbucks a décidé d'acheter 10 000 chaises pour équiper l'ensemble des terrasses de ses commerces américains, elle les a commandées chez nous. Quand Harvard a voulu équiper son campus, c'est la chaise Luxembourg de Fermob que cette université américaine a choisie. Les Parisiens qui voyagent la reconnaissent tout de suite ! C'est la chaise qui est partout dans le jardin du Luxembourg.
Animateur : Une autre belle réussite française présentée par Patrick Chevrier, responsable export de la société alsacienne Sineu Graff.
Patrick Chevrier : Nous avons créé une structure qui permet de pratiquer une activité physique en milieu urbain : le Mouv'roc. Nous l'avons installée à Haderslev, au Danemark. Les Danois l'ont immédiatement adoptée : familles, jeunes ou seniors, ils l'ont adorée !
Animateur : Le mobilier urbain français a également cartonné en Australie, au Portugal et au Brésil. Les célèbres kiosques de la société Actis City ont conquis les habitants de ces pays. Tout le monde les a vus à Paris ; il y en a 400 dans la capitale. Le kiosque destiné à la vente de la presse et à la petite restauration participe à l'animation des centres-villes. Nos PME ont de l'avenir !

Leçon 5 : Je prends soin de moi

Piste 75. Activités 7, 8 et 9

Vendeuse : Buenos dias. ¿Le puedo ayudar?
Cliente : Euh... pardon... je ne parle pas espagnol... Vous parlez français ?
Vendeuse : Oui ! Bonjour, je peux vous renseigner ?
Cliente : Ah ! Bonjour ! Oui, je voudrais acheter un cadeau pour mon amie qui m'accueille ici, à Madrid.
Vendeuse : Oui, bien sûr. Alors, nous avons de jolis coffrets cadeaux. Quels genres de produits désirez-vous exactement ?
Cliente : Euh... des crèmes ? Elle m'a dit qu'elle aimait beaucoup les miennes.
Vendeuse : Et les vôtres sont des produits de chez nous ?
Cliente : Oui, j'utilise aussi vos laits parfumés pour le corps, vos gels douche et vos shampoings.
Vendeuse : Alors, je peux vous proposer la trousse beauté. Elle contient un lait pour le corps, une crème pour les mains et aussi un gel douche, un savon et un shampoing.
Cliente : Super ! Alors, là, elle va être contente ! Elle aura les mêmes produits que les miens ! Ça coûte combien ?
Vendeuse : 21 euros.
Cliente : Parfait ! Et je prendrais bien aussi quelque chose pour son mari.
Vendeuse : Vous avez une idée ?
Cliente : Euh... Peut-être une eau de toilette. Il a dit ce matin qu'il avait fini la sienne.
Vendeuse : Les eaux de toilette pour hommes sont par ici.
Cliente : Qu'est-ce que vous me conseillez ?
Vendeuse : Celle que nous vendons le plus en ce moment, c'est celle-ci : « L'occitan ». Elle plaît beaucoup. Je vous fais sentir ?
Cliente : Pourquoi pas ! Parfait ! Je la prends ! Ça fait combien avec la trousse ?
Vendeuse : 69 euros. Je vous fais deux paquets cadeaux ?
Cliente : Oui, s'il vous plaît.

Piste 76. Sons du français – Activité 10

Exemple : Je cherche un cadeau original.
1. Je dois me sécher les cheveux.
2. Elle a acheté un nouveau gel douche.
3. Jeanne préfère Yves Rocher.
4. Tu as choisi tes achats d'aujourd'hui ?
5. On cherche des produits d'hygiène.
6. J'ai affiché un message original.
7. Je voudrais acheter un gel douche.
8. Chaque jour, je prends soin de moi.

Leçon 6 : La culture du vintage

Piste 77. Activité 6

Dominique : Tiens... J'ai eu une idée pour présenter les objets sur notre site... On pourrait leur faire raconter leur histoire ?
Bruno-Clément : Oui, c'est une bonne idée, ça !
Dominique : Par exemple, ce bureau ?
Bruno-Clément : Oui, je l'aime bien ce bureau... On mettrait comme titre « Si ce bureau pouvait parler »...
Dominique : Ça irait bien avec le nom de notre boutique, c'est sûr !

Piste 78. Activité 7

Bruno-Clément : Bon... Alors, je me lance... Je suis né dans les années 1900. J'ai commencé à travailler très vite après ma naissance, dans une école. Les professeurs écrivaient sur moi. À l'âge de 10 ans, j'avais déjà travaillé avec beaucoup de professeurs. J'ai changé plusieurs fois d'école et, en 1950, j'ai obtenu une place dans une université. J'étais très content. C'était une belle promotion ! Cinquante ans ont passé puis on m'a trouvé trop vieux. Un professeur qui m'aimait bien m'a emporté chez lui. Là, j'ai passé quelques années au calme. Ce professeur est mort en 2012. Ses enfants m'ont donné à la boutique « Si les objets pouvaient parler ». Depuis, j'attends que quelqu'un m'achète. Je m'ennuie un peu parce que les objets qui sont posés sur moi ne savent pas parler...
Dominique : Bravo ! Quelle imagination ! J'adore !

Dossier 7. Nous nous souvenons... et nous agissons !

Leçon 1 : Ils écrivent en français

Piste 79. Activités 6 et 7

Journaliste : Anna Moï, vous êtes née au Vietnam, vous êtes écrivain. Vous êtes vietnamienne, et aussi française, et vous avez décidé d'écrire finalement en français. Quelle est la raison de ce choix ?
Anna Moï : En fait, à Saigon, dans les années 90, la rédactrice en chef d'une revue francophone m'avait proposé d'écrire des articles sur la culture vietnamienne. Elle m'avait offert une rubrique dans la revue. Et j'ai écrit mon premier texte.
Journaliste : *L'écho des rizières.*
Anna Moï : Oui ! Il est devenu par la suite la première nouvelle de mon livre *L'écho des rizières.*

Piste 80. Activité 8

Journaliste : Vous êtes polyglotte : vous parlez vietnamien, japonais, thaï, anglais, allemand et français. Pour vous, la langue française, c'est quoi ?
Anna Moï : J'avais beaucoup pratiqué le français avant cette rencontre avec la rédactrice en chef. Ce n'était pas la seule langue que j'avais apprise, mais c'était ma préférée. Alors, pour moi, la langue française a toujours été un outil de travail, mais aussi un jeu avec les mots. Et j'ai toujours aimé inventer des mots.
Journaliste : Quel sens donnez-vous à la francophonie ? Ça veut dire quoi pour vous ?
Anna Moï : Pour moi, la francophonie, c'est très concret. Par exemple, récemment, la province anglophone d'Alberta, au Canada, m'a contactée. La lettre que j'ai reçue était en français.
Journaliste : Ah oui ?

Anna Moï : Oui. Et l'administration m'expliquait qu'elle souhaitait utiliser des extraits de deux de mes nouvelles de *L'écho des rizières* pour le bac canadien. Des Canadiens de l'Alberta, du Nunavut et des territoires du Nord-Ouest vont passer leur épreuve de français sur les nouvelles d'une auteure vietnamienne. Voilà, pour moi, c'est ça, la francophonie.
Journaliste : Ana Moï, merci beaucoup.
Anna Moï : Merci à vous.

Leçon 2 : Bilingues !

Piste 81. Sons du français – Activité 6

Exemple : Souvenez-vous de ce jour-là.
1. La journée de la Francophonie se déroule en mars.
2. L'ONU propose de nombreuses formations.
3. Le personnel s'occupe de votre programme, comme toujours.
4. Beaucoup d'hommes encouragent notre politique.
5. Le niveau d'autres Européens est intéressant à observer.
6. Je me souviendrai toujours du jour où vous m'avez encouragé !

Piste 82. Activités 7, 8 et 9

Journaliste : Kaye Murdock, bonjour.
Kaye Murdock : Bonjour !
Journaliste : Vous êtes responsable des classes bilingues français-anglais dans l'Utah, dans l'ouest des États-Unis. Parlez-nous de la « success story » de l'apprentissage de la langue française dans les écoles de votre état.
Kaye Murdock : Tout a commencé en 2010. À l'époque, on a créé des classes bilingues français-anglais dans deux écoles. Et en deux ans, le nombre d'écoles bilingues est passé à 10.
Journaliste : Pourquoi ce choix du français ?
Kaye Murdock : Le jour où nous avons pris la décision de mettre en place des classes bilingues, nous nous sommes demandé quelle langue correspondait le mieux aux besoins de nos élèves. Nous avons rapidement choisi le français, car la francophonie est présente sur tous les continents. Apprendre le français est un atout culturel et professionnel important dans le monde d'aujourd'hui.
Journaliste : Et comment les parents ont-ils réagi ?
Kaye Murdock : Au début, nous avons eu beaucoup de questions. Jusqu'au moment où nous leur avons expliqué que le français est une langue importante de la diplomatie, par exemple à l'ONU et dans d'autres organisations internationales. Les parents ont compris et alors approuvé notre choix.
Journaliste : Très bien. Comment ce programme a-t-il évolué ?
Kaye Murdock : Eh bien, il existe désormais 13 programmes bilingues français-anglais à l'école et 19 au collège et au lycée. Notre préoccupation est d'avoir chaque année assez d'enseignants pour occuper tous les postes. Jusqu'à présent, nous avons eu un partenariat excellent avec les autorités éducatives françaises et l'ambassade de France nous a beaucoup aidés.

Leçon 3 : Mémoires

Piste 83. Activités 2 et 3

Journaliste : Aujourd'hui, dans « Périphéries », nous accueillons Marion. Bonjour Marion !
Marion : Bonjour.
Journaliste : Vous êtes volontaire du service civique. Qu'est-ce que cela signifie ?
Marion : Alors, le service civique permet aux jeunes de 16 à 25 ans de s'engager pendant plusieurs mois au service d'une mission d'intérêt général.
Journaliste : Une mission d'intérêt général ? C'est-à-dire ?
Marion : S'engager pour la solidarité, la culture, l'éducation, la mémoire et la citoyenneté ou encore l'écologie.
Journaliste : Vous vous êtes engagée pour le projet « Passeurs de mémoire ». Vous pouvez nous en dire plus ?
Marion : « Passeurs de mémoire », c'est un grand programme national de recueil de témoignages pour rapprocher les générations et valoriser la mémoire des personnes âgées. C'est un projet créé en 2008 par l'association Unis-Cité. Depuis 1995, cette association permet aux jeunes de devenir volontaires pour répondre à des besoins sociaux. On s'engage pour une durée de 6 à 9 mois.

Piste 84. Activité 4

Journaliste : Concrètement comment ça se passe ?
Marion : Pendant toute la durée de la mission, on organise des animations, on rencontre des personnes âgées. Elles nous racontent leurs souvenirs. On les enregistre et on les retranscrit.
Journaliste : Et vous les mettez en ligne ? C'est ça ?
Marion : Oui ! Dès que les personnes donnent leur accord, on les met en ligne su le site passeursdememoire.fr.
Journaliste : Et vous, Marion, comment vivez-vous cette expérience ?
Marion : Franchement, ma vie a changé depuis que je participe à ce programme. J'ai découvert des personnes sensibles, amusantes, et qui ont surtout beaucoup de choses à nous apprendre !
Journaliste : Vous terminez votre service dans combien de temps ?
Marion : Je suis volontaire jusqu'au mois prochain, je m'étais engagée pour 9 mois, le maximum. Je sais déjà que ça va beaucoup me manquer...

Piste 85. Sons du français – Activité 10

Exemple : Je voudrais créer un groupe de jeunes.
1. L'écologie est un problème majeur pour notre groupe.
2. Il est urgent d'organiser les parcours scolaires.
3. Quel est l'âge obligatoire à l'école aujourd'hui ?
4. Un groupe de jeunes s'est engagé à Couaque.
5. L'engagement dans un service civique est un projet d'intérêt général.
6. Ce concours de géomètre a changé la vie de Joël.
7. L'infographie est un domaine actuel qui plaît aux jeunes.
8. Mon entourage m'a toujours encouragé à m'engager.

Leçon 4 : Moi, j'y crois !

Piste 86. Activités 3 et 4

Homme : Alors, cette présentation ? Vous en avez pensé quoi ? Moi, ça m'a donné envie de m'engager.
Femme 1 : Moi aussi, surtout pour la protection de la nature et de l'environnement. C'est quelque chose de vraiment important, parce que je trouve que peu de gens se rendent compte réellement de la catastrophe qui se prépare. C'est pour ça que je vais m'inscrire dans une association.
Homme : Moi, c'est dans le domaine de l'éducation que je veux m'investir... Je pense que c'est grâce à l'éducation que le monde peut s'améliorer ! Alors, je vais devenir volontaire pour l'UNICEF !
Femme 2 : Je suis d'accord avec toi ! En effet, c'est à l'école qu'il faut lutter contre les discriminations comme le racisme. C'est à cause du racisme qu'il y a des problèmes dans la société !
Homme : Et comment veux-tu t'engager ?
Femme 2 : Je veux devenir membre de SOS racisme et suivre une formation pour devenir médiateur à l'école.

Piste 87. Activité 5

Homme : Intéressant ! Et tu connais la fondation Lilian Thuram ?
Femme 2 : Lilian Thuram, le footballeur ?
Homme : L'ancien footballeur. Comme il avait vraiment envie de lutter contre le racisme, en particulier à l'école, eh bien il a créé sa propre fondation d'éducation contre les discriminations ! Tu ne la connais pas ?...

Leçon 5 : Agir pour la nature

Piste 88. Activité 7

Éric : Olöf ?
Olöf : Oui ?
Éric : Bonjour ! Je suis Éric. Je suis le journaliste du webzine *Vivre en Islande*. On s'est parlé au téléphone...
Olöf : Ah oui ! Bonjour Éric.
Éric : Encore merci d'accepter de répondre à mes questions. Vous parlez très bien français !

Olöf : J'essaie... Merci !
Éric : Donc, vous travaillez à l'office du tourisme de Reykjavik. Je voudrais vous poser quelques questions sur le comportement des touristes en Islande et en particulier sur la protection de l'environnement.
Olöf : D'abord, je voudrais dire que nous sommes très contents d'accueillir beaucoup de touristes. Mais l'Islande est différente d'autres pays. C'est une île où la nature est encore plus importante qu'ailleurs. C'est un pays très agréable à visiter mais il faut le respecter.

Piste 89. Activité 8

Éric : Et ce n'est pas le cas ?
Olöf : Certains touristes ne sont pas toujours très respectueux, par exemple quand ils conduisent hors-piste.
Éric : Et donc l'office du tourisme d'Islande développe en ce moment une campagne ?
Olöf : Oui, c'est ça. Nous proposons des vidéos sur notre site : hygiène dans les bains chauds, respect de la nature, consignes de sécurité ou activités hivernales. Parce que, malheureusement, on a pu constater des comportements stupides. Comme, par exemple, des touristes qui se croient seuls au monde et qui prennent des photos en plein milieu des routes.
Éric : Et les vidéos sont en français ?
Olöf : Elles sont sous-titrées en français. Nous voulions des vidéos faciles à comprendre pour les touristes francophones.

Leçon 6 : Vous en pensez quoi ?

Piste 90. Activités 5, 6 et 7

Manuele : Bonjour à toutes et à tous ! Je suis Manuele, c'est moi qui ai fait le post Facebook pour ce soir.
Plusieurs voix : Salut Manuele !
Manuele : Je suis heureux de vous voir aussi nombreux pour ce premier apéro français ! Au cours des dernières années, il y a eu de moins en moins d'activités pour les francophones dans notre ville ! Et là, regardez ! Il y a encore des gens qui arrivent ! Bienvenue ! C'est par ici !
Une personne : Quel succès !
Manuele : Alors voilà. J'aimerais qu'on organise de plus en plus d'événements francophones dans notre ville. Qu'en pensez-vous ? Vous avez des idées ?
Homme 1 : On pourrait faire venir des films français sous-titrés en portugais et les projeter au cinéma Super K ! Je connais le responsable !
Femme 1 : Ah oui ! Excellente idée !
Homme 2 : Pourquoi pas un club de lecture ? Je veux bien l'organiser chez moi, une fois par mois, par exemple.
Manuele : Super ! Merci beaucoup !
Femme 2 : Je voudrais aussi dire qu'il n'y a pas d'Alliance française dans notre ville. C'est dommage ! Vous pensez qu'on pourrait en créer une ?
Manuele : Créer une Alliance française, ça doit être un peu compliqué, non ?
Véronique : Il faudra demander conseil à la délégation générale, à Rio, je pense. Je veux bien m'en charger.
Manuele : Et pour notre apéro, on pourrait continuer à se rencontrer ici, une fois par mois, ça vous va ?

Piste 91. Sons du français – Activité 8

Exemples : Quel succès ! / Quel dommage !
1. Quelle incroyable réussite !
2. C'est tellement dommage !
3. C'est une excellente idée !
4. C'est formidable !
5. Ce n'est pas possible !
6. Quelle belle initiative !
7. Ça me fait plaisir !
8. Ça m'ennuie vraiment !

DELF 7

Piste 92. Compréhension de l'oral

Journaliste : Bonjour, aujourd'hui nous allons parler de ces écrivains qui ont choisi comme langue d'écriture, le français. De nombreux auteurs ont abandonné leur langue maternelle pour écrire leurs romans en français. On se souvient des plus célèbres comme Milan Kundera, Samuel Beckett ou encore Casanova. Pourquoi décide-t-on, un jour, de faire du français sa langue d'écriture ? Nous avons posé la question au dernier lauréat du prix Goncourt, l'Afghan Atiq Rahimi.
Atiq Rahimi : Au départ, je ne me posais pas la question, je n'y pensais pas. Quand je suis retourné dans mon pays, en 2002, j'ai retrouvé ma culture et l'envie d'écrire... en français. En fait, il m'était difficile de parler de sujets importants ou tabous dans ma langue maternelle. La langue française m'a donné la possibilité de m'exprimer avec plus de liberté.

Dossier 8. Nous nous intéressons à l'actualité

Leçon 1 : Original !

Piste 93. Activités 6 et 7

Karen : Bonjour, vous êtes bien sur SBS et c'est l'heure de notre émission en français. Bonjour Georges.
Georges : Bonjour Karen, bonjour à tous !
Karen : Aujourd'hui, Georges, vous nous proposez une rétrospective des événements qui ont marqué l'actualité franco-australienne de ces derniers mois.
Georges : Absolument Karen, et nous commençons tout de suite avec la culture ! L'année théâtrale a été marquée par la nouvelle production du petit théâtre de Sydney. Cette pièce a été présentée en novembre au King Street Theater. Elle a pour titre *On n'est pas là pour être ici*. La pièce a été entièrement jouée en français et a été surtitrée en anglais pour la rendre accessible à tous. C'est une pièce très drôle, qui a été très appréciée par le public.
Karen : C'est un spectacle composé de 7 petites pièces, c'est bien ça ?
Georges : Tout à fait ! Ces 7 pièces ont été écrites par des auteurs français contemporains.

Piste 94. Activité 8

Karen : Et dans d'autres domaines, une actualité récente ?
Georges : Après la culture, je vais vous parler de coiffure.
Karen : De coiffure ?
Georges : Eh oui, Karen. Le 24e salon australien de Franck Provost a été inauguré à Sydney par le créateur de la marque. Ces salons de coiffure ont un grand succès en Australie. D'ailleurs, d'ici 2020, Franck Provost souhaite élargir son réseau à 50 salons dans toutes les grandes villes d'Australie.
Karen : Merci, Georges. Une page de publicité et on vous retrouve pour une actualité plus scientifique !

Leçon 2 : Actu du jour

Piste 95. Activités 2 et 3

Présentateur : Essentiel FM, il est 7 heures. « Une journée au Luxembourg », le journal de Denis Berche. Bonjour Denis.
Denis : Bonjour à tous. Au programme ce matin : pratique des langues étrangères dans les hôpitaux. Les hôpitaux du pays sont capables d'accueillir des patients qui ne parlent pas luxembourgeois. Au centre hospitalier de Luxembourg, le français et l'allemand sont enseignés à tous les employés. 31 autres langues peuvent aussi être prises en charge par le personnel. Je recevrai tout à l'heure Damien George, directeur adjoint du centre hospitalier de Luxembourg.
Partage de voitures au Luxembourg. Les résidents luxembourgeois ne pratiquent pas assez le covoiturage. Le gouvernement, qui souhaite limiter la pollution, travaille actuellement sur le sujet. Interview téléphonique avec le député Gilles Roth dans quelques minutes.
Et pour finir ce journal : une belle histoire : livraison de matériel aux enfants marocains. Mohamed Habbaz va conduire un bus rempli de matériel médical et

de fournitures scolaires, jusqu'au Maroc. Ce chauffeur, qui travaille pour une compagnie de bus au Luxembourg, a accepté de prendre huit jours de congé pour effectuer cette livraison. Reportage dans ce journal.

Piste 96. Sons du français – Activité 8

Exemple : Les lecteurs sont jeunes.

1. Les deux cambrioleurs ont été arrêtés hier.
2. Cette info concerne plusieurs chauffeurs de bus.
3. Deux appartements en feu ont été évacués.
4. Pas un seul lecteur n'a compris cette erreur.
5. Il y a eu très peu de blessés, heureusement.
6. La radio a été contactée par de nombreux auditeurs.
7. Le rédacteur en chef met en valeur les infos insolites.
8. France Bleu est la seule radio que j'aime écouter le matin.

Leçon 3 : Nous réagissons !

Piste 97. Activité(s) 6

Julien : Bonsoir à tous, c'est Julien sur France Bleu. Cette nuit, comme chaque année, fin octobre, la France passe à l'heure d'hiver. Dans la nuit de samedi à dimanche, à trois heures du matin, il sera donc deux heures. Alors, voici la question du jour ! « Pour ou contre le changement d'heure ? » Au téléphone, Marie et Nathalie. Nathalie, on vous écoute !

Piste 98. Activités 7 et 8

Nathalie : Merci Julien, bonsoir ! Alors, moi, je suis pour... en passant à l'heure d'hiver, on fait des économies d'énergie. C'est très important pour notre planète et pour l'environnement. Et puis, en changeant d'heure, on diminue nos factures d'électricité...

Julien : Marie, un commentaire ?

Marie : Alors, moi, je crois qu'on n'économise rien du tout ! Il faudrait déjà commencer à économiser de l'énergie en ne laissant pas les vitrines des magasins allumées la nuit. Et puis, avec l'heure d'hiver, quand on part le matin et quand on rentre le soir il fait nuit...

Julien : Et c'est un problème pour vous ?

Marie : Bien sûr ! La lumière est allumée tout le temps, donc la consommation d'électricité augmente.

Julien : Nathalie, une réaction ?

Nathalie : Je ne suis pas d'accord. En faisant correspondre nos activités avec la lumière du soleil, on diminue la production de CO_2 et la pollution ! Et, pour réduire sa consommation, il suffit de faire les bons gestes ! Penser à éteindre la lumière quand on quitte une pièce ou baisser le chauffage quand on part de la maison...

Leçon 4 : Vous en pensez quoi ?

Piste 99. Activité 1

Présentateur : Bonjour Christian.

Christian : Bonjour !

Présentateur : À l'occasion de la Journée mondiale sans téléphone portable, vous êtes allé rencontrer des Français pour leur demander leur avis sur cette nouvelle forme de dépendance. Alors, nos smartphones sont très utiles, mais c'est vrai qu'on passe beaucoup de temps avec eux et peut-être pas assez avec nos proches.

Christian : Effectivement, j'ai demandé à des personnes si elles pouvaient se passer de leur smartphone une journée entière, comment en être moins dépendant. Écoutons leurs réactions et leurs astuces.

Piste 100. Activités 2 et 3

Femme : Une journée entière ? ! Ah non ! Moi, je suis vraiment accro à mon téléphone ! Mais, c'est vrai ! On devrait essayer de ne pas le regarder tout le temps et apprendre à ne pas l'avoir sur soi en permanence... Peut-être que je pourrais le laisser à la maison de temps en temps mais c'est difficile...

Journaliste : Merci madame ! Pardon, vous souhaitiez ajouter quelque chose ?

Femme : Euh oui... par exemple, je crois que ce n'est pas une bonne idée d'utiliser son téléphone comme réveil parce que ça donne envie de le regarder tout de suite ! Il faudrait apprendre progressivement à moins l'utiliser en essayant, par exemple, de l'éteindre plusieurs fois par jour...

Journaliste : Merci. Et vous, monsieur ? Une journée sans portable ?

Homme : Une journée sans portable... Pour moi, c'est plus une question de comportement en général. D'abord, je crois qu'il faudrait réussir à ne plus regarder son téléphone en présence d'autres personnes, avec ses amis... Il me semble que le problème, ce n'est pas le téléphone, mais la façon de l'utiliser. Par exemple, on ne devrait pas consulter son téléphone à table.

Journaliste : Une astuce pour nos auditeurs ?

Homme : Oui, on prend beaucoup trop de photos avec le téléphone, alors pourquoi ne pas acheter un appareil photo ! Comme ça, on ferait des photos sans son téléphone !

Journaliste : Merci beaucoup !

Piste 101. Sons du français – Activité 8

Exemple : une habitude / des habitudes

1. Les usagers ont imaginé des wagons surprise.
   Certains ont imaginé un métro vert. Ils ont tous eu de bonnes idées.
2. Des personnes interrogées aux heures de pointe.
   Un étudiant interrogé à une heure creuse et un point commun : le souhait d'un métro plus agréable.
3. C'est très intéressant.
   C'est vraiment intéressant.
   C'est une idée intéressante.
4. les transports en commun
   des heures à faire

Leçon 5 : Pour un monde meilleur

Piste 102. Activités 5 et 6

Santé, travail, meilleure situation financière... Pour la nouvelle année, nous sommes nombreux à formuler des vœux pleins d'espoir. Nous avons demandé à quelques Mauriciens ce qu'ils souhaitaient, par-dessus tout...

Journaliste : Bonjour, quels sont vos souhaits pour la nouvelle année ?

Homme âgé : Je souhaite que toute ma famille soit en bonne santé.

Jeune homme : Je voudrais qu'il y ait moins d'accidents de la route à Maurice, par rapport aux années précédentes. Ça, c'est pour le pays. Et personnellement, j'aimerais que ma situation financière s'améliore.

Femme : Moi, le travail. J'aimerais que ma carrière continue d'évoluer. Et je voudrais vraiment qu'on fasse plus attention à l'environnement. Par exemple, j'espère qu'on fera quelque chose pour le lagon de Blue Bay.

Journaliste : Bonjour Madame, quels sont vos souhaits pour la nouvelle année ?

Femme âgée : Ah... moi, je voudrais que mes enfants me donnent des petits-enfants...

Journaliste : Bonjour ! Votre priorité pour la nouvelle année ?

Jeune femme : Je souhaite vraiment trouver du travail. C'est ma priorité.

Homme : J'aimerais que mes enfants fassent de bonnes études. Les études, c'est très important pour bien réussir dans la vie, pour avoir un bel avenir.

Piste 103. Sons du français – Activité 7

Exemple : J'aimerais que mon fils soit heureux.
J'aimerais que mes enfants soient heureux.

1. Je voudrais qu'il ait une belle famille.
   Je voudrais que tu aies une belle famille.
2. Nous voudrions que notre fille fasse des études.
   Nous voudrions que vous fassiez des études.
3. Il faudrait que je puisse trouver du travail.
   Il faudrait que tous les jeunes puissent trouver du travail.
4. Tu voudrais que j'aie une grande maison.
   Moi, je voudrais que tu aies une belle maison.
5. Il faudrait que tu me comprennes.
   Il faudrait que les hommes politiques comprennent les gens.
6. J'aimerais que le monde soit plus juste.
   J'aimerais que les solutions proposées soient plus justes.

Leçon 6 : Prix littéraires

Piste 104. Activités 5, 6 et 7

Journaliste : Bonjour à tous et bienvenue dans votre rubrique culture sur LD Radio, la radio du lycée Descartes de Rabat. Leïla Slimani, ancienne élève du lycée, vient d'obtenir le prix Goncourt pour son roman *Chanson douce*. À cette occasion, nous avons recueilli les réactions d'élèves des sections littéraires et de professeurs. La parole est à Bahia.
Bahia : Merci ! On est super contents ! J'étais en classe quand on nous a annoncé la nouvelle, on s'est tous levés et on a applaudi ! On était nombreux à avoir lu le livre et on avait très envie de voir Leïla Slimani remporter ce prix prestigieux !
Journaliste : Et qu'avez-vous pensé du livre ?
Bahia : J'ai adoré ! D'abord, l'histoire, c'est un fait divers. Il y a beaucoup de suspense, c'est un roman un peu policier, un peu fantastique, très dramatique. Et puis Leïla Slimani a un style vraiment dynamique. On ne s'ennuie jamais.
Journaliste : Madame Souali, vous êtes professeure au lycée. Votre réaction ?
Madame Souali : J'étais à la maison quand on m'a téléphoné pour me dire que Leïla avait eu le prix Goncourt. J'ai été très émue ! C'est une magnifique récompense pour elle, mais aussi pour nous, les enseignants du lycée. Bref, c'est un bel encouragement pour les élèves !

S'EXERCER

DOSSIER 1

Piste 105. Leçon 1 – Exercice 3

Exemple : Je trouve qu'il y a moins de touristes cette année.
Non, je trouve qu'il y a plus de touristes !

Piste 106. Leçon 2 – Exercice 6

hébergement – s'inscrire – longtemps – quotidien – enseignement – expérience – installation – combien – francophone – européen – sympa – évident

Piste 107. Leçon 4 – Exercice 11

Paul : Alors, tout est prêt pour ton voyage en France ?
Mary : Oui, j'ai mon billet d'avion. Maintenant, je dois acheter mon billet de train.
Paul : Oui, il faut le faire rapidement ! Et tu as trouvé un hébergement ?
Mary : Non, pas encore. Je sais, je dois m'en occuper.
Paul : Oui, tu dois vraiment t'en occuper !
Mary : Je voudrais loger avec une famille française.
Paul : C'est une très bonne idée !
Mary : Je voudrais surtout découvrir la vie des Français.

DOSSIER 2

Piste 108. Leçon 1 – Exercice 4

a. Montreux – Nantes – Anvers – Londres – Montpellier – San Francisco – Ankara – Dijon – Perpignan – Toulon – Shanghai – Angoulême – Hong Kong – Colombo – Rouen – Avignon
b. Clermont-Ferrand – Besançon – Châlons-en-Champagne – Mont-de-Marsan

Piste 109. Leçon 3 – Exercice 9

Exemple : j'étais / j'ai été → différent

1. je rencontrais / j'ai rencontré
2. c'était / c'était
3. j'ai étudié / j'ai étudié
4. il a été / il était
5. je commençais / j'ai commencé
6. j'ai décidé / j'ai décidé
7. je trouvais / j'ai trouvé
8. je le quittais / je l'ai quitté

Piste 110. Leçon 6 – Exercice 16

Exemple : Ils ont tout compris ! Ils sont très contents !

1. L'Italie est un pays que j'adore. Mais l'Espagne est mon pays préféré.
2. Mes parents me manquent. Mes amis me manquent plus encore !
3. Je voudrais me marier dans deux ans. Lui, il se marie dans deux mois !
4. J'ai habité pendant longtemps en Chine. Maintenant, je vais vivre en Australie.
5. Voici mon agence de voyages. C'était mon rêve depuis toujours !
6. J'adore les paysages de Chine. Et on peut admirer les animaux sauvages.

DOSSIER 3

Piste 111. Leçon 1 – Exercice 2

Exemple : réseaux sociaux → On entend une fois le son [z] dans le premier mot et deux fois le son [s] dans le 2ᵉ mot.

1. personne organisée
2. licence de musicologie
3. président d'université
4. expérience exigée
5. entreprise de maçonnerie
6. ministre brésilienne

Piste 112. Leçon 5 – Exercice 9

Exemple : Mon voisin et ma voisine sont charmants.
→ Le masculin est en première position.

1. J'ai un bon CV et une bonne lettre de motivation.
2. Je suis européen et toute ma famille est européenne aussi.
3. Ma cousine Camille est canadienne. J'ai aussi un cousin australien.
4. Tu vas rester une année entière ou deux ans à Hanoï ?
5. La Chine est une destination lointaine et le Japon est un pays lointain aussi.
6. Liliane, c'est une collègue sympa et Lilian, c'est mon patron !

Piste 113. Leçon 6 – Exercice 14

Exemple : tous les jours → On prononce [tu].

1. Tout va bien.
2. Tout est parfait.
3. Tous m'écoutent.
4. Tous vos rêves.
5. Tout le monde.
6. Tout à fait.
7. Tous mes amis.
8. Tous sont partis.

DOSSIER 4

Piste 114. Leçon 2 – Exercice 6

1. Les acteurs de cette série sont incroyablement drôles !
2. J'apprécie le rire de Marie qui partage mon appartement depuis mars.
3. La prochaine réunion pour organiser la fête, ce sera mercredi soir !
4. Faire du bruit dans la rue, c'est rarement autorisé ! Seulement le 21 juin !
5. Paris restera toujours Paris, avec ou sans son métro !
6. C'est trop tard ! Vraiment trop tard ! C'est vraiment trop tard !

Piste 115. Leçon 4 – Exercice 13. a.

Exemple : deuxième – littérature – courir → Le son [y] est dans le deuxième mot.

1. merveilleux – musicien – tous
2. toujours – mieux – connu
3. public – journaliste – sérieux
4. peinture – Mathieu – foule
5. vouloir – deux – culture
6. groupe – succès – écouter

Piste 116. Leçon 4 – Exercice 13. b.

Exemple : mu/si/cien → Le son [y] est dans la première syllabe.

1. curieux
2. humour
3. ouverture
4. populaire
5. surtout
6. minutieux
7. lecture
8. musique

Piste 117. Leçon 6 – Exercice 19

Exemple : Je rêvais de devenir un artiste ! Je rêverais de devenir un artiste !

1. Il souhaitait voir ce spectacle.
2. Nous aimions passer des vacances à Monte Carlo.
3. Je voulais prendre le train pour aller à Cannes.
4. J'aimais rencontrer les artistes du Cirque du Soleil.
5. Je souhaitais trouver des places disponibles.
6. Elle devait travailler tous les jours pendant 10 heures.
7. Vous deviez faire du cinéma.

DOSSIER 5

Piste 118. Leçon 1 – Exercice 3. a.

Exemple : la fête – très vite → On entend [f] puis [v].

1. c'est vrai – une phrase
2. très facile – les vacances
3. une photo – vouloir
4. un avis – la famille
5. c'est faux – une vidéo
6. un foyer – une voyelle
7. c'est difficile – j'ai envie
8. une différence – la diversité

Piste 119. Leçon 1 – Exercice 3. b.

Exemple : la vie – c'est bien → On entend [v] puis [b].

1. la Belgique – une vidéo
2. c'est vrai – un problème

3. à bientôt – ils viennent
4. votre ami – un robot
5. un invité – un abonné
6. j'ai vu j'ai bu
7. c'est bien – ça vient
8. un pourboire – pour voir

Piste 120. Leçon 4 – Exercice 11

1. la culture danoise / la culture irlandaise
2. Votre séjour est important. / Votre avis est important.
3. On partage notre maison. / On partage un appartement.
4. On doit faire des courses. / On doit faire un planning.

Piste 121. Leçon 5 – Exercice 15

1. Notre association est formidable !
2. Venez nous rejoindre !
3. Vous êtes les bienvenus quand vous le voulez !
4. Nos équipes sont très motivées et toujours sérieuses !
5. Nous sommes prêts à agir ensemble !
6. Vous ne le regretterez pas !

DOSSIER 6

Piste 122. Leçon 1 – Exercice 3

1. On cuisine tous les produits du terroir ici.
2. Tu dois essuyer les aubergines selon mes instructions.
3. Il faut éplucher tous les légumes avant leur cuisson.
4. Tu coupes et découpes les courgettes régulièrement.
5. Tu cuis et recuis les tomates en suivant mes conseils.
6. Je préfère cuisiner avec lui pour apprendre des techniques.

Piste 123. Leçon 3 – Exercice 8

Exemples : Et si on faisait quelque chose demain ?
→ On entend une phrase interrogative.
Si on faisait quelque chose, ce serait super !
→ On entend une phrase exclamative.

1. Et si tu prenais plus de temps pour toi ?
2. Si tu venais demain, je serais ravie !
3. Si tu allais sur mon blog pour voir mes infos ?
4. Et si tu participais à une action bénévole ?
5. Si tu voulais vraiment, tu viendrais avec moi !
6. Si tu faisais réparer tes vieux objets, ce serait d'utile !

Piste 124. Leçon 5 – Exercice 13

Exemple : Un message urgent → On entend deux fois le son [ʒ].

1. Un choix original
2. Un gel douche
3. Un achat très chic
4. Un objet à choisir
5. Une recherche sérieuse
6. Un produit hygiénique trop cher
7. Un échange dans un magasin

DOSSIER 7

Piste 125. Leçon 2 – Exercice 3

Exemple : une info / il informe → On entend le son [ɔ] dans le 2e mot.

1. l'Europe / le numéro
2. c'est perso / c'est personne
3. Pénélope / un stylo
4. la déco / l'école
5. une tonne / une photo
6. une prof / une pro
7. un impôt / c'est important

Piste 126. Leçon 3 – Exercice 8

Exemple : Le sujet du jour concerne les accords d'entreprise.
→ On n'entend pas le son [g].

1. Il est urgent de s'engager dans un projet.
2. On espère recueillir beaucoup de candidatures pour ce programme.
3. Mon entourage proche a organisé une superbe fête intergénérationnelle.
4. Un groupe de paroles a été créé pour expliquer le vécu des anciens.
5. À l'époque de mes parents, les jeunes commençaient à travailler tôt.
6. En général, le sujet de discussion préféré de Coline est l'école d'aujourd'hui.

Piste 127. Leçon 6 – Exercice 17

1. C'est une idée intéressante. → Quelle bonne idée !
2. C'est une belle initiative. → Quelle belle initiative !
3. Pas d'Alliance française, c'est dommage. → C'est vraiment dommage !
4. C'est un beau succès. → Quel beau succès !
5. Je trouve cela bizarre. → C'est vraiment bizarre !
6. J'adore les réseaux sociaux. → Les réseaux sociaux, c'est génial !

DOSSIER 8

Piste 128. Leçon 2 – Exercice 6

Exemple : Seules deux langues étrangères sont pratiquées ici.
→ On entend le son [œ] une fois.

1. Samedi, il y aura très peu de chauffeurs, j'en ai peur.
2. Le facteur arrive toujours à l'heure.
3. Tous les deux ans, on peut participer à un grand jeu.
4. Les jeunes peuvent rêver d'un meilleur avenir.
5. Les lecteurs et les auditeurs participent à leur manière à l'info.

Piste 129. Leçon 4 – Exercice 10

1. C'est une idée intéressante. → C'est une idée intéressante.
2. Des personnes interrogées. → Des personnes interrogées.
3. Ils ont imaginé des wagons surprise. → Ils ont imaginé des wagons surprise.
4. C'est un jour comme les autres. → C'est un jour comme les autres.

Piste 130. Leçon 5 – Exercice 13

1. J'aimerais que tu sois...
   J'aimerais qu'elle soit...
   J'aimerais qu'ils soient...
2. Il faudrait que j'aie...
   Il faudrait que tu aies...
   Il faudrait qu'elle ait...
3. Tu voudrais que je comprenne...
   Je voudrais que tu comprennes...
   Il voudrait qu'ils comprennent...
4. J'aimerais qu'on fasse...
   J'aimerais que tu fasses...
   J'aimerais qu'elles fassent...

PRÉCIS DE PHONÉTIQUE

DOSSIER 1

Piste 135. La prononciation du mot *plus*

1. Paris est la plus belle ville du monde !
2. Mais l'air de Paris est plus pollué que l'air de Royan.
3. Moi, je trouve que des vacances à Royan, c'est plus agréable que des vacances à Paris, parce qu'il y a la mer.
4. Oui, mais il y a plus de musées à Paris qu'à Royan.
6. Finalement, je préfère aller plus souvent à Paris, mais c'est mieux de vivre à Royan.

Piste 136. Les voyelles nasales [ɑ̃] et [ɛ̃]

a. hébergement
inscription
campus
quotidien
longtemps
simple
vacances
sympa
européen
plein
ensemble
imprimer
remplacer
maintenant
timbre
ambassade

Piste 137.

c. C'est très simple de venir étudier en France pour les étudiants européens parce qu'ils n'ont pas besoin de visa. Les étudiants d'autres pays peuvent être aidés par l'Agence Campus France ou par leur ambassade. Ensuite, ils pourront choisir d'intégrer un programme universitaire ou une école d'ingénieurs, par exemple.

DOSSIER 2

Piste 138. Les voyelles nasales [ɑ̃] et [ɔ̃]

1. [ɑ̃] expérience – ensemble – restaurant – campagne – ambassade
[ɔ̃] patron – comprendre – nombreux

Piste 139.

2. Pendant mes prochaines vacances, je pense que nous allons voyager dans le canton de Vaud en Suisse et, ensuite, nous irons en Autriche. Nous voulons vivre une expérience nouvelle, rencontrer des gens et déguster les nombreuses spécialités de ces régions d'Europe que nous ne connaissons pas encore bien.

Piste 140. La liaison avec [z], [t], [n]

1. mes copains – mes amis
deux jours – deux ans
c'est mon pays – c'est un pays
en France – en Estonie
un mois – un an

Piste 141.

2. 1. Il y a un an, j'ai voyagé en Écosse pendant un mois avec des copains.
2. Nous avons rencontré des Écossais très agréables et très sympas.
3. Nous sommes allés dans des villages où des habitants nous ont bien accueillis.
4. L'Écosse, c'est un pays magnifique et c'est vraiment comme je le pensais.

DOSSIER 3

Piste 142. Les sons [s] et [z]

poste – salaire – institut – profession
réseau – organisé
extrait – examen
recette – capacité – français
candidat – contrat – curriculum – créatif

Piste 143. La dénasalisation

1. 1. Il est canadien. / Elle est canadienne.
2. Il est bon. / Elle est bonne.
3. mon cousin / ma cousine
4. un Américain / une Américaine

Piste 144.

2. 1. Simon est un voisin américain.
2. Ma cousine Liliane est canadienne.
3. Le Japon est un pays lointain.
4. C'est une bonne idée de venir la semaine prochaine.

DOSSIER 4

Piste 145. Le son [r]

1. 1. jouer – jour – amateur – pouvoir – cœur – finir – premier
2. partout – important – autre – prochain – partager – célébrité
3. rue – rapide – récit – radio – réveil – roman – réunion

Piste 146. Les sons [y], [ø] et [u]

1. population
peuplé
partout
culturel
mieux
zoom
vœux
groupe
concours
j'ai eu

Piste 147

2. Bienvenue sur le tournage du prochain film de Luc Tousson. Ce film raconte l'histoire fabuleuse d'une jeune journaliste amoureuse d'un footballeur du tout petit club de Périgueux. Ce club a eu l'incroyable destin d'aller jusqu'en finale de la Coupe de France. L'équipe a perdu, mais tout le monde a découvert un nouveau talent ! Nous souhaitons tous nos vœux de réussite à l'équipe du tournage pour ce film qui nous rend heureux.

DOSSIER 5

Piste 148. Les sons [f], [v] et [b]

1. faire – vouloir – vivre – bénéficier – vérifier
2. vidéo – focus – photographie – portrait-robot – bienvenue
3. facile – célèbre – confortable – footballeur – formidable

DOSSIER 6

Piste 149. Les sons [y], [ɥ] et [u]

cuisiner – cuisson – couper – éplucher – instructions – traduction – traduire – couteau – appuyer – produits – bouillir – régulièrement – courgette – essuyer

Piste 150. Les sons [ʃ] et [ʒ]

1. 1. Je vais faire un échange car cette jupe et ce chemisier sont trop chers.
2. J'ai un message très urgent pour Georges, mon gentil voisin. Son chien a mangé toutes les fleurs du jardin de la résidence.
3. À chaque fois que j'achète un objet à offrir à Julie, j'essaie de faire un choix original et chic.
4. Ma chère sœur cherche toujours les nouveaux produits de beauté à la mode et bon marché. L'autre jour, elle a déniché un sèche-cheveux génial et un gel douche à la mangue.

DOSSIER 7

Piste 151. Les sons [o] et [ɔ]

1. bonne idée	2. une belle déco	3. une consonne
4. c'est beaucoup	5. les impôts	6. elle est proche
7. un stylo	8. les réseaux sociaux	9. à l'école
10. journaux		

Piste 152. Les prononciations de la lettre g : [g] et [ʒ]

1. un beau gâteau	2. c'est dommage	3. un programme
4. l'encouragement	5. l'écologie	6. c'est urgent
7. c'est glacé	8. un goûter	

DOSSIER 8

Piste 153. Les sons [ø] et [œ]

1. peu – peur – veulent – veux – chaleur – chaleureux – chaleureuse – mieux – meilleur – peut – peuvent – heure – heureux – heureuse – ceux – seul

Piste 154. Les sons [ø] et [œ]

1. J'en ai très peu. / J'en ai très peur.
2. Ils le veulent. / Il le veut.
3. C'est chaleureux. / la chaleur / Elle est heureuse.
4. C'est bien mieux. / C'est bien meilleur.
5. Elle le peut. / Elles le peuvent.
6. C'est l'heure. / Il est heureux.
7. Je pense à tous ceux qui sont seuls.

Lexique

MOT	ANGLAIS	ESPAGNOL	ALLEMAND	MANDARIN	ARABE
à l'intérieur de (prép.)	inside	dentro de	in/innerhalb	在……内部	داخل
à mi-temps (loc. adj./ masc.)	part-time	a tiempo parcial	Teilzeit/halbtags	半场	دوام جزئي
à mon avis (loc. adv.)	in my opinion	en mi opinión	meiner Meinung nach	我认为	حسب رأيي
abandonner (v.)	to abandon, to give up	abandonar	verlassen	放弃	ترك
absolument (adv.)	absolutely	absolutamente	völlig, absolut	完全地	حتماً
accident de la route (n. sing./masc.)	road traffic accident	accidente de tráfico	Verkehrsunfall (der)	交通事故	حادث مرور
accompagner (v.)	to accompany	acompañar	begleiten	陪伴	رافق/يرافق
accorder quelques instants (v.)	to devote a few moments	conceder un momento	sich etwas Zeit nehmen	分出一会儿	منح قليلا من الوقت
accueillant (adj. sing./ masc.)	welcoming	acogedor	einladend/gastlich	殷勤的	مضياف
actuellement (adv.)	at present, currently	actualmente	gegenwärtig	目前	حالياً
adaptation (n. sing./fém.)	adaptation	adaptación	Anpassung (die)	适应	تلاؤم
adaptés (adj. pl./masc.)	adapted	adaptados	angepasst	适应	مناسب (ة)
adhérer (v.)	to join	adherirse/apoyar	Mitglied werden	附着	انضم/ينضم
adopter (v.)	to adopt	adoptar	adoptieren	采纳	تبنى/يتبنى
adresser (v.)	to address, to send	enviar/dirigir	adressieren, richten an	指引	وجّه/يوجه (شيئا ما)
affaire (politique, juridique) (n. sing./masc.)	issue (political, legal)	asunto (político, jurídico)	(politische, rechtliche) Affäre	(政治、司法)事件	قضية (سياسية، قضائية)
affectif (adj. sing./masc.)	emotional	afectivo	affektiv	感人	عاطفي
afghan (adj. sing./masc.)	Afghan	afgano	afghanisch	阿富汗的	أفغاني
agent (de police) (n. sing./ masc.)	(police) officer	agente (de policía)	Polizist(in) (der/die)	(警务) 人员	عنصر (شرطة)
agir (v.)	to act	actuar	handeln	行动	تصرّف/يتصرّف
agriculteur (n. sing./masc.)	farmer	agricultor	Landwirt (der)	农业工作者	مزارع
aide cuisinier (n. sing./ masc.)	kitchen assistant	pinche	Küchenhilfe (die)	厨师	مساعد طباخ
alentours de (aux) (loc. adv.)	(in the) area around	(en los) alrededores de	in der Umgebung von	(在) ……左右	في المناطق المجاورة
alterner (v.)	to alternate	alternar	abwechseln	转换	تناوب/يتناوب
AMAP (n. sing./fém.)	Association for the preservation of smallholdings	Asociación para la conservación de la agricultura campesina	CSA (SoLaWi)	AMAP	منظمة الزراعة الريفية
amateurs (n. pl./masc.)	amateurs, enthusiasts	aficionados	Liebhaber	爱好者	هوّاة
ambiance (n. sing./masc.)	ambiance, atmosphere	ambiente	Umgebung (die)	氛围	جو
améliorer (v.)	to improve	mejorar	verbessern	完善	حسّن/يحسن
amitié (n. sing./fém.)	friendship	amistad	Freundschaft (die)	友谊	صداقة
appareil électronique (n. sing./masc.)	electronic device	aparato electrónico	Elektrogerät (das)	电器	جهاز إلكتروني
appartement (n. sing./ masc.)	apartment, flat	apartamento/piso	Wohnung (die)	公寓	شقة
appartenir (v.)	to belong	pertenecer	gehören	归属	انتمى/ينتمي
appeler quelqu'un par son prénom (v.)	to call someone by his/her first name	llamar a alguien por su nombre de pila	jemanden mit seinem Vornamen anreden	直呼某人名	مناداة شخص باسمه الأول
applaudir (v.)	to applaud, to clap	aplaudir	Beifall spenden	鼓掌	صفّق/يصفق
applaudissements (n. pl./ masc.)	applause	aplausos	Beifall (der)	鼓掌	تصفيقات
application (n. sing./fém.)	application	aplicación	Anwendung	应用程序	تطبيق
apprécier (v.)	to appreciate, to like	apreciar	beurteilen/schätzen	欣赏	قدّر/يقدّر

Lexique

MOT	ANGLAIS	ESPAGNOL	ALLEMAND	MANDARIN	ARABE
apprenti (n. sing./masc.)	apprentice	aprendiz	Lehrling (der)	见习生	متدرب
approuver (un choix) (v.)	to approve (a choice)	aprobar (una elección)	(eine Wahl) gutheißen	赞成（选择）	وافق (على اختيار)
aptitude (n. sing./fém.)	aptitude	aptitud	Fähigkeit (die), Eignung (die)	才干	مؤهَّل
argent (n. sing./masc.)	money	dinero	Geld (das)	货币	نقود
argentin (adj. sing./masc.)	Argentinian	argentino	argentinisch	阿根廷	أرجنتيني
armoire (n. sing./masc.)	wardrobe, cabinet	armario	Schrank (der)	衣柜	خزانة
arrestation (n. sing./masc.)	arrest	arresto	Verhaftung (die)	逮捕	إلقاء القبض
art de la scène (n. pl./fém.)	performing arts	artes escénicas	Bühnenkunst (die)	舞台艺术	فن الركح
artisan (n. sing./masc.)	artisan	artesano	Handwerker (der)	工匠	حرفيّ
aspirateur (n. sing./masc.)	vacuum cleaner	aspirador	Staubsauger (der)	吸尘器	مكنسة كهربائية
assistant (budgétaire et comptable) (n. sing./masc.)	assistant (budgeting and accounting)	asistente (presupuestario y contable)	Assistent (Budget und Buchhaltung)	（预算和会计）助理	مساعد (موازنة ومحاسب)
assister (v.)	to assist	asistir	teilnehmen/beiwohnen	帮助	ساعد/يساعد
assister à un concert (v.)	to attend a concert	asistir a un concierto	ein Konzert besuchen	听音乐会	حضور حفل موسيقي
astuce (n. sing./masc.)	tip, hint	truco	Trick (der)	窍门	حيلة ذكية
atout (n. sing./masc.)	asset, advantage	ventaja	Trumpf, Vorteil (der)	优势	ميزة
attaquer (v.)	to attack	abordar/atacar	angreifen	攻击	هاجم/يهاجم
attendre (v.)	to wait for	esperar	warten	等待	انتظر/ينتظر
attentive (adj. sing./masc.)	attentive	atento	aufmerksam	专心	منتبه(ة)
attestation (n. sing./masc.)	certificate, proof	certificado	Bescheinigung (die)	证明	شهادة
attirer (v.)	to attract	atraer	anziehen	吸引	جذب/يجذب انتباه
attirer l'attention sur (v.)	to draw attention to	atraer la atención sobre	aufmerksam machen auf	吸引注意于	لفت الانتباه إلى
attribution d'un prix (n. sing./fém.)	prize-giving	asignación de un precio	Verleihung eines Preises	颁奖	تقديم جائزة
atypique (adj. sing./masc.)	atypical	atípico	untypisch/ungewöhnlich	非典型	غير قياسي
au milieu de (loc. prép.)	in the middle of	en medio de	in/inmitten	在……中间	في وسط
au-dessous de (loc. prép.)	below	por debajo de	unter/unterhalb	在……之下	تحت
auberge (n. sing./masc.)	inn, hostel	albergue	Herberge (die)/Hostel (das)/Gasthaus (das)	小旅馆	نُزُل
aubergine (n. sing./fém.)	aubergine	berenjena	Aubergine (die)	茄子	باذنجان
australien (adj. sing./masc.)	Australian	australiano	australisch	澳洲的	أسترالي
authentique (adj. sing./masc.)	authentic, original	auténtico	authentisch/echt	真诚	أصلي(ة)
auto-entrepreneur (n. sing./masc.)	sole trader/freelancer/self-employed person	autónomo	Selbständiger (der)/Freiberufler (der)	自雇	عامل مستقل
autobiographie (n. sing./fém.)	autobiography	autobiografía	Autobiographie (die)	自传	سيرة ذاتية يكتبها صاحبها
autonome (n. sing./masc.)	independent	independiente	autonom	自主	ذاتي
autoriser (v.)	to authorise	autorizar	gestatten/erlauben	准许	ترخيص
autoritaire (adj. sing./masc.)	authoritarian	autoritario	autoritär	专制	متسلط
autorité éducative (n. sing./fém.)	education authority	autoridad educativa	Schulbehörde (die)	教育主管部门	سلطة تعليمية
autrement (loc. adv.)	otherwise	de otra manera	sonst	否则	بطريقة أخرى
avant-première (n. sing./masc.)	preview	preestreno	Vorpremiere (die)	预演	عرض أولي
avantageux (adj. sing./masc.)	advantageous	ventajoso	vorteilhaft/günstig	优势	مميز
avec impatience (loc. adv.)	impatiently	con impaciencia	ungeduldig	急切	بفارغ الصبر
avocat (n. sing./masc.)	lawyer, solicitor	abogado	Rechtsanwalt (der)	牛油果	محامي
avoir accès à (v.)	to have access to	tener acceso a	Zugang haben zu	可连接到	إمكانية الولوج إلى
avoir besoin de (v.)	to need	necesitar	brauchen	需要	احتاج إلى
avoir de la valeur (v.)	to be valuable	tener valor	wertvoll sein	有价值	أن تكون للشيء قيمة
avoir des économies (v.)	to have savings	tener ahorros	Ersparnisse haben	有积蓄	أن تكون للشخص مدخرات

Lexique

MOT	ANGLAIS	ESPAGNOL	ALLEMAND	MANDARIN	ARABE
avoir des responsabilités (v.)	to have responsibilities	tener responsabilidades	Verantwortung haben	有责任感	أن يكون للشخص مسئوليات
avoir du mal (v.)	to have difficulty	doler	Mühe haben (etwas zu tun)	难以	إيجاد صعوبة في
avoir du succès (v.)	to be successful	tener éxito	Erfolg haben	成功	حقق نجاحا
avoir envie de (v.)	to want to	tener ganas de	Lust haben auf	渴望	أن تكون للشخص رغبة في
avoir l'habitude de (v.)	to be accustomed to	tener la costumbre de	die Gewohnheit haben	有……习惯	أن يعتاد الشخص على
avoir l'impression de (v.)	to have the impression that, to feel that	tener la impresión de que	den Eindruck haben	觉得	أن يكون للشخص انطباع ب
avoir l'esprit d'équipe (v.)	to have a team spirit	tener espíritu de equipo	Teamgeist haben	有团队精神	أن يتحلى الشخص بالروح الجماعية
avoir le monopole (v.)	to have a monopoly	tener el monopolio	das Monopol haben	垄断	الاحتكار
avoir le sens des responsabilités (v.)	to have a sense of respon-sibility	tener sentido de la responsabilidad	Verantwortungsbewusst-sein haben	有责任感	أن تكون للشخص روح المسئولية
avoir lieu (v.)	to take place	tener lugar	stattfinden	发生	أن يحدث شيء ما
avoir pour but (v.)	to intend to	tener como fin	als Ziel haben	拥有目的	أن يسعى الشخص إلى
avoir pour objectif (v.)	to aim to	tener como objetivo	zum Ziel haben	拥有目标	أن يكون هدف الشخص هو
avoir raison (v.)	to be right	tener razón	Recht haben	有道理	كان رأيه سديدا
avoir un talent fou (v.)	to be very talented	tener mucho talento	ein ungeheures Talent haben	有卓越的才能	التمتع بموهبة فريدة
avoir une bonne présentation (v.)	to be well presented	tener buena presencia	eine gepflegte Erscheinung haben	表达好	أن يكون مظهر الشخص جيدا
baccalauréat (n. sing./masc.)	baccalaureate	bachillerato	Abitur (das)	中学毕业会考	بكالوريا
baisser le chauffage (v.)	to turn down the heating	bajar la calefacción	die Heizung kleiner stellen	减少采暖	تخفيف حرارة السخان
balades (sonores) (n. pl./masc.)	(soundscape) walks	paseos (sonoros)	Spaziergänge (mit Audioführer)	漫步（声音）	جولة (صوتية)
balayer (v.)	to sweep	barrer	fegen	打扫	كنس/يكنس
banque (n. sing./masc.)	bank	banco	Bank (die)	银行	مصرف
bénéficier (v.)	to benefit	beneficiarse	profitieren von/erhalten	益于	استفاد/يستفيد
bénévolat (n. sing./masc.)	voluntary work	voluntariado	Ehrenamtlichkeit, ehrenamtliche Tätigkeit (die)	志愿服务	تطوّع
bénévole (n. sing./masc.)	volunteer (noun), voluntary (adjective)	voluntario	Freiwilliger/Ehrenamtlicher (der)	自愿	متطوع(ة)
besoin social (n. sing./fém.)	social need	necesidad social	gesellschaftliches Bedürfnis	社会需求	حاجة اجتماعية
besoins (n. pl./fém.)	needs	necesidades	Bedürfnisse	需求	احتياجات
beurre (n. sing./fém.)	butter	mantequilla	Butter (die)	黄油	زبدة
bistrot (n. sing./masc.)	bar, café	bar	Bistro (das)/Kneipe (die)	小酒馆	حانة صغيرة
bobo (adj. sing./masc.)	boho	hípster	Alternativer (der)	小伤	ألم خفيف
boulot (petit) (n. sing./masc.)	a (little) job	trabajo (trabajillo)	Job (der)	（零）工	عمل (بسيط)
bourse d'études (n. sing./fém.)	scholarship	bolsa de estudios	Stipendium	奖学金	منح دراسية
bout du monde (loc. adv.)	end of the world	al otro lado del mundo	am Ende der Welt	世界尽头	نقطة بعيدة في العالم
bricolage (n. sing./masc.)	DIY	bricolaje	Heimwerken (das)	零星修补	ترقيع/عمل مرتجل
bricoleur (n. sing./masc.)	DIY enthusiast	manitas	Heimwerker (der)	爱修修弄弄的人	شخص بارع في التصليح
brocante (n. sing./masc.)	flea market, second-hand shop, junk shop	anticuario	Trödelladen (der)	旧货	سوق الأغراض القديمة
brochure (n. sing./masc.)	brochure	folleto	Broschüre (die)	宣传册	مطوية
brut/net (n. sing./masc.)	gross/net	bruto/neto	brutto/netto	毛/净	خام/صافي
budget (n. sing./masc.)	budget	presupuesto	Budget (das)	预算	موازنة
cabane (n. sing./fém.)	hut, shed	cabaña	Hütte (die)	棚屋	منزل خشبي
café associatif (n. sing./masc.)	community café	café cultural	Vereinscafé (das)/ Treffpunkt (der)	社区咖啡馆	مقهى خاص بالمنظمات

Lexique

MOT	ANGLAIS	ESPAGNOL	ALLEMAND	MANDARIN	ARABE
café de langue (n. sing./masc.)	language café	café con intercambio de idiomas	Sprachcafé	语言咖啡馆	مقهى اللغات
cafetière (n. sing./fém.)	cafetière	cafetera	Kaffeemaschine (die)	咖啡壶	جهاز قهوة
calculer (v.)	to calculate	calcular	berechnen	计算	حسب/يحسب
cambriolage (n. sing./masc.)	burglary	robo con allanamiento	Einbruch (der)	入室盗窃	سرقة
cambrioler (n. sing./masc.)	to burgle	robar con allanamiento	einbrechen	侵入……盗窃	سرق/يسرق
caméra (n. sing./fém.)	camera	cámara	Kamera (die)	摄像头	كاميرا
campagne (de publicité, d'avertissement) (n. sing./fém.)	campaign (publicity, advertising)	campaña (publicitaria, informativa)	Werbekampagne (die)	(广告、警告)活动	حملة (إعلانات، تحذير)
campagne de sensibilisation (n. sing./fém.)	awareness-raising campaign	campaña de sensibilización	Sensibilisierungskampagne	宣传活动	حملة توعية
campus (n. sing./masc.)	campus	campus	Campus (der)	学校	حرم جامعي
canal (n. sing./masc.)	canal	canal	Kanal (der)	渠道	قناة
candidat (n. sing./masc.)	candidate, applicant	candidato	Bewerber(in) (der/die)	候选人	مترشح
candidature spontanée (n. sing./masc.)	unsolicited application	candidatura espontánea	Spontanbewerbung (die)	自荐求职	طلب حر
canyoning (n. sing./masc.)	canyoning	barranquismo	Canyoning	溪降	رياضة الكانيونينج
capacité (de travail/d'organisation) (n. sing./fém.)	capacity (for work/organisation)	capacidad (de trabajo/de organización)	(Arbeits-/Organisations-) Vermögen	(工作/组织) 能力	القدرة على (العمل/التنظيم)
capitaine de police (n. sing./masc.)	police chief	capitán de policía	Polizeihauptkommissar (der)	警察队长	قائد شرطة
carrière littéraire (n. sing./fém.)	literary career	carrera literaria	literarische Karriere (die)	文学生涯	مسيرة أدبية
cartonner (v.)	to do extremely well	triunfar	großen Erfolg haben	闹事	برَع/يبرع
catastrophe (n. sing./fém.)	catastrophe	catástrofe	Katastrophe (die)	灾难	كارثة
cause (n. sing./fém.)	cause	causa	Ursache (die)/Grund (der)	原因	قضية
CDD/CDI (n. sing./masc.)	fixed-term contract/permanent contract	contrato temporal/contrato indefinido	Befristeter Arbeitsvertrag/ Unbefristeter Arbeitsvertrag	固定期限合同/长期合同 (CDD/CDI)	عقد عمل مؤقت/ عقد عمل دائم
célébration (n. sing./fém.)	celebration	celebración	Feier (die)	庆祝	احتفال
célébrer (v.)	to celebrate	celebrar	feiern	庆祝	احتفل/يحتفل
centilitre (n. sing./masc.)	centilitre	centilitro	Zentiliter (der)	厘升	سنتيلتر
centimètre (n. sing./masc.)	centimetre	centímetro	Zentimeter (der)	厘米	سنتيمتر
centre d'accueil (n. sing./masc.)	reception centre	centro de acogida	Heim (das) Betreuungszentrum (das)	接待中心	مركز استقبال
centre universitaire (n. sing./masc.)	university centre	centro universitario	Hochschulzentrum (das)	大学	مركز جامعي
cercle polaire (n. sing./masc.)	polar circle	círculo polar	Polarkreis (der)	极圈	دائرة قطبية
chaise (longue) (n. sing./fém.)	sun lounger	silla (tumbona)	Stuhl (der)/Liegestuhl (der)	长椅	كرسي (طويل)
chaise (n. sing./fém.)	chair	silla	Stuhl (der)	椅子	كرسي
chaleur (n. sing./masc.)	heat, warmth	calor	Hitze (die)	热度	سخونة
chambre individuelle (n. sing./fém.)	single room	habitación individual	Einzelzimmer (das)	私人卧室	غرفة فردية
chambre simple/double (n. sing./fém.)	single/double room	habitación individual/doble	Einzel-/Doppelzimmer (das)	单/双人间	غرفة فردية / مزدوجة
changement d'heure (n. sing./masc.)	change of hour	cambio horario	Zeitumstellung (die)	更改时间	تغيير التوقيت
changer d'avis (v.)	to change one's mind	cambiar de opinión	seine Meinung ändern	改主意	غيّر رأيه
chantiers (gros) (n. pl./fém.)	(big) construction sites	(grandes) obras	(große) Baustellen	(大) 工场	مواقع بناء (ضخمة)
chapeau / chapô (pour un article) (n. sing./fém.)	lead paragraph (for an article)	entradilla (de un artículo)	Vorspann (der)	(文章) 按语	مقدمة (مقالة)

Lexique

MOT	ANGLAIS	ESPAGNOL	ALLEMAND	MANDARIN	ARABE
char à voile (n. sing./masc.)	sand yachting	vehículo de vela	Strandsegler (der)	沙滩帆车	مركبة شراعية أرضية
chargé de clientèle (n. sing./masc.)	customer services manager	responsable de atención al cliente	Kundenberater(in) (der/die)	客户负责人	مكلف بالعملاء
chargé(e) des relations publiques (n. sing./masc.)	public relations manager	responsable de relaciones públicas	Beauftragte(r) für Öffentlichkeitsarbeit (der/die)	负责公关人	مكلف بالعلاقات العامة
charmer (v.)	to charm	encantar	bezaubern/schmeicheln	诱惑	فتن/يفتن
chauffeur (n. sing./masc.)	driver	conductor	Fahrer (der)	汽车司机	سائق
chef cuisinier (n. sing./masc.)	head chef	chef	Küchenchef (der)	厨师长	كبير الطباخين
chef de projet (n. sing./masc.)	project manager	jefe de proyecto	Projektleiter (der)	项目负责人	رئيس مشروع
chercher un emploi (v.)	to look for a job	buscar trabajo	eine Arbeitsstelle suchen	找工作	البحث عن عمل
chez l'habitant (v.)	with a local family	alojarse en una casa particular	bei einer Gastfamilie	在居民家	عند صاحب المسكن
Chilienne (adj. sing./fém.)	Chilean	chilena	chilenisch	智利人	كرسي شيلي
chorégraphe (n. sing./masc.)	choreographer	coreógrafo	Choreograf (der)	编舞	مصمم رقصات
chouchou (adj. sing./masc.)	favourite	favorito	Liebling (der)	宝贝	شخص مفضل
chouette (adj. sing./masc.)	great, nice	guay	klasse/super/toll	漂亮	رائع
chronique (n. sing./fém.)	column, chronicle	crónica	Chronik (die)	专栏	مزمن
circuit (n. sing./masc.)	circuit, tour	circuito	Rundreise (die)/Strecke (die)	线路	مسار
circuits touristiques (n. pl./masc.)	tourist itineraries	circuitos turísticos	Rundfahrten	旅游线路	جولات سياحية
cirque (n. sing./masc.)	circus	circo	Zirkus (der)	马戏场	سيرك
cité universitaire (n. sing./fém.)	university campus, university halls of residence	ciudad universitaria	Studentenwohnheim (das)	大学城	حي جامعي
citoyen (n. sing./masc.)	citizen	ciudadano	Bürger(in) (der/die)	市民	مواطن
citoyenneté (n. sing./fém.)	citizenship	ciudadanía	Staatsbürgerschaft (die)	公民身份	مواطَنة
classe d'âge (n. sing./fém.)	age group	clase de edad	Altersklasse (die)	年龄层	فئة عمرية
clé (n. sing./fém.)	key	llave	Schlüssel (der)	密码	مفتاح
cliché (n. sing./masc.)	negative (in photography), print	cliché	Abzug (der) Aufnahme (die)	陈腔滥调	كليشيه
clientèle (n. sing./masc.)	clientèle	clientela	Kundschaft (die)	顾客	العملاء
club sportif (n. sing./masc.)	sports club	club deportivo	Sportverein (der)	运动俱乐部	نادي رياضي
coffret cadeau (n. sing./fém.)	gift box	caja regalo	Geschenkbox (die)	礼盒	صندوق هدايا
cohabitation (n. sing./fém.)	cohabitation	convivencia	Zusammenleben (das)	同居	تعايش
colloque (n. sing./masc.)	symposium, discussion	coloquio	Kolloquium (das)	研讨会	منتدى
colocation (n. sing./masc.)	house-share, flat-share	piso compartido	Wohngemeinschaft (die)	合租	تقاسم شقة
colocs (n. pl./masc.)	house-mates, flat-mates	compañeros de piso	Mitbewohner(in) (der/die)	室友	متشاركون في شقة واحدة
combat (n. sing./masc.)	fight, battle	combate	Kampf (der)	战斗	كفاح
comédie (n. sing./fém.)	comedy	comedia	Komödie (die)	喜剧	كوميديا
commander (v.)	to order	dirigir	bestellen	控制	أمر/يأمر
comparé (adj. sing./masc.)	compared	comparado	verglichen	比较	مقارَن
compétence (n. sing./fém.)	skill	competencia	Kompetenz (die)	能力	كفاءة
compétition (n. sing./fém.)	competition	competición	Wettbewerb (der)/ Konkurrenz (die)	竞赛	منافسة
complexe (n. sing./masc.)	complex	complejo	Komplex (der)	复杂	عقدة
compliqué (adj. sing./masc.)	complicated	complicado	kompliziert	复杂	معقَّد
comportement (n. sing./masc.)	behaviour	comportamiento	Verhalten (das)	行为	سلوك
comptabilité (n. sing./fém.)	accountancy	contabilidad	Buchhaltung (die)	会计	محاسبة

Lexique

MOT	ANGLAIS	ESPAGNOL	ALLEMAND	MANDARIN	ARABE
compter (bien) (v.)	to count (correctly)	contar (bien)	(richtig) zählen	(好好) 打算	أن يحسب الشخص (جيدا)
comptoir (n. sing./fém.)	counter	barra	Theke, Tresen	柜台	طاولة (بار)
concevoir (v.)	to devise, to design	concebir	entwerfen	构思	صمم/يصمم
conclure (pour) (v.)	(in) conclusion	(para) concluir	abschließend	(用来) 总结	في الختام
concret (adj. sing./masc.)	concrete	concreto	konkret	具体	ملموس
concurrent (n. sing./masc.)	competitor (noun), rival (adjective); simultaneous	competidor	Wettbewerber(in) (der/die)	对手	منافس
conducteur (n. sing./masc.)	driver	conductor	Fahrer (der)	司机	سائق
conduire (quelqu'un) (v.)	to drive (someone)	conducir (a alguien)	(jemanden) fahren	驾车 (搭载某人)	أوصل/يوصل (شخصا بالمركبة)
conduire à (v.)	to lead to	conducir a	zu etw. führen	导致......	قاد إلى
conflit (n. sing./masc.)	conflict	conflicto	Konflikt (der)	矛盾	صراع
confortable (adj. sing./masc.)	comfortable	cómodo	komfortabel	舒适	مريح
confortablement (adv.)	comfortably	cómodamente	bequem	舒适地	بشكل مريح
congé (jour de) (n. sing./masc.)	(day's) leave	(día) festivo	Urlaubstag (der)	假日	(يوم) إجازة
connaître comme sa poche (v.)	to know like the back of your hand	conocer como la palma de su mano	wie seine Westentasche kennen	熟门熟路	معرفة شيء أو شخص تمام المعرفة
connaître un grand succès (v.)	to be very successful	experimentar un gran éxito	viel Erfolg haben	大获成功	تحقيق نجاح باهر
connecté (adj. sing./masc.)	online	conectado	verbunden	连接	متّصل
conquérir (v.)	to conquer, to win	conquistar	erobern	征服	غزا/يغزو
consacrer (v.)	to devote	dedicar	widmen/aufwenden	致力	كرّس/يكرس
conseil de quartier (n. sing./masc.)	neighbourhood council	concejo municipal	Gemeinderat (der)	议会	مجلس الحي
conseiller de quartier (n. sing./masc.)	neighbourhood councillor	consejero municipal	Gemeinderat (der)	议员	مستشار الحي
conserver (v.)	to keep, to preserve	conservar	aufbewahren/erhalten	保存	احتفظ/يحتفظ
considérablement (adv.)	considerably	considerablemente	beträchtlich	大量地	بصورة هائلة
consigne de sécurité (n. sing./fém.)	safety instructions	consigna de seguridad	Sicherheitshinweis (der)	验证码	تعليمات السلامة
consommateur (n. sing./masc.)	consumer	consumidor	Verbraucher(in) (der/die)	消费者	مستهلك
constater (v.)	to note, to observe	constatar	feststellen	验证	لاحظ/يلاحظ
construire (v.)	to build, to construct	construir	errichten/bauen	建造	بنى/يبني
consulat (n. sing./masc.)	consulate	consulado	Konsulat (das)	领事馆	قنصلية
consulter (v.)	to consult	consultar	konsultieren	查阅	استشار/يستشير
contacter (v.)	to contact	ponerse en contacto	kontaktieren	联系	اتصل/يتصل
contemporain (adj. sing./masc.)	contemporary	contemporáneo	zeitgenössisch	当代	معاصر
contenir (v.)	to contain	contener	enthalten	包括	احتوى/يحتوي
contraintes (n. pl./fém.)	constraints	limitaciones	Einschränkungen/Zwänge	限制	عوائق
contrat d'apprentissage (n. sing./masc.)	apprenticeship contract	contrato de formación	Lehrvertrag (der)	见习合同	عقد تدريبي
contribuer (v.)	to contribute	contribuir	beitragen	贡献	ساهم/يساهم
contrôle (n. sing./masc.)	check, inspection	control	Kontrolle (die)	控制	مراقبة
convaincre (v.)	to convince	convencer	überzeugen	说服他人	أقنع/يقنع
coopération internationale (n. sing./fém.)	international cooperation	cooperación internacional	internationale Zusammenarbeit (die)	国际合作	تعاون دولي
coordinateur (n. sing./masc.)	coordinator	coordinador	Koordinator (der)	协调人	منسّق
corail (n. sing./masc.)	coral	coral	Koralle (die)	珊瑚	مرجان
correspondant (n. sing./masc.)	correspondent	corresponsal	Korrespondent(in) (der/die)	联络人	مراسل

Lexique

MOT	ANGLAIS	ESPAGNOL	ALLEMAND	MANDARIN	ARABE
correspondre (v.)	to correspond	corresponder	entsprechen	符合	طابق/يطابق
cosmétique (n. sing./masc.)	cosmetic (adjective), beauty product (noun)	cosmético	Kosmetik (die)	化妆品	مواد تجميل
couleur de peau (n. sing./ masc.)	skin colour	color de piel	Hautfarbe (die)	肤色	لون البشرة
couper (en morceaux) (v.)	to dice	cortar en trocitos	(in Stücke) schneiden	切 (块)	جزّأ (إلى قطع)
couramment (loc. adv.)	fluently	con fluidez	fließend	流利地	بسلاسة
courgette (n. sing./masc.)	courgette	calabacín	Zucchini (die)	西葫芦	قرع
courir (v.)	run	correr	rennen	跑	جرى/يجري
courrier des lecteurs (n. pl./fém.)	correspondence column	cartas de los lectores	Leserbrief (der)	读者来信	بريد القرّاء
coutume (n. sing./fém.)	costume	costumbre	Gewohnheit (die)/ Brauch (der)	习惯	عادة
covoiturage (v.)	car-sharing	compartir coche	Fahrgemeinschaft (die)	拼车	تشارك الركوب
crabe (n. sing./masc.)	crab	cangrejo	Krabbe (die)	螃蟹	سرطان البحر
crayon à papier (n. sing./ masc.)	lead pencil	lápiz	Bleistift (der)	纸铅笔	قلم ورق
créateur (n. sing./masc.)	creator (noun), creative (adjective)	creador	Kreateur (der)/ Schöpfer (der)	创造者	مبتكر
créatif (adj. sing./masc.)	creative	creativo	kreativ	创造性的	مبدع
création d'entreprise (n. sing./fém.)	business creation	creación de una empresa	Unternehmensgründung (die)	创建公司	إنشاء شركة
crédit universitaire (n. sing./masc.)	university credit	crédito universitario	Credit Point	大学教育	قرض جامعي
crème (n. sing./fém.)	cream	crema	Creme (die)	奶油	كريم
crêpe (n. sing./fém.)	crêpe, pancake	crep	Crêpe (die)	可丽饼	كريب
critique (la) (n. sing./fém.)	criticism	crítica	Kritik (die)	(一个) 批评	نقد
critiquer (v.)	to criticise	criticar	kritisieren	批评	انتقد/ينتقد
croire (v.)	to believe	creer	glauben	相信	اعتقد/يعتقد
cuillère / cuiller (à soupe) (n. sing./fém.)	spoon/(soup) spoon	cucharada (sopera)	Löffel/Esslöffel/ Suppenlöffel (der)	(汤) 勺	ملعقة / استخدام ملعقة (كبيرة)
cursus (n. sing./masc.)	curriculum, course	plan de estudios	Studiengang (der)	履历	برنامج دراسي
CV à Curriculum Vitae (n. sing./masc.)	CV, Curriculum Vitae	CV/ Currículum Vitae	Lebenslauf (der)	CV个人简历	سيرة ذاتية
dangereux (adj. sing./ masc.)	dangerous	peligroso	gefährlich	危险	خطير
danois (adj. sing./masc.)	Danish	danés	dänisch	丹麦语	دانماركي
davantage (adv.)	more	más	mehr	更多	أكثر
débat (n. sing./masc.)	debate	debate	Debatte (die)	争论	نقاش
déception (n. sing./fém.)	disappointment	decepción	Enttäuschung (die)	沮丧	خيبة أمل
décevoir (v.)	to disappoint	decepcionar	enttäuschen	辜负	خيّب/يخيب
décision (n. sing./fém.)	decision	decisión	Entscheidung (die)	决定	قرار
décorer (v.)	to decorate	decorar	dekorieren	装饰	زيّن/يزيّن
découper (v.)	to chop	cortar	zerschneiden/aufschneiden	切开	قطّع/يقطّع
défaut (n. sing./masc.)	defect	defecto	Fehler, Defekt (der)	缺席	عيب/عطب
défendre (une cause) (v.)	to defend (a cause)	defender (una causa)	sich für eine Sache einsetzen	(为一件诉讼案) 辩护	دافع عن (قضية)
défendre (v.)	to defend, to forbid	defender	verteidigen	防御	دافع/يدافع
dégustation (n. sing./fém.)	tasting	degustación	Verkostung (die)	品鉴	تذوّق
déguster (v.)	to taste	degustar	probieren/genießen	品尝	تذوّق/يتذوّق
demande d'inscription (n. sing./fém.)	application	solicitud de matriculación	Einschreibeantrag (der)	学校申请	طلب تسجيل
démarche (n. sing./masc.)	approach, procedure	trámite	Schritt/Entwicklung/Gang	步骤	خطوة
démarche administrative (n. sing./masc.)	administrative procedure	trámite administrativo	Verwaltungshandlung (die)	管理办法	إجراءات إدارية
déménager (v.)	to move house	mudarse	umziehen	搬家	تغيير سكن

Lexique

MOT	ANGLAIS	ESPAGNOL	ALLEMAND	MANDARIN	ARABE
demi-pension (n. sing./fém.)	half-board	media pensión	Halbpension	半包食宿	نصف داخلي (إقامة مع وجبات محددة)
dépasser (v.)	overtake/exceed	sobrepasar	überholen	超出	تجاوز/يتجاوز
dépaysement (v.)	Change of scenery, feeling of disorientation	cambiar de aires/ desconectar	Abwechslung (die)	不自在	اغتراب
dépendance (n. sing./fém.)	dependence	dependencia	Abhängigkeit (die)	从属关系	إدمان
dépendant (adj. sing./masc.)	dependent	dependiente	abhängig	依靠的	مدمن
dépendre (v.)	to depend	depender	von etw. abhängen	依靠	توقف على/يتوقف على
dépenser (v.)	to spend	gastar	ausgeben	消耗	أنفق/ينفق
dépenses communes (n. pl./masc.)	joint expenses	gastos comunes	gemeinsame Ausgaben	共同花销	مصاريف مشتركة
député (n. sing./masc.)	MP, deputy	diputado	Abgeordneter (der)	代表	نائب (برلمان)
désaccord (n. sing./masc.)	disagreement	desacuerdo	Unstimmigkeit (die)	反对	خلاف
descente (n. sing./masc.)	descent	descenso	Abfahrt (die)	下降	منحدر
désormais (loc. adv.)	from now on, henceforth	de ahora en adelante	von jetzt an/nunmehr	从此	من الآن فصاعدا
dessinateur (n. sing./masc.)	designer	dibujante	Zeichner (der)	画家	رسّام
dessiner (v.)	to draw, to design	dibujar	zeichnen	绘制	رسم/يرسم
détente (n. sing./fém.)	relaxation	relax	Entspannung (die)	放松	استراحة
déterminer (v.)	to determine	determinar	bestimmen	使下决心	حدد/يحدد
deuxièmement (loc. adv.)	secondly	en segundo lugar	zweitens	第二	ثانياً
dictionnaire (n. sing./masc.)	dictionary	diccionario	Wörterbuch (das)	字典	قاموس
différence culturelle (n. sing./fém.)	cultural difference	diferencia cultural	kultureller Unterschied (der)	文化差异	فارق ثقافي
difficulté psychologique (n. sing./masc.)	psychological difficulty	problema psicológico	psychologische Schwierigkeit (die)	心理障碍	صعوبة نفسية
diffuser (v.)	to circulate, to distribute	difundir	ausstrahlen/verbreiten	扩散	نشر/ينشر
diminuer (v.)	to diminish, to reduce	disminuir	verringern	减弱	قلّص/يقلّص
diplomate (n. sing./masc.)	diplomat	diplomático	Diplomat (der)	外交家	دبلوماسي(ة)
directeur adjoint (n. sing./masc.)	deputy director	director adjunto	stellvertretender Direktor (der)	副总经理	مساعد المدير
diriger (v.)	to manage	dirigir	leiten	指导	قاد/يقود
discipliné (adj. sing./masc.)	disciplined	disciplinado	diszipliniert	遵守纪律	منضبط
discothèque (n. sing./fém.)	discotheque	discoteca	Diskothek (die)	歌舞厅	مرقص
discours (n. sing./masc.)	speech	discurso	Rede (die)	对话	خطاب
discrimination (n. sing./masc.)	discrimination	discriminación	Diskriminierung (die)	歧视	تمييز
discuter (v.)	to chat	hablar	diskutieren	谈论	ناقش/يناقش
disparaître (v.)	to disappear	desaparecer	verschwinden	消失	اختفى/يختفي
disparition (n. sing./fém.)	disappearance	desaparición	Verschwinden (das)	消失	اختفاء
disponibilités (n. sing./fém.)	availability	disponibilidad	freie Zimmer	可用性	الغرف المتاحة
diversité (n. sing./fém.)	diversity	diversidad	Vielfalt (die)	多样性	تنوع
diversité culturelle (n. sing./fém.)	cultural diversity	diversidad cultural	kulturelle Vielfalt (die)	文化多样性	تنوع ثقافي
doctorat (n. sing./masc.)	doctorate	doctorado	Promotion (die)	博士	دكتوراه
domaine (n. sing./masc.)	field, area	dominio	Bereich (der)	领域	مجال
donner de son temps (v.)	to give one's time	conceder tiempo	Zeit aufwenden	付出时间	منح من وقته
donner des nouvelles (v.)	to give news	dar noticias	Neuigkeiten mitteilen	宣布消息	أن يتحدث الشخص عن جديده
donner envie (v.)	to make someone want	dar ganas	Lust machen	让人盼望	منح الرغبة في
donner envie de (v.)	to make one want to	dar ganas de	Lust machen	让人盼望	منح الرغبة في
donner son accord (v.)	to give one's agreement	dar su aprobación	einwilligen	表示同意	أعطى موافقته
donner une instruction (v.)	to give an instruction	dar una instrucción	eine Anweisung geben	介绍	تقديم تعليمة
dorer (v.)	to brown	dorar	knusprig braun braten	使金黄	تحمير الطعام

Lexique

MOT	ANGLAIS	ESPAGNOL	ALLEMAND	MANDARIN	ARABE
dossier (n. sing./masc.)	file	expediente	Akte (die)	文档	ملف
dramatique (adj. sing./ masc.)	dramatic	dramático	dramatisch	戏剧性	دراماتيكي
drame (n. sing./masc.)	drama	drama	Drama (das)	戏剧	مأساة
draps (n. pl./fém.)	sheets	sábanas	Bettwäsche (die)	呢绒	أفرشة وأغطية
droit (n. sing./masc.)	right	derecho	Recht (das)	右侧	حق
drôle (adj. sing./masc.)	funny	divertido	lustig	可笑	مضحك
eau de toilette (n. sing./ fém.)	eau de toilette	colonia	Eau de Toilette (das)	淡香水	ماء تواليت
échange interculturel (n. sing./masc.)	cross-cultural exchange	intercambio intercultural	interkultureller Austausch (der)	跨文化交流	تبادل ثقافي
échange linguistique (n. sing./masc.)	language exchange	intercambio lingüístico	Sprachaustausch (der)	语言交换	تبادل لغوي
éclairer (v.)	to light	aclarar	erhellen	照明	وضح/يوضح
école primaire (n. sing./ fém.)	primary school	escuela primaria	Grundschule (die)	小学	مدرسة ابتدائية
économie d'énergie (n. sing./masc.)	energy saving	ahorro energético	Energieersparnis (die)	能源节约	اقتصاد الطاقة
écran de publicité (n. sing./fém.)	advertising slot	pantalla publicitaria	Reklame-Bildschirm (der)	广告荧幕	شاشة إعلانية
écran plat (n. sing./fém.)	flat screen	pantalla plana	Flachbildschirm (der)	平板电视	شاشة مسطحة
éditeur (n. sing./masc.)	publisher, editor	editor	Verleger (der)	编辑	ناشر
éduquer (v.)	to educate	educar	erziehen	教育	ربّى/يربي
effectuer (v.)	to carry out, to perform	efectuar	ausführen	实行	القيام ب
égal (adj. Sing/inv.)	equal	igual	gleich	平等	مساوي
également (adv.)	also	igualmente	gleich/ebenfalls	同等地	أيضاً
égoïsme (n. sing./masc.)	egoism	egoísmo	Egoismus (der)	自私	أنانية
élargir (son réseau) (v.)	to extend (one's network)	ampliar (su red)	(sein Netzwerk) erweitern	扩大（网络）	وسّع (شبكة علاقاته)
électricité (n. sing./fém.)	electricity	electricidad	Strom (der)	电	كهرباء
électroménager (n. sing./ masc.)	household electrical (adjective)	electrodoméstico	Elektrohaushaltsgerät (das)	家用电器	جهاز منزلي
élevé (adj. sing./masc.)	high	elevado	erzogen	高	مرتفع
embouteillage (n. sing./ masc.)	traffic jam	atasco	Stau (der)	堵车	ازدحام مروري
émission culturelle (n. sing./masc.)	cultural programme	programa cultural	Kultursendung (die)	文化传播	حصة ثقافية
employeur (n. sing./masc.)	employer	empleador	Arbeitgeber (der)	雇主	صاحب العمل
emporter (v.)	to take away	llevar	mitnehmen	带走	أخذ معه
en bas (tout) (loc. prép.)	(right) at the bottom	abajo (del todo)	(ganz) unten	（全）在底部	في الأسفل (تماما)
en partie (loc. adv.)	partly	en parte	teilweise	部分地	جزئياً
en permanence (avoir quelque chose) (v.)	(to have something) at all times	(tener algo) en permanencia	(etwas) ständig haben	永久（持有某物）	(أن يكون للشخص شيئا على الدوام)
encourageant (adj. sing./ masc.)	encouraging	alentador	ermutigend	鼓励	مشجع
encourager (v.)	to encourage	alentar	ermutigen	鼓励	شجع/يشجع
énergie (n. sing./fém.)	energy	energía	Energie (die)	能源	طاقة
énergique (adj. sing./ masc.)	energetic	enérgico	energisch	精力充沛	نشط
enfance (n. sing./fém.)	childhood	infancia	Kindheit (die)	童年	طفولة
énormément (adv.)	enormously	enormemente	enorm	极大地	كثيرا
enquête de voisinage (n. sing./fém.)	local neighbourhood survey	investigación en el vecindario	Nachforschung in der Nachbarschaft	邻里调查	استقصاء جواري
enquêter (v.)	to investigate	investigar	eine Umfrage/Untersuchung durchführen	调研	تحرّى/يتحرّى
enthousiasme (n. sing./ masc.)	enthusiasm	entusiasmo	Begeisterung (die)	热忱	حماسة

Lexique

MOT	ANGLAIS	ESPAGNOL	ALLEMAND	MANDARIN	ARABE
entièrement (adv.)	wholly, entirely	totalmente	ganz	完全地	تماماً
entretien (n. sing./fém.)	interview	entrevista	Gespräch (das)	维护	مقابلة
environnement (n. sing./masc.)	environment	medioambiente	Umwelt (die)	环境	بيئة
épisode (n. sing./masc.)	episode	episodio	Folge/Episode (die)	一集	حلقة
épluchage (adj. sing./mac.)	peeling	pelado	Schälen (das)	挑拣	تقشير
éplucher (v.)	to peel	pelar	schälen	挑拣	قشّر/يقشّر
époque (à l') (adv.)	(at the) time	entonces	damals	在……时期	حينئذ
équilibre (n. sing./masc.)	balance	equilibrio	Gleichgewicht (das)	平衡	توازن
équipement (n. sing./masc.)	equipment	equipamiento	Ausstattung (die)	设备	تجهيز
équiper (v.)	to equip	equipar	ausrüsten	配备	جهّز/يجهّز
escalade (n. sing./fém.)	climbing	escalada	Klettern (das)	攀岩	التسلق
escalope de dinde (n. sing./masc.)	turkey escalope	filete de pavo	Putenschnitzel (das)	火鸡片	اسكلوب الديك الرومي
espoir (n. sing./fém.)	hope	esperanza	Hoffnung (die)	希望	أمل
essuyer (v.)	to wipe, to dry (dishes)	secar	abtrocknen	擦拭	مسح/يسمح
établissement (n. sing./masc.)	establishment, institution	establecimiento	Institut (das)/Einrichtung (die)/Niederlassung (die)	机构	مؤسسة
état civil (n. sing./masc.)	civil status	estado civil	Familienstand (der)	身份、户籍、婚姻状况	حالة مدنية
état d'esprit (n. sing./masc.)	state of mind	estado de ánimo	Geisteshaltung (die)	精神状态	الحالة الذهنية
éteindre (v.)	to switch off	apagar	ausschalten/abdrehen	关闭	أطفئ/يطفئ
étonnant (adj. sing./masc.)	astonishing	increíble	erstaunlich	令人惊叹	مذهل
étonnement (avec) (loc. adv.)	(with) astonishment	(con) sorpresa	(mit) Verwunderung	（带着）震惊	(بـ) اندهاش
être à l'heure (v.)	to be on time	ser puntual	pünktlich sein	准时	أن يصل الشخص في الوقت
être à la recherche d'un emploi/d'un travail (v.)	to be looking for a job/ for work	estar buscando empleo/ trabajo	auf Stellensuche/Arbeits-suche sein	正在寻找职位/工作	البحث عن عمل
être accro à (loc. adj./masc.)	to be addicted to	estar enganchado a	süchtig sein nach	沉迷于	أن يكون الشخص مدمنا على
être affecté (au protocole) (loc. adj.)	to be assigned (to a protocol)	estar destinado (al protocolo)	zugewiesen sein (für das Protokoll)	被影响（议定书）	أن يكون الشخص معينا (بالبروتوكول)
être animé (loc. adj.)	to be presented, to be hosted, to be motivated	estar animado	belebt sein	被鼓舞的	أن يكون الشخص مفعماً بالنشاط
être au même niveau (que) (v.)	to be at the same level (as)	estar al mismo nivel (que)	auf demselben Niveau sein (wie)	（与……）同等	في نفس المستوى (مقارنة ب)
être autorisé (à) (loc. adj./masc.)	to be authorised (to)	estar autorizado (a)	dürfen/befugt sein (zu)	被准许（做……）	مرخصاً له ب
être blessé (loc. adj./masc.)	to be injured	estar herido	verletzt sein	受伤	أن يتعرض الشخص لإصابة
être chargé de (v.)	to be responsible for, to be in charge of	ser responsable de	beauftragt sein mit	负责	أن يكون الشخص مكلفا ب
être conscient de (loc. adj./masc.)	to be aware of	ser consciente de	sich bewusst sein, dass	知道	أن يكون الشخص واعياً ب
être d'accord (v.)	to agree	estar de acuerdo	einverstanden sein	同意	أن يكون الشخص موافقا
être d'un autre avis (v.)	to hold a different opinion	tener otra opinión	eine andere Meinung haben	持不同观点	أن يكون للشخص رأيا آخر
être diffusé (v.)	to be broadcast	ser difundido	ausgestrahlt werden	被散发	منشور
être du même avis (v.)	to be of the same opinion	ser de la misma opinión	derselben Meinung sein	看法相同	أن يشاطر الشخص الرأي
être ému (loc. adj./masc.)	to be moved	estar emocionado	bewegt sein/ergriffen sein	被打动	طغت عليه المشاعر
être en bonne condition physique (loc. adj.)	to be in good physical condition	estar en forma	fit sein	身体好	أن يكون الشخص في لياقة بدنية جيدة

Lexique

MOT	ANGLAIS	ESPAGNOL	ALLEMAND	MANDARIN	ARABE
être en bonne santé (v.)	to be in good health	tener buena salud	gesund sein	身体健康	أن يكون الشخص بصحة جيدة
être en désaccord (v.)	to disagree	estar en desacuerdo	nicht zustimmen	反对	أن يكون للشخص رأيا مختلفا
être en difficulté (v.)	to be in trouble, to be experiencing difficulties	estar en dificultades	übel dran sein/ Schwierigkeiten haben	面临困难	أن يواجه الشخص صعوبةً
être en sécurité (loc. adj./ masc.)	to be safe	estar seguro	in Sicherheit sein	安全	أن يكون الشخص في أمان
être équipé (loc. adj./ masc.)	to be equipped	estar equipado	ausgerüstet sein	配备	أن يكون الشخص مجهزا
être étonné (loc. adj./masc.)	to be astonished	estar sorprendido	erstaunt/verwundert sein	震惊	اندهش
être évacué (loc. adj./ masc.)	to be evacuated	ser evacuado	evakuiert werden	撤离	أن يتم إجلاء الشخص
être fan de (v.)	to be a fan of	ser fan de	Fan sein von	是……的粉丝	معجب ب
être fier (loc. adj./masc.)	to be proud	estar orgulloso	stolz sein	自豪	شخص معتز بنفسه
être inquiet (loc. adj./masc.)	to be worried	estar inquieto	beunruhigt sein	担心	شخص قلق
être nerveux (loc. adj./ masc.)	to be nervous	estar nervioso	nervös sein	紧张	شخص متوتر
être passionné par (le contact) (v.)	to be passionate about	ser un apasionado de (el contacto)	kontaktfreudig sein	热爱（与人交际）	شغوف بـ (التواصل مع الآخرين)
être prêt (loc. adj./masc.)	to be ready	estar listo	bereit sein	准备好	أن يكون الشخص جاهزا
être pris en charge (v.)	to be taken care of, to be dealt with	estar sufragado	betreut werden	负责	أن تحظى بالتكفل
être prudent (loc. adj./ masc.)	to be careful	ser prudente	vorsichtig sein	谨慎	أن يكون الشخص حذرا
être remarqué (v.)	to be noticed	hacerse ver	bemerkt werden	被注意到	شخص مميز
être satisfait (v.)	to be satisfied	estar satisfecho	zufrieden sein	满意	أن يكون الشخص راضياً
évaluation (n. sing./fém.)	assessment	evaluación	Auswertung/Bewertung (die)	评估	تقييم
évasion (n. sing./fém.)	escape	evasión	Auszeit (die)	消遣	ابتعاد
évidemment (adv.)	obviously	evidentemente	selbstverständlich	明显地	طبعاً
évident (adj. sing./masc.)	obvious	evidente	eindeutig	明显	بديهي
évoluer (v.)	to evolve	evolucionar	sich entwickeln/sich verändern	进化	تطور/يتطور
évoquer (v.)	to mention	evocar	erinnern an/schildern/ erwähnen	想起	استحضر/يستحضر
examen (n. sing./masc.)	examination	examen	Prüfung (die)	检查	امتحان
examinateur (n. sing./ masc.)	examiner	examinador	Prüfer (der)	主考人	ممتحِنْ
excessif (adj. sing./masc.)	excessive	excesivo	exzessiv	超过的	مفرط
excitation (n. sing./fém.)	excitement	ilusión/emoción	Aufregung (die)	兴奋	إثارة
exclusion (n. sing./fém.)	exclusion	exclusión	Ausgrenzung (die)	排除	إقصاء
exécuter des tâches (v.)	to carry out tasks	ejecutar tareas	Hausarbeiten ausführen	执行任务	تنفيذ مهام
exil (n. sing./masc.)	exile	exilio	Exil (das)	流亡	منفى
exotique (adj. sing/masc.)	exotic	exótico	exotisch	异国风情	أجنبي
expatrié (adj. sing./masc.)	expatriate, expat	expatriado	Expatriate (der)	国外移民	مغترب
expédition (n. sing./fém.)	expedition	expedición	Expedition (die)	远足	رحلة استكشافية
expérience professionnelle (n. sing./fém.)	professional experience	experiencia profesional	Berufserfahrung	职业经历	خبرة مهنية
expérimenté (adj. sing./ masc.)	experienced	experimentado	erfahren	体验	ذو خبرة
export (v.)	export	exportar	Export (der)	出口	تصدير
exportation (n. sing./fém.)	export, exportation	exportación	Export (der)	出口	تصدير
exposer (v.)	to display, to exhibit, to show	exponer	ausstellen	暴露	عَرَضَ/يعرضُ

Lexique

MOT	ANGLAIS	ESPAGNOL	ALLEMAND	MANDARIN	ARABE
exposition temporaire (n. sing./fém.)	temporary exhibition	exposición temporal	Sonderausstellung (die)	临时展览	معرض مؤقت
exprimer son désaccord (v.)	to express one's disagreement	expresar su desacuerdo	nicht einverstanden sein	表示反对	عبّر عن اعتراضه
exprimer son intérêt (v.)	to express an interest	expresar interés	sein Interesse zum Ausdruck bringen	表现其兴趣	التعبير عن الاهتمام
extrêmement (adv.)	extremely	extremadamente	äußerst	极其	أشد ما يكون
fabrication (n. sing./fém.)	manufacture	fabricación	Herstellung (die)	制造	تصنيع
fabriquer (v.)	to make, to manufacture	fabricar	herstellen	制造	صنع/يصنع
facilement (adv.)	easily	fácilmente	leicht	容易地	بسهولة
facture d'électricité (n. sing./fém.)	electricity bill	factura de electricidad	Stromrechnung (die)	用电账单	فاتورة كهرباء
faire (ré)chauffer (v.)	to (re)heat	(re)calentar	aufwärmen/erwärmen	加热	تسخين مرة ثانية
faire attention (v.)	to pay attention	prestar atención	aufpassen	注意	انتبه إلى
faire bouillir (v.)	to boil	hervir	zum Kochen bringen	煮	غلّى/يغلّي
faire collaborer (v.)	to ensure collaboration	hacer colaborar	mitarbeiten lassen	使合作	جعل الآخرين يتعاونون
faire correspondre (v.)	to correlate	equiparar	anpassen/aufeinander abstimmen	符合	إجراء مطابقة
faire cuire (v.)	to cook	cocer	kochen	烹饪	طهى/يطهو
faire de la compagnie (v.)	to keep company	hacer compañía	jdm Gesellschaft leisten	作伴	مرافقة
faire de la concurrence (v.)	to compete	hacer la competencia	jdm Konkurrenz machen	竞争	المنافسة
faire découvrir (v.)	to present, to introduce	hacer descubrir	vorstellen	使发现	جعل الآخرين يكتشفون
faire des économies (v.)	to make savings	ahorrar	sparen	节约	ادخار المال
faire des efforts (v.)	make an effort	esforzarse	sich bemühen	努力	بذل جهود
faire des plans (v.)	to make plans	hacer planes	Pläne machen	制定计划	التخطيط
faire des tests (v.)	to test	hacer tests	Tests machen	试验	إجراء اختبارات
faire dorer (v.)	to brown	dorar	knusprig braun werden lassen	翻黄	تحمير الطعام
faire l'expérience de (v.)	to experience	experimentar	die Erfahrung machen	体验	تجريب شيء ما
faire la queue (v.)	to queue	hacer cola	anstehen/Schlange stehen	排队	انتظر دوره
faire la vaisselle (v.)	to do the washing up	lavar los platos	Geschirr spülen	洗碗	غسل الأواني
faire le bon geste (v.)	to do the right thing	hacer lo correcto	das Richtige tun	行为良好	القيام بالتصرف الصحيح
faire le buzz (v.)	to create a buzz	correr la voz	Aufsehen erregen	营销造势	أن يكون لشخص صدى هائلا
faire le tour du monde (v.)	to go round the world	dar la vuelta al mundo	eine Weltreise machen	环游世界	القيام بجولة حول العالم
faire nuit (v.)	to be night-time	hacer noche	Nacht sein	天黑	هبوط الليل
faire partie de (v.)	to be part of	formar parte de	gehören zu	属于	عضو في
faire peur (v.)	to frighten	dar miedo/asustar	Angst machen	使害怕	إخافة الآخرين
faire preuve de (rigueur/de bonnes qualités relationnelles/de logique) (v.)	to demonstrate (rigour/good interpersonal skills/logic)	demostrar (rigor/grandes dotes de redacción/de razonamiento)	besitzen (Disziplin/Sozialkompetenz/logisches Analysevermögen)	表现出（严谨性/良好的人际交往能力/逻辑性）	التحلي ب (الصرامة/ العلاقات الجيدة مع الآخرين/المنطق)
faire preuve de qualités humaines (v.)	to show human qualities	demostrar humanidad	menschliche Qualitäten besitzen	表现出人文素质	إبداء صفات إنسانية إيجابية
faire réparer (v.)	to have repaired	llevar a reparar	reparieren lassen	修理	حضّر/يحضر
faire signe (à quelqu'un) (v.)	to wave (to someone)	avisar/saludar (a alguien)	(jdn) herbeiwinken	（对某人）示意	أعطى إشارة (لشخص)
faire un don (v.)	to make a gift	hacer una donación	spenden	捐款	تقديم هبة
faire un effort (v.)	to make an effort	hacer un esfuerzo	sich anstrengen	努力	بذل جهد
faire un planning (v.)	to draw up a schedule	planificar	planen/einen Plan erstellen	制定计划	إنشاء مخطط
faire un stage (v.)	to go on a course	hacer prácticas	ein Praktikum machen	实习	القيام بدورة تدريبية
faire une bonne action (v.)	to do a good deed	hacer una buena acción	etwas Gutes tun	做好事	القيام بعمل خيري

Lexique

MOT	ANGLAIS	ESPAGNOL	ALLEMAND	MANDARIN	ARABE
faire une demande d'inscription (v.)	to apply	hacer una solicitud de matriculación	einen Einschreibeantrag stellen	申请学校	تقديم طلب تسجيل
faire une intervention (v.)	to intervene, to make a speech	hacer una intervención	einen Redebeitrag machen	介入	إجراء عملية
faire une offre (v.)	to make an offer	hacer una oferta	ein Angebot machen	提供	تقديم عرض
faire une randonnée (v.)	to go hiking	hacer una excursión de senderismo	eine Wanderung machen	远足	القيام بجولة (غابة، جبل)
faire une tournée (v.)	to go on tour	hacer una gira	auf Tournee gehen	游览	إجراء جولة فنية
fait d'actualité (n. sing./masc.)	news item	hecho de actualidad	Nachricht (die)	时事	خبر مستجد
fait divers (n. sing./masc.)	miscellaneous news item	suceso	Lokalnachricht (die)	社会新闻	أخبار متنوعة
famille d'accueil (n. sing./fém.)	host family	familia de acogida	Gastfamilie (die)	接待家庭	عائلة مضيفة
fantastique (adj. sing./masc.)	fantastic	fantástico	fantastisch	奇妙	خيالي(ة)
fasciner (v.)	to fascinate	fascinar	faszinieren	使着迷	أبهر/يبهر
féliciter (v.)	to congratulate	felicitar	beglückwünschen	祝贺	هنّأ/يهنّئ
fêtard (adj. sing./masc.)	party-goer	fiestero	Nachtschwärmer (der)	狂欢者	محب للاحتفال
fiction historique (n. sing./fém.)	historical fiction	ficción histórica	Historiendrama (das)	历史小说	خيال تاريخي
financer (v.)	to fund, to finance	financiar	finanzieren	资助	موّل/يموّل
financièrement (adv.)	financially	financieramente	finanziell	财务上	مالياً
finement (adv.)	finely, carefully	finamente	fein	精致地	بشكل دقيق
fixer des règles (v.)	to set rules	establecer reglas	Regeln festlegen	修改规则	إرساء قواعد
fond marin (n. sing./masc.)	seabed	fondo marino	Meeresboden (der)	海底	قاع بحري
fondateur (n. sing./masc.)	founder	fundador	Gründer (der)	创立者	مؤسس
fondation (n. sing./masc.)	foundation	fundación	Stiftung (die)	基础	مؤسسة
fondue (n. sing./fém.)	fondue	fondue	Fondue (das)	干酪火锅	ذائب
footballeur (n. sing./masc.)	footballer	futbolista	Fußballer (der)	足球运动员	لاعب كرة قدم
forcément (adv.)	necessarily	necesariamente/seguramente	zwangsläufig/unbedingt	必然	بالضرورة
formalités administratives (n. pl./fém.)	administrative formalities	trámites administrativos	Verwaltungsformalitäten	行政手续	إجراءات إدارية
formation (n. sing./fém.)	training	formación	Ausbildung (die)/Bildung (die)	教育培训	دورة تدريبية
formation continue (n. sing./fém.)	continuous education	formación continua	Weiterbildung (die)	继续教育	التدريب المتواصل
formidable (adj. sing./masc.)	terrific, great	formidable	großartig/toll	妙极	رائع(ة)
formule (n. sing./fém.)	formula	fórmula	Formel (die)/Angebot (das)	惯用语	صيغة
formuler une critique (v.)	to criticise	expresar una crítica	kritisieren	批评	تقديم انتقاد
fournir (v.)	to provide	facilitar	liefern	提供	وفّر/يوفر
franchement (adv.)	frankly	francamente	klar/deutlich, offen/ehrlich	坦率地	بصراحة
fréquemment (adv.)	frequently	frecuentemente	oft	频繁地	بصورة متكررة
fréquentation (n. sing./fém.)	visits	asistencia	häufiger Besuch/Umgang mit Personen	频率	مخالطة
fréquenter (v.)	to visit often, to frequent	salir con	jmd./etw. (regelmäßig) besuchen/frequentieren	经常造访	خالط/يخالط
fumer (v.)	smoke	fumar	rauchen	吸烟	دخّن/يدخّن
gagner sa vie (v.)	to earn one's living	ganarse la vida	seinen Lebensunterhalt verdienen	赚钱	كسب قوت العيش
gagner un concours (v.)	to win a competition	ganar un concurso	einen Wettbewerb gewinnen	赢得比赛	الفوز بمسابقة
garde (n. sing./fém.)	guard	guardia	Hüter/Wächter (der)	守卫	حراسة
garder des enfants (v.)	to babysit, to provide childcare	cuidar niños	Kinder hüten	看护孩子	رعاية الأطفال
garder un souvenir (v.)	to have memories	conservar un recuerdo	in Erinnerung behalten	留个纪念	الاحتفاظ بذكرى

Lexique

MOT	ANGLAIS	ESPAGNOL	ALLEMAND	MANDARIN	ARABE
gaspiller (v.)	to waste	despilfarrar	verschwenden	浪费	بذّد/يبدّد
gel douche (n. sing./masc.)	shower gel	gel de ducha	Duschgel (das)	沐浴露	جل استحمام
généralement (adv.)	generally	generalmente	allgemein	一般地	بصفة عامة
génération (n. sing./fém.)	generation	generación	Generation (die)	生成	جيل
genre (n. sing./masc.)	genre, type, style	género	Gattung (die)	类型	نوع
géomètre ()	surveyor	geómetra	Geometer (der)	几何学家	مهندس
gérer (v.)	to manage	gestionar	verwalten	处理	أدار/يدير
gîte (n. sing./masc.)	gite, holiday house	albergue	Herberge (die)/Unterkunft (die)	住处	مسكن
glace (n. sing./masc.)	ice	helado	Eis (das)	冰淇淋	جليد
gorille (n. sing./masc.)	gorilla	gorila	Gorilla (der)	保镖	غوريلا
gramme (n. sing./masc.)	gram	gramo	Gramm (das)	克	جرام
grand classique (n. sing./masc.)	great classic	gran clásico	ein großer Klassiker	伟大经典	كلاسيكي عريق
grandir (v.)	to grow	crecer	größer/älter werden	长大	نما/ينمو
graphique (n. sing./masc.)	chart, graph (noun), graphic (adjective)	gráfico	Grafik (die)	图表	رسومي
graphiste (n. sing./masc.)	graphic designer	grafista	Grafiker(in) (der/die)	美工	مختص في الرسوميات
grimpeur (n. sing./masc.)	climber	escalador	Kletterer (der)	攀岩者	متسلق
groupe de réflexion (n. sing./masc.)	think tank, focus group	grupo de reflexión	Arbeitsgruppe (die)	智囊团	مجموعة تفكير
guide créatif (n. sing./masc.)	creative guide	guía creativo	kreativer Führer	创造性导览	مرشد مبدع
hébergement (n. sing./masc.)	accommodation	alojamiento	Unterkunft (die)	住宿	استضافة
héritage (familial et culturel) (n. sing./fém.)	inheritance (family and cultural)	herencia (familiar y cultural)	Erbe (familiäres und kulturelles)	（家庭和文化）遗产	ميراث (عائلي وثقافي)
héroïne (n. sing./fém.)	heroine	heroína	Heldin (die)	女主人公	بطلة
heure d'hiver (n. sing./masc.)	GMT	horario de invierno	Winterzeit	标准时间	ساعة شتوية
heure de pointe (n. sing./fém.)	rush hour	hora punta	Spitzenstunde (die)/ Hauptverkehrszeit (die)	高峰时间	ساعة ذروة
heure supplémentaire (n. sing./fém.)	overtime	hora extra	Überstunde (die)	加班	ساعة إضافية
hip-hop (n. sing./masc.)	hip-hop	hip hop	Hip-Hop (der)	嘻哈	هيب هوب
historique (adj. sing./masc.)	historic, historical	histórico	geschichtlich/historisch	历史的	تاريخي(ة)
hivernal (adj. sing./masc.)	winter (adjective)	invernal	winterlich	冬季的	شتوي
hommage (n. sing./masc.)	tribute	homenaje	Würdigung (die)	敬意	تكريم
honorer (v.)	to honour	cumplir	ehren	尊敬	كرّم/يكرّم
hors du commun (loc. adv.)	out of the ordinary	fuera de lo común	außergewöhnlich	不同寻常	غير مألوف
hors-piste (loc. adv.)	off-trail (hiking), off piste (skiing)	fuera de pista	abseits der Piste	跑道外	خارج المسار
hôtel de ville (n. sing./masc.)	town hall	ayuntamiento	Rathaus (das)	市政厅	مبنى البلدية
huile de douche (orientale) (n. sing./masc.)	shower oil (oriental)	aceite de baño (oriental)	(orientalisches) Duschöl (das)	（东方）浴油	زيت استحمام (مشرقي)
idéal (adj. sing/masc.)	ideal	ideal	ideal	理想的	مثالي
imaginable (adj. sing./inv.)	imaginable	imaginable	vorstellbar	可想象的	يمكن تخيله
imaginaire (adj. sing./masc.)	imaginary	imaginario	imaginär	假想的	خيالي
immédiatement (adv.)	immediately	inmediatamente	sofort	立即	فورا
immense (adj. sing./masc.)	immense, huge	inmenso	enorm/riesig	大量	هائل
immersion (n. sing./fém.)	immersion	inmersión	Eintauchen (das)	浸没	غمر
immeuble (n. sing./masc.)	building	inmueble	Gebäude (das)	楼宇	مبنى
imposé (n. sing./masc.)	imposed, required	impuesto	auferlegt	课税	مفروض

Lexique

MOT	ANGLAIS	ESPAGNOL	ALLEMAND	MANDARIN	ARABE
imposer (v.)	to impose, to order, to demand	imponer	auferlegen	强迫	فرض/يفرض
impressionnant (adj. sing./masc.)	impressive	impresionante	beeindruckend/beträchtlich	令人印象深刻的	مدهش
impressionner (v.)	to impress, to make an impression on	impresionar	beeindrucken	给人以深刻印象	إثارة الإعجاب
imprimer (v.)	to print	imprimir	drucken	打印	طبع/يطبع
inaugurer (v.)	to launch, to inaugurate	inaugurar	einweihen	开创	دشّن/يدشّن
incendie (n. sing./masc.)	fire	incendio	Brand (der)	火灾	حريق
inciter à agir (v.)	to spur into action	mover a la acción	zum Handeln auffordern	采取行动	حفز على القيام بشيء ما
incroyable (adj. sing./inv.)	unbelievable, incredible	increíble	unglaublich	难以置信的	لا يصدق
indispensable (adj. sing./inv.)	indispensable, vital	indispensable	unentbehrlich	必不可少的	لا يستغنى عنه
individualisme (n. sing./masc.)	individualism	individualismo	Individualismus (der)	个人主义	روح فردية
influence (n. sing./fém.)	influence	influencia	Einfluss (der)	影响	تأثير
initiation (n. sing./fém.)	initiation	iniciación	Anfängerkurs (der)	启蒙	تلقين مبادئ أساسية
initiative (n. sing./fém.)	initiative	iniciativa	Initiative (die)	创始	مبادرة
inoubliable (adj. sing./masc.)	unforgettable	inolvidable	unvergesslich	难忘	خالد في الذاكرة
inquiétant (adj. sing./inv.)	worrying	inquietante	beunruhigend	令人担忧	مقلق
insister (v.)	to insist	insistir	betonen	坚持	ألحّ/يلحّ
insolite (adj. sing./masc.)	unusual	insólito	ungewöhnlich	不同寻常	نادر
inspirant (adj. sing./masc.)	inspiring	inspirador	inspirierend	启发性	ملهم
inspiration (n. sing./fém.)	inspiration	inspiración	Inspiration (die)	灵感	إلهام
inspirer (v.)	to inspire	inspirar	anregen	启发	ألهم/يلهم
installer (v.)	to install	instalar	einrichten, niederlassen	安置	نصّب/ينصّب
intégrer (v.)	to include	integrar	einfügen/integrieren	融入	اندمج/يندمج
intelligence (n. sing./fém.)	intelligence	inteligencia	Intelligenz (die)	聪明	ذكاء
intense (adj. sing./masc.)	intense	intenso	intensiv	激烈	شديد
intention (n. sing./fém.)	intention	intención	Absicht (die)	意图	قصد
interactif (adj. sing./masc.)	interactive	interactivo	interaktiv	交互	تفاعلي
interdire (v.)	to forbid, to prohibit	prohibir	verbieten	禁止	حظر/يحظر
intermédiaire (n. sing./masc.)	intermediary	intermediario	Vermittler (der)	中级	وسيط
internat (n. sing./masc.)	boarding school, internship	internado	Internat (das)	寄宿	نظام داخلي
interprétation (n. sing./fém.)	interpreting	interpretación	Dolmetschen (das)	口译	ترجمة فورية
intervention (n. sing./fém.)	intervention	intervención	Eingreifen (das)/Redebeitrag (der)	介入	تدخّل
inventer (v.)	to invent	inventar	erfinden	创造	اخترع/يخترع
investir (v.)	to invest	invertir	investieren	投资	استثمر/يستثمر
invité d'honneur (n. sing./fém.)	guest of honour	invitado de honor	Ehrengast (der)	荣誉嘉宾	ضيف شرف
itinéraire (n. sing./masc.)	itinerary	itinerario	Strecke (die)/Route (die)	路线	خط سير
jeter (v.)	to throw away	tirar	wegwerfen	投掷	رمى/يرمي
jeu vidéo (n. sing./masc.)	video game	videojuego	Videospiel (das)	电子游戏	ألعاب فيديو
jeunesse (n. sing./fém.)	youth	juventud	Jugend (die)	青春	شباب
job (n. sing./masc.)	job	trabajo	Job (der)	工作	عمل
jouer un rôle (v.)	to play a role	representar un papel	eine Rolle spielen	扮演角色	لعب دور
jouet (n. sing./masc.)	toy	juguete	Spielzeug (das)	玩具	لعبة
kiosque à musique (n. sing./masc.)	bandstand	templete	Musikpavillon (der)	音乐台	كيوسك الموسيقى (هيكل موجود في الحدائق مثلا)
la retraite (n. sing./fém.)	retirement	la jubilación	Rente (die)	退休	التقاعد

Lexique

MOT	ANGLAIS	ESPAGNOL	ALLEMAND	MANDARIN	ARABE
lagon (n. sing./fém.)	lagoon	laguna	Lagune (die)	泻湖	بحيرة
laisser (v.)	to leave	dejar	lassen	让	ترك/يترك
lait parfumé (n. sing./fém.)	scented lotion	loción perfumada	Parfümierte Körpermilch (die)	奶香	حليب معطر
lancer un appel (v.)	to launch an appeal	hacer un llamamiento	aufrufen	呼吁	أطلق نداءً
lancer un défi (v.)	to issue a challenge	lanzar un reto	herausfordern	挑战	أطلق تحدياً
langue natale (n. sing./fém.)	native language	lengua materna	Muttersprache (die)	母语	اللغة الأم
largement (adv.)	broadly	ampliamente	weit/reichlich	大大地	بشكل واسع
lauréat (adj. sing./masc.)	laureate, prizewinner	galardonado	Preisträger (der)	获奖者	فائز
laver (v.)	to wash	lavar	waschen	清洗	غسل/يغسل
légèrement (adv.)	lightly	ligeramente	leicht	轻地	قليلاً
lettre de motivation (n. sing./fém.)	letter of motivation	carta de motivación	Bewerbungsschreiben (das)	动机信	خطاب طلب العمل
lieu d'exposition (n. sing./masc.)	exhibition centre	lugar de exposición	Ausstellungsraum (der)	展览地点	مكان العرض
limiter (v.)	to limit	limitar	begrenzen	限制	حدد/يحدد
linge (n. sing./fém.)	linen	ropa	Wäsche (die)	织物	بياضات
lit double (n. sing./fém.)	double bed	cama doble	Doppelbett (das)	双人床	سرير مزدوج
livraison (n. sing./fém.)	delivery	entrega	Lieferung (die)	送货	تسليم
local associatif (n. sing./masc.)	association premises	local de una asociación	Vereinsraum (der)/Treffpunkt (der)	本地协会	مقر خاص بالمنظمات
logement individuel (n. sing./masc.)	individual accommodation	alojamiento individual	Einzelunterkunft (die)	个人公寓	سكن فردي
loger (v.)	to accommodate	alojar	wohnen	住宿	أسكن
logo (n. sing./masc.)	logo	logotipo	Logo (das)	标志	شعار
loi (n. sing./fém.)	law	ley	Gesetz (das)	法律	قانون
lumière (n. sing./fém.)	light	luz	Licht (das)	光线	ضوء
lutte (n. sing./fém.)	fight, struggle	lucha	Kampf (der)	斗争	كفاح
lutter contre (v.)	to fight against, to combat	luchar contra	kämpfen gegen	抗争	كافح (ضد)
luxembourgeois (adj. sing./masc.)	Luxembourger	luxemburgués	luxemburgisch	卢森堡的	لوكسمبورجي
magique (adj. sing./masc.)	magic	mágico	zauberhaft	神奇	سحري
maintien de la paix (n. sing./masc.)	peace keeping	mantenimiento de la paz	Erhaltung des Friedens	维护和平	حفظ السلام
mairie (n. sing./masc.)	town hall	consistorio	Rathaus (das)	市政府	بلدية
maison de retraite (n. sing./fém.)	retirement home	residencia de ancianos	Seniorenheim (das)	养老院	مركز تقاعد
maître (du chien) (n. sing./masc.)	handler (of a dog)	dueño (del perro)	Hundehalter (der)	（狗）主人	معلم (الكلب)
maîtrise (n. sing./masc.)	command, knowledge	dominio	Können (das)	自制	تحكم
maîtriser (quelqu'un) (v.)	to control (someone)	dominar (alguien)	(jemanden) beherrschen	控制（某人）	تحكم في (شخص)
majorité de (n. sing./fém.)	majority of	mayoría de	Mehrheit von	大多数	أغلبية من
mal (adv.)	badly	mal	schlecht	坏的	سوء
malheureusement (adv.)	unfortunately	desafortunadamente	leider	不幸地	للأسف
malin (adj. sing./masc.)	shrewd, clever	astuto	schlau	恶性	خبيث
manifestation culturelle (n. sing./fém.)	cultural event	manifestación cultural	Kulturveranstaltung (die)	文化活动	تظاهرة ثقافية
manifestation officielle (n. sing./fém.)	official event	manifestación legal	offizielle Veranstaltung (die)	官方活动	تظاهرة رسمية
marché aux puces (n. sing./masc.)	flea market	mercadillo	Flohmarkt (der)	跳蚤市场	سوق شعبي
marché de la musique (n. sing./masc.)	music market	mercado de la música	Musikmarkt (der)	音乐市场	سوق الموسيقى
marque automobile (n. sing./fém.)	brand of car	marca de coche	Automarke (die)	汽车品牌	علامة سيارات
marquer (v.)	to mark	marcar	notieren	表明	ميّز/يميز

Lexique

MOT	ANGLAIS	ESPAGNOL	ALLEMAND	MANDARIN	ARABE
marquer des points (v.)	to score points	hacer méritos	Punkte machen	得分	سجّل نقاطا
massage (n. sing./masc.)	massage	masaje	Massage (die)	按摩	تدليك
Master (n. sing./masc.)	Masters	máster	Master	硕士	ماستر
matériel médical (n. sing./ masc.)	medical equipment	material médico	Medizingeräte	医疗设备	معدات طبية
mathématiques (n. sing./ fém.)	maths	matemáticas	Mathematik (die)	数学	الرياضيات
matière (n. sing./fém.)	subject	materia	Fach (das)	材料	مادة
mauvaise humeur (n. sing./masc.)	bad mood	mal humor	schlechte Laune	坏脾气	مزاج سيء
maximum (adj. sing./masc.)	maximum	máximo	Maximum	最大值	أقصى حد
mécontentement (adj. sing./masc.)	dissatisfaction	descontento	Unzufriedenheit (die)	不满地	ضجر
médiateur (n. sing./masc.)	mediator	mediador	Mediator (der)	调解人	وسيط
mélanger (v.)	to mix	mezclar	mischen	混合	أخلط/يخلط
mélodie (n. sing./fém.)	melody	melodía	Melodie (die)	旋律	لحن موسيقي
mémoire (n. sing./fém.)	memory	memoria	Gedächtnis (das)	存储卡	ذاكرة
ménage (n. sing./masc.)	household, housework	menaje	Haushalt (der)	家务	تنظيف البيت
mensuel (n. sing./masc.)	monthly	mensual	monatlich	每月	شهري
mentionner (v.)	to mention, to cite	mencionar	erwähnen	提及	أشار إلى
mesure (n. sing./fém.)	measure	medida	Maß (das)	测量	قياس
mesurer le comportement (v.)	to measure behaviour	medir el comportamiento	das Verhalten messen	衡量行为	قياس السلوك
mettre en ligne (v.)	to put on line	poner en línea	online stellen	排列	بث على الخط
mettre en place (v.)	to put in place	establecer	bereitstellen	启动	ضبط
mettre en relation (v.)	to put in touch	poner en contacto	Kontakt herstellen	建立关系	إقامة علاقة بين أشخاص
mettre en scène (v.)	to stage, to produce	escenificar	inszenieren	搬上银幕	إخراج
meurtre (n. sing./masc.)	murder	asesinato	Mord (der)	谋杀	جريمة قتل
milieu (social) (n. sing./ masc.)	(social) environment	medio (social)	(soziales) Milieu	(社会) 环境	وسط (اجتماعي)
milieu urbain (n. sing./ masc.)	urban environment	medio urbano	städtische Umgebung (die)	城市	وسط حضري
mini-cuisine (n. sing./fém.)	kitchenette	cocina mini	Miniküche (die)	小厨房	مطبخ صغير
minorité de (une) (n. sing./ fém.)	(a) minority of	(una) minoría de	(eine) Minderheit von	(一) 小部分	أقلية من
mission d'intérêt général (n. sing./fém.)	general interest mission	misión de interés general	Aufgabe von allgemeinem Interesse	共同利益任务	مهمة ذات منفعة عامة
mobylette (n. sing./fém.)	motorbike, moped	moto	Mofa (das)	轻便摩托车	درّاجة نارية
mode de cuisson (n. sing./ masc.)	cooking method	modo de cocción	Kochmethode (die)	烹调方式	نمط الطهي
mode de fonctionnement (n. sing./masc.)	operating method	modo de empleo	Funktionsweise (die)	运行模式	نمط التشغيل
mode de vie (n. sing./masc.)	way of life	modo de vida	Lebensweise (die)	生活方式	نمط عيش
modèle (n. sing./masc.)	model	modelo	Modell (das)	模型	موديل
moitié de (n. sing./fém.)	half of	mitad de	die Hälfte von	一半	نصف
monde du travail (n. sing./ masc.)	world of work	mundo laboral	Arbeitswelt (die)	劳动	عالم العمل
moniteur (n. sing./masc.)	instructor	monitor	Lehrer (der)/Betreuer (der)	发动机	مرشد
mort (n. sing./fém.)	death (noun), dead (adjective)	muerte/muerto	Tod (der)	死亡	موت
motiver un choix (v.)	to motivate a choice	motivar una decisión	eine Wahl begründen	促进选择	بيان دواعي الاختيار
motoneige (n. sing./fém.)	snowmobile	motonieve	Motorschlitten (der)	雪地车	دراجة ثلجية
motorisé (adj. sing./masc.)	motorised	motorizado	motorisiert	机动	مزود(ة) بمحرك
multilingue (adj. sing./inv.)	multilingual	multilingüe	mehrsprachig	多语言	متعدد اللغات
municipalité (n. sing./fém.)	municipality, district	municipalidad	Stadtverwaltung (die)	市政当局	بلدية

Lexique

MOT	ANGLAIS	ESPAGNOL	ALLEMAND	MANDARIN	ARABE
mystérieux (adj. sing./masc.)	mysterious	misterioso	geheimnisvoll	神秘的	غامض
ne pas être la peine (v.)	to be not worth the bother	no valer la pena	nicht nötig sein	不值得	لم يعد القيام بذلك مجديا
négativement (adv.)	negatively	negativamente	negativ	消极地	سلبياً
négocier (à) (adj. sing./inv.)	(to be) negotiated	negociable	(zu) verhandeln	(待) 协商	للتفاوض
neige (n. sing./fém.)	snow	nieve	Schnee (der)	雪	ثلج
nettoyage (n. sing./fém.)	cleaning	limpieza	Reinigung (die)	清洗	تنظيف
nettoyer (v.)	to clean	limpiar	reinigen	清洁	نظف/ينظف
neuf (adj. sing./masc.)	new	nuevo	neu	新的	جديد
niveau (n. sing./masc.)	level (noun)	nivel	Niveau (das)	级别	مستوى
nomade (adj. sing./masc.)	nomad (noun), nomadic (adjective)	nómada	tragbar	游牧者	رحّالة
nostalgie (n. sing./fém.)	nostalgia	nostalgia	Nostalgie (die)	思乡病	حنين إلى الماضي
nostalgique (adj. sing./masc.)	nostalgic	nostálgico	nostalgisch	思乡	يشعر/تشعر بالحنين
nouvelle (une nouvelle : un texte) (n. sing./masc.)	novella (a short text)	cuento (un cuento: un texto)	Novelle (die) (eine Novelle: ein Text)	消息 (一则新闻: 一篇文本)	أقصوصة (أقصوصة : نص)
nulle part (loc. prép.)	nowhere	en ninguna parte	nirgends	无处	ليس في أي مكان
obéir (v.)	to obey	obedecer	gehorchen	遵守	أطاع/يطيع
objet d'occasion (n. sing./masc.)	second-hand item	artículo de ocasión	Gebrauchtwaren	二手货	أشياء مستعملة
obligatoire (adj. sing./masc.)	mandatory	obligatorio	obligatorisch	强制	إجباري
obtenir un BTS (v.)	to obtain a BTS (equivalent of HND)	obtener un diploma técnico	einen Fachhochschulab-schluss erlangen	获得高级技师证书 (BTS)	نيل شهادة تقني سامي
obtenir un diplôme (v.)	to obtain a qualification	titularse	ein Diplom erhalten	获得文凭	الحصول على دبلوم
obtenir une place (v.)	to obtain a place	obtener una plaza	einen Platz erhalten	占有一席	الحصول على مكان
occupant (n. sing./masc.)	occupant	ocupante	Bewohner(in) (der/die)	住户	متحوّز
occuper un poste (v.)	to fill a position	ocupar un puesto	eine Stelle innehaben	担任职位	شغل منصب عمل
œuvre littéraire (n. sing./fém.)	work of literature	obra literaria	literarisches Werk (das)	文学作品	تحفة أدبية
offre (n. sing./fém.)	offer	oferta	Angebot (das)	供给	عرض
offre d'emploi (n. sing./fém.)	job offer	oferta de empleo	Stellenangebot (das)	招聘	عرض عمل
ONG (n. sing./fém.)	NGO	ONG	NGO	联合国 (ONG)	منظمة غير حكومية
opéra (n. sing./fém.)	opera house	ópera	Oper (die)	歌剧院	أوبرا
originaire (adj. sing./masc.)	native	originario	aus... stammend	原创	أصله من
originalité (n. sing./fém.)	originality	originalidad	Originalität (die)	独创性	أصالة
oser (v.)	to dare	atreverse	wagen	敢于	تجرأ/يتجرأ
paquet cadeau (n. sing./masc.)	gift package	paquete regalo	Geschenkverpackung (die)	礼包	حزمة خاصة بالهدايا
par cœur (loc. adv.)	by heart	de memoria	auswendig	牢记	عن ظهر قلب
parapharmacie (n. sing./fém.)	hygiene products	parafarmacia	Drogerie (die)	药妆店	صيدلية
parcours professionnel (n. sing./fém.)	career path, working life	trayectoria profesional	berufliche Laufbahn (die)	职业生涯	مسار مهني
parcours scolaire (v.)	educational background	trayectoria escolar	schulische Laufbahn	教育经历	مسار دراسي
parfaitement (adv.)	perfectly	perfectamente	perfekt	完美地	تماماً
parfum (n. sing./masc.)	perfume	perfume	Parfum (das)	香氛	عطر
pari (n. sing./fém.)	bet (noun)	apuesta	Wette (die)	打赌	رهان
partager (v.)	to share	compartir	teilen	分享	تقاسم/يتقاسم
partager des valeurs (v.)	to have shared values	compartir valores	Werte teilen	有相同价值观	التشارك في قيم
partager les dépenses (v.)	to share expenses	compartir gastos	die Ausgaben teilen	分担花销	تقاسم المصاريف
partenariat (n. sing./fém.)	partnership	asociación	Partnerschaft (die)	合作伙伴关系	شراكة

Lexique

MOT	ANGLAIS	ESPAGNOL	ALLEMAND	MANDARIN	ARABE
participatif (adj. sing./ masc.)	participatory	participativo	partizipativ	能参加的	تشاركي
participer à des tâches (v.)	to help with tasks	colaborar en tareas	bei Hausarbeiten helfen	参加任务	المشاركة في تنفيذ مهام
particularité (n. sing./fém.)	distinctive feature	particularidad	Besonderheit (die)	特点	خصوصية
particulièrement (adv.)	particularly	particularmente	besonders	特别地	خاصةً
particuliers (n. pl./masc.)	individuals	particulares	Privatpersonen	个人	أشخاص خاصين
partir à l'aventure (v.)	to go off on an adventure	lanzarse a la aventura	ins Blaue fahren	动身探险	المغامرة
partir à la découverte (v.)	to go and discover	salir a descubrir	erkunden	去探险	البحث عن الاكتشاف
partout (loc. prép.)	everywhere	en todas partes	überall	到处	في كل مكان
passage (théorique/ intime) (n. sing./masc.)	passage (theoretical/ personal)	pasaje (teórico/íntimo)	(theoretische/intime) Passage	（理论/私下）路径	مقطع (نظري/ خصوصي)
passager (n. sing./masc.)	passenger	pasajero	Passagier (der)	旅客	راكب
passant (n. sing./masc.)	passer-by	transeúnte	Passant(in) (der/die)	行人	راجل
passer du temps ensemble (v.)	to spend time together	pasar tiempo juntos	gemeinsam Zeit verbringen	共度时光	تمضية وقت معاً
passer l'épreuve de français (v.)	to sit an examination in French	aprobar la prueba de francés	die Französischprüfung bestehen	参加法语考试	اجتياز امتحان الفرنسية
passer un concours (v.)	to sit a competitive examination	aprobar una oposición	eine Auswahlprüfung ablegen	参加竞赛	المشاركة في مسابقة
passer un diplôme (v.)	to obtain a qualification	conseguir un diploma	ein Diplom erhalten	获得文凭	التقدم لنيل دبلوم
passer une nuit (v.)	to spend a night	pasar una noche	eine Nacht verbringen	过夜	تمضية ليلة
passeur (n. sing./masc.)	smuggler	barquero/traficante	Schleuser (der)	传球者	المُعدّي
patiente (adj. sing./inv.)	patient	paciente	geduldig	患者	مريضة
patienter (v.)	to wait	esperar	warten	耐心等	صبر/يصبر
patron (n. sing./masc.)	boss	jefe	Chef (der)	老板	صاحب العمل
pénible (adj. sing./masc.)	difficult, annoying, troublesome	penoso	anstrengend	繁重	شاق
perfectionnement (n. sing./ masc.)	improvement	perfeccionamiento	Verbesserung (die)/Weiter-bildung (die)	改善	تحسين
période d'essai (n. sing./ fém.)	trial period	período de prueba	Probezeit (die)	实习期	فترة اختبار
persan (n. sing./masc.)	Persian	persa	persisch	波斯的	فارسي
personnage (n. sing./ masc.)	character	personaje	Figur/Rolle (die)	人物	شخصية (سينمائية مثلا)
personnalisé (adj. sing./ masc.)	personalised, customised	personalizado	personalisiert	个性化的	مخصص حسب الطلب
personne âgée (n. sing./ fém.)	elderly person	persona mayor	Senior(in) (der/die)	老年人	شخص متقدم في العمر
personne en difficulté (n. sing./fém.)	person in need	persona en dificultades	Bedürftiger/Notleidender (der)	深陷困境的人	شخص يواجه صعوبة
peser (v.)	to weigh	pesar	wiegen	衡量	وزن/يزن
pessimiste (adj. sing./ masc.)	pessimist	pesimista	Pessimist(in) (der/die)	悲观者	متشائم
peuplé (n. sing./masc.)	populated	poblado	bevölkert	大众化	مليء بالسكان
pièce (de théâtre) (n. sing./ fém.)	play (theatre)	obra (de teatro)	(Theaterstück) Stück	（剧院）剧本	مسرحية
pied-à-terre (n. sing./fém.)	pied-à-terre	segunda residencia	Zweitwohnung (die)	落脚处	مسكن إقامة قصيرة
pigeonnier (n. sing./masc.)	dovecote, attic	palomar	Taubenschlag (der)	鸽舍	مأوى الحمام
pilotage (n. sing./masc.)	steering, piloting	pilotaje	Leitung (die) / Steuerung (die)	驾驶	التوجيه
pincée (de) (n. sing./fém.)	pinch (of)	una pizca (de)	Prise (die)	一撮……	كمية صغيرة (من)
piscine (n. sing./fém.)	swimming pool	piscina	Schwimmbad (das)/ Pool (der)	泳池	مسبح
placer dans un plat (v.)	to place on a dish	emplatar	in eine Schüssel geben	置于盘中	وضعه في طبق
plainte (n. sing./fém.)	complaint	queja	Beschwerde (die)	抱怨	شكوى
plan d'accès (n. sing./ masc.)	map	plano de acceso	Anfahrtsskizze (die)	地图	مخطط المداخل
plancha (n. sing./fém.)	Plancha grill	plancha	Plancha	铁板	بلانتشا

Lexique

MOT	ANGLAIS	ESPAGNOL	ALLEMAND	MANDARIN	ARABE
planète (n. sing./fém.)	planet	planeta	Planet (der)	全球	كوكب
plateforme (n. sing./fém.)	platform	plataforma	Plattform (die)	平台	منصة
plein jour (loc. adv.)	broad daylight	pleno día	am hellichten Tag	白天	وضح النهار
plonger (v.)	to plunge, to immerse, to dip	sumergir	eintauchen	浸入	غمر
PME (n. sing./fém.)	SME	pyme	Klein- und Mittelunterneh-men	中小企业 (PME)	شركات صغيرة ومتوسطة
poêle (n. sing./fém.)	frying pan	sartén	Pfanne (die)	锅	مقلاة
poème (n. sing./masc.)	poem	poema	Gedicht (das)	诗作	قصيدة شعرية
poétique (n. sing./fém.)	poetic	poética	poetisch	诗意	شعري
poids (n. sing./masc.)	weight	peso	Gewicht (das)	重量	شعري
poivre (n. sing./fém.)	pepper	pimienta	Pfeffer (der)	胡椒	وزن
poivrer (v.)	to pepper	sazonar con pimienta	pfeffern	加胡椒	إضافة الفلفل
poivron (n. sing./masc.)	pepper	pimiento	Paprika (die)	菜椒	فلفل
policier (n. sing./masc.)	police officer	policía	Polizist (der)	警察	شرطي
polyglotte (adj. sing./masc.)	polyglot (noun), multilingual (adjective)	políglota	mehrsprachig	多语者	متعدد اللغات
ponctualité (n. sing./fém.)	punctuality	puntualidad	Pünktlichkeit (die)	严谨守时	الدقة في المواعيد
poser sa candidature (v.)	to apply	presentar su candidatura	sich bewerben	提交申请	تقديم ترشّح
positivement (adv.)	positively	positivamente	positiv	积极地	إيجابياً
poste (n. sing./masc.)	position	puesto	Stelle (die)	职位	منصب
poster votre annonce (v.)	to post an advertisement	publicar su anuncio	Ihre Annonce posten	发布广告	إرسال إعلان
[illegible]rcentage (n. sing./ [illegible]asc.)	percentage	porcentaje	Prozentsatz (der)	百分比	نسبة مئوية
poursuivre (v.)	to follow, to continue, to pursue	realizar	fortfahren	追逐	واصل/يواصل
pratique culturelle (n. sing./fém.)	cultural practice	práctica cultural	kulturelle Praxis (die)	文化习俗	ممارسة ثقافية
précaution (à prendre) (n. sing./fém.)	precaution (to take)	precaución (que tomar)	Vorsichtsmaßnahme (die)	（做）预防	احتياط (للأخذ)
précieux (adj. sing./masc.)	precious	valioso	wertvoll	珍贵的	ثمين
préciser (v.)	to explain, to specify	precisar	präzisieren/genauer angeben	详细说明	أوضح/يوضح
première impression (n. sing./fém.)	first impression	primera impresión	erster Eindruck	第一印象	أول انطباع
premièrement (loc. adv.)	firstly	en primer lugar	erstens	首先	أولاً
prendre en charge (v.)	to take charge of, to take responsibility for	ocuparse de	betreuen/unterstützen	担当责任	التكفل ب
prendre la décision (v.)	to make the decision	tomar la decisión	die Entscheidung treffen	作出决定	اتخاذ قرار
prendre la fuite (v.)	to take flight	darse a la fuga	fliehen	逃跑	الهروب
prendre la parole (v.)	to speak	tomar la palabra	das Wort ergreifen	讲话	أخذ الكلمة
prendre les choses en main (v.)	to take matters in hand	hacerse cargo	die Dinge selbst in die Hand nehmen	接管	الإمساك بزمام الأمور
prendre soin de soi (v.)	to take care of oneself	cuidarse	sich pflegen	照顾自己	أن يعتني الشخص بنفسه
prendre son temps (v.)	to take one's time	tomarse su tiempo	sich Zeit nehmen	慢慢来	أخذ ما فيه كفاية من الوقت
prendre un ticket (v.)	to take a ticket	coger un ticket	ein Ticket kaufen	买票	أخذ تذكرة
prendre un verre (v.)	to have a drink	tomar una copa	etwas trinken	喝一杯	تناول مشروبات
préoccupation (n. sing./fém.)	concern, preoccupation	preocupación	Sorge (die)	担心	انشغال
préparatif (n. sing./masc.)	preparation	preparativo	Vorbereitungen	准备	تحضيرات
préparer une surprise (v.)	to arrange a surprise	preparar una sorpresa	eine Überraschung vorbereiten	打造惊喜	تحضير مفاجأة
préparer une tournée (v.)	to prepare a tour	preparar una gira	eine Tournee vorbereiten	准备巡演	تحضير دورة فنية
prévoir (v.)	to predict, to plan, to provide for	prever	vorsehen/beabsichtigen	预见	توقع/يتوقع

Lexique

MOT	ANGLAIS	ESPAGNOL	ALLEMAND	MANDARIN	ARABE
priorité (n. sing./masc.)	priority	prioridad	Vorrang (der)	优先事项	أولوية
prise de conscience (n. sing./fém.)	realisation, awareness	concienciación	Bewusstsein (das)	意识到	إدراك
prix littéraire (n. sing./masc.)	literary prize	premio literario	Literaturpreis (der)	文学奖	جائزة أدبية
procédure (d'inscription) (n. sing./masc.)	(enrolment) procedure	procedimiento (de inscripción)	(Anmelde)Verfahren (das)	（注册）流程	إجراء (تسجيل)
proche (un) (n. sing./masc.)	close relation, close friend	allegado	Nahestehender (der)	临近（一位）	قريب (عائلة)
procureur (n. sing./masc.)	prosecutor	fiscal	Staatsanwalt (der)	检察官	وكيل نيابة
production orale (n. sing./fém.)	oral production	producción oral	Sprechen (das)	口语表达	إنتاج شفهي
produit alimentaire (n. sing./masc.)	foodstuff	producto alimenticio	Lebensmittel (das)	食品	منتج غذائي
produit culturel (n. sing./fém.)	cultural product	producto cultural	Kulturprodukt (das)	文化产品	منتج ثقافي
produit d'hygiène (n. sing./masc.)	hygiene product	producto de higiene personal	Hygieneprodukt (das)	卫生用品	منتجات النظافة الشخصية
produits du terroir (n. pl./masc.)	regional produce	productos de la tierra	regionale Spezialitäten	特产	منتجات عتيقة
produits locaux (n. pl./masc.)	local produce	productos locales	lokale Produkte	当地特产	منتجات محلية
profiter de (la vie) (v.)	to make the most of (life)	disfrutar de (la vida)	(das Leben) genießen	享受（生活）	انتفع/ينتفع
profondément (adv.)	deeply	profundamente	tief/gründlich	深刻地	بشكل عميق
programme d'échanges (n. sing./masc.)	exchange programme	programa de intercambio	Austauschprogramm (das)	交换项目	امج تبادلات
programme d'été (n. sing./masc.)	summer programme	programa de verano	Sommerprogramm (das)	暑期课程	برنامج صيفي
progrès (n. sing./masc.)	progress	progreso	Fortschritt (der)	进步	تقدم
progressivement (adv.)	gradually	progresivamente	nach und nach/schrittweise	逐渐地	تدريجيا
projeter (v.)	to project, to plan	proyectar	in die Zukunft projizieren/planen	计划	اعتزم/يعتزم
promotion (n. sing./fém.)	promotion	promoción	Beförderung (die)	促销	ترقية
promouvoir (v.)	to promote	promover	fördern	推销	رقّى/يرقّي
proposer ses services (v.)	to offer one's services	ofrecer sus servicios	seine Dienstleistungen anbieten	提供服务	اقتراح خدمات
proposer une candidature (v.)	to apply, to submit an application	ofrecer una candidatura	eine Bewerbung vorlegen	推荐候选人	تقديم ترشح
propriétaire (n. sing./masc.)	owner, proprietor	propietario	Eigentümer (der)	所有者	مالك
protection (n. sing./fém.)	protection	protección	Schutz (der)	保护	حماية
protéger (v.)	to protect	proteger	schützen	保护	حمى/يحمي
province (n. sing./fém.)	province	provincia	Provinz (die)	省	مقاطعة
public universitaire (n. sing./masc.)	academic audience	público universitario	universitäres Publikum	公立大学	جمهور جامعي
publication (n. sing./fém.)	publication	publicación	Veröffentlichung (die)	发行	نشر
publicité mensongère (n. sing./fém.)	misleading advertising	publicidad engañosa	irreführende Werbung (die)	虚假广告	إعلان تجاري كاذب
publier une annonce (v.)	to publish an advertisement	publicar un anuncio	eine Annonce veröffentlichen	公布一个广告	نشر إعلان
qualité requise (n. sing./fém.)	required quality	cualidad requerida	erforderliche Eigenschaft/Kompetenz	职位要求	المواصفات المطلوبة
racheter (v.)	to buy, to buy back	comprar	aufkaufen	赎回	أعاد شراء
racisme (n. sing./masc.)	racism	racismo	Rassismus (der)	种族主义	عنصرية
raconter un souvenir (v.)	to relate a memory	contar un recuerdo	eine Erinnerung erzählen	讲述回忆	الحديث عن ذكرى
radin (adj. sing./masc.)	stingy	tacaño	knauserig	吝啬	بخيل
rafraîchissant (adj. sing./masc.)	refreshing	refrescante	erfrischend	神清气爽	منعش
raid (n. sing./masc.)	trek, long-distance hike	raid	Rallye (die)	长途	هجوم

Lexique

MOT	ANGLAIS	ESPAGNOL	ALLEMAND	MANDARIN	ARABE
râler (v.)	to complain, to grumble	quejarse	meckern/nörgeln	发牢骚	احتج/يحتج
râleur (adj. sing./masc.)	moaner (noun), always complaining (adjective)	quejica	Nörgler (der)	爱发牢骚的人	محتج
rame (de métro) (n. sing./masc.)	train (underground)	metro	U-Bahn-Zug (der)	（地铁）列车	عربة (مترو)
ranger (v.)	to put away, to tidy	colocar	aufräumen	整理	وضّب/يوضب
ranger ses affaires (v.)	to tidy one's belongings	ordenar sus cosas	seine Sachen aufräumen	整理物品	توضيب الأغراض الشخصية
rapidement (adv.)	quickly	rápidamente	schnell	快速地	بسرعة
rappeler (v.)	to remind, to ring back	recordar	erinnern	想起	ذكّر/يذكّر
rappeur (n. sing./masc.)	rapper	rapero	Rapper (der)	说唱歌手	مغني الراب
rapporter (v.)	to bring back, to report	exponer	berichten	汇报	قدم تقريرا
rapporter vos détritus (v.)	to take your rubbish home	traerse la basura	Ihren Abfall mitnehmen	带走垃圾	اجمع القمامة واجلبها
rapprocher (les générations) (v.)	to bring together (generations)	acercar (generaciones)	(die Generationen) einander näherbringen	使（代际关系）接近	التقريب بين الأجيال
rare (adj. sing./masc.)	rare	escaso	selten	罕有	نادر
rassurer (v.)	to reassure	tranquilizar	beruhigen	确保	طمأن/يطمئن
ratatouille (n. sing./masc.)	ratatouille	pisto	Ratatouille (die)	杂烩	طبق راتاتوي
rater (v.)	to fail, to miss	fallar/perder	verfehlen/nicht schaffen	错过	فوّت/يفوّت
rayon (n. sing./fém.)	shelf, department	estantería	Abteilung (die)	柜台	جناح
réactif (adj. sing./masc.)	responsive	reactivo	reaktiv	反应	سريع التفاعل
réagir (v.)	to react	reaccionar	reagieren	起作用	قام برد فعل
réalisation (v.)	production	dirección	Regie (die)	实现	إنشاء
réalité (n. sing./fém.)	reality	realidad	Realität (die)	现实	واقع
réaménagé (adj. sing./masc.)	refurbished	rehabilitado	umgestaltet	已调整	إعادة التهيئة
réchauffer (v.)	to heat	recalentar	aufwärmen	回暖	إعادة التسخين
recherche de partenariat (n. sing./fém.)	research partnership	búsqueda de socios	Suche nach einer Partnerschaft	寻求伙伴	البحث عن شراكة
récif corallien (n. sing./masc.)	coral reef	arrecife de coral	Korallenriff (das)	珊瑚礁	شعب مرجانية
récit (n. sing./masc.)	story	relato	Bericht (der)	叙述	حكاية
recommandation (n. sing./fém.)	recommendation	recomendación	Empfehlung (die)	推荐	توصية
recommander (v.)	to recommend	recomendar	empfehlen	推荐	أوصى/يوصي
récompensé (adj. sing./masc.)	rewarded	premiado	ausgezeichnet	奖赏	تمّت مكافأته
reconnaissance (n. sing./masc.)	recognition, gratitude	reconocimiento	Anerkennung (die)	认识	اعتراف
reconnaître (v.)	to recognise, to acknowledge	reconocer	erkennen/anerkennen	承认	اعترف/يعترف
recruter (v.)	to recruit, to hire	contratar	rekrutieren	聘用	وظّف/يوظّف
recruteur (n. sing./masc.)	recruiter (noun), recruiting (adjective)	seleccionador	Personalberater(in) (der/die)	招聘者	مختص في التوظيف
recueil de témoignages (v.)	collection of testimonies	recabar testimonios	Sammlung von Erfahrungsberichten	收集证据	جمع الشهادات من الأشخاص
recueillir (v.)	to collect, to gather	recabar	sammeln	汇集	جمع/يجمع
rédacteur en chef (n. sing./masc.)	editor in chief	jefe de redacción	Chefredakteur (der)	主编	رئيس التحرير
réduire (v.)	to reduce	reducir	reduzieren	减少	قلص/يقلص
réflexe (n. sing./masc.)	reflex	reflejo	Reflex (der)	反射	رد فعل
regagner (son domicile) (v.)	to return (home)	volver (a su domicilio)	wieder nach Hause gehen	回（家）	العودة إلى (المنزل)
regretter (v.)	to regret, to miss	arrepentirse	bedauern	后悔	ندم/يندم
régulièrement (adv.)	regularly	regularmente	regelmäßig	规律地	بانتظام
relation publique (n. sing./fém.)	public relations	relación pública	Öffentlichkeitsarbeit	公共关系	علاقة عامة

MOT	ANGLAIS	ESPAGNOL	ALLEMAND	MANDARIN	ARABE
religion (n. sing./fém.)	religion	religión	Religion (die)	宗教	ديانة
remettre sur le feu (v.)	to return to the heat	volver a poner al fuego	wieder auf den Herd stellen	重新置于火上	وضع الطعام مجددا على النار
remplir (v.)	to fill	rellenar	füllen	填充	ملء/يملء
remporter un prix (v.)	to win a prize	ganar un premio	einen Preis gewinnen	获奖	الفوز بجائزة
remuer (v.)	to stir	remover	umrühren	搅动	حرّك/يحرك
rémunération (n. sing./fém.)	remuneration	remuneración	Vergütung (die)	报酬	أجرة
rencontrer un succès (v.)	to find success, to be successful	tener éxito	Erfolg haben	取得成功	تحقيق النجاح
rendre visite à (v.)	to visit	visitar a	besuchen	拜访	القيام بزيارة
renouveau (n. sing./fém.)	return to form, comeback	renovación	Erneuerung (die)	更新	تجدّد
renverser (v.)	to knock over, to spill	derramar	umleeren	颠覆	قلب/يقلب
réparateur (adj. sing./masc.)	repairer (noun), repairing (adjective)	reparador	Reparaturwerkstatt (die)	修理工	مصلّح
réparation (n. sing./fém.)	repair, reparation, compensation	reparación	Reparatur (die)	修理	تصليح
réparer (v.)	to repair	reparar	reparieren	修理	صلّح/يصلح
reprendre les études (v.)	to resume one's studies	retomar los estudios	das Studium wieder aufnehmen	重新开始学习	استئناف الدراسة
reprocher (v.)	to reproach	reprochar	vorwerfen	指责	لام/يلوم
résident (n. sing./masc.)	resident	residente	Bewohner(in) (der/die)/ Gebietsansässige(r) (die/der)	居民	مقيم
résoudre un problème (v.)	to solve a problem	resolver un problema	ein Problem lösen	解决问题	حل مشكلة
respecter les besoins (v.)	to respect the needs	respetar las necesidades	die Bedürfnisse achten	尊重需求	احترام الاحتياجات
respecter les délais (v.)	to meet deadlines	respetar los plazos	die Fristen einhalten	遵守期限	احترم الآجال
respecter les règles (v.)	to comply with the rules	respetar las normas	die Regeln einhalten	遵守规范	احترم القواعد
respectueux (adj. sing./masc.)	respectful	respetuoso	respektvoll	尊重的	مُحترِم
responsabilité (n. sing./fém.)	responsibility	responsabilidad	Verantwortung (die)	责任	مسئولية
responsable export (n. sing./masc.)	export manager	responsable de exportaciones	Exportleiter(in) (der/die)	出口负责人	مسئول التصدير
ressentir (v.)	to feel	sentir	(ver)spüren	感受	شعَرَ ب
restauration (n. sing./fém.)	food service industry	restauración	Gastronomie (die)/ Gastgewerbe (das)	饭店行业	مجال المطاعم
rester en groupe (v.)	to remain with the group	permanecer en grupo	in der Gruppe bleiben	跟随团体	ابق مع المجموعة
rester silencieux (v.)	to remain quiet	mantenerse en silencio	leise sein	保持安静	ابق صامتاً
retenir l'attention (v.)	to attract the attention	mantener la atención	Aufmerksamkeit erhalten	保持注意	جذب الانتباه
retranscrire (v.)	to transcribe, to adapt	retranscribir	niederschreiben	再誊	أعاد كتابة
rétrospective (n. sing./fém.)	retrospective	retrospectiva	Retrospektive (die)	回顾展	استذكاري
réussir dans la vie (v.)	to succeed in life	tener éxito en la vida	erfolgreich sein im Leben	如愿以偿	النجاح في الحياة
réussite (n. sing./masc.)	success	éxito	Erfolg (der)	成功	نجاح
révéler ses secrets (v.)	to disclose one's secrets	revelar sus secretos	seine Geheimnisse verraten	揭露秘密	الكشف عن الأسرار
revendre (v.)	to resell	revender	weiterverkaufen	转卖	أعاد بيع
revenir à la vie (v.)	to come back to life	volver a la vida	ins Leben zurückkehren	恢复生机	العودة إلى الحياة
revoir (v.)	to see again, to review	revisar	wiedersehen	复习	قابل مجددا
revue (n. sing./fém.)	review, journal, magazine	revista	Zeitschrift (die)	审校	مجلة
rigoureux (adj. sing./masc.)	rigorous	riguroso	gründlich/diszipliniert	严谨	صارم
rincer (v.)	to rinse	aclarar	abspülen	冲洗	شطف/يشطف
rire (v.)	to laugh	reír	lachen	笑	ضحك/يضحك
road-trips (n. pl./masc.)	road-trips	road-trips	Road-trips	公路旅行	التجوال برا
robot (à tout faire) (n. sing./masc.)	robot (handyman)	robot (multiusos)	Küchenmaschine (die)	（全能）机器人	روبوت (متعدد المهام)
rôle (n. sing./masc.)	role	papel	Rolle (die)	角色	دور

Lexique

MOT	ANGLAIS	ESPAGNOL	ALLEMAND	MANDARIN	ARABE
romantisme (n. sing./masc.)	romanticism	romanticismo	Romantik (die)	浪漫主义	رومانسية
s'(en) créer (v.)	to create for oneself	crearse	sich (welche) schaffen	形成	أنشئ/ينشئ
s'approcher (v.)	to approach	aproximarse	sich nähern	靠近	اقترب
s'asseoir (v.)	to sit down	sentarse	sich setzen	坐下	جلس/يجلس
s'attendre (v.)	to expect	esperarse	erwarten	预计	انتظر/ينتظر
s'en aller (v.)	to go away	irse	gehen/weggehen	离开	ذَهَبَ
s'ennuyer (v.)	to be bored, to get bored	aburrirse	sich langweilen	无聊	الشعور بالملل
s'intégrer (v.)	to fit in	integrarse	sich einfügen	融入	اندمج/يندمج
s'adapter (v.)	to become used to	adaptarse	sich anpassen	习惯	التكيف مع
s'améliorer (v.)	to improve oneself	mejorar	sich verbessern	改善	تحسّنَ
s'arranger (v.)	to improve, to ensure, to reach an agreement	solucionarse	sich einigen	处理	تدبر الأمر مع
s'échapper (v.)	to escape	escaparse	entkommen	逃走	هرب/يهرب
s'engager (v.)	to undertake, to commit	implicarse	sich engagieren	致力	التزم/يلتزم
s'évader (v.)	to escape	evadirse	verreisen/eine Auszeit nehmen/den Alltag vergessen	摆脱	غيّر الجو
s'exporter (v.)	to be exported	exportarse	sich exportieren	导出	صدر/يصدر
s'inspirer (de) (v.)	to be inspired (by)	inspirarse (en)	sich inspirieren an	(从……) 受到启发	استلهم (من)
s'installer (v.)	to settle, to move in	instalarse	sich einrichten, niederlassen	定居	استقر/يستقر
s'installer au comptoir (v.)	to sit at the bar	sentarse en la barra	sich an der Theke niederlassen	坐在柜台边	الجلوس في البار
s'investir (v.)	to spend a lot of time, to make a lot of effort	dedicarse	sich einbringen	自我投资	استثمر/يستثمر
s'organiser (v.)	to get organised	organizarse	sich organisieren	自我管理	نظم نفسه
sac de luxe (n. sing./masc.)	luxury bag	bolso de lujo	Luxus-Handtasche (die)	奢侈品包	حقيبة فخمة
sain et sauf (loc. adv.)	safe and sound	sano y salvo	wohlbehalten	安然无恙	سالم معافى
saisir une occasion (v.)	to seize an opportunity	aprovechar una ocasión	eine Gelegenheit ergreifen	抓住机会	اغتنام فرصة
saladier (n. sing./fém.)	salad bowl	ensaladera	Salatschüssel (die)	沙拉盆	سلطانية
salaire (n. sing./masc.)	salary	salario	Lohn (der)	工资	راتب
saler (v.)	to salt	salar	salzen	撒盐	أضاف الملح
salle d'eau (n. sing./masc.)	shower room	cuarto de baño	Bad (das)	浴室	حمّام
salle de spectacles (n. sing./fém.)	auditorium, theatre	sala de espectáculos	Veranstaltungsraum (der)	剧院	قاعة عروض
salon de coiffure (n. sing./masc.)	hairdressing salon	salón de peluquería	Frisörsalon (der)	发廊	صالون حلاقة
sanitaires (n. pl./masc.)	toilet block	sanitarios	Toiletten (die)/Waschraum (der)	健康	مراحيض
satisfait (adj. sing./masc.)	satisfied	satisfecho	zufrieden	满意	راضٍ
sauce barbecue (n. sing./fém.)	barbecue sauce	salsa barbacoa	Grillsoße (die)	烧烤酱	صلصة البربكيو
sauvage (adj. sing./inv.)	wild, primitive, unsociable	salvaje	wild	野生的	متوحش
sauver (v.)	to save	salvar	retten/bergen	拯救	أنقذ/ينقذ
savon (n. sing./masc.)	soap	jabón	Seife (die)	肥皂	صابون
scénario (n. sing./masc.)	scenario	guion	Drehbuch (das)	剧情	سيناريو
scénariste (n. sing./masc.)	scriptwriter	guionista	Drehbuchautor(in) (der/die)	电影编剧	كاتب(ة) سيناريو
scène (de concert) (n. sing./masc.)	stage (concert)	escenario (de concierto)	(Konzert)Bühne (die)	(音乐会) 场景	ركح (حفل موسيقي)
scène comique (n. sing./fém.)	comic scene	escena cómica	komische Szene (die)	喜剧小品	مشهد كوميدي
sciences de l'éducation (n. pl./fém.)	educational sciences	ciencias de la educación	Erziehungswissenschaften (die)	教育学	علوم التربية
se baisser (v.)	to bend down	bajarse	sich bücken	俯身	انحنى/ينحني
se cacher (v.)	to hide	esconderse	sich verstecken	隐藏	اختفى

Lexique

MOT	ANGLAIS	ESPAGNOL	ALLEMAND	MANDARIN	ARABE
se connaître (v.)	to know one another	conocerse	sich kennen, kennenlernen	意识到	تعرّف على
se cultiver (v.)	to educate oneself	cultivarse	sich bilden	培养	ثقف نفسه
se débrouiller (v.)	to manage, to get by	apañárselas	sich zu helfen wissen/ zurechtkommen	设法应付	تدبّر أمره
se déchirer (v.)	to tear	desgarrarse	reißen/zerreißen	擦破	تمزّق
se décider (v.)	to decide	decidirse	sich entscheiden	下决定	أخذ قرارا
se déclarer (v.)	to declare oneself, to break out (fever, fire)	declararse	sich erklären	发表意见	صرّح عن نفسه
se déplacer (v.)	to travel	desplazarse	(ver)reisen	出行	تنقل/يتنقل
se dérouler (v.)	to unfold, to take place	desarrollarse	stattfinden	进行	جرى/يجري
se divertir (v.)	to enjoy oneself	divertirse	sich amüsieren	娱乐	سلّى نفسه
se faire livrer (v.)	to have delivered	pedir	liefern lassen	使交付	تسلّم/يتسلّم
se faire remarquer (v.)	to stand out, to get oneself noticed	hacerse notar	auffallen	自我表现	أن يميزك الآخرون
se familiariser (v.)	to become accustomed	familiarizarse	sich vertraut machen mit	熟悉	التعود على
se jurer de (faire quelque chose) (v.)	to pledge (to do something)	jurarse (hacer algo)	sich vornehmen (etwas zu tun)	立誓（做某事）	تعهد (أن يقوم بشيء ما)
se lancer (v.)	to enter	lanzarse	loslegen	投放	الانطلاق
se lancer un défi (v.)	to set oneself a challenge	proponerse un reto	herausfordern	挑战	أطلق تحدياً ذاتيا
se mettre au service des autres (v.)	to serve others	ponerse al servicio de los demás	sich in den Dienst der anderen stellen	为他人效劳	أن يضع الشخص نفسه في خدمة الآخرين
se mettre en cuisine (v.)	to start cooking	ponerse a cocinar	anfangen zu kochen	放到厨房	القيام بالطبخ
se passer de (v.)	to do without	prescindir de	verzichten auf	免除	استغنى عن
se perdre en forêt (v.)	to get lost in a forest	perderse en el bosque	sich im Wald verlaufen	在森林中迷路	أضاع الطريق في الغابة
se plaindre (v.)	to complain	quejarse	sich beschweren	埋怨	اشتكى/يشتكي
se porter volontaire (v.)	to volunteer	ofrecerse voluntario	sich als Freiwilliger melden	自愿担当	تطوّع/يتطوع
se présenter à un concours (v.)	to enter a competition	presentarse a un concurso	an einen Wettbewerb teilnehmen	参加竞赛	المشاركة في مسابقة
se présenter à un examen (v.)	to sit an examination	presentarse a un examen	an einer Prüfung teilnehmen	参加考试	المشاركة في امتحان
se produire (v.)	to occur	producirse	sich ereignen	露面	حدث/يحدث
se promener (v.)	to go for a walk	pasearse	spazieren gehen	散步	التنزه
se réfugier (v.)	to flee	refugiarse	sich flüchten	避难	لجأ/يلجأ
se régaler (v.)	to enjoy, to relish	deleitarse	mit Genuss essen/ schlemmen	享用美味	الاستمتاع
se rendre (v.)	to go, to surrender	visitar	sich begeben	听从	ذهب إلى
se rendre compte (v.)	to realise	darse cuenta	sich etwas klarmachen/ etwas erkennen	意识到	أدرك/يدرك
se rendre utile pour (v.)	to help with	ofrecerse a	sich nützlich machen für	对……有用	أن يكون الشخص مفيدا
se renseigner (v.)	to find out, to enquire	informarse	sich informieren	查询	طلب معلومات
se réunir (v.)	to gather together	reunirse	sich versammeln	聚集	اجتمع/يجتمع
se spécialiser (v.)	to specialise	especializarse	sich spezialisieren	专攻	التخصص
se transformer (v.)	to be transformed	transformarse	sich verwandeln	变化	تحوّل/يتحول
se tromper (v.)	to make a mistake	confundirse	sich irren	弄错	أخطأ/يخطئ
séance de dédicace (n. sing./fém.)	book signing	firma de ejemplares	Autogrammstunde (die)	签售	حصة توقيع للمعجبين
secteur d'activité (n. sing./ masc.)	activity sector	sector de actividad	Tätigkeitsbereich (der)	业务部门	قطاع النشاط
séduire (v.)	to seduce, to charm	seducir	verführen	减少	أغرى/يغري
sel (n. sing./fém.)	salt	sal	Salz (das)	盐	ملح
senior (adj. sing./masc.)	senior	sénior	Senior	高级	كبير
sens (n. sing./masc.)	meaning, direction	sentido	Sinn (der)	感觉	معنى
sensation (n. sing./fém.)	sensation, feeling	sensación	Sinneseindruck (der)/ Nervenkitzel (der)	感受	شعور

Lexique

MOT	ANGLAIS	ESPAGNOL	ALLEMAND	MANDARIN	ARABE
sensible (adj. sing./masc.)	sensitive	sensible	sensibel	敏感	حسّاس
série (v.)	series	serie	Serie (die)	电视剧	سلسلة
service civique (n. sing./masc.)	civic service	servicio cívico	Zivildienst	社会工作	خدمة مدنية
service comptable (n. sing./fém.)	accounts department	contabilidad	Buchhaltung (die)	会计服务	مصلحة المحاسبة
service militaire (n. sing./masc.)	military service	servicio militar	Militärdienst (der)	服兵役	خدمة عسكرية
services publics (n. pl./masc.)	public services	servicios públicos	öffentliche Dienste	公共服务业	مصالح عامة
serviettes (n. pl./fém.)	towels	toallas	Handtücher	餐巾	مناشف
servir (v.)	to serve	servir	servieren	服务	قدم/يقدم
shampoing (n. sing./masc.)	shampoo	champú	Shampoo (das)	洗发露	شامبو
signer une pétition (v.)	to sign a petition	firmar una petición	eine Petition unterzeichnen	签署请愿书	التوقيع على عريضة
simulation (n. sing./fém.)	simulation	simulación	Simulation (die)	模拟	محاكاة
situation financière (n. sing./fém.)	financial situation	situación económica	finanzielle Lage (die)	财务境况	وضع مالي
slameur (n. sing./masc.)	slammer	artista de slam	Slammer (der)	押韵	مؤدي فن الصلام
slogan publicitaire (n. sing./masc.)	advertising slogan	eslogan publicitario	Werbeslogan (der)	广告标语	شعار إعلاني
sociabilité (n. sing./fém.)	sociability	sociabilidad	Geselligkeit (die)	社交性	أن يكون الشخص اجتماعيا
société (n. sing./fém.)	society, company	sociedad	Gesellschaft (die)	公司	مجتمع
société protectrice (n. sing./fém.)	welfare organisation	sociedad protectora	Schutzverein	保护组织	منظمة الرعاية الاجتماعية
soin naturel (n. sing./masc.)	natural care	cuidado natural	Naturpflege (die)	天然护理	مستحضر طبيعي
solidarité (n. sing./fém.)	solidarity	solidaridad	Solidarität (die)	团结一致	تضامن
solution (n. sing./fém.)	solution	solución	Lösung (die)	解决方案	حل
sonner (v.)	to ring	sonar	klingeln	响	رنّ/يرن
souhait (n. sing./masc.)	wish	deseo	Wunsch (der)	愿望	رغبة
soulagé (être) (v.)	(to be) relieved	(sentir) alivio	erleichtert (sein)	（被）安慰	أن يخف العبء عن شخص
soulagement (n. sing./masc.)	relief	alivio	Erleichterung (die)	宽慰	تخفيف العبء
sous-titrer (v.)	to subtitle	subtitular	untertiteln	加副标题	الترجمات المصاحبة (دبلجة)
sous-titres (n. pl./masc.)	subtitles	subtítulos	Untertitel	副标题	الترجمات المصاحبة (دبلجة)
soutenir (v.)	to support	sostener/mantener	unterstützen	支持	دعم/يدعم
souterrain (jardin) (n. sing./masc.)	underground garden	(jardín) subterráneo	unterirdisch	秘密（花园）	(حديقة) تحت الأرض
spatule en bois (n. sing./fém.)	wooden spatula	espátula de madera	Holzspatel (der)	木铲	ملوق خشبي
spécialisé (adj. sing./masc.)	specialised	especializado	spezialisiert	专业	مختص
spécialité culinaire (n. sing./fém.)	culinary speciality	especialidad culinaria	kulinarische Spezialität	特色菜	طبق شهير
spectacle vivant (n. sing./masc.)	live show	espectáculo viviente	Darstellende Kunst (die)	表演艺术	عرض حي
spectateur (n. sing./masc.)	spectator	espectador	Zuschauer(in) (der/die)	观众	مشاهد
splendide (adj. sing./masc.)	splendid	espléndido	prachtvoll	辉煌	بهيّ
sport d'équipe (n. sing./masc.)	team sport	deporte de equipo	Mannschaftssport (der)	团体运动	رياضة جماعية
sport extrême (n. sing./masc.)	extreme sport	deporte extremo	Extremsport (der)	极限运动	رياضة مغامرات

Lexique

MOT	ANGLAIS	ESPAGNOL	ALLEMAND	MANDARIN	ARABE
stage (en entreprise) (n. pl./fém.)	work placement, work experience	prácticas (en empresas)	Praktikum (das) (im Unternehmen)	（企业）实习	دورة تدريبية (في شركة)
stage d'initiation (à la coopération internationale) (n. pl./fém.)	introductory course (in international cooperation)	prácticas de iniciación (a la cooperación internacional)	Einführungskurs (in die internationale Zusammenarbeit)	（国际合作）基础课程	دورة تدريبية لتلقي المبادئ الأساسية (في مجال التعاون الدولي)
station de sports d'hiver (n. sing./fém.)	winter sports resort	estación de deportes de invierno	Wintersportort (der)	冬季运动度假区	محطة رياضات شتوية
statut (n. sing./masc.)	status	estatuto	Status (der)	状态	وضع
streaming (n. sing./masc.)	streaming	streaming	Streaming (das)	流播	تدفق مباشر
stressant (adj. sing/masc.)	stressful	estresante	stressig	紧张的	مُقلق
studio indépendant (n. sing./masc.)	self-contained studio apartment/flat	estudio independiente	separates Einzelzimmer-Apartment (das)	独立单间	شقة مستقلة
stupide (adj. sing./masc.)	stupid	estúpido	dumm	愚蠢	أخرق
style (n. sing./masc.)	style	estilo	Stil (der)	风格	أسلوب
sublime (adj. sing./inv.)	sublime	sublime	überwältigend	崇高	رائع الجمال
success story (n. sing./fém.)	success story	historia de éxito	Erfolgsstory (die)	成功故事	قصة نجاح
suffisant (adj. sing./inv.)	sufficient, adequate	suficiente	ausreichend	足够	كافٍ
suggestion (n. sing./fém.)	suggestion	sugerencia	Empfehlung (die)	建议	اقتراح
suite à (votre annonce) (loc. adv.)	in response to (your advertisement)	en respuesta a (su anuncio)	Mit Bezug auf (Ihre Annonce)	兹复（您的通知）	عقب (الإعلان الذي وضعته)
suivre des études (d'hôtellerie et de restauration)/une formation (v.)	to follow a course (in hotel management and catering)	cursar estudios (de hostelería y restauración)/un curso	studieren/eine Ausbildung machen (im Hotel- und Gaststättengewerbe)	（酒店和餐饮）学习/培训	متابعة دراسات (في مجال الفندقة والإطعام)/دورة تدريبية
suivre l'exemple (v.)	to follow the example	seguir el ejemplo	dem Vorbild folgen	模仿示范	حدا/يحدو
suivre un cursus (v.)	to follow a syllabus	seguir un plan de estudios	ein Studium absolvieren	上课	متابعة مسار دراسي
supérieurs (n. pl./masc.)	supervisors	superiores	Vorgesetzte	高级	مسؤولون أعلى رتبة
supprimer (v.)	to delete, to remove	suprimir	löschen	删除	حذف/يحذف
sur mesure (loc. adj./masc.)	made-to-measure, tailored	a medida	maßgeschneidert/nach Maß	量身打造	على المقاس
surprenant (adj. sing./masc.)	surprising	sorprendente	erstaunlich/überraschend	不可思议	مدهش
surprendre (v.)	to surprise	sorprender	überraschen	使惊讶	فاجئ/يفاجئ
surtitrer (v.)	to surtitle	sobretitular	übertiteln	加引题	دبلجة (أوبرا)
sushi (n. sing./masc.)	sushi	sushi	Sushi	寿司	سوشي
suspect (adj. sing./masc.)	suspect	sospechoso	Verdächtige(r) (der/die)	可疑	مشتبه به
table de chevet (n. sing./fém.)	bedside table	mesilla	Nachttisch (der)	床头柜	طاولة النوم
tablette (n. sing./fém.)	tablet	tableta	Tablet (das)	平板电脑	لوحة رقمية
tajine (n. sing./masc.)	tagine	tayín	Tajine	摩洛哥焖羊肉	طاجين
tarif (n. sing./fém.)	cost, price list	tarifa	Preis (der)	费用	سعر
taxe (n. sing./fém.)	tax	tasa	Steuer (die)/Abgabe (die)	税	ضريبة
télécharger (v.)	to download	descargar	herunterladen	下载	تحميل
télévision (n. sing./fém.)	television	televisión	Fernsehen (das)	电视	تلفزيون
temps plein/partiel (n. sing./masc.)	full/part time	tiempo completo/parcial	Vollzeit/Teilzeit	全职/ 兼职	دوام كامل/دوام جزئي
tenter (v.)	to try, to attempt	intentar	versuchen	尝试	حاول/يحاول
terre d'accueil (v.)	safe haven, place of refuge	lugar de acogida	Gastland (das)	接待处	بلد مضياف
territoires (n. pl./masc.)	territories	territorios	Gebiete	领土	أقاليم
tester (v.)	to test	probar	testen	测试	اختبار
tomber amoureux (v.)	to fall in love	enamorarse	sich verlieben	坠入爱河	وقع في الحب
tomber en panne (v.)	to break down	averiarse	kaputt gehen	出故障	وقع له عطل
tourisme de masse (n. sing./masc.)	mass tourism	turismo de masas	Massentourismus (der)	朝圣	سياحة مكثفة

Lexique

MOT	ANGLAIS	ESPAGNOL	ALLEMAND	MANDARIN	ARABE
tournage (n. sing./masc.)	filming	rodaje	Dreharbeiten (die)	摄制	تصوير (لقطة سينمائية مثلا)
tourner (v.)	to film	rodar	drehen	拍摄	دار/يدور
tout d'abord (loc. adv.)	first of all	antes que nada	zuallererst	首先	أولا وقبل كل شيء
traditions culinaires (n. pl./fém.)	culinary traditions	tradiciones gastronómicas	kulinarische Traditionen	烹饪传统	تقاليد المطبخ
traducteur (n. sing./masc.)	translator	traductor	Übersetzer(in) (der/die)	译者	مترجم(ة)
trajet (n. sing./masc.)	journey	trayecto	Strecke (die)/Weg (der)	路程	مسار
tranche d'âge (n. sing./fém.)	age group, age bracket	franja de edad	Altersgruppe (die)	年龄段	شريحة العمر
transformation (n. sing./fém.)	transformation	transformación	Umbau (der)/Wandel (der)	转变	تحوّل
travailler à son rythme (v.)	to work at one's own pace	trabajar a su propio ritmo	in seinem Rhythmus arbeiten	按自己的节奏工作	العمل بوتيرة معينة
travailler en équipe (v.)	to work in a team	trabajar en equipo	im Team arbeiten	团队协同工作	العمل في فريق
travailler en qualité de (responsable de service) (v.)	to work as (a department manager)	trabaja como (responsable de servicio)	arbeiten als (Abteilungsleiter)	（部门主管）工作品质	العمل كـ (مسئول مصلحة)
travaux (n. pl./fém.)	work	obras	Arbeiten (die)	施工	أعمال (بناء مثلا)
traversée (n. sing./fém.)	crossing	travesía	Überqueren (das)	横穿的	عبور
trilingue (adj. sing./inv.)	trilingual	trilingüe	dreisprachig	三语者	ثلاثي اللغة
tristesse (n. sing./fém.)	sadness	tristeza	Traurigkeit (die)	悲伤	حزن
troupe (n. sing./fém.)	group, company	compañía teatral	Truppe (die)	剧团	فرقة
trousse beauté (n. sing./masc.)	beauty case	neceser	Kosmetikbeutel (der)	美容套装	محفظة مواد التجميل
trouver quelqu'un (v.)	to find someone	encontrar a alguien	jemanden finden	找到某人	إيجاد شخص
truc (n. sing./masc.)	thing	truco/cosa	Ding (das)	东西	شيء
typiquement (adv.)	typically	típicamente	typisch	典型地	نموذجياً
unique (adj. sing./masc.)	unique, single	único	einmalig	独一无二	وحيد
uniquement (adv.)	only	únicamente	nur	仅仅地	فقط
univers naturel (n. sing./fém.)	natural world	naturaleza	natürliche Umgebung (die)	大自然	مكان طبيعي
universel (adj. sing./masc.)	universal	universal	universell	共同	عالمي
usager (un) (n. sing./masc.)	(a) user	usuario	Nutzer (der)	（一位）用户	مستعمل (شخص)
usine (n. sing./fém.)	factory	fábrica	Fabrik (die)	工厂	مصنع
ustensile (n. sing./masc.)	utensil	utensilio	Utensil (das)	餐具	آنية
utilement (adv.)	usefully	útilmente	nützlich	有用地	بصورة نافعة
utiliser le flash (v.)	use flash photography	usar flash	den Blitz benutzen	用闪光	أخذ صورة بالوميض
vaisselle (n. sing./fém.)	dishes, washing up	vajilla	Geschirr (das)	餐具	أواني منزلية
valeur (n. sing./masc.)	value	valor	Wert (der)	价值	قيمة
valoriser (v.)	to promote, to enhance, to highlight	valorar	aufwerten/verwerten	使增值	ثمّن/يثمن
variable (n. sing./fém.)	variable, changeable	variable	variabel; Variable (die)	多变的	متغير(ة)
varier (v.)	to vary	variar	variieren	变化	نوّع/ينوع
véritable (adj. sing./masc.)	true, real	auténtico	echt/wahrhaftig	真实的	حقيقي(ة)
vice-recteur (n. sing./masc.)	vice chancellor	vicerrector	Vizerektor (der)	副校长	نائب العميد
vie de famille (n. sing./fém.)	family life	vida familiar	Familienleben (das)	家庭生活	حياة عائلية
vie privée (n. sing./fém.)	private life	vida privada	Privatleben (das)	私生活	حياة خاصة
ville d'arrivée (n. sing./fém.)	town/city of arrival	ciudad de llegada	Ankunftsstadt (die)	到达城市	مدينة الوصول
ville de départ (n. sing./fém.)	town/city of departure	ciudad de salida	Abreisestadt (die)	出发城市	مدينة المغادرة

Lexique

MOT	ANGLAIS	ESPAGNOL	ALLEMAND	MANDARIN	ARABE
vintage (adj. sing./masc.)	vintage	retro	Vintage	复古	عتيق
violent (n. sing./masc.)	violent	violento	heftig	暴力的	عنيف
visa (n. sing./masc.)	visa	visado	Visum (das)	签字	تأشيرة
visage (n. sing./fém.)	face	cara	Gesicht (das)	面部	وجه
vitrine (n. sing./fém.)	shop window	escaparate	Schaufenster (das)	橱窗	واجهة زجاجية
vivement (adv.)	lively, quickly, strongly	vivamente/animadamente	zutiefst/herzlich	生动地	بشدة
vivre en colocation (n. sing./fém.)	to live in a flat-share, to live in a house-share	vida en piso compartido	in einer Wohngemeinschaft leben	合租生活	تقاسم الشقة مع أشخاص آخرين
vivre ensemble (v.)	to live together	vivir juntos	zusammenleben	共同生活	العيش معاً
vœu (n. sing./masc.)	wish, vow	deseo/voto	Wunsch (der)	祝愿	أمنية
volontaire (n. sing./masc.)	volunteer (noun), voluntary, intentional (adjective)	voluntario	Freiwilliger (der)	自愿	متطوع
wagon (n. sing./masc.)	wagon (freight), carriage (passengers)	vagón	Waggon (der)	车厢	عربة
webzine (n. sing./fém.)	webzine	revista electrónica	Web-Magazin (das)	电子杂志	مجلات الإنترنت
western (n. sing./masc.)	western	western/cine del oeste	Western (der)	西方	غربي
wok (n. sing./masc.)	wok	wok	Wok (der)	炒锅	مقلاة صينية
zoom (n. sing./masc.)	zoom	zoom	Zoom (der)	聚焦	تكبير

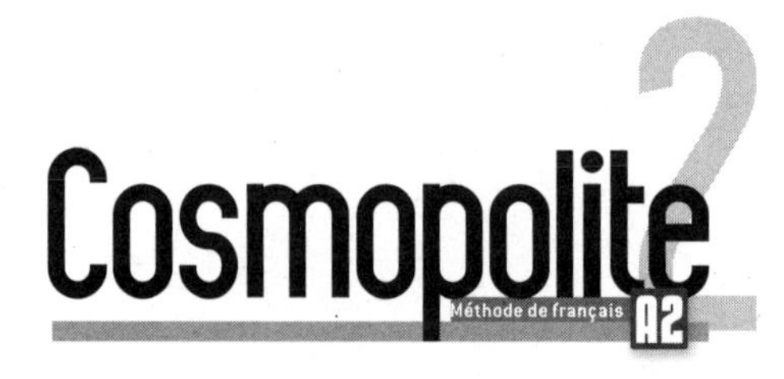
Cosmopolite 2
Méthode de français A2
hachette
FRANÇAIS LANGUE ÉTRANGÈRE